在這個時代裡

梅蘭

魏子雲 著

臺灣學生書局印行

敘

丁文治

魏子雲教授的這部踰百萬言的長篇小說《在這個時代裡》，業已剎清。我是最先拜讀這部文稿的友人。讀完之後，誠有如聆聽「陽關三疊」樂曲，給我留下的是情深思遠，迴旋心頭，久久不能消失。

揆之《在這個時代裡》的編寫手法，類同編年史由上到下，年年月月積漸出來的。全書分作三部分，第一部《土娃》，寫這個人物的童年。他在這個時代裡，經歷了民國成立後的軍閥割據，中國國民革命軍北伐成功，緊跟著便是國共爭國，日本人伺機占領東北，又釁起侵略戰爭，四萬萬五千萬人怒吼起來了。第二部《金土》已是成人後的土娃，他參加了八年抗戰，在戰場上與日軍鏖戰，還受了傷，幾乎殘廢。抗戰勝利復元，他不但見到了日軍蹂躪後的城鄉，更見到了國共爭國時的相互擾攘，民不聊生，造成經濟崩潰。戡亂失敗，國民黨不得不放棄了大好河山，局囿到這海嶼上來。第三部《梅蘭》，寫金土偕妻梅蘭隨軍到達台灣之後，原可過一段安定的家庭生活，偏又牽連上思想問題，坐了五年監牢。出獄後，又奔波了幾年，方始謀得一份私立中學的教職，雖然教到專科學校，得到副教授的資格，若干年後也有了自己的房子，四個子女不但大專畢業，也都有了第三代。但卻因為他太用功，竟致心臟衰竭，伏案而亡，享年僅六十五歲。

魯金土死後，卻遺下了各類文稿二十餘部。魯金土的長才是愛讀書、喜研究，雖在牢獄五載，勞役的也是文字上的工作，擔當印刷廠的校對。在擔任校對的這幾年裡，讀到了知識貧乏，犯了史識錯誤，不堪入目的長篇小說，也校對到大學講義而不合義理，自作發明的註解。

尤其，在金土執教高中的那幾年，遇到新編高中國文課本的編注，錯得離譜，引發了高中國文教師群起，鳴鼓而攻，魯金土也適逢其盛。執教師範專科，竟觸發了他對師範教育的國小學生的文史，應從說故事上入手。這些有關魯金土在這個時代裡的特出描寫，都是《梅蘭》這一部的內容之不同於前兩本的異趣之處。

從寫作的手法來看，三部都是一致的，以第三人稱的說書人筆法，侃侃敘述。故事寫到開放彼岸探親止。最後寫魯金土有一部遺稿《俺那個村莊》，記述他那個村莊的盛景，以及他魯家老林（祖塋）的長青松柏，還有難以忘情的童年，在蔓草網滿的高大老墳上，當滑滑梯滑下的往事。以及祖父母的墳塋所在，在村莊的何一方向？不但寫在書上，還繪在圖中。他竟是那麼想念他的家鄉，不忘他的祖先，不忘根本。

在本書第十章第四節，「爛紙堆中的遺文」中，寫有這麼一段讀書心得：「美國黑人艾力克斯·哈雷（ALEX HALEY）的新著《根》（ROOTS），是一部自傳體式的長篇小說，寫的是一位出生於非洲甘比亞的黑人家史，他名叫康大·金弟，被人掠去賣到美國作奴隸。後來，他結婚成家，雖然是奴隸的身分，卻沒有忘記他原來是非洲黑人中的望族。小時候，就聽過家中的外祖母以及姨婆等老人，講述他們祖先的故事。因為他雖被惡人賣到美國作奴隸，他卻一直保有出身望族的驕傲與自信。偏偏地，他在美國的老婆，是在美國出生的黑人，一出生就習慣了黑人比不上白人，他們是生來就應該作白人奴隸的。但康大·金弟呢？始終知道自己的根，忘不了自己的根，雖然死後，留給後人的印象，也是：『那個非洲人讓我們知道自己是誰？』人要是不知道自己的根，必然不知道自己是誰？人要是不知道自己是誰？自然而然的會『數典忘祖』。」也許，魏教授寫這本書，受到美國黑人作家哈雷這部小說《根》的影響。當然，康大·金弟與蓓兒的故事，與魯金土梅蘭夫婦雷同有幾分？說起來，可倒是互不相干的。

這一節文章又寫著說：「我眞是喜歡這位黑人作家寫的這本小說《根》，他這部為康大·金弟寫的『家史』，給二十世紀的強權國家視為附庸、看作殖民地的弱小國家，其人民能不時時記得祖先們的勳業嗎！若是忘了自己的『根』，勢必會步向滅族的悲哀命運！」

最後，我只借用魏教授的話，說：我眞是喜歡《在這個時代裡》這部「陽關三

梅蘭

疊」式的大著。他這部百萬言長編，雖無什麼英雄勳績以及傳奇故事的動人情節，但所寫魯金土生活《在這個時代裡》，經歷過的許多事端，卻代表了這個時代中的大多數人，他們也是在這個時代裡，艱苦奮鬥地生活過的。說來，《在這個時代裡》的生活史蹟，似乎不應視為是魯金土一家人的生活史，你我都有分兒。

不知別人讀後，有沒有這種感受？

民國八十五年六月於臺北

敘語

這一本·是《在這個時代裡》的第三部分。由《土娃》、《金土》到這本《梅蘭》，若以篇幅說，算得是百萬言「巨著」。至於內容，有沒有出乎林表之枝？有沒有見人所不曾見？言人所不曾言？還有人生觀、歷史觀、藝術觀等等，以及可讀或不可讀？都是作者不應在書前說三話四的。在此，隨俗冠上一篇自敘，我想想我所能表白的，祇能坦誠的說：「我寫這部書，只是有如一個飲食反胃，必須嘔吐。這麼多的文字，也祇是因為貪食而胃腸不能適應，不得不大口大口地嘔吐，吐了一灘又一灘廢棄物而已。」有此心情，也就不必再說什麼啦！

正由於這部「大著（篇幅巨大也）」的出現，只不過是我這位作者的「因貪食而胃腸不能適應，不得不大口大口的嘔吐。」若是嘔吐出的穢物，惹起了有潔癖的人以惡感，他們要是張起大嘴、扯高嗓門，罵我幾句，我也不會還口的。若是涉及了法律，我這作者犯了法，也不會去央及謊神爺來作辯護律師的。到時候，我會實話實說。

說起來，我這作品，終究算得是一部小說吧！

既然是小說，書中寫的人物與事件，自然是作者運用了他生活的歷驗，提鍊出來的一種眞實生活質素，決不是眞人實事。雖然有人說：「歷史除了人名是眞的，其他都是假的。小說則反之。」在我認為：「歷史就是小說，小說也就是歷史。」其區別只在於作者運用的寫作手段不同，但著眼點還是同一目標。若論其大不同之處，可以這樣說：「歷史中的人物與事件，必須能對號入座，小說可不能這樣看。」小說家筆下的人物與事件，若能一一驗證，這小說便不成其為小說了。

歷史家如左丘明、司馬遷，他們述史都是同於小說家的手段，來突顯歷史上的眞人實事。小說家如笑笑生、曹雪芹，他們則是以歷史的史觀，來創造小說中的假人假事，使之從小說中走出步上歷史。往往，歷史中的眞人實事，還要依仗著小說家的虛構之筆，來突顯其歷史上的眞人實事呢！

我又嘔吐了這一大灘穢物，請諒我老衰「失禁」矣！

目錄

參　渦

肆　泫

伍　沄

陸　津

柒　渭

捌　漭

玖　潤

拾　灝

序曲

水之歌

他生來就具有自由的本性，但，卻能川守水道。

萬別責怪他洚然洪然而泛濫逆行，應責怪天公作雨太多，以及地上的川澤又窄淺難容。

任誰也別想圍堵他，鯀，不是因此而身死名隳嗎！

「閉之則成淵」，是他的毅力；「放之則成川」；是他的操守。不過，必須有川可循啊！他何嘗想自成川渠或橫行成災，為害乎人類！

最了解他的人，莫過於大禹王了。孟子曾這樣讚美著說：「禹疏九河、瀹濟漯、而注諸海；決汝漢、排淮泗、而注之江；然後中國可得而食也。」因為，大禹王沒有圍堵他，他以水道導引他；他怎能不應命而勢行呢？！

孔子把他與萬古以來的時間相比擬，說：「逝者如斯夫，不舍晝夜。」孟子讚美他的行為踏實與目標遠大，說：「盈科而後進，放乎四海。」不錯，他最愛向低下的地方流，那是為了要偕眾歸往海洋，絕非他品性上的「下流」。

他的性格似乎太柔，而他內在的剛性，卻能穿石而鏤鋼。他有能力對付火，火沒有能力對付他，他會化成氣體再凝雲而成雨；然後又恢復了他。

大地可不能沒有水；大地如果沒有他，所有的生命都會不存在了。任何污穢也別想污穢了他，它們只能污染了他的外貌，絕不能污染了他純潔的本質。

他從不驕傲，生性平易近人。也別以為他太軟弱可欺了，善於航海的人，也躭心那驚濤駭浪與怒潮，以及隱秘而不易見及的漩渦。但，都不能怪他，那全不是他的性行形成的過錯。這，似乎不必他多說。

別怪他與火對立，實由於他們兩者不能相容的性格太多。

壹　漂

一、花燭夜怎嘗得別離滋味！

那天，是民國卅七年十二月十六日。

梅蘭雖然祇是姊妹二人，所有的行李也不過三件。匆匆上了船，安排到羅夫人隔壁這個房艙，已近十時。

羅處長太太曾見過梅蘭一次，是金土帶到他家，請羅處長在婚書上簽蓋證婚人名章。第一次見面，羅夫人就贊賞梅蘭是一位屬於詩經「關雎」篇說的「窈窕淑女」型，嫁給他們處理的金參謀，也正合上了「關雎」篇的下一句：「君子好逑。」羅太太是武漢大學中文系畢業的，當過中學教師，結婚後，由於丈夫是飛行員，工作地處時常變動，又生了兩個孩子，也祇有放棄了工作，全心放在相夫教子上。

這天，當她帶著兩個孩子上了船，聽行政室李主任說，已爲金參謀商借了一戶房屋，且派車把金太太姊妹二人接到了眷區，以後通知上船也方便。羅太太這時鑑於自己母子三口，占有了兩個艙房，另一房艙是公務兵夫婦倆住進去的。羅太太覺得不太合適，怎能讓公務兵也占有一個艙房，傳說起來，豈不有損他先生的官箴。所以她一聽到金參謀已結婚，且住入了眷區，遂想到了金參謀的新婚太太，若是肯早走，搭這條船比搭乘以後其他的船，要方便得多。以後，還未必能分配到房艙。這房艙正好有兩張床位。

再說，在心理上，卻也基於她見過梅蘭一面，烙印了好印象。就這樣，梅蘭竟然放棄了這洞房花燭之夜，帶著妹妹搭上這條船。

金土等人送梅蘭姊妹上了船，安頓妥當。又見到羅太太，對梅蘭姊妹的關顧，親如家人。惹得幾個同學，艷羨得嗟嗟嘖嘴。連說：「梅蘭真是命好。」先前還有人對梅蘭的這種草草了事的婚禮，感到遺憾呢。如今，反而認爲梅蘭的命好！

船上的艙房，總是太小，六、七個人擁進去，雖可將就著坐在舖沿上，卻連站起一人來倒茶接應的空間都顯得擁擠。車就要開離港口。梅蘭的四位同學，只得戀戀地向梅蘭祝福，下船搭乘原車，送回學校。梅蘭的行李簡單，也沒有什麼須得費事的，解開行李，舖上被褥，也就妥當了。姊妹倆只有一隻箱子，另一隻柳條箱，是金土的書。梅蘭要求帶去的。

船，還在繼續上貨，當然，都是軍用物資。什麼時候開船？沒有固定的時間。載運物資上船的車，來來去去不斷。這幾位同學走後，時間已近午夜。羅太太知道金土還得上班，近來，有關軍用物資遷移台灣的事，供應處的業務比較忙。他們乘坐的這條船，裝妥了物資，說開就開。到時候，下船會來不及。遂關照金參謀下船，就便搭運貨車回去。說：「金太太姊妹倆，由我照顧，你放心。天晚了，你回去吧。我知道這些日子處理事忙。」實則羅太太是要她們早點入睡。一旦開船，暈船的人，要精力支持。

金土下船時，梅蘭依依地送到扶梯口邊，輕悄悄地把口送到金土的耳邊說：「你回去吧！白天還要辦公，這裡有羅太太照顧我們，你可以放心。家事，我會作。」這時，上下船的木梯上，又有貨物抬上來，等這兩三批抬上了船，金土就親切的拍了拍梅蘭的肩頭，說了一句：「委曲了妳！住下後，別忘了給我帶信來。」說著便伸手拉著梅蘭的手，把滿身心的情意，都從手掌心與五個手指節間，脈流似的交融起來，但只相偕著走了幾步，金土便停下腳來，反身把口唇貼到梅蘭的額上，輕輕吻了一下，說：「妳回去吧！海風很峭，走下船，我還得送妳上船。不些日子，我們就相聚了。」

「好！」梅蘭停止了腳步，縮回了手。輕悄悄地說：「你要好好照顧自己。你近來！瘦了！」

這時，金土轉過身來，很想去擁吻她。船舷上有人行走，上船的木梯上，還有人在上船，遂說：「別忘了託人帶信來。」又伸手用手式指示著：「回去！回去！」梅蘭戀戀地遲疑了一霎，方始轉身，她也望見木梯那端，又有兩人上船來了。

金土仍站在原處，只是側側身子，讓出了別人通過的空間，看到梅蘭從木梯上了船，轉過了身來，二人方在昏黃的燈光夜色裡，相互揚手告別。梅蘭一直站在船舷上，一隻手扶著船舷，一隻手揚起，與走下船梯的金土揮別。

金土揚常走去，頭沒有回，怕的是梅蘭站在船舷上回不了艙。他一直走了一百多碼，方始轉過身來，面向船舷上看。黯夜的霧在蒸騰，迷迷茫茫地，已看不清船舷上的人了。金土這纔回頭向船邊走，一直走，一直張望，生怕看到梅蘭的身影，還依靠在船舷上，卻又希望梅蘭還站在那裡瞭望著他。

當金土走到上船的扶梯這一端，又有一批人在抬扛著一綑綑物資上船，定睛一瞧，在昏黃燈光下，他竟看到了梅蘭揚起的一隻手臂，還在向他揮搖。漸漸地，一箱又一箱的物資，陸續不斷地在扶梯上運作著。連金土想再走上船去，與梅蘭再握別一次，看來，那木梯也沒有空檔。

就這樣，金土站在岸邊揮手，梅蘭站在船舷上揮手，一直到羅太太帶著梅蘭的妹妹梅筠走來。她纔站在船舷上與金土揮別，金土這纔依依難捨地，循著碼頭走去、走去。

儘管，碼頭的空軍運貨車，一批開走，一批又開來，金土隨時都有機會，搭上空車回去。可是他沒有，他竟在江邊的凜冽北風中，彳彳亍亍地躊躇在這個碼頭上，一直看到這條運貨輪船，嗚笛起碇，輪葉翻起的滾滾波濤，渾黃於碧藍的大海，金土這纔離開了吳淞口岸。

二、何處是吾家

話說梅蘭姊妹，在海上並沒有遇到驚濤駭浪，到了第二天夜間，便平平穩穩地到了基隆港。由於他們的目的地是高雄港，在基隆只停到第二天一個上午，午飯後再向南航行。他們在高雄下船，再到台南。眷屬的住處，是台南市的水交社。台灣幣制，是台灣銀行發行的台幣，這時的金圓券官價比數是一圓兌台幣一千元。可是，市場上已不願收受金圓券，大都以銀元交易，兌換價一元兌三萬台幣。使用起來，感受到物價比上海要便宜。羅太太把兩個孩子，交給公務兵夫婦看管，帶著梅蘭姊妹，蹓覽了基隆的市街，見到商店中的各色貨物，菜市場中的各類食用，如乾鮮菜蔬以及雞鴨魚肉，並不像傳說中的是貧乏之島。只是語言不通，像到了外邦似的。但街頭的飲食店，已有了大陸北方人愛食用的燒餅油條，還有饅頭包子。梅蘭遂想到「如果台南也是這樣的市面，金土來了，她可以經常爲他買辦麵食。」

午飯過後，船就繼續開航，晚上，就到了高雄。

船靠港之後，供應處先期到達的人，已派車到碼頭迎接處長夫人。梅蘭姊妹也被安排同車，到了台南水交社，還被安排同房居住。說：「這房子滿寬敞的，缺點是日本式，榻榻米、紙拉門。好在大門左旁有間小房，公務兵兩口子可以居住，我現在祇母子女三人，挺孤單的。你姊妹倆，到此也是人生地不熟，在他們男人家沒有來的日子，妳們就住在這裡陪陪我吧！」經過羅太太這一說，梅蘭姊妹也就不便拒絕，遂感激了羅太太的這一安排。

這一帶，前前後後一大片，都是一棟棟獨立家園的日式平房，大部分都住了人，是戰鬪機（驅逐機）大隊的飛行人員眷舍。羅太太被安排到此處，也是暫時的，預定的住處在城區，還沒有騰出來呢！其他已到達的眷屬，都安排在二空兩處庫房中，各自搭個舖位，彼此之間，拉條繩子，搭上一床被單子，將床與床的異域隔開就是了。梅蘭姊妹若不是跟隨羅太太一同來，她們也得像其他眷屬一樣，擠在那兩處庫房中，搭舖而眠，在廊下支爐而炊。

雖說，梅蘭姊妹暫時住在羅太太一起。等到男人們全來了，大家住在何處？如今還一無所知。只知道所有已到達的眷屬，都擠在二空兩棟空庫房裡。已有人到民間賃房子搬出去了。

梅蘭想去看看，她認爲：「別人可以承受的，我也能承受。」卻又不知二空的這兩棟空庫房在那裡？也不好意思向羅太太表示，要搬到其他眷屬一塊兒去。這裡又沒有電話，金土盼她到台灣後，打通電話給他，這事還沒有辦呢。

正在梅蘭爲了這兩件事，心情忐忑不安的時際，羅太太卻告訴了梅蘭，上海已來了電話，說是這幾天，金土就會到來，派他隨同行政室的部分工作人員，先來台灣正式辦公。

這麼一來，梅蘭方始伺機向羅太太說：「那我們就不方便再陪羅太太您住下去啦！」

「這裡還有不少空房子，」羅太太說。「不過，全是第一大隊的，已經分配妥了。都是第一大隊的飛行人員。」又說：「不知道還能不能再借一棟暫住？這事得由處長親自去借。」

梅蘭聽了，她知道金土不是飛行人員，她這次隨同處長太太同船來，占據了一個雙床位的特等艙房，比起其他眷屬，都擠在通艙，已經踰分。怎好再去作越乎常情的事？

「謝謝，羅太太替我設想了這麼多方便，」梅蘭接過話頭來說：「我想我應該與其他眷屬一樣，還是住到那空庫房裡去纔對。免得連羅太太你都得聽閒話。」

「不會的，」羅太太說。「金參謀這兩天就會到，等他來再說。這時候，你兩個女孩子，也不便擠到那裡去。」

梅蘭遂也笑著回答：「我們耐得苦的。過了恁麼多年的學生生活了啊！」

這天，梅蘭姊妹倆，跑到菜市場買來一大籃子菜蔬，蘿蔔白菜，魚肉蛋類，也買了一些。這姊妹倆，準備下廚房呢！想不到這兩個女孩子一回到玄關，面前站著的，就是金土，笑嘻嘻站在那裡，身旁的羅太太則打趣的說：「金太太，妳想不到吧？」

今天，祇是梅蘭她們到達台南的第三天。

「早晨七點起飛的飛機，」金土說。「九點多就在台南落地了。機場到這裡只二十分鐘啊！」

「我們到市場買菜，」梅蘭一時不知說什麼，只是這麼漫應著。「這裡的菜，比上海便宜。」說著便眉飛色舞地脫鞋，步入房內。羅太太見到梅蘭姊妹買了一大籃子菜蔬回來，說：「家裡還有菜沒烹調完呢！」遂望金土說：「正好，爲金參謀接風。」

「那裡，大家聚聚，」金土說：「我還帶了酒呢！是俺家鄉的土產，徐口子酒。」又說：「我不吃酒，在地攤上看到的，買了兩瓶送處長。」

果然，這餐飯，是倆姊妹下廚。但經羅太太一看，就知這倆人不是老手，似乎連青菜也不會切。遂也插手進去，這纔完成了一餐午飯。

這時，梅蘭姊妹方始想到，做個妻子可不那麼容易，光是廚房裡的洗洗切切，烹煮炒炸，也得手熟。還有鹹淡酸辣，以及生熟滋味的火候掌握，方能形成一種烹飪的藝術。今天，算是首次經驗到了。還有呢！生了孩子，連餵奶換尿布，都得一樣樣地去學。

金土說，明天就得進入工作，祇有今兒格半天時間，料理家務。由於在上海，那天上船的匆忙，忘記交代柳條箱中，裝的不祇是書冊，還有那一包金子與銀元，都在柳條箱內。生怕住入了房屋，梅蘭為他整理書時，忽略了那一包金銀。全部積蓄，都在其中。梅蘭說她還不曾拆解細繩。經過二人解開細索，打開柳條箱，一本本翻檢一遍，那包用紅巾包裹起的金子與銀元，還在書冊的夾縫中，不曾移動。同時，兩本簽過名蓋過章的結婚證書，也在一起。當金土一件件取出，交給了梅蘭，兩人竟然四目相對，一時間，眼角與口角竟漣漪出一絲絲潛意識的羞澀笑紋。這時，他們兩人的心坎間，漾泛起一句相同的心音：「我們還不曾入洞房呢！」

突然之間，兩人都想伸出雙臂，緊緊地相擁起來。

「找到沒有？」梅筠從洗手間，開門出來了。關心地問了這麼一句話。像一粒投到水中的石子，擊散了二人心海上的本然情韻。

「找到了。」梅蘭回答。遂又說：「我們準備出去，看看其他人家住的地方。」

說著又去整理那隻柳條箱子，把書本一本本的又擺放進去。

金土走出，向羅太太說明，他們準備出去看看。此時，羅家的兩個孩子，已關在房中，要他們睡午覺。五歲的老大，聽到金土在向他媽媽說，他們要出去看看，便在房中大聲叫：「金叔叔，帶我去。」三歲的女孩，也跟著叫：「我也要去。」羅太太在房門口，側轉臉去，以責備的語氣說：「別吵！金叔叔他們有事，我們不去。」遂轉過臉來，向金土說：「你們去吧！晚上回來吃飯。」

「晚飯不必等啦！」金土說。「我跟邢庫長約了。他有車，可能多看幾處。」

梅蘭姊妹已走到客廳，彼此尙未說話，房內的兩個孩子，已走到門外，幾乎是異口同聲的說：「嬸嬸，阿姨，我們也要去。」羅太太一看便轉身張開雙手，像攆雞趕鴨子似的命令著：「別胡鬧，快上床睡覺！」沒有再說話，便半側轉身來，擺擺手向金土三人告別。跟著進房後，便把門關上了。

雖然，梅蘭還在說著：「容容、明明乖，阿姨給你們買糖回來。」羅太太也都應付不過來。

金土三人走出門去，梅蘭就輕聲說：「女人作了母親，就等於披枷戴索。」金土伸手抓過梅蘭的手，用力握了一下，表示他已會意。梅筠則說：「羅家這兩個孩子，好會纏人。」

走到油彈庫邢庫長那裡，得二十幾分鐘，其他已到台灣的那幾批眷屬們，聚居的兩個庫房，也在邢庫長附近。

邢庫長是最先到的一批，八月間就到。家眷到後，就在他們庫房附近，尋到一處三間平房，原是看守庫房的一班守衛住所，建築在一個小山丘上，孤孤獨獨的三間平房，邢庫長一家三口住入之後，方始圍了一圈竹籬笆，大門倒是一扇舊的木門。三間房隔成兩房一廳，邢庫長是河南人，隔開的房間，也像北方住家一樣，中間是客廳，兩房在兩傍。原來在靠西的牆外，就搭了個廚房，看來，他這獨門獨院，比羅處長的住處，還要雅致清靜。

可是邢庫長說，這一帶都沒有類似這樣的房舍。到一般民家去租，也不容易，因爲這裡的老百姓排外，很反感由大陸來的人。所以已經到的眷屬們，咱這台南、岡山兩處，都集中在幾處原是日本空軍的庫房裡。必要時，把庫房隔作房間。問題是要看運來的物資有沒有其他地方放。

去看二空這一帶的兩處暫時收容眷屬的庫房，都已擠得滿滿的。人口多的，也祇是搭起兩張床。這裡的竹床很便宜，大多人家都是新買來的竹床，極少人使用木板或門板搭作床。每一庫房都是兩面靠窗搭舖，中間有一條頗寬的走道。有的人家扯起繩子，掛起被單，或布幔，把睡床遮起來，有的人家不管這些，恁由床舖空蕩蕩地。箱籠行囊什麼的，不是累在床頭，就是放在床下。庫房的外面，那一大片空地上，已擺滿了爐子，木炭爐、煤球爐、汽油爐，已成排成隊。

看了看，房內還有空隙可以再放十張八張床舖。若是想搬到這裡來，還是可以的。金土知道處長這一兩天，會來看看，上海的存儲物資，推想還得一兩個月的搬運時間。處長會來來去去兩地奔波。梅蘭兩姊妹住在處長那裡，甚不方便，再加上他也介入其間，日式的榻榻米與紙拉門，既不隔音，也不遮眼，想想實在不方便兩家擠在一起。若是住在這裡來，大家的臥床，床床相聯，更是無所遮藏也無法遮人耳目。但卻家家如此，人人不避，只要各自在生活上，多多注意及此，豈不心安理得，無所憂慮。

「還不如擠在這裡呢！」金土悄悄向梅蘭說。

「我也這樣想，」梅蘭答，但卻又小鳥依人似的雙手攀著金土的左手臂，小聲說：「你還得住在辦公室，要不然，小筠無法安排，總不好再加一張床。」

「當然可以，」金土毫不打哏地回答。「反正是暫時的。我知道，公家正在商量著解決這個問題。」

梅筠在旁邊聽見了，方始感到她成了姊姊婚姻生活上的累贅，一時之間，心情就沈甸甸地，想說句什麼？卻又沒有什麼話好說。梅蘭發現到妹妹這時的尷尬面容。遂伸手拉著小筠，又用另一隻手攀著金土的左臂，說：「走吧！等住定了，我們舉行正式結婚禮。」說著，梅蘭竟然昂起臉來，一邊提高了腳步，興高采烈地說：「我要穿嫁衣，披白紗，手抱一大束鮮花，小筠作伴娘。我還要體會一次你的朋友們，用怎樣的方式來鬧洞房。」小筠一走出門，在暖和地陽光裡，居然唱起來了：「高高的雲兒，罩著；淡淡的光兒，耀著；短短的籬兒，抱著；彎彎的道兒，繞著；多好啊！這裡真真好，好！靜悄悄地，誰料是春天到了。」梅蘭也應和著，走出了這個臥床櫛比的大庫房，便是一大片青翠的田地，遂使小筠一時興起，想到了《葡萄仙子》中的這幾句唱詞。

到了邢庫長家，說他們已決定搬到大庫房去住。羅處長近來會回來看看，可能得兩地奔波一些時日，他們三口子擠在人家不方便，還不如擠在大家夥一處，十有八家都是女眷。金土他住在辦公室，梅蘭姊妹倆，在大庫房搭張床比較方便。

邢庫長聽了金土的此一設想，卻不以爲然。認爲那裡擠的人家多，分子雜，彼此又無遮攔，祇是她們這兩位年輕的女孩子，雜在其間，極不適合。他認爲他這裡的兩間房子，不是日式的，他們三口子只住了一間，一間客廳，還有一間空著，其中的雜物，有地方安排，不如搬到他這裡來，暫時住些日子，他處有了房子再搬。向羅太太說，也理由充分。若是搬到大庫房去，羅太太就會感到不安了。

邢庫長夫婦帶他們三人去看了一下，其中有一張老式的大床，不但有掛蚊帳的方形床架，床前還有踏足板。但床上已擺了些箱籠雜物，其他空處，放的也是破損桌椅以及櫃櫥等物。「稍微拾掇一下，就可以居住。」邢太太說：「反正是空著，多了你們一家，也歡樂些。」邢家有一個三歲男孩。

羅家搬到了邢家。

決定之後，邢庫長便派了兩個搬運兵，不要半日就整理妥當，而且打掃得乾乾淨淨。梅蘭姊妹由搬到邢家，雖是有門有戶的一間大房，一張古老的舊式大床，可以睡兩人，另一頭靠外窗，還有地方可以再放一張小床，讓妹子梅筠睡在上面。金土與梅蘭，都覺得不妥。梅筠已是廿一歲的成熟女孩，怎好讓一位成年的女孩，與新婚的姊姊姊夫同住一房。所以金土告訴梅蘭說：「目前，我們還是維持著我們的未婚夫妻關係。我仍睡我的辦公桌。等到咱們的生活步入安定，正式舉行婚禮，那時，咱們再作同房的安排。」

這樣的決定，對梅筠來說，委實是一大安慰，姊妹倆住在邢家，在心理上，的確是平實多了。

梅蘭這纔想到給母親寫封信，第一句話就寫：

「媽，我們漂遠了！」……

三、冬天裡的春天

遷到台南後的空軍供應處，臨時辦公所，在中正路近運河地段。那裡有一家在日本占領時代頗爲馳名的酒家，名「招仙閣」，兩層樓的建築，是一處極具規模的娛樂場所。房間不少，大多還空著。由於許久沒有人住，在各處粉墻上，不但有一片黑黑烏烏的霉灰掛著或貼著，且有一塊塊斑駁的痕跡。有些單身漢，或兩人一間，或一人一室的住在裡面。雖有同事建議金土，何必睡在辦公桌上，每天都得日捲夜舖，可是金土卻不肯多耗費一張床的錢。他已有了老婆，等有了房子，一切統籌著辦，如今他老婆寄居在邢庫長家中。他之所以住在辦公室，每晚拼辦公桌子搭舖，沒有與老婆住在一起。一來，老婆身邊還有個小姨子，二來，他們倆雖已有了婚姻關係，（有合法的結婚證書），卻還不曾同過房。兩人都希望再補行一次婚禮，正正當當地舉行洞房花燭。要是像其他同事一樣，占了一間房獨住，就得準備一間房所需要的臥具等等，起碼一張床是少不了的。對金土來說，這張床就是多餘。若是早買一張雙人床，將來有了房子，搬起來也費事。好在他有輛腳踏車，這裡到水交社也不太遠，來去倒也方便。梅蘭姊妹已在邢家住定，已能自行炊爨。

金土的這想法，正符契了現實環境，就在這些日子裡，當前的環境便起了很大的變化。由於大陸的國共戰爭，情勢竟一天一個樣兒，不但徐州已失守，平、津也被圍，華北剿匪總司令傅作義，在北平已暗中與共軍洽和。華中剿匪總司令白崇禧，也發通電主和。河南省主席張軫竟發電要求蔣總統下野。這麼一來，上海以及其他各地的空軍機構，加速了遷台的行動。於是，地臨運河頭的這家「招仙閣」，已容納不了到來的辦公人員，不得不另尋處所。

新的辦公處所，是舊時日本的台南州廳，在中正路的另一端，近乎市中心。這裡雖也是兩層樓房，占的地面，比「招仙閣」大上兩倍也不止。對面的拐角，還有一大棟兩層樓房，也是舊時州廳的附屬公用處所。只是在戰爭中，遭受盟軍的飛機轟炸，已有半數禿了頂，再加上這幾年來的雨打、風吹、日曬，幾成廢墟，雖有不少房舍是完整的，卻也淪爲了蛇鼠蟲蟻之家。但經過一番整葺，完善的房舍，還是比「招仙閣」多。遂一面把辦公處所遷移過來，破損的房舍，馬上進行修復，原住的「招仙閣」，便用來收容來台的眷屬。同時，水交社與機場近處的二空，也是台南方面空軍眷屬的集中地。不過，原已占據了庫房的眷屬，也得讓出來了。

當一船船大批的物資，以及人員眷屬，蜂擁似的湧上台灣海港的港灣，正是新年假期，這時的辦公室，雖已遷到舊州廳，選了一間原是集會處的大通間，作爲全處工作人員的集合辦公室，桌桌案案，椅椅凳凳，也都一區區的擺妥，座位上卻極少有人。祇有金土以及三兩個文書士，還有一個譯電員，在這裡應付要公。因爲處長已經到了。

直到一月五日，這辦公室還是稀稀落落地沒有幾個人到公，大家都去安頓家眷去了。

羅處長在辦公室與金土閒聊時說：「大陸的局勢，看來是任誰也收拾不了。各方面偪迫蔣總統下台，認爲這樣辦，容易談和。未免太天真了。」金土聽了，答不上話，他怎能瞭解到這些事？羅處長又說：「我來後，就聽到有人發牢騷，說是他不該到台灣來的。已有人打算回上海了。」語氣帶有深長的感歎！

金土聽了這話，心頭頓時一緊，突然想到梅蘭姊妹，會不會有這種想法呢？

這些日子，處理的文書工作，大多推到金土手下，有些電報稿上的文辭，都得金土下筆修正，有些需要請示處長的問題，也都要求金土用電話連絡。往往中午這頓飯，都不能趕回去吃。常常連累了梅蘭姊妹，爲了等他吃飯挨餓。晚飯後，卻也不能多陪伴一些時候，爲了工作，總是吃完晚飯不久，就又騎車趕回辦公室。在辦公室睡辦公桌，已經不少日子了。如今聽了處長這句話，心情自然感到不安起來。

「這幾天，同事們都去安頓家眷去了，」金土尋到這麼一句話。

「憑他們吧！」羅處長說：「縱有人願意回去，趁著海上還有船航行，也由其自便。處亂世，還是各自作主的是。」

「我想早些下班回家，」遂向羅處長要求說。金土竟也呆不住了，他今天沒有回去吃午飯，得安排新到的人，又說：「這辦公室的情況，總還得些日子，纔能上軌。」

「走吧！」羅處長看了看這冷清的大辦公室，說了這麼一句，遂又向辦公室中的其他幾位說：「你們也可以自由自便去吧。明天見。」遂又轉向金土說：「我送你回去。」

金土說他每天都是騎腳車來去，羅處長遂逕行乘座車回家。這時的金土，心裡面還在嘀咕著羅處長說的那句話：「到了台灣的同事，已有人後悔，打算回上海了。」遂想到梅蘭姊妹有沒有後悔的心情？他們雖有夫妻之名，尙無夫妻之實。若是她們姊妹也有後悔的心情，應該怎樣面對呢？這問題，在心海間洶洶湧湧地翻騰著了。

金土匆匆地收拾了一下辦公桌，就急趨趨下樓。他的腳踏車停在樓下。

臺灣的氣候，祇有夏秋兩季，春與冬都在春雨秋陽中一閃而過。這年的陽曆一月初頭，正是陰曆的小寒節氣，在大陸的江南，還是冰雪嚴冬，在臺灣則是江南的仲春或仲秋，溫度十五度上下。可是，金土在急趨的腳步中下樓時，不但背脊骨上有汗，連臉上頸上都已汗水津津，忍不住要掏出手帕擦拭。由這市區的辦公處所，騎腳踏車回到水交社，不要半小時，沿途極少有汽車經過，路上的男男女女，或老或少，大都腳踏木板鞋，呱呱嗒嗒響著。騎腳踏車也腳著木板鞋。這是大家生活的樸實標誌。近來，梅蘭姊妹在家，或偶爾出去買東西，也赤腳屜著木板鞋，呱呱嗒嗒地走進走出。比穿著鞋襪倒是方便多了。

到了住處，見到竹籬笆上的木門，只是一個繩圈掛在籬笆外的一個絟起的木棒上。金土知道，他們出門時，只要把那繩圈拉出，用那絟起的木棒，立著穿過繩圈，再把木棒打橫過來，就可以了。若是家裡有人，只要將門虛掩上就成。因爲台灣的治安很好，不但沒有搶案，連小偷也沒有。據告，日本時代的統治者，對於盜竊案的處罰，最爲嚴苛，往往剁去手指，送到火燒島，任其自生自滅。梅蘭姊妹隨同邢庫長的妻小二人，在這市區以外的丘陵地帶，孤零零地獨門獨院，卻無被偷被搶的安全顧慮。

金土解開了門閂，走進院來，闃無人聲。把車子推到他住房的墻根邊停靠住，就走去推開客廳的門，再去推開他們那間房門，還喊了一聲：「梅蘭！」無人回應，只有麻雀們啁啁啾啾飛進廳來，又飛出廳去。

轉身望望邢家的房門，雙扇門環上有一把老式銅鎖掛著，知道邢太太也帶著孩子出去了。再回身看看他這間房中的陳設，還是老樣子，只在床前踏腳板上，見到兩雙竝排擺著的漆花木板鞋，同是大紅色的帶攀。金土見過不少青年婦女穿在腳上，上班的女職員，也有穿著這類木板鞋上班的。映襯著染紅了的腳趾，極其俏麗，走動時的呱嗒之聲，也是清脆地，像響鈴。金土想：「這叫入境隨俗吧！」

昨晚出門時，還沒有見到這兩雙木板鞋，想來應是今天纔買的。游目其他擺設，一切如昨。推想這姊妹二人，偕同邢太太一家人，出去蹓躂去了。如今時令，雖然冬至已過，但在這午後四點半鐘的時候，一片遊雲遮去了太陽。房內便已轉入黃昏。如果有人在房內工作，就得開燈了。

這時的金土，適纔忐忑於心海的波濤，業已平息。當他一眼望見那掛上方型雪白的蚊帳，縟子平平整整地舖著，兩床紅綠色錦緞的被子，打橫兒摺疊起，疊在靠裡墻的一方，兩個枕頭，頭頂頭兒，平放在疊起的錦被上，突然引發了金土溯想到他兒時睡過的這種大床。雖然，前些日子一住到這間房時，就聯想到了，卻沒有今天見到此景時的深刻。因爲金土想到未來的洞房花燭夜，是否還住在這間房呢？

自從梅蘭兩姊妹住入這間房之後，金土儘管每天都要到此，吃頓午飯與晚飯，每天都是飯後坐一會兒，就騎車溢返辦公處所。晚上，在辦公桌上攤舖，已不少日子了。然而，金土還不曾在這張床上坐過，別說是睡而臥之。這時，金土卻身不由己的邁步踏上床前踏板，轉身坐到床沿上。卻又身不由己的向後一仰，身子向上聳了聳，遂把頭與背枕到疊起的被枕上，一時暢快的想到：「這是我的洞房啊！」

「休將閒事苦縈懷！哩哩囉！哩哩囉！」他突然聯想起董西廂中的這一句，忍不住哼唱起來，下面卻又記不起了。但竟快樂地想到他兒時唱過的一首歌兒，遂又改調哼唱起來：「春深如海，春山如黛，春水綠如苔。白雲呀！快飛開，讓那太陽公公走出來！染成一個光明的、美麗的世界……」

哼著，哼著，金土竟入了夢鄉！

話說梅蘭姊妹等金土回來吃午飯，等到一點未見回來，推想是辦公室有事，趕不回來了。邢太太約他們上街，說是有家商店新到一批上海貨，正在折價傾銷，約她們姊妹一起去看看。邢太太知道梅蘭纔結婚，夫妻倆還沒有同房呢，打算補行婚禮，遂想到她們或許要添製些什麼？遂向他們的油彈庫，借了一輛吉普車，一同到街上去看看。

他們住的這地方是市區以外的郊野地帶，要走出近半小時，方能喊到三輪車。所以，梅蘭姊妹住此處半個多月，都沒有出過門。買蔬菜魚肉，就在近處的水交社。這次隨同邢太太母子到市街去購物，是第一次逛街。雖說，臺南的市區不小，熱鬧的街道只這州廳西方短短的一處，這家以拍賣上海、香港兩地華、洋貨品作號召的兩家店面，倒也擠了不少人，熙來攘往的出出進進，相當熱鬧。擺出來的綢緞衣履，一看標價，比照銀元的兌換率，也不見得比上海便宜。梅蘭只買了一雙白皮鞋，是麂皮的，梅筠買了一件荷綠色敞襟薄絨線織毛衣。但梅筠卻意外的遇見她的高中同班同學熊惠敏，偕同妹妹惠明一起來逛這折價傾銷的商店，說是一家六口全來了。熊家父親，原是中央銀行上海虹口分行的經理，以後又調回南昌任江西裕民銀行總行的襄理，抗戰勝利後，梅筠與熊氏姊妹，都是南昌女中的同學，惠明低兩班，梅筠與惠敏高中畢業時，惠明纔升高二。惠敏考取了中正大學歷史系，但在去年十月間，便隨同父母還有祖母及弟弟，全家來到台灣。她父親是國大代表，且又在台南稅捐單位，安排了一名監察職務，來台後，就有了居處，地在開山街一處獨門獨院的二層樓房，離開這大拍賣的商店不遠。當時，梅筠一見到熊惠敏姊妹，忍不住大叫：「熊惠敏！」古人口中的四喜之一：「他鄉遇故知」，正可形容她們相見的歡欣情況。

熊家的兩姊妹與梅家的這兩姊妹，都是舊相識，真個是一見面就敘述各自來到台灣的經過。一時之間，怎能道得完說得盡？

「到我們家去吧！」熊惠敏說：「我家就在這裡附近，開山街，走幾步就到了。」

這時，邢太太帶著孩子，也偎近了來，見到梅家姊妹遇到故舊，也感染上一分快慰。彼此介紹了一番，熊家姊妹也邀同邢太太一起到他家去坐坐，喝杯茶。邢太太認爲她今晚還有應酬，該回去了。這時，梅蘭也想到了金土中午沒有回家吃飯，看看時辰，也該回家去準備晚飯。遂向妹妹說：「妳一個人去吧，家裡還有個人要回來吃晚飯呢！時間晚了，妳去吧，我隨同邢太太一起回家。」

梅筠一聽姊姊這樣說，甚以爲是。遂向熊惠敏說：「我姊姊得回去，我們走吧！」

「晚上，妳一個人敢回來嗎？」梅蘭問。

「我們送梅筠回去。」熊惠敏說。

「放心吧姊！」梅筠說：「我知道路。」

隨著熊惠敏三人走後，梅蘭也隨同邢太太抱著要睡的孩子，走出商店，駕駛兵開來吉普車，十多分鐘就駛到水交社。

這些日子，由大陸各地循著空中與海上兩條道路，一批批運到的物資，這裡的庫房有應接不暇的緊張工作，雖在假日，運到的物資存儲，還是一刻也不能休停的。所以這些日子，邢庫長總在幾處庫房中奔波，他得隨時按運到的物資類別，分配倉庫。還有，先幾批到達的眷屬，暫時安排在空倉庫中的人家，也得另尋住地，把倉庫讓出來。因此，今兒晚上的應酬，預先向太太說定，要她帶著孩子在五點半以前，到他辦公室等候會合同去。這晚，是他一位鄉長續弦，請了兩桌知交宴。他續娶的這位小姊小他二十歲，是本省小姊，已有身孕了。

吉普車先送邢太太到辦公室，然後再送梅蘭到住地。

梅蘭下了車，走到大門口，見到大門沒有拴扣，木門卻是關嚴了的。但用手一推，門還是吱哇一聲開了。又回身把門關上，在一陣北風吹來了濃郁的桂花馨香中，看到了靠倚在窗外的腳踏車，知道金土回來了。雖然太陽已經下山，從西半天的紅霞中透射出的白光，像一簇簇金針花似的綻放開來，給黃昏平添了幾分明麗。台灣的冬，像江南的晚春，像江北的早秋，只要是晴天，太陽一升上天際，不但是江南的綠滿溪山，而且是江北的十月小陽春。打斜裡襲來的北風，也是溫柔的。當她發現到靠在窗外墻上的腳踏車，心頭便泛起了形容不出的那種恬適心情。想：「今天回來的到早。」

廳門有一扇門半閃著，他們的房間，也大開著。原想先喊一聲：「阿土！」又把吐到舌尖上的話止住了。因爲她一走到門口，就看到了金土側著身子，倒臥在床上，似乎是睡著了。打橫放在床沿上的兩支腳，有一支腳上穿著皮鞋，另一支腳上的鞋，掉落在床前木踏板以外。時雖黃昏，那兩扇靠西的窗戶，卻迎來西半天的紅色晚霞，以及落日的餘暉，所以這房間還十分亮堂。

梅蘭進得房來，一眼望見金土正在熟睡，早就體會到金土近來的工作忙碌，今日早歸，正好家中無人，偷得這麼一分清閒，向床上一倒，便入了夢鄉。距離晚飯的時候還早，別吵醒了他，讓他多睡一會兒吧。想到這裡，便回身將房門掩上，躡手躡足地走進去，先把手上新買來的鞋，以及梅筠的毛衣，放在床頭邊的衣櫃上。突然想到阿土身上沒有蓋東西，祇是他身上穿的那一套黃呢絨的軍服，遂想：「別受了涼啊！」

想到這裡，遂想到應爲金土蓋上一條毛毯什麼的。當梅蘭的腳剛踏上床的踏腳墊板，金土被梅蘭腳踏墊的咯吱響聲驚醒了。當醒來的金土仰正身來一看，床前正站著微笑地意中人，像一株盛開的迎春花，在金土的眼簾前招展。當金土的意識凝靜下來，在梅蘭的一聲：「你醒啦！」說著便伸手去拉金土的手，說：「我怕你凍著，想給你蓋件東西。」當兩人的手剛剛拉到一起，金土便縮回手去，伸出雙臂一箍，便把梅蘭簇擁在懷，兩人的唇便貼在一體了。

當男女情真意濃時，絕難去差使唇舌來作語言吞吐的，蓋情更濃時，無須語言的呀！真個是：

混陽蒸變，

蟲兒般蠢動風情搧，

嬌凝翠綻魂兒顫。

天留人便，草藉花眠。

則把雲鬟點，紅鬆翠偏，

緊相侵，慢廝連，恨不的肉兒般團成片也。逗的個日上胭脂雨上鮮。

註：摘取湯顯祖《牡丹亭》第十齣「驚夢」中語，用以形容杜麗娘與柳夢梅夢中雲雨歡幸之情的歌詞。今將劇中兩個曲牌的文辭，重新拼成。按湯氏辭意男女雲雨時的實寫白描，胥為曲雅辭藻蘊藏之矣！特借用於此。

四、他鄉有故知

當梅筠在她同學熊惠敏那裡，得知她們若是有休學或轉學的證件，可以向台灣大學或台灣師範學院去辦理登記，已有人通過測驗，獲得了插班入學就讀的許可。

梅蘭姊妹得到這麼一個消息，自然興起躍躍欲試的心情。金土也樂於臂助，遂也從中為之張羅。好在這姊妹離校時，由於梅筠的機靈，曾向校方申請休學證明書。她們姊妹的這一休學證明，正好具備了向師範學院登記入學的資格。想來，這個入學的機會，怎能錯過。

按上海國立幼稚師範專科學校，乃兒童教育家陳鶴琴，韌創於江西省泰和縣，勝利後遷校上海愚園路，首屆畢業生得到當時魏道明任台灣省主席關係，遂有一大批師專師生，漂海來到台灣。正由於此一際會，梅筠在熊惠敏處，接一連二的串聯上梅蘭還有高中同班同學周鳳翚，初中時代的同學辛立勤，全在台北。兩人都作了母親，周的先生是台灣大學農學院的講師，辛的先生服務於台灣銀行，兩家都住有公配的日式房舍，也都頗為寬大。在情理上推想，為了辦理轉學，前去寄居三兩天，應是不會被拒的。遂決定通信連繫。

金土對於梅蘭姊妹的轉學事件，非常關心。感於目下大陸的時局，已是東流水的江河，日下日下。蔣總統爲了便於和議，已經下野，代行總統職權的李宗仁副總統，對於和議的任務，縱然拉攏了一些民主人士，參予周旋，也半籌難展。連隔江分治的條件，換來的竟是懲治戰犯的名單。漂海來台避難的人，日日見增。這轉學的事，要辦也得儘早。金土遂建議說：「這事應儘快去辦。先聯繫周鳳翬，高中同班畢業的同學，情誼總是親些。」

梅蘭也是這樣想。遂先連繫上周鳳翬。

台灣的交通，比起大陸的一般省份，算得是第一等的方便。由北到南的西海岸，有火車也有汽車，鄉村與鄉村之間，有汽車還有台灣糖業公司的小火車。雖說東海岸的山陡海峭，也建有行駛火車的鐵道，以及行駛汽車的公路，只是比西海岸的平原，道路的坦行面差些。

由台南到台北，特快的火車，單程爲時要六小時，通常不會誤點，算是快捷的。

當梅蘭聯繫上周鳳翬，彼此之間的歡快心情，正如古人筆下的四喜詞：「久旱逢甘雨，他鄉遇故知。」金土便爲她們選了一個星期日，坐早班快車，陪同他們到台北。這樣，金土只要在台北吃頓晚飯，便搭夜車遄回，不誤星期一上班。

這一區台灣大學的宿舍，在新生南路東邊不遠，日式的獨門院落，矮墻低門，花草成圃，林木扶疏，閒靜幽雅。望之便可想見當年日本學人的生活情趣之富於古意。

雖說，它這一排五六家的坐南朝北的房舍，面對的就是台北工業專科學校的校舍，距離那一可以出入校舍的後門，看去不過百餘公尺，卻被青翠的稻田阻隔著。說起來，這一帶屬於市區，但這一區僅有十餘幢大學宿舍的周圍，全被青翠的稻田占據。尤其向東方望去，還是一片空曠，最顯眼的就是那一幢坐落在綠色稻田中的長方型紅樓，看去孤孤零零，再遠，就是一處處莽林簇簇地土丘。那近處雖有零落人家，形象也只是一個個獨立家屋。

那紅樓南邊業已命名爲「仁愛」的東西橫向大道，尚未開闢，但已有三三五五的棚屋搭起。金土從稻畦埂上，走到棚屋那裡，方始見到那些棚屋，全是北方小吃店，再往南，就有一簇簇日式或中式的平房，密集在一起。

金土原想在這小吃店吃些麵點，怕的是周鳳翬已經準備了。他趁著梅蘭與老同學大敘別闊，周鳳翬的先生陳教授，尚未回家的當兒，蹓出來走走瞧瞧，竟好奇的東看看西瞅瞅，游蕩了個把鐘頭。春日天短，落日已泛起紅霞，黃昏已展開了土灰色的陰影。金土這纔走回陳家。

一進院門，站在玄關階上的陳明新先生就走出門來，笑容滿面的說：「是金先生吧？」跟著便一邊伸出手去，一邊介紹自己是陳明新。二人在握手時，梅蘭便走到玄關，以責問的語氣說：「你一個人也不說一聲，跑到那裡去了？」梅筠與周鳳翬站在玄關的上階榻榻米上，說：「姊姊以爲你回台南了呢！」

於是大家進得房來，金土在換拖鞋時說：「我喜歡田野。想走到那幢紅樓看看，被田埂間的溝渠擋住了。」陳明新聽了，就接過話頭回答：「那紅樓是日本時代的什麼工業研究所，屬於軍方。日本人投降後，作了澈底的破壞。其中滿是橫七豎八的鋼管，還有大大小小各型的磁甎水槽，一直被封閉在哪裡。」走進房後，周鳳翬聽了，又加了一句：「你幸好沒有走到那裡去，那紅樓是老鼠、毒蛇的窩兒，已有人被蛇咬傷過。」

周鳳翬一家來台北踰兩年。陳明新是江西農專畢業，勝利的第二年，與周鳳翬結了婚就來了。先是助教，現已升爲講師，不久又要赴日深造。講年庚，比金土大兩歲。周鳳翬與梅蘭，則是同年。

晚飯後，金土便乘夜車趕回台南。如今，上海方面幾已騰空，在上海的供應單位，全部都移到了台灣，近兩三個月的工作，可以說是「百事待舉」，光是眷屬的居處，就得籌畫新建。由上海遷台，等於新舊交替，來台後的公公私私，都得重新來過，何況，在此一空間大轉移中產生出的意外狀況，不但牽涉到政務，而且違犯到法務。在工作單位上，比平時的工作要加重徒倍，繁忙多了。

梅蘭姊妹的證件齊全，星期一到師範學院登記，很容易就完成了一切應辦的手續。但尙須經過教育廳的核准批示下來，方能決定准不准予入學？

這兩姊妹原擬星期二就回台南，周鳳翬留她姊妹多住了一天，遊了圓山動物園，看了一場電影。這幾天，周鳳翬不止一次當著先生發牢騷，說她高中畢業後，應該升學，不該結婚。說著還嬌嗔的伸出右手食指，向先生的額頭點了一下，說：「都怪你！」頓時使陳明新臉紅起來。又說：「如今有了這兩個孩子，纏死人了。」

梅蘭則以她也結了婚來沖淡同學的牢騷心理。說：「現在上大學也不遲！」然而周鳳翬心清肚明，若是去升學，縱然拋得開家中的孩子，也必須通過考試這一關。丟廢了三年的功課，如何拾得回來？

大陸的時局，有江河日下之勢。

雖然，蔣總統已下野，由副總統李宗仁代行總統職務，和議的祈求，還是不能達成。連雙方隔江而治的和議條件，也得不到共產黨人的允諾，卻把戰犯的名單公布了出來。儼然以戰勝者的姿態，作爲回答和議者的要求。

這時，國民黨的領導中心，仍舊維繫在坐鎮奉化溪口家鄉的蔣總裁肩上。台灣新任主席陳誠到職後，「三七五減租」的土地政策，便奉令宣布實施。存儲於大陸中央銀行的金銀，已轉運到台灣。國共雙方準備繼續和談的新聞，還天天出現在新聞紙上。爭國戰爭燃燒起的烽火，還天天在田野間煙塵迷濛。這四面環海只三[illegible]多平方公里的島嶼台灣，在海上與空中的頻繁交通吞吐之下，卻一天天飛躍地繁榮起來。

所以近來的金土，工作忙碌得連午飯都無暇回家。

梅筠得到同學熊惠敏的閥閱家蔭，一起到車路墘糖廠新成立的幼兒園，作幼兒園的教師去了。對梅蘭來說，身邊雖少了一個伴兒，日常生活感到孤單了些，但金土卻能在家住宿。二人原說訂在三月廿九日補行一次婚禮，偏偏地，金土的工作繁忙，連騰出頭腦來想想這件事的空隙都勻不出來。只是有此念頭。在這時勢如此混亂，人心又惶惶不安的日子裡，還想著去補行婚禮，說起來也會被人議論。由大陸逃難來的機關也好，個人也好，連個落腳的處所，都需要費些張羅，他們的生活狀況，雖然梅蘭的妹妹，已有了噉飯的工作場所，已離開了他們。然而他們兩人還寄居在邢庫長家。在這麼一個動盪不安的時代，而自家連租賃一間臥房的生活能力，還沒有建立起來。這兩人雖已結了婚，在法律上以及事實上，業已成了夫婦。所遺憾的就是沒有舉行婚禮的這一公開儀式，在人生的心理上，未免有種虧欠的感受。認真說起來，男女的婚禮形式，也祇是向眾宣布他們公開的同居就是了。古語云：「男子生而有其室，女子生而有其家。」所以，男子娶，有其獨享的臥室，女子嫁，有其一生的歸宿（家）。行了婚禮，就像老張老李口中的那句：「我娶老婆是公開請客，當街點放了長串鞭炮的。」金土與梅蘭二人，所欠缺的，也只是沒有當眾在大街上點放那串鞭炮。

說來，「婚禮」又怎麼不是人生中的大事？「婚禮」，本來就是古禮中的一大要目啊！

五、女人的天職就是作母親

轉學的事，台灣師範學院已有通知到來，教育廳核可梅蘭可在這學期插班教育系二年級下學期就讀，於三月十五日前必須註冊（兩周內），遲則除名。梅筠則須下學年參加招生考試。（梅蘭已在南京金陵女子文理學院教育系，讀完二年成績及格，到轉到上海國立幼稚師範學校插班三年級，一學期未完即休學，梅筠只是師專一年級上學期尚未讀完。這樣核定，應是合理的。）

梅蘭收到這一通知，心情自是非常快慰；附來的註冊手續等等，也像她就讀金陵女子文理學院與上海國立幼專一樣，學雜費全免，連就讀期間的伙食都是免費的，每月的主副食，節餘的部分，還可以分給在學學生。

金土看了，自也極爲興奮，說：「別通知梅筠，免得她傷心！」梅蘭則認爲應該告知她，好使她在這半年不到的歲月裡，用心去準備功課。說：「我去上學，那能瞞得了。」

正當兩人在興高采烈的籌備北上辦理入學註冊手續，梅蘭病了。

早晨，金土去上班時，梅蘭就感到胸口有幾分嘔心，胃口也淡，似乎這兩天都有些兒懶散。台灣的氣候，冷熱變化大，可能感冒，沒有向金土說。不想金土出門之後，一陣斜風襲來，忍不住胸口的翻騰，喉頭酸沖，哇的一口，便把早晨吃下的一根香蕉，泥粘粘地吐了出來。

連忙回到房內，跟著又是一口、又一口的嘔吐出來。雖然沒有吐出食物，吐出的一縷縷粘痰，一汪汪黃水，胃中還是有物在上湧，偪著梅蘭伸長脖子，張開大口要吐，哇卡哇卡地連聲的吐，也吐不出東西來。蹩得她臉紅脖子脹，雙目淚流。

邢太太聽到了，遂帶著孩子走過來。這時，梅蘭已渾身棉軟，有氣無力地斜倒在床上。嘔吐在地上的穢物，也無氣力去掃除。

「金太太你怎麼啦？」邢太太問。

梅蘭連忙坐起，從床上走下來，說：「可能受了涼！」一句話尙未完，就又哇地一聲，連忙彎下腰來，伸長脖子想吐，卻又沒有吐出東西來。

「發不發燒？」邢太太走近去扶持梅蘭，一邊問一邊用手去摸梅蘭的額頭。說：「不發燒。」又說：「還是躺下來，別摔了跟頭，那可了不得。」遂扶梅蘭躺上來。

「你躺著別動，」邢太太說：「休息一會兒，就會平和下來。」

邢太太一眼看見她的小虎蹲在地上，用一根竹棒棒在挑梅蘭嘔吐出的那一團未消化的香蕉粘塊，遂急忙說著，「別弄那些髒東西」，走過去拉起小虎，又回頭向梅蘭說：「你別動，我去掃掉。」這時的梅蘭，也委實沒有氣力走下床來。只有氣無力的說了一句：「謝謝你邢太太！」

邢太太走去把墻角間的一隻撮箕及一把掃帚取來，再走出門去，帶著小虎兒到庭院，取了一些細土，回房來把梅蘭吐在地上污穢處理完畢，又回房來倒一杯溫水，送給梅蘭，還附帶拿著一個臉盆，說：「先漱漱口，再潤潤喉嚨，清清胃。」梅蘭照著邢太太的吩咐做了。邢太太轉身，尙未走出房門，哇卡一聲，梅蘭剛喝下去的那一口水，又被作怪的腸胃翻騰了出來。不但把剛喝下去的一口水吐出，還連帶著吐出一灘黃沫沫地胃液。胃，還在翻，喉，還想吐。

這時，不過上午九點多鐘。邢太太建議去打電話把金參謀叫回家來，送醫院去看看。還說：「若是有了孕，更得去看。懷孩子，是咱們女人家的大事。凡事都不能大意，尤其是頭生兒，可慣不得他。得吃安胎藥。」

梅蘭簡直是病人一樣，總覺得四肢無力，連口腔喉嚨都是酸楚楚地，把不得想喝一口酸醋。所以邢太太的建議，梅蘭沒有反對。只輕輕吐出兩個字「也好。」

邢太太家中沒有電話，到辦公室還得走十五分鐘的路，身邊帶著個三歲的孩子，走得更慢。本來，家中可使用個庫兵，偏偏近來太忙，大陸方面的物資，空中、海上兩路湧進，編制中的庫兵，已不夠支應，這位奉公守法的河南人，家中的一妻一小，自不會撥個兵丁去幫老婆照管家。這裡還遺留著日本人占據台灣時的威勢，凡是沾有軍事兩字的地盤，一般人民無不畏之如虎狼，總會躲避著它們，生怕招惹到是非。無有安全上的憂心。然而，金土接到電話，卻先邢太太母子一步騎車到家。

金土到家後，梅蘭已不吐了。但卻軟弱無力，躺在床上不想動彈，腸胃還是在翻騰，已能隱忍。當金土一進房來，梅蘭便以淺笑的面容迎接，金土一站到床邊，她便笑吟吟地輕聲說：「邢太太說可能懷孕了。」金土坐到床沿上，用手摸了摸梅蘭的額頭，說：「沒有燒熱。」

「沒有病，」梅蘭說。「邢太太猜對了，她生過兩胎。要你來送我到醫院檢查。說是頭一胎，不能養成壞習慣。」

金土聽了，心頭甜滋滋地，他卻想到轉學的事。「不會受到影響吧？」沒有說出口來，幫助梅蘭盥洗換衣，準備用腳踏車帶到台南醫院去，剛出門，邢庫長一家三口都已回到家。

邢庫長聽說金太太懷孕，嘔吐得厲害，需要到醫院檢查，遂開來一輛吉普車，協助他們去辦，交通不便，他知道在孕娠中嘔吐的母親，身子骨比病人還要綿軟，走不得路。這麼一來，可方便多了。經過醫生檢查，確定是孕娠，既然嘔吐得厲害，如果病家要求，可以住院觀察。如果病家無此要求，回家去多多注意就成。可是金土沒有徵求梅蘭同意，就要求住院。

嘔吐確是嚴重，吃什麼吐什麼，連喝一口水，都得吐出。醫生說最少得住上一個禮拜，可能得十天以上。婦人懷孕的嘔吐現象，由於各人體質不同，現象也各異，有的孕婦會連續兩三個月，往往會造成流產。

金土心裡一直盤算著梅蘭的轉學時日，生怕這一波會誤了註冊的限期。已向醫生問過兩次，「下週一可以出院嗎？」醫生回答，說是這一孕婦的嘔吐現象特殊，可能會延續一周以後，說不定還會長。遂說：「要求出院是病家的事。」

醫生的言外之意，應是病家可以要求出院，醫生不趕病人離院。金土揣摩了一些時候，決定向梅蘭談註冊的事。

「還記得學校註冊的事嗎？」金土尋了個機會向梅蘭發問。

「記得，」梅蘭輕快地答。「限期就要到了。」

「若是下週一出不了院，就要趕不上了。」金土失神地說。

「那就隨它去，」梅蘭說。「上帝要我作母親啊！」

「失去了這一次轉學的機會，以後就不會這麼容易了。」梅蘭聽了，驚詫地坐起上身來，問：「那你的意思呢？」

「我的意思是，趁著孩子還未成熟，不如動手術取下來，反正你我還年輕……」話尚未完，梅蘭便啊出一個「你」字，便暈倒下來。急得金土連連喊出蘭蘭！蘭蘭！，叫了兩聲，人纔反蘇過來，哭泣泣地說：「你怎麼會有這種想法？是不是連我也累贅了你！」好在另一張病床上無人，金土馬上伏身把梅蘭擁抱在懷，痛楚地哭泣著說：「妳誤會了，我怕你會失望！會後悔！會埋怨！我知道，得到這次轉學的機會不容易。」

兩人鎮靜了一霎，梅蘭說：「女人的天職，就是作母親！上蒼既然給了我孩子，我就應當去盡女人的天職！讀大學又沒有年齡限制，」說著就嗚咽起來，遂又在抽搐地喉頭中滾出了這幾個字：「虧你說得出這樣的話來！你讀聖賢書的啊！」

金土哇地一聲，竟然哭了起來。

兩人緊緊相擁著，哭了一會兒，結束了這兩人為了相互關懷發生的一次誤會。

貳　泊

一、步入了那幢紅樓

金士要調台北了。

這裡的羅處長調任空軍總部人事署業務處處長，空軍總司令部已在台北正式辦公。大陸上的空軍機關及存儲物資，幾乎全部搬運到台灣。這時，大陸的內戰，看來已近尾聲。

黃河的河防，失去了。長江的江防，也失去了。

北平，失去了。南京，也失去了。杭州也失去了。

上海，也失去了。武漢三鎮，也撤守了。

國民政府遷到廣州辦公，閻錫山任行政院長。

蔣總裁飛蒞台灣，研究到台灣之整軍、設防，以及軍政問題。

六月十五日台灣省幣制改革，發行新台幣。

（舊幣四萬元兌換新台幣一元，新台幣伍元兌換美金一元，一元兌換日幣十元。）

七月一日國民政府在廣州改革幣制，廢金圓券，改發銀元券。

七月四日正式實施，但銀元券之匯兌，僅限廣州一地。

國民黨總裁辦公室，已決定遷移到台灣草山辦公。

（擴大原有組織，下設八組及一個設計委員會。）

任命陳誠爲東南軍政長官，轄蘇、浙、閩、臺、瓊五個省區。

（長官公署設在台灣。）

從去年夏，存儲在上海這一帶的物資，就已開始搬運，在這一年光景裡，該搬來的，能搬來的，可以說都搬得來了。上海的供應單位，遷移到台南，也半年多了。近一兩個月，工作纔算就緒，該儲的儲，該運的運，該總的總，該分的分。連行政單位的公文流程，也步上了軌道。在眷屬方面，也都安排就緒，正在採用竹竿竹篦搭編起：克難房屋。營建者在契約上保證三年五年塌不了。何況，梅蘭就寄居在邢太太一起，占有了那一大間不算，連客廳廚房，都兩家合用。還有，不但梅蘭懷了孩子，邢太太也懷了第三胎，兩家還共同僱了一個阿婆嫂呢。所以，雖然分配了克難竹造的眷舍，也放棄了。邢庫長說：「咱兩家擠在一起窩著吧！等不了幾年，咱們就回去啦！」

梅筠又有了工作，車路墘離台南只一站路，每周回來一次。這個多月來，辦公室的工作已毋須加班，小夫妻倆的日子，過得像落花流水似的舒暢。新台幣又當用，兩家人住在一棟房子裡，相處和睦，比親兄弟親妯娌，還要相處得和諧。但如今，卻要隨同羅處長調職台北了。

當羅處長在電話中獲知調職台北，就向金土表示，遺憾著今年礙於還有另兩位中尉的年資久，遂壓了金土遲一年升，爲了他去後便於金土升上尉，正好帶他去台北。人事業務處的業務，工作就是辦理獎懲晉升。台北，也正在起造眷屋，就在總部背後，獨門獨戶，上下班方便，在家聽到上班鈴聲再出門，都誤不了。

這條件，放在任何一位工作人員身上，也不會拒絕。

雖然，梅蘭聽了，有一點捨不得邢家這幾口子，大家和諧相處的生活，正過得活活絡絡。還有，離開妹子的工作地遠了，也有幾分悃失。然而，一經權衡到人生的遇合輕重，也得同意跟著老長官調台北爲是。但有一點，頗使金土有些兒猶豫，那就是梅蘭的肚子。

推算起來，梅蘭應是二月杪三月初懷的，預產期應是十二月初頭，最快也得十一月底。在這八月間，大腹便便得像臨產的孕婦似的，據醫生的聽診器診斷，極可能是雙胞胎。聽起來，有兩個小生命的心臟在跳。

固然，羅處長說新起的眷舍，若是工作快速，農曆年前就可遷入。這時間，卻正是梅蘭坐月子的時候。所以，金土想延到明年再調。卻又爲了金土晉升必須在九月一日以前占到編階，否則，便失去了明年晉升的機會。總部的人事業務正忙，決不可能先占職階而人不到職。按金土則對升官一途，並不熱衷，他不忍爲了官階的晉升，遠離了身懷雙胎而大腹便便的妻子。當他向梅蘭表達了此一心意，梅蘭竟提出了不同的意見，說：「爲人不要儘替自家想。」她認爲如果拒絕了老長官的此一照顧部屬的苦心，那就對不起人了。「還會連累了認爲是我這作妻子的阻攔你。」遂肯定的勸金土不可拒絕，因說：「至於我，怕什麼的，女人生孩子，像雞鴨生蛋一樣，到時候，孩子自會掉下來的。」這句話把金土逗笑了。

「這話是誰告訴妳的？」金土問。

「我們家這位李嫂說的。」梅蘭說：「我想也是。這是自然，貓狗一生一大窩，有誰給牠們接生。」又加了一句：「去，別爲了這點小事，累我也挨罵。這裡還有李嫂跟邢太太，她們都生過孩子。李嫂生過六胎。」

就這樣決定，八月卅日，金土就到了台北。

金土到了台北，住處是坐落在中正東路二段與新生南路二段尾，兩路交岔口處的一棟雙層樓房，後面靠鐵道還有庭園及平房。派到台灣辦理接收事務的地區司令部，就在這裡辦公。現在，凡是在空軍總部辦公的單身漢（或者太太未到台北的人），大多住在這棟樓房內，樓上樓下，還有後面的平房，都有人住。

由於這一處房舍住的全是空軍總部各署處的工作人員，金土住進來後，相互打個招呼便認識了。尤其這間房中的十二張床，竟有一半是他們人事署的同事。大家都在這裡入伙，早、中、晚三餐，六人一桌，午晚五菜一湯，魚肉都有。

第二天早飯之後，隨同大家夥步行去辦公室，他們說，走小徑十分鐘都不要。走出大門，過了馬路就步上瑠公圳小溪的稀疏垂楊岸邊，路的右邊有一大片日式平房，同事指著說：「這裡都是總部處長級以上人物的眷舍。」說著，大家夥的腳，步履圳上的一座土橋，再通過圳東的一片日式平房。這時的金土，不但注意到這座橋他曾走過，在舉目時看到了前方不遠處的那座紅樓，卻也看出了眼前通過的這一片日式平房，就是梅蘭同學周鳳翬家住的那一處。不過半年光景，他曾陪同梅蘭姊妹到台北辦理轉學，就住在這一片日式房舍的陳家。還聽到周鳳翬告訴他說：「那紅樓是老鼠、毒蛇的窩，已有人被蛇咬傷過。」遂又想到周鳳翬的先生陳明新說那樓房，原是日本時代軍方的什麼工業研究所。昨晚，又聽到同房的人在埋怨，說那大樓不適合作辦公室，牆上還有不少截斷的鋼管子，露著尺把長的頭，一不小心就掛破了衣裳。於是金土想：「難道，空軍總部的辦公處所，就是這幢紅樓？」

穿過了這一區日式平房，其間隔開紅樓的這幾塊稻田，稻禾的穀穗已黃熟，有的已收割，有的撲倒在田中。但田埂卻被出入紅樓的人，踩成了一條小徑。事實上，這座紅樓通向外方的道路，一是南方的仁愛路，二是北方的安東街。論形式，這大樓是橫向東西坐北朝南的。仍在整修中，一進門就嗅到撲鼻的油漆味兒，令人不得不掏出手帕來摀上口鼻。

這幢紅色樓房，進入之後，方始感於面積不小。論高，雖只兩層，論大，占地總在二千坪左右。東西橫長五十公尺以上，南北縱寬也有三十公尺，它是「コ」型的，兩邊都向東方凸出一個方塊。大樓中的房舍，分前後兩排，向南的大門，開在正中央，前後兩排之間，留有一條人行通道，因爲兩排的房門，都是向內開的。這條通道，專供樓中人出入的，東西兩頭都有門，樓梯也在兩頭，樓上的房舍形式，與樓下一樣。加上南開的大門，以及向北的兩端凸出的拐角，也各有通道及一個出入門戶，算來這大樓共有五個正偏出入門。

金土報到的那些日子，樓下還在整修，敲敲打打的聲音，不絕於耳。樓上雖已進入了辦公的人員，但支出牆外的鋼管，像稻草人的手臂那樣伸著。一支支都用布或棉花等物包紮起來，以防它掛破衣裳。

說是暫住性質，一旦這大樓的原來什麼工業研究所，要恢復工作，再接上原來的管線，就不會太費周章。留在牆上的支出鋼管，未予鋸掉，其因在此。

這說法，若照當時的環境看，卻也未必盡然。這大樓的前面，新起的也是東西打橫的一幢平房，已經建好，正在進行粉牆的工作。其中也是前後兩排，中有走道。據說是總司令等人的辦公室，其右——大樓的右前方，一座坐西朝東的大房子，已搭好了木架，地基上正在用磚築牆。說是集會的禮堂，兼作工作人員的飯廳。大樓的左方，由前到後，已搭妥了三座鐵架鐵皮的篷屋，是停車場，也是一排衛兵的宿處。大樓的後方，只有一塊蕃薯田，秧苗青紫紫地，葉間還偶有一朵朵淡紅色的花綻放著，其他的水田在收割了上期稻穀之後，便停止了耕耘，一撮撮稻根像受驚的刺蝟在蹲著。在距大樓後門總有五十公尺處，已豎起了木樁，撒上了豎一條橫一條的石灰線，木樁與木樁之間，已用稻草繩子牽連起來。據說是特為這大樓工作人員蓋的第一批眷舍，有一百戶，兩戶一幢。金土聽到羅處長告訴過他：「這一百戶建妥，你是第一批參加抽簽戶號人之一。」所以他知道這一批眷舍建妥，梅蘭就可以遷來台北。

有人說這批眷舍農曆年前就能完工，是上海幫的大陸營造廠承建的。金土興奮地想：「住入時，我已是四口之家了。」

這時期，國民政府行政機關，還在黔與兩廣等地運作。空軍總部雖已首先遷來台北辦公，卻只有人事、計畫，以及總務、軍法等署處，幾乎是全人手全日程，在台北進行了工作。而且，日常的工作，比往日要加上一倍還要多。到了十月，樓下的整修已結束，其他署處等人員，也逐漸進入工作。所以，凡是到了這幢紅樓工作的人員，幾乎天天都得挑燈夜戰，必須加班到十點以後。起初，每周六可以坐夜車返台南，星期日晚再搭夜車返台北，如今，連兩周也輪不到一次。好在邢庫長家已裝了電話分機，可以隨時通次電話。快要臨產的梅蘭，肚子挺得連坐臥都感到吃力。X光透視，已確證是雙胞胎、雖然胎位不偏不斜，醫生卻要求早一周住院，擔心一旦發生了陣痛，再顛簸到醫院去，兩個胎兒的胎位，會發生變化，徒然增加了生產的麻煩。照預產期的時間算，時下就需要住院。

金土希望回家一次，完成了住院手續再回來。

近來，金土手頭正有一件大案，一位軍區司令遺失了軍需品，還有一筆經費，手續不清。軍法方面除了通緝潛逃的運輸人員以及財務經手人員，尚須付諸行政處分。這案子，牽連了司令以下的相關行政人員逾十人。若依獎懲法規上的條款處分，第一位應當撤職的人員，當是這位軍區司令。可是，處斯世也，自應別作處斷。這案子的涉案人員，應負的責任大小，金土已作初步的研判，一一提出問題，寫了八頁十行紙呈上去了。為了想請兩天假，遂附了一紙報告在上面。

處長蓋了章，寫上「同意」二字，副署長也蓋了章。署長卻把金土喊到跟前。笑吟吟地說：「恭禧你金參謀，要作父親了。」跟著就說：「你辦的這件案子，提出的三條處分方案，無不法理分明。我這就呈上去，參謀長也可能蓋章上呈。到了副總司令那裡，一定找我去。若是要跟我討論這案，我非帶你見副總司令不可。這案子恁麼複雜，我可說不清楚，非你這位承辦人去解說不可。」說著遂又拿起金土的請假單說：「你這個問題容易處理，我已經給台南的鄒院長通了電話，他正籌備台南的空軍醫院開診，你打電話請台南的朋友，把你太太馬上送到鄒院長那裡，一切由他們處理，萬無一失。」說著把那張請假單，交還給金土，又說：「鄒院長的電話與住址，我都寫清楚了。我也跟羅處長說啦！他應允代你去辦。」當金土趨前，雙手接過來那張請假單，又聽到署長的最後一句話：「這案子必須總司令親自批。總司令明天就到。」

……

二、孤寂的現實與堪嗟的家乘

近來，金士竟然兩周也未能返家一次。自從邢太太家裝了電話分機，卻能每天通話，總在晚飯稍後的這段時間。

每次通話，問起生活狀況，梅蘭總答說，一切正常。醫生說得提前一周住院，不能等到陣痛。雙胞胎，易出問題。

「你知道的，」梅蘭說：「每天有小虎陪我，媽呀媽呀的喊，比喊他親娘還熱火。總是纏著我講故事。一大早就叫門，進得房來，就不願走了。」又說：「好在邢太太不吃醋，放任他天天伴著我。還不到四歲，兒歌教上兩三遍，就能唱。乖巧得像個小天使似的。」又說：「只是肚子越來越大，上下床都不方便，鄒院長派護士來看過，說是這幾天可能就得住醫院去。」可是金士這個周末，還是不能回家，手上的一件案子，可能要向總司令作會報。

「你還是以你的工作要緊，」梅蘭回答說。「我的生產問題，長官已經關照了這裡的鄒院長，護士到家裡來檢查，說不定我在下個禮拜一就會住院。這一點。你可以放心。」

梅蘭儘管如此作答，慰撫丈夫別惦記著她，但在心情上，總是感到孤寂、空虛。白天，有邢家的小虎纏著她，跟前跟後，更有邢太太與李嫂在身邊轉悠著，廚房中的燒燒煮煮，煎煎炒炒，以及家中的清潔灑掃等事，也不勞動她。但一入晚，睡熟了的小虎被邢太太抱走，寂寞這機靈鬼，便趁虛隨著窗外的微風，打從窗櫺的格孔中飄入房來。在這情形之下，梅蘭首先想到的就是家裡的母親。

在上海，決定嫁給金士時，曾經寫信回去，變亂中，至今沒有收到來信。一到台灣，也曾寫信付郵，那時，南昌還沒失守，像廣州、廈門、福州等地，都還在國民政府轄區之內。邢太太在此時，曾收到她河南鞏縣家鄉的信，何以我母親沒有信來？「難道，媽生氣了！她老人家還認為那位姓萬的好？是個做生意的，有房產、有店面、有積蓄。」曾經勸過她，說：「大八歲不算大，前房死了沒留下孩子，也不算填房。」可是，梅蘭回想到這裡，胸口還泛噁心呢！她一想到那位姓萬的那副市儈相，就想扭頭作嘔。

梅蘭記得她曾反衝過她媽媽說：「妳當年嫁給爸的時候，你們倆人身上不必帶錢，在紹興府的吃喝穿著任你們選，有人付帳。真的是家大業大，官大勢大。結果呢？媽！我不說了。」用不得說了，梅蘭的父親婚後不到二十年，便吃喝嫖賭敗光了他應得的那份家業，還落了一身的病，卅五歲就一命嗚呼！從此，梅蘭的母親只得帶了三個孤苦的一子兩女，依靠伯父過日子。

過年、作新衣，上學、繳學費，伯父母雖然沒有等著她們去討，只要看到開學通知單，就主動把學費一一交給他們，縱然伯父伯母沒擺難看的臉色，姨娘可饒不了他們。每次交學費，那四姨娘都氣虎虎地來上一句：「女孩子家上的什麼學！我就不識字。」

哥哥讀完初中，就到銀行去作練習生去了。

伯父家的大哥留學日本，東京帝大畢業，曾任長崎總領事。不幸二十八歲時，為了爭一妓女，死於流氓刃下。二哥留學英國，在牛津大學習法律，回國後曾任最高法院檢察長，卻也不幸死於傷寒。如今，只有這位四姨娘生了個男孩，比梅蘭小十歲。在伯父母相繼謝世後，這位姨娘便帶著兒子以躲避警報爲由頭，住到鄉間田莊去了。正是抗戰第五年，日本飛機偷襲珍珠港那個時期，大家逃到贛南，住在祖父服官贛南道時的一處居所。祖父死在任上，墳葬在贛南，墳前有一處田莊。伯父是長子，有承繼的權利。好在這時的哥哥已由練習生升了行員，但卻結了婚，也有了孩子。從此，一家六口人的生活擔子，便落在梅蘭的哥哥頭上。姊妹倆正讀中學——姐高中、妹初中。從此，四姨娘的那張臉換上了嫂嫂那張更難看的臉，而且，嫂嫂還有一張更嘮叨更鋒利的齒舌呢？

當梅蘭寫那封信告訴媽，她已跟一位服務軍中大她五歲的金土結婚，帶著妹妹坐上了開往台灣的軍船，航向了東海的台灣，說：「媽！我們漂遠了。」心頭曾泛起一縷輕快感。同時，心頭還有一句話沒寫：「再也不會看嫂嫂跟四姨娘她們的那種臉色了。」何嘗想到女人嫁丈夫是「嫁雞隨雞」的那句古話，更沒有想到她那既孤寡又貧困的母親，會過那種持有尊貴家世的嫂嫂裙邊下的生活。如今算來，自己結了婚快滿一年了，又是即將作母親的婦人。這一年來，竟有大半的日子，在獨守空房。自從妹妹有了工作，住到工作的地方，雖然每周總來一次，有時連住上一晚也不可能。女孩子大了，有她自己的應酬。而且聽妹妹說，一位與她在十九中同過學的同學，正在讀海軍官校，到車路墘看過她兩次了。最近，祇有禮拜六晚上來，第二天一早，就忙著去應酬。再加上金土的工作，又忙得連兩周都不能回來一次，肚子又大得連上下床都感到累贅。使她想到兒時母親口中唱的古詩：「征婦語征夫，有身當殉國；君爲塞下土，妾作山頭石。」（征婦語）再印證一下自己，還談不上是征人之婦，只不過是丈夫近日的公文案上，積件越來越多而已。新聞紙上說我們今日所處的是「非常時期」。想想這四個字的辭意，對當前的環境來說，極其的當。

所以，梅蘭一想到這是「非常時期」，凡是從大陸漂海來到台灣這塊土地上的人，都是逃難者，過了一些時期，有誰不想再回到自己的家鄉？心情也就平適下來。

最能使梅蘭沖淡鄉愁的事態，除了邢家的小虎，天一亮就會走過來，環繞著她跟前跟後，另一樣便是這棟房屋與她的睡床。這房子還是老式的建築，沒有近代的天花板，昂頭就見到樑椽，無論是屋脊上的大樑，橫亙兩牆的隔間樑，以及由樑脊打斜伸向簷牆的椽樑，都是雕花的。當年的油漆漆上的五彩，雖已褪色，還能看得出這房屋當年的輝煌情致。擋去了屋瓦的方條木板，尚無殘破的痕跡，只見油漆的紅色，已經斑駁。睡的那張床，像個長方型的小木屋，大敞口的床內三方，都有橫銜兩邊床柱上的橫壁，鑲著瓷製的花花朵朵與連環故事。這些景致，都使梅蘭勾想起她兒時的家庭盛境。一是南昌鄢家井那幢連肩三所庭院的家居房舍，二是九江丁官路靠近甘棠湖的那一座五進庭院。住屋的高大，以及雕樑畫棟，比起這一間，可要富麗多了。

常常，梅蘭孤孤單單一人，睡在這張老式木床上，時時陷入意識的亂流中，總是回溯她的童年，追想家人的悲歡故事。

在祖母活著的時候，還有一位嫁出三年就守寡的姑母，無兒無女也回到娘家住，全由大伯父背負這一挑生活擔子。祖母不識字，經常由母親與姑母唸唱本給祖母聽，像什麼梅玉配、連理枝、巧姻緣、長生殿、小尼姑思凡、兒女英雄傳，還有王寶釧、孟麗君，都是些英雄美女、才子佳人的故事。那時的梅蘭纔十歲上下，聽了這些唱本上的故事，也曾想到將來我大了，也會在後花園遇見這樣的落拓少年，游學公子嗎？如今，居然與自己看上的男人，成其婚嫁，雖不是唱本上的故事那樣，卻也不是像母親跟姑姑的婚姻那麼著，都是聽父母之命，媒妁之言，事先兩人互不相識，憑著兩家的門當戶對，以及雙方長輩的情誼投契，就這樣湊成一起的。梅蘭時常聽到母親，與姑姑兩個人，在私下裡埋怨自己的命運不濟，一個嫁的是花花公子，娶親，企圖有了家室會改正浪蕩子的糜爛生活，一個嫁的是個癆病咳子，娶親，希望大紅喜帳能驅走癆病鬼魅。結果，都投入了婚姻的不幸家庭。官大勢大，家大業大，也擋不住敗子的揮撒，也擋不住疾病的惡化。後來，祖母死了，姑姑進了白衣庵，作了帶髮修行的尼姑。母親有兒有女卻也年輕輕地纔三十出頭兒就守寡。梅蘭時常聽到母親掛在唇邊那首歌兒：「女人女人真可憐！窮家的父母賣，富家的弟兄嫌！若是嫁了個浪蕩子，吃定了一生苦辣鹹！」梅蘭到了讀中學的時候，纔明白母親唱的這句歌詞，是她爲自己編出來的。

說起來，梅蘭之所以選上了金土這個男人，當金土剛開口表示了愛意，就爽爽然應允下來。爲了登記是金土的眷屬，連婚禮也未舉行，草草的填寫了兩份結婚證書，就匆匆的上船，漂到了台灣。原說在台灣補行婚禮，再正正當當的完成了人生中的一件大事—洞房花燭。怎想到金土的工作，忙碌得連半日閒空，也沒有辦法抽出。再加上人也是獸類蛻化出來的，又怎能攔得住性本然的衝動？女人的本質是母體，如今又懷了孩子。而且，來的又是雙雙對對。這時，梅蘭纔體會到當年母親勸她嫁那個姓萬的主張，她瞭解到姓萬的男人本分，在商業上已有了經濟基礎，嫁過去不會受到生活上的折磨。今天的金土，還在勞心勞力的奮進著啊！

可是，梅蘭挺著個大肚子，快要臨盆了，丈夫居然半個月都不能回家一趟，在情感上，怎能無有這份生活上的虧欠！

卻也沒有怨的，這夫婿是自己選的。所以，每當早晨小虎在門外澎澎地敲門，她聽小虎那清脆而且親切的叫喊：「媽媽！怎麼還不起來啊！」有時也會聽到邢太太的急促腳步聲，不說話把小虎拉回去，總是聽到小虎委曲地哭哀哀地說：「我要乾媽說故事麼！」

這半年來，邢家的小虎，之所以這麼親情地緊貼在梅蘭身邊，正因爲梅蘭的情性溫和，又會說故事，又會唱兒歌，還會唸古詩。小虎已經學了不少了。

小虎早晨起來，第一件事就是跑去拍梅蘭的房間，總是喊了一聲「乾媽」之後，就背誦頭天學去的兒歌，還站在房門外，便引吭高聲的歌唱：「金針花，金朵朵，金雞在花下擺筵桌，他要請南山狐婆婆。豬銜柴，狗燒火，貓兒作飯煎炒炒。」如果唱完了一支，梅蘭還沒有來得及開門，小虎還會唱第二個：「天上星，地下釘，叮叮噹噹掛油瓶。油瓶破，兩半個，家裡的活兒還得作。豬銜柴，狗推磨，猴子打水井上絞，踩不動轆轤翻了個過。貓兒洗碗垛打垛，一下子弄倒十拉個破。老鼠聞聲打開了門兒，老老少少哈哈笑。」

自從聽了故事，小虎不願意再學兒歌了，他感到故事好聽。所以近兩個月來，老纏著乾媽說故事。無論唱歌、說故事，梅蘭都是長才。她是學教育的，又在幼稚師範專科補修了一些兒童唱遊教育的課程。說起來，梅蘭在這方面，算得是行家，儘管她還沒有完成這一類課程的學業，由於梅蘭的天賦高，凡事都能從理路上去舉一反三，像一些古老的小故事，以及西方譯述過來的童話，一經過梅蘭的述說，就會特別生動活潑，孩子們聽了，個個都會昂起頭來支起耳朵，圓睜起眼睛來，靜觀！靜聽！

譬如她在小學課本上，讀到的那一課，題目是「盲從」的童話，課文只有這麼幾句：

有一天，狐狸大叫著說：「天要塌下來了，快跟我去躲起來吧！」

狗兒聽見了，也學著大叫說：「天要塌下來了，快跟我去躲起來吧！」

於是，貓兒、雞兒、鴨兒都聽見了。遂一個跟著一個叫：「天快要塌下來了，……」便一個跟著一個向前走去。

最後，走在前面的狐狸不見了。面前是一個山洞，洞裡竄出一隻眦牙裂嘴的老虎，這時纔發現上當，想躲也來不及了。

這小故事，通過梅蘭的口舌，有了變化。

那天，梅蘭這個小故事，向小虎講述，說成這樣：

有一天，一隻狐狸不小心，被老虎捉到了。

當老虎要吃這隻狐狸的時候，狐狸就拚命放出臊味兒。老虎很生氣，就把狐狸踩在他兩個前爪子下面，還用手式以及臉上的兇惡表情，表演出來。學老虎說：「你怎麼恁麼臊氣薰天啊！」狐狸就使出了讒媚的語氣回答，遂又嗲聲嗲氣地學著嬌嗔地聲氣說：「大王，我是天生的一身臊肉，你沒有聽到人類罵我是臊貨嗎？」老虎聽了，更加生氣，說：「你不要耍嬌弄臊，我不吃你的臊肉，我吃你的心肝。」一邊說著便一邊比畫著老虎的兇狠動作，揚起了一隻爪子，要去挖狐狸的心。狐狸這一聽急了。連聲的哀求，遂又學狐狸的嬌媚聲音，說：「大王大王饒了我，我有本事給你送吃喝。」

狐狸哭起來了。老虎聽了，揚著爪子，（梅蘭學著老虎揚起爪子要下毒手的兇惡樣子），粗聲粗氣地問：「你要是騙我呢？」遂又學著狐狸的嬌聲嗲氣，哀求老虎說：「哎呀大王啊！我要是騙了你，俺那全族的狐老狐少都遭了劫，我那兒敢哪！」老虎在狐狸的這種乞憐耍乖的要求下，放了這隻狐狸。

這隻狐狸逃回窩巢之後，把這事告訴了全族的狐老狐少，經過一番會議，決定去騙那些笨頭笨腦，甘願在人間作奴才的貓狗雞鴨。帶到老虎口邊去。遂想了一句：「天要塌下來了」的謊話，騙那些頭腦簡單心地善良的貓狗雞鴨，盲盲從從跟著去上當。這狐狸改扮成小狗模樣，大叫著說：「天要塌下來了，快跟我去躲起來吧！」小狗聽見了，也跟著喊叫，跟著走去。這麼一來，貓、雞、鵝、鴨，都跟著照樣喊叫，一個跟著一個走。哇呀！走向那裡呢？

遂問小虎：「小虎你猜猜？」

「都跑到他媽媽那裡去了。」小虎肯定地回答。

「不是，」梅蘭說：「都跑到山洞那裡去了。」小虎聽了很高興，大家躲到山洞裡去了。大家一看，帶頭的小狗不見了。竟然看到那山洞裡有一隻老虎，張著血盆樣的大嘴，露出鋸齒似的獠牙，睜著銅鈴大的兩隻放光的眼睛，哇呀一聲衝出洞來，任憑那走到洞口的雞會飛、狗會跳，貓會跑，結果呀！除了貓兒的腿快，跑開了老虎的爪，其他的幾個全被老虎一個一個咬死，啣到山洞去了。

梅蘭把故事連說帶作的說到這裡，小虎已誩得目瞪口呆，牙齒咬著手指頭，半晌半晌纔說：「狐狸好壞噢！」

梅蘭趕快把小虎摟到懷中，安撫著說：「別怕！小虎，要記著長大了，不要隨便聽了別人的閒話就當真，那會上當的。」

不到四歲的小虎，還領會不到這一層，卻鬧著乾媽再說另一個好聽的。他說他不喜歡這一個狐狸騙別個上當的故事。小虎正鬧著，邢太太卻走來說，醫院的章護理長來了電話，要梅蘭先作準備，今天上午，救護車就要接她去住院了。

三、人事之不齊也

金土調到人事單位，還不到一年。他主辦的是獎懲事務，數月以來，若以比例來說，受到懲罰的人，比受到獎勵的人，一月比一月增加，近來竟高踰兩倍。停職的，撤職的，兩種都有。大多都是失蹤，逃亡，或經過軍法判令通緝的人。這類案件，極易簽辦。根據軍法的判決，再按人事法規《陸海空軍懲罰法》所訂列的「懲罰種類」，選上一條，或採用最後一條「其他有敗壞軍紀、風紀之行爲者」，擬予停職、撤職即可。反正軍法方面已判定通緝。或者未經軍法這一程序，人已久未在職，去向不明，行政處分，也祇有依照「請假踰限者」一款，擬予停職或撤職。這類人事懲罰案件，簽辦起來，極其方便，工作效率也快。

可是，偏偏有在職的人，在他前任的職務時間內，干犯了須付諸軍法審問的案件。如處理不當，喪失了大批軍品，或貽誤了戰況的勝負，經友軍控告者，還有出擊轟炸任務而誤傷友軍者。還有被檢舉資敵者。經過軍法審判，判無刑事責任，依法得移送人事業務單位，作行政處分。

這類的案件，先一件後一件，一件又一件，當事人都是軍區司令以下的官員。比主持人事業務的主管官員，不但官高，資歷也老。擬予行政處分的拿捏，這其間，還蘊藏著長官的個人情誼，委實不易掌握住面面俱到的分寸。

近來，這一類文件，又有一件大案，雖然組織了一個小組，共同研商如何擬辦？但卻指定要金土主簽。這一指示，小組中的成員，自然全部推卸給金土，要他先行研究，提出了擬辦，大家再商量。案卷祇有一份，最多也只能插手一人進去。金土遂要求與另一位資深年長的同事，作初步的共同研究。

這事，都放在加夜班的時間中工作。

「這事我也得參加。」王科長說。「要不然，上面問起來，我一句也答不出，非挨罵不可。」

雖說這三件案子，參加的兩位以及王科長，業已知道個大略，都沒有金土那麼深入案情的推究過。所以在晚上聚會時，另兩位是王參謀與陳參謀，都是資深的上尉，再等一年就升少校了。年齡也比金土大上個四、五歲，都不敢先表示意見。

「建國軍區與康南間的這一件，」王科長先說話，「我翻是翻過了，頭緒一大堆，連個頭兒都理不出來。」

「我是從頭到尾看了一遍，」陳參謀說，「長官既然指示交給金參謀主簽，我也就偷個懶，沒再進一步分析。」

陳參謀是人事署主辦懲罰案件的老手，可以說是這一案類的龍頭。當年高志航在周家口機場殉職，追究行政責任一案，就是陳參謀主簽。五百餘度的近視眼，從兩道凸出的鏡片上，射出閃閃地光芒。語氣裡氤氳著幾分無奈。

「我是聽到老陳說，」王參謀說，「這案子我摸都沒摸過。」

王科長望著笑容滿臉的金參謀，猶豫了霎那，說：「還是金參謀先提意見。」

「我是從頭到尾看過了，」金土說，「也理出了頭緒。」說著向陳參謀以期待的眼神，又補上了一句：「我還不敢說對不對？」遂又從攤在桌上的一大疊案卷上，揭起一張紙條，蠅頭小楷寫得密密麻麻，「我先報告，遺漏的地方，錯了的地方，請老前輩陳老師補充。」說著，指著桌上的案卷，「我們再詳細檢閱案卷的資料。」

陳參謀還沒有等金土把話說完，就兩肘拄案，揚起兩個手掌，交織地搖著說：「可不能稱我老師，你這不是損我嗎！」

「別在意別在意，」王科長連忙插入話頭，「陳參謀是我們這一科的龍頭，金參謀到差不過一年，說句敬老的話是應該的。」沒有等著陳參謀再開口，便指命金土報告他的案情研判，說：「你說下去。」

「這案子，看起來很複雜，」金土說：「理出了頭緒，只是一根線牽連著。」

在座的三位一聽，頓時一愣！但無不洋溢出歡悅的面容。

「這二十輛車次的物資，雖是建國軍區運出的，可不是建國軍區的主張，」金土說，「應是奉命而爲，不然，這其中還有五十萬銀元，尤其是鎗彈。沒有上級的命令，軍區司令，怎敢自作主張，運到康南去。」

說到這裡，沒有人能接上話，只是等著聽下去。

「再說，這個案子，如無檢舉人署上真實的姓名職稱，詳詳盡盡地寫了這麼三張檢舉書，軍法單位不會受理，」金土說著，翻出案卷中的這一份檢舉書，又說：「軍法單位之所以沒有審理，只是要求該軍區的原主管，將檢舉案錄出的重要條目，一一作了解答及申述，正因爲這位檢舉人已傳喚不到。有人說此人到了台灣後，又返回他四川原籍去了。如今，巴東的縣市，業已淪陷。所舉事實，取證也陷入不可能的情境。所以軍法處只簽了個：『呈閱』二字。」說著，又翻到了總司令的批示，指著紅色鉛筆批的「人事單位查處」六個字，向在座的三位說：「這件軍法未能了結的案子，之所以到了我們這裡，上面的意思，只是要我們查查這件事，有沒有行政上的責任？」

「這種案子，」陳參謀說：「通常都是法律方面判決之後，再移到我們人事單位來，根據陸海空軍懲罰法，辦理行政處分。像這一案，軍法既然沒有辦法審理，人事單位怎能先辦行政處分呢？」

「這其中牽涉到檢舉案中例舉的運輸車次，有憑有據，」金土說，「與申述者的數目，出入一半以上。可能長官發現到這一部分的問題。」

金土將案卷中的此一部分，翻出一頁頁已貼好的照片，全是庫房在提運物資時，點收的單據，以及車號、駕駛人、押運人等姓名，都紀錄在提運物資名冊上。特別是那五十萬銀元的運輸車輛，證據最為清楚，一萬元裝一木箱，只有卅箱。與申述者說的五十萬銀元，相差二十萬。其他還有棉軍服一萬套，二百五十磅炸彈，P51機槍彈，以及步槍彈，三日之間，發車二十輛次。機場方面登記有案。

這位檢舉人就是承辦此一運輸案的運輸科長。

三個人都只是怔怔然望著金土，一時沒有問題提出。

「申述者提出了康南航站的電報，收到了械彈、被服，沒有說到銀元，卻說到運輸的飛機是兩架次，」金土說。這時陳參謀馬上插入一句：「銀元沒有運去？」金土遂又翻出一件公文說：「起運之前，有電報通知康南航站，在電文的密語中，說到銀元，未說數。」遂又交給三位一一檢視，有判行公文稿，也有密碼電報文稿，兩者都有發電時日。陳參謀又默然了。

「向銀行提運銀元，登記的日期是第一批運輸車輛。」

金土說著指出提運物資的名冊上，有登記的日期紀錄為證。

「康南站覆電的日期字號與去電相符。」金土又補充說。

「如今，康南也淪陷了，」金土說。「就是有人撤來台灣，也未必有完整的人事、完整的案卷，來對證這些問題。」

「照金參謀這麼說來，」陳參謀說：「這案子的案情，相當複雜，線索可就不止一根了。」

「金參謀說的一根線，指的是案情的主線。」王參謀這纔插嘴說。「追根究底，問題在誰出主張運這一大批物資到康南去？大江的東方，不是運到台灣這裡嗎！」

「當局的原先決策，是巴西也不放棄，」王科長說。「我們設在廣州的行政院，都打算遷成都去辦公。」

「這案子已不是追查這批物資的運輸責任，」金土說。「上面指示的應是追究這批物資運輸的實況，有無從中作手腳的問題？」

「這樣說來，要追究的只是銀元問題。」王科長說。

「這一案件，若是在運輸的情況上，有了問題，」金土說，「被服、械彈、金錢，任何一樣出了問題，都是軍法方面的事。在軍法上審判結案後，纔能由行政單位來處分行政責任。」當金土說到這裡，王、陳這兩位老資格，都由衷地打心底泛起了敬佩。認爲這位老弟的智慧過人。

「照此案情來說，軍法既無法付諸審理，咱們在行政上也不易作行政上的處分。」王參謀說。

陳參謀則閉起雙目沈思，一隻手的五指彎爪朝下，一下連一下的在磕桌子，還搖著頭晃著腦，像詩人尋句似的在想、想、想。

「這案子的結論，王前輩說到了。」金土說：「我也是這個看法。」

「不能這樣簽吧？」王科長說：「從總司令的批示來看，沒有人受到處分，可能過不了關。」

「應受處分的人，有一長串。」陳參謀昂起頭來附和王科長說。

「我看這樣吧！」王科長提議，「我們停止討論，我跟陳參謀一組，王參謀跟金參謀一組，咱們分組研究全案，各作各的擬辦，各寫各的簽呈。怎麼樣？」

陳參謀用手推了一下鼻樑上的眼鏡，望著王參謀說：「我贊成。」王參謀沒有開腔，金土就搶著答說：「這樣最好。」

當著桌上的一大堆案卷，金土又附加了一句說：「案卷我已經很熟了。我已在我的卡片上作有紀錄，我跟王參謀詳說就是了。若需要看案中的照片什麼的，再過來看。我們倆到另一間去，免得彼此有礙。」

就這樣，分成了兩組，王參謀與金土。到另一間房去了。

到了另一間房，金土便把原已寫妥的簽呈，給王參謀過目。

王參謀接到手上一看，驚異地說：「啊！簽呈都寫好了！」

「我已經反覆閱讀了好幾天了。」金土說：「你先過目。」

簽呈寫的是：

案由：建國軍區奉令運送一批軍用物資到康南案。

說明：一、建國軍區於X年X月間，奉令提運彈藥、被服、銀元等（數量詳附件一），運送康南，交由康南航空站收存。

二、附件一中所列之各項物資與銀元，已由建國軍區分批於X年X月之X日X日X日，三次提領運到機場，交由航空站空運單位點收無誤。（參見附件二）今者，有原任建國軍區運輸科長之金世璽上尉，提出檢舉函一件（參見附件三），認為該批物資並未運出，懇請上峰查明該批物資下落，疑軍區官員有貪黷情事。

三、該案先由軍法單位審理，憾以原案檢舉人金某來台後，返里接眷，迄今未再返回台灣。且該建國軍區之原任主管，已就所詢事項，有申復函件（參閱附件四），且提供康南站收到該批物資後之電報譯文，惟不詳細。奈以時局動盪，兩地先後失據，人員星散，查證困難，遂以暫存待議呈閱。奉批：「交人事單位查處行政責任」等因。

研判：一、按軍區運送康南之此一軍用物資案，乃奉令行事，且物資業已運到機場空軍單位點收。

足證此一批物資等，業已完成初步運送手續。

既有康南航空站收到此批物資之覆電，亦足證該批物資，已經運送到康南航站。

二、問題是該批物資之木箱等件，尚包括銀洋五十萬元。據建國軍區之主管人申復說，此批物資分三次裝上空軍飛機，並非專機運送。所有運送之物資，除棉軍服一項，是帆布綑包，其他悉是木箱盛裝，其中物資之類別，全在木箱外所寫之號碼來作區別。非局內人不能知悉箱裝何物？康南之覆電，電文極其簡單，祇說（真）電所示各件，業已收到存庫。並未說到何物，連件數多少，都未言明。對照檢舉者所說，不無可疑？

三、按申復者所提供之此件康南覆電，所用密電碼，雖然軍法單位對證不誤，蓋該覆電雖是建國軍區電台用紙，是否確實是康南覆電？由於時局之變遷，今亦無從求證。

四、若依據檢舉人所列各點來推論，此一案件如有違法犯紀情事，最少涉及司令以下之作戰、補給、財務以及軍區與康南機場兩處的主管人員，且所犯有涉軍法。今軍法單位既已受到時局之變遷影響，以求證不易，暫不審理作結，人事單位則更難據以作出行政責任之處分。按陸海空軍懲罰法第三條所列陸海空軍軍人應受懲罰之犯行，計共二十六款，查無任何一款可以引用之，來處分此案之貪黷違法犯。蓋此案之犯行，有則判以軍法，無則免議。軍法判決後行政方可依懲罰法第二條所訂之六種懲罰種類（由撤職到申誡），依所犯情節之輕重處分之。

擬辦：本案擬循軍法單位之「查證困難，暫存待議」意見，亦暫存待議。所擬是否有當？謹乞核示！

王參謀看完了這三頁用蠅頭小楷寫出的簽呈，連說：「高手高手！簡單扼要，不必措一辭。」金土則一再謙請王參謀不要說客氣話，務必提修正意見。王參謀則鄭重地說：「不是客氣話，剛纔聽了你的案情敘述，就知道你對這件案子，已經研究透徹，沒有想到你連簽呈也寫好了。」說到這裡又輕聲說：「咱們還是聊閒天吧！等著看老陳的。」

跟著，王參謀向金土說了一些作參謀的簽辦業務的苦經，遇見了明情理的長官，事情好辦，否則，得用一百萬分的忍耐，不然，幹不下去。遂說到做參謀的人，頭上有九段級層的長官，（從科長到總司令）。通常，最難過的一關是署長與參謀長，因爲二級主管，大多是署長、參謀長的同學或同事，人嗎！總難免有幾分情誼上的運用。往往一件案子，會遇上一層又一層的長官有意見，拿回來改簽。

再送上去，可能又得改，再改到第一次的原簽。有些人氣得跳脚。

「我也改簽過三次。」金土說。

「在我們這幾位看來，都認爲你是一位最受各級長官青睞的人物，」王參謀說。「你的條件好，第一，你有一枝騰雲行雨的筆，第二，你是羅處長帶來的，羅處長與署長同學，這一關，最少給你擋了上下兩層。」

經過王參謀這一說，金土的臉紅了。王參謀遂又改口敘述另一件長官對待部屬的態度問題。說是在南京的時代，人事署還在稱處時的一位處長，要是批閱到簽呈，看著不順眼，讀起來不順心，就把那簽辦的參謀喊了去，那位參謀到了辦公室，鞠躬行禮報到，他問：「這公事是你簽的？」還等不及那參謀回答，就隨即把手上拿起的卷夾，唰起一聲就甩到了那位參謀的脚下。嘴裡只是氣呼呼地說了三個字：「拿回去！」作下屬的只有忍氣吞聲，紅著臉彎著腰檢起地上的卷夾，以及散飛在地上的文件。站起身來愣怔了一霎，希望再聆聽幾句指示，卻看到處長在繼續批閱公文，連眼神都不睬他。當他看到副處長的手式，方始悶悶地走出去。

回到科裡，淚眼汪汪地向科長述說受辱情事。

這情事，大多數人都知道也經驗到，遂大家相聚起來，檢討這件公文，出了什麼錯？打開卷夾一看，是別一科的公事，簽辦人不是這位參謀。而且，這位處長已經看過蓋上了章，呈向參謀長就可以了。因爲這位處長甩的不是他要甩的那一件。

雖然惹得大家看了，啼笑皆非，卻誰也不敢去問。

王參謀說，好在這位處長幹不到半年，就調走了。要不調走，真會出事。

金土聽了這個故事，曾在心裡盤算著：「那被羞辱的人若是我，當時我會怎樣？」

王科長與陳參謀進房來了。

「怎麼樣！」陳參謀一進門就滿面春風的問。「討論完了吧？」

「金參謀把簽呈都寫好了。」王參謀搶著回答。

語氣沈著而堅定，陳參謀聽了一怔。

「噢！恁麼快？我要看看，我要看看。」

王科長聽了，也有幾分詫異，金土倒有幾分羞澀。

陳參謀從王參謀手上接過了那份簽呈，坐下來，摘下鼻上的眼鏡，又換上另一副戴上。像老師從學生手上接過一件作文似的，王科長坐了下來，向王參謀和金土說：「我們已循線頭縷出了應負行政責任的，有七位之多。」王、金兩位聽了，沒有言語。

一時大家靜默起來，靜候陳參謀閱讀完金土的簽呈。

陳參謀閱讀完後，喝了一聲采：「好！」抬起頭來，望著王科長說：「科長看了再說。」說著已把簽呈交給了王科長。

王科長接過那份簽呈，靜靜地讀後，說：「情理分明。」遂又向金土說：「不知上峰的心意所指？以我看一併交給陳參謀，作兩案提出，簽請長官選擇。」

金土與王參謀都表示同意。這一晚的工作到此爲止。

可是，金土卻想著要回台南家中看看，雖然妻子已入院待產，一切都有了照顧，心理總是掛記著，他已三周沒有回家了。

四、這就是人生的初步

梅蘭住入醫院，由於她的肚子特別大，行動已不便，還派了一位護士陪伴著她，晚上也陪著同房安眠。梅蘭是位纖巧地體形，高一五八公分，重四十六公斤。如果是西方人的衣著，準能呈現出她那標準的三圍。如今，身懷雙胎，腰身粗得鼓起來像個罈子似的，冬天的棉袍已不能穿，扣不上扣子。穿上金土那件西式呢大衣，也扣不上扣子，只得用根鞋帶，穿拴在扣鼻口上，綰到另一邊的扣子上。

將要臨盆的產婦，必須時時走動，不能長時坐臥。所以當梅蘭住入醫院，醫生就囑咐護士，應在早、中、晚，都要攙她走動，不要走遠。這時的這家醫院，還在籌備期間，僅作門診，住院的病人，只有特殊症狀的三幾位。

雖說，梅蘭自從住入醫院，日夜二十四小時都有護士陪伴，可是丈夫在台北，工作忙得竟有一個多月沒有回家。沒有住到醫院來的時日，邢家還有電話分機，幾乎每天晚飯後，都能與丈夫在電話上交談幾句。住入醫院這十來天，只有鄒院長轉來兩次話，說是這個禮拜金土還是不能回來。遂使梅蘭聯想到她那浪蕩一生的老爸，時常掛到唇邊的那首歌：「為人莫當官，當官被人管，一旦扣上罪，脖子疤如碗。子女沒人養，老婆再嫁漢。」還記得每逢老爸唱這首歌的時際，媽就會搶白他，說：「你沒有本領作官，就咒作官的。你要不是有個作官的爹，你拿什麼養活你的妻子兒女？」最後，總是罵了這麼一句：「你這沒出息的浪蕩子，虧你編得出這麼個歌兒來唱。」不過，梅蘭倒能想到，如今的金土，只是個文書官，芝蔴蠶豆大的小官，淪不到羅織上殺頭、充軍的罪名。既然從事公務工作，總得奉公守法。梅蘭想到她之所以會選上金土這麼一位官不高、財不大的小人物，正因為她見到了她那紈絝子弟的老爸，浪蕩逍遙，游戲人間不過三十五年，便撒手而去，留下妻子老幼，寄在伯父屋簷下度日。正因爲梅蘭有這些想法，挺著恁麼大的肚子，又是頭生、又是雙胎，丈夫偏偏在工作上忙得不能到身邊陪她，也能諒解。

再說，她之所以能這麼受到特別的醫護照顧，不也是丈夫工作努力的付出換來的嗎！

在心情上，梅蘭還是快慰的。當她聽說這個禮拜，丈夫還是忙得不能回來，她就說：「讓他全心去努力工作吧！他回來又能幫我什麼忙呢！」

梅蘭的預產期，已經過了，還沒有徵候。醫生怕的是胎兒越長越大，會造成平產上的困難。正準備注射催生針，陣痛開始了，遂馬上進產房。

接生的是位女醫生，自己已有兩次生產的經驗，也接生過雙胎，在接生程序上，極其熟練。沒有想到陣痛開始，要護士攙著她在產房再走上十分鐘，可是梅蘭已墜痛得一步也提不起腳來。只有攙她躺到床上。當護士爲產婦褪去遮襠的布，已有血水津出，產婦已身不由己的在用力向下送了。接生的醫生洗滌了雙手，穿好了衣衫走來，嬰兒的胎胞，已吹出了雞蛋那麼大的泡泡。遂說了聲：「好快噢！」馬上吩咐另一位護士到床頭，雙手抓住產婦的雙手。又囑咐產婦，說：「一覺得著肚子在下墜，就用力像大便乾結拉不下來的那樣用力向下拉。」就這樣，產婦一陣又一陣的在呻吟苦楚中用力、用力。那從陰門吹出的雞蛋大的泡泡，漸漸膨大，突然地一聲響，紫青色的泡泡破了，泡中的水，沿濺到醫生的臉上，只聽得醫生噗嗤一笑，說：「小傢伙你真玩皮，還沒見過世面呢，就向我趙媽媽開了水槍！」引得兩個護士發笑，產婦則被腹中的孩子，逼著她非在疼痛中一陣又一陣的用力向下推他出世不可。跟著，胎泡破了不久，孩子的頭剛一露出，便被醫生的巧手，捧著順勢一拉，只聽到產婦一聲「哎喲」呼叫，嬰兒已經出世了。

「荷！是個小子！」醫生歡娛地說了這麼一聲，便抓起嬰兒的雙足，倒提起來，巴掌尙未落在嬰兒屁股上，這孩子便哇哇哭出了墜地的第一聲，頓時傳揚到產房內外。護士報告時，說是六點卅分，這時的產婦已疲累得昏昏沈沈，腹中還有一個在往下墜呢！

腹中的第二個，竟遲遲不出來，陣痛比頭一個來得密集，也來得痛楚。不得已打了催生針，整整遲了三小時，到九時卅分纔落地。這個弟弟比哥哥體重加半磅，六磅半，哥哥只有六磅稍強。經過初步檢查，哥兒倆的健康都是正常的。就在梅蘭產後的第二天上午十點多鐘，金土到了台南。

金土是今天早上到辦公室的時候，王科長纔通知他。

「金參謀，可以回家嘍。」王科長笑逐顏開的說：「恭禧你，你太太給你生了兩個胖兒子。」已到辦公室的人聽了，也都異口同聲地鼓掌道賀。

金土喜悅地拱手向同事們答謝，還不知道什麼時間生的，倒見到王科長眹眼色要他跟著出去。一邊走一邊說：「九點鐘有一架飛台南的飛機，我已打電話代你登記好了。車也派好了，我陪你到汽車隊。」說著又回頭瞄了一眼，看到身後無人，遂又輕聲說：「那件案子批下來了。」金土一聽，頓時心頭一跳，馬上停下腳步，問：「怎麼批的？」王科長又回頭瞄了一眼，答說：「如擬」。

金土聽了，馬上又在心裡打鼓。因爲這件案子，那天晚上決定由陳參謀主簽，簽了甲乙兩案，大家都蓋了章。行文到了參謀長那裡，指示照乙案「暫存待議」上呈。案卷取回之後，署長只喊去了金土，要他只留一案重抄一遍。這一件在送呈時，並未經過科長，當然，連陳、王兩位參謀也未蓋章。金土簽名之後，只由在場的處長蓋了章，其他便是副署長、署長蓋章，便送到上峰去了。雖說，此一情事，金土曾暗中告知了科長，但這一批示文件，在陳參謀心理上，總會存生些介隙。心想：「這批示給不給陳、王二位過目呢？」話還沒出口，王科長便塞了一個信封給金土，說：「這是署長給你的，算得是賀禮，也算得是獎金。」遂又補充一句話：「昨兒晚上你太太一生，鄒院長就打電話來了。所以署長一大早就把我喊了去。告訴我有這件事。我順口說你已快一個月沒有回家了。署長就馬上准假，要你儘快回去，下週一來上班。」金土聽了，心熱鼻酸，淚水溢出了眼眶。

到了汽車隊，等著駕駛去開車的時候，金土又提到了這批示的文件，給不給陳參謀他們看？

「這事兒我想過了。」王科長說：「我看來，這案子就這樣結了。處長告訴我，上面的意思，要承辦單位不可洩露案情的辦理結果。」又說：「像陳定九他們，最好也不要告知。若是問起來，就說案子還壓在總司令那裡。」

金土上了車，準時搭上這架飛機，十點半就見到老婆兒子了。

算來，產婦幾乎經過了一日夜的折騰，再加上聽到新生嬰兒的啼聲，招惹來的興奮情緒，使她遲遲不能入睡，所以醫生給她注射了產婦產後必須注射的針劑，又加入些鎮定安神的藥物，到了金土到來，正好是產婦醒來，用完早餐，把兩個業已睜開眼睛的嬰孩，也抱給他母親放在懷中，來體會骨肉的這分親情之際。當梅蘭的兩個手臂彎子各摟一個親生子，雖然那兩個小小嬰孩，已經睜開了烏黝黝地眼睛，小眼睛還在滾動著看他出世後的人生世界，可是那肉紅紅地小臉兒，在蹙眉時，竟是滿臉的皺紋。梅蘭看到，使她突然想到了她曾經見過的兩窩五、六個在蠕動的小老鼠，也是赤裸紅紅肉肉地，心想：「我這兩個孩子怎的這麼醜！」這時，一抬頭見到了孩子的爸爸金土。

「難爲你了！」金土歉然地說。

梅蘭沒有言語，雖然內心的歡快還掛在眼角口角，卻頓時鼻子一酸，兩粒淚珠兒便從眼角上齊步走下。隨著便低下頭來，看看懷中的兩個孩子，也略帶幾分歉然地說：「好醜噢！」

當床邊的護士獲知站到床前的這位軍官，就是這兩個孩子的父親，便隨口接說：「長大了比爸爸還要漂亮。」

金土坐到了床沿，梅蘭這纔說話。

「你都累瘦了！」說著便伸出右胳臂，把懷中的哥哥交出去，說：「這是老大。」

「比弟弟大三個鐘頭，」護士接過話頭說：「個子還沒有弟弟大呢！」

在金土眼睛中，看不出誰大誰小，都是紅肉肉地。他似乎沒有把心放在這倆孩子身上，還想著這長日子回不了家的歉疚心情，心中一邊還在說著：「公事簽辦完了，呈上去之後，還得等候長官隨時傳呼。一件公事送上去，來來回回好多趟。一步也離不開。」金土雖然這麼嘴裡解說著，梅蘭可一句也明白不了。她只是全身心放在孩子身上，沒有等丈夫說完，就說：「以後可麻煩啦！樣樣都得雙份兒。目前就有麻煩，倆孩子不能跟我睡在大床上，大人會壓著他們，被子會悶著他們。」這時，抱在金土手彎上的這位哥哥，可能感受到外處的不適，竟然裂起嘴來，哇啊哇啊地要哭，被護士接了過去，連另一個弟弟，也一併抱走了。

「未來的麻煩還多呢！」梅蘭繼續說：「四個月後，耳朵就能聽，那可好！」梅蘭感歎著說：「哥哥在睡，弟弟哭了，弟弟在睡，哥哥哭了。一天到晚可吵死人了，怎麼辦？」

「兩個傢伙都哭累了，就會一起睡。」金土隨話作答。

梅蘭一聽，嬌嗔地伸手輕輕在金土頭上打了一下，說：「說的倒有理，你一天到晚不粘家……」

金土沒等梅蘭說完，就說：「眷房已經插椿量地，年前就動工。據說過了農年就可以住進去。」又伸手拉著梅蘭的手，矯情打趣地拍著說：「咱們是列入第一批住入的人家，就在辦公室後面，不會一天到晚不粘家了。」

正說著話，邢太太帶著小虎還有李嫂來了。

小虎一進門，就歡蹦著說：「乾媽，你生了兩個弟弟呀！」

邢太太阻止小虎不要大叫，說：「別叫，諕著弟弟。」遂忙向金土酬應，說：「金先生你啥時候到的？連小虎都唸叨你。」遂支應小虎，「你怎的不叫乾爸爸？叫呀！」小虎光是笑不開口。金土答說纔到，又解釋說：「公事忙，離不開。剛結束了手上一件案子，長官給了我幾天假，今兒早上，趕搭上一架飛機，一眨巴眼兒的工夫，這就到了。」

這兩位婦人，趨前向金太太問了一些生產的情形，金太太說話時，李嫂唸著，一口連一口的贊頌：「觀音菩薩保佑！觀世音菩薩！雙喜雙慶啊！」

「我這兩個孩子又小又醜！」梅蘭有幾分羞愧地說：「長大了也比不了小虎。」

「那裡，」邢太太忙著說：「爹娘都是好模樣，孩子那裡會醜！」說著遂向房內打量新生兒的臥處。梅蘭一看就馬上說：「兩個小東西，護士長剛剛抱走。」遂又羞羞赧赧地說：「好醜噢！肉紅紅地，滿臉都是皺紋。」

護士進來了，問產婦的奶水有沒有溢出？說著就走近床邊，伸手便揭開被子，去解產婦上衣的鈕扣，又毫不顧忌地就分披開產婦的上衣，露出了兩座金字塔似的挺拔雙乳，蟒服上瑪瑙扣形的乳頭，凸出在赤紫色的乳暈正中，有如一副碗覆的銅鐃鈸。這時，李嫂一見到產婦那圓挺的雙乳，就忍不住輕呼：「好娘奶。」護士則馬上伸出兩手，熟練地捧起產婦的乳，由下而上，推積，推積。不到一分鐘，乳頭有水擠出，再一會兒，白色的奶水，便泉線似的迸射出來，說：「有了有了。」遂又照樣再去擠弄另一個。也不久擠出了奶水。這便停下手來，說：「奶水很好。」梅蘭在扯衣扣扣，護士又向產婦說：「待會子，孩子醒，再抱來教妳餵奶。」

趁著這時候，邢太太與李嫂，還有金土，帶著小虎兒，隨同護士去看這兩個新生的雙胞胎兒。

五、如斯人間世作人誠不易

轉瞬之間，金土的假期就過去了。

正如梅蘭說的，「他回來又能幫我什麼忙呢？」這又是梅蘭住入醫院生產的時候，不是在家坐月子，可真是無論什麼忙於爲產婦作的事，都用不著作丈夫的插手，也插不進手去。但產婦在生產時，身邊有丈夫陪著，生活總是豐滿的。這幾天，夫妻倆商議了一些未來如何適應這兩個孩子的生活問題。這些事，雖然談過多次了，如今面對著當前的現實，纔能更入情的體會到。關於孩子睡的問題，還是決定購買兩張床，台灣的竹器，又好又便宜。台灣的冬天又不冷，最冷的日子也不會結冰。竹床可以睡到孩子會走的時候，到了四、五歲，就可以要他們睡雙人床了。得打從小兒的時候，就養成他們的自立性格。

金土說新蓋的房子，一戶祇有兩間，每間也祇有四坪大小。倒有前後院，獨門獨戶，兩戶一個聯肩。先建一百戶，有人看到藍圖，聽說不是磚墻，只是紅磚作基。杉木屋架，杉木樑柱，其他都是竹子的。墻是竹篾編成，內外塗水泥，石灰粉白外層。屋上是水泥瓦，天花板是甘庶板的。門，全是三夾板或五夾板釘成的。窗，倒是兩層，內層玻璃，外層沙窗，保固的時限，只有三年，名為「克難房屋」。現在看來，最遲明年三月間，就可以遷入。

這夫妻倆，在這幾天裡，為了這兩個孩子的未來教養，都談到了。

在金土休假的這幾天，梅筠卻帶來由香港轉到的一封家信。是母親寫的，由熊慧敏在香港的家人轉來。信上說她們由上海寫去的信，也收到了。知道蘭蘭已有了對像，一家人都很高興，當時就寫了回信，原以為你們會收到回信。後來時局變化，非常耽心。還是你哥哥想到的，可能你們隨同那個男孩子，到台灣去了。接到你這封來信，說是心頭的一顆不安的心，已定了下來。

另外，還寫了一些要蘭蘭注意懷孕的事情。

看來老太太很興奮，竟寫了三頁八行信箋。

這封信，卻觸發了金土也想寫封家信。既然江西南昌的信，都能由香港轉來，其他各地，想必郵路也通。在上海寫去的信，也許能寄到家，也許寄不到。一來家在鄉間，二來家鄉一帶在打仗。這時，在大陸的家鄉已經平靜，媳婦在台灣又生了雙胞胎的孫子，更應該寫信報喜。再說呢，兩個孩子的學名，照祖規，例由祖父啓名。遂向梅蘭表示了此一意願，問問小筠可否請香港的熊家代轉一封家信？他臨回台北時，便寫了一封家信留給梅蘭，等小筠來時，問問看。

這兩個孩子的乳名，兩人商量了一下，金土提議大的叫壎，二的叫篪，說：「這名詞出在《詩》小雅之「彼何人斯」章，詩句是：『伯氏吹壎，仲氏吹篪，』詩的意思，是指這一雙弟兄，一吹土質的樂器壎（ㄒㄩㄣ），一吹竹質的樂器篪（ㄔ），兩兄弟吹奏兩種質地不同的樂器，同心於一，和和氣氣地吹奏同一樂曲，遂共同吹奏出心和聲應的樂聲。所以後人，不時用壎、篪兩個字，來命名長次兄弟。」又說：「這兩個字的字音也挺雅致的，壎字唸塤，箎字唸尺。」這話的餘音未落，梅蘭就笑了。

「我不喜歡，」梅蘭馬上答說：「孩子的乳名，要大眾化，叫起來要人一聽就知道，犯不著咬文嚼字，你呀…」下面沒再說下去，便嬌嗔地伸手打了金土一下。再等金土作答。

金土一聽梅蘭說的對，一時兩頰泛紅，吃吃地說：「我想紆了。」又懇求著說：「蘭蘭你啓個名兒好了。」

梅蘭說：「前天李嫂來，一進門來就說一胎兩個胖娃娃，真是雙喜、雙慶！我就想到我們的這兩個孩子，就叫雙喜、雙慶，人人都聽得懂，喜喜慶慶地，聽起來也挺樂和人。學名呢！等著爺爺啓。」

「好好好！」金土一聽馬上同意。說：「就叫雙喜、雙慶。」

金土這次回來，夫妻兩人纔想到未來的生活問題。

產婦在醫院，最多住到滿月。一胎兩個，在生活上，確是比一個要麻煩得多。邢太太偕李嫂來時，曾向梅蘭表明，等金太太出院返家，李嫂就算是金太太一家的，她說：「我小虎大了，第二個出生，還有三個月。說不定我先生會調屏東，這房子，也可能會交出去。」他們知道金土太太過了農年，也會搬台北去。

小筠也表示過，當姐夫不在台南的日子，她每天從車路墘工作地，回到姐姐家幫忙照顧孩子。實則，初生的兩個嬰孩，平時不須三幾個人。總之，家中突然添了兩個要吃要拉的孩子，在生活上，可是麻煩多些。好在梅蘭的奶水，還相當豐饒，最少三個月以內，還不會產生奶水不夠兩孩子的需要情事。何況，李嫂又懂得怎樣照顧產婦，發奶的各類飲食，她都會料理。

在月子裡，金土總是每周六坐晚車回來，黑更半夜的到，第二天下午，往往連晚飯也不吃，就忙著趕車回台北。李嫂就提出建議：「先生，你莫要太辛苦，還是辦你的公。家裡的事件，你都幫不上忙。夜裡來又夜裡去，太辛苦啦！」其實，這些日子，辦公室的工作，還是很忙，明知道夜裡去，夜裡來，往往在火車上連個座位都占不到，一站幾小時，委實很累。總覺得每周回去一次，纔感到心安就是了。

這一年來，紅樓這一帶，變化特別大。一年前的四周綠色稻田，除了東方那個小山丘附近，還有稻田和蕃藷田存在，其他全已廢耕。已有不少地方搭蓋起兩層樓房，或者是木架竹編的平房，也有鐵皮的棚屋。這些房屋，十九都是經營吃食或日用物品的小店。這一帶的日式房舍，大多數都是幾所學校的校產，住的是這些學校的教職人員。靠近紅樓稍北，是一所專科學校，南向也不過一里之遙，是一所大學，四周還有三所高初級中學，以及幾所小學。加上近年來由大陸到此避難的人家，也到此處選地造屋來遮蔽風雨，房屋便多了。紅樓占有的那塊空地，除了靠南的部分，還正在起造木架竹墻的房舍，其他三方都加了磚砌的圍墻。大門前的仁愛路，已鋪上柏油，向東已通到安東街。路南新起的房子，有木屋也有鐵皮捲棚，卻也有木架竹墻加泥的兩層樓房，業已形成街市。紅樓中前方空地上的平房，早已蓋妥，行政長官也早已進入辦公。右方的禮堂兼飯廳，也早已啓用。不過，飯廳又在靠北的空地上，重新設計建造。禮堂用時多，不宜把飯廳也設在裡面。有廚有灶，不久就會使用舊了，妨礙了禮堂的觀瞻，也影響了禮堂的尊嚴。

在紅樓工作的人員，多數人對那一大片已搭好屋架，正在建蓋中的眷舍，還有新建的飯廳、福利社、圖書室，以及官兵活動中心，最感興趣。總是在午飯後的這段休息時間裡，三三五五的步入工地，指東畫西的說三道四。雖然，看去這些建築未免過於單薄，卻人人知道這是暫時的措施，我們的蔣總裁雖把辦公室遷到了台灣，行政院還在四川重慶，聽命發號施令。有人說蔣總裁明年就會在台灣恢復他總統的職位，繼續領導軍民完成反攻復國的大業。所以麼，這些以菲薄的工料建築的房屋，給了它一個「克難」的名號。

金土與陳定九都是核定第一批進住這克難眷舍的人。至於配住在那一戶？尙須等到房屋蓋好，由進住人抽簽決定。

「我想放棄這批房子，」陳定九與金土在參觀房屋還是木架子的時候說的。理由是：「這房子太小。」

金土當時聽了，頗爲詫異。他知道陳定九只是夫妻倆，沒有小孩。兩間房，還有前後院子，怎麼會嫌小？可是金土當時卻沒有表示心裡的詫異感。這天，兩人午飯後，相偕在工地參觀，陳定九又說出了這句話。金土這纔忍不住的扭頭看了他一眼。陳定九只顧提腳去超過地上的什物向前走，沒有留心金土的反應。這時金土卻跟在後面答說：「對我來說，可真是小了些。」又補充一句：「我有兩個孿生子。」

陳定九聽到金土這麼說，頓時停了腳步，回過頭來，用手向上推了推鼻樑上的眼鏡，說：「我倒勸你放棄。」聽來這一句是斬釘截鐵的語氣，使得金土一時愣怔得連步子也不敢抬了。

陳定九見到了金土的愣怔情形，遂說：「金老弟，你不明白我的意思。走，」說著回身伸手拉起金土的手，「我們到那邊的磚堆上坐下來，聽我說給你聽。」

二人又回頭走，走出這幢正用竹篾在木架間編墻的土地。到了空地上的磚堆邊，各自搬磚壘了個坐位，坐下之後，陳定九說：「老弟，憑你這支生花妙筆，不要三年，定是一位主管，」說著伸手指那面前的房屋框子，說：「這一批全是一房一廳，」又指著鄰東的那一塊空地，說：「那片空地是下一批。蓋的是兩房一廳，可能還有三房一廳的。」又說：「最久也祇遲上這一批半年。我說老弟，」說著還親切地用手拍了拍金土的背，「跟著我走，放棄！我們等第二批。」

金土知道自己不能跟著陳定九走，他們在台南現住的房子，還是邢庫長分讓出來的。又聽到邢太太說，她先生可能調屏東，現住的房子，得交還。如今，又新添了一雙孿生兒，亟須有個安定的窩兒，怎能放棄？

「我不能放棄，」金土略加沈思後，答說：「我亟須有個住處，在台南，擠在邢家一年多了。如今又來了兩個孩子，已經喧賓奪主了。過了年搬來，對我來說，正是時候。」

陳定九一聽，遂說：「喂！老弟，我剛纔說的是心窩裡的話。只是獻上一分好心。我，」伸出右手食指，點著鼻尖兒，加重語氣一字一個泡泡，說：「決、定、放、棄。」

號聲響了，上班的時間已到，二人便相偕步向紅樓。在行走間，陳定九突然提起了建國軍區那件案子。

「老弟，想必你也知道，我們合簽的那件案子，擱下來了。」陳定九感慨萬千地說。「多虧你那個第二案，簽擬得有情有理。」說著親切地伸出手臂，箍著金土的腰，而且轉過頭來，悄聲問：「我想科長也跟你說啦！」

金土點點頭沒有在言語上回答。他知道老陳還不知內情。

「作承辦參謀，簽辦公事得懂得揣摸上意，」陳定九一邊走一邊說，語氣傲然，而且帶有教訓金土的意思。「那晚，我跟科長研簽這件案子的時候，首先討論到的就是這一點。」說著又轉過臉去用質問的語氣說：「你看到的，老總的批示，是交人事單位查處。」說著又伸手向金土背上拍了一巴掌，說：「老弟啊！你運氣好，想當年航委會的時代，那位姓羅的處長就會讓你跪到地板上撿葉子。」

「謝謝陳參謀指點！」

金土用親切地語氣致謝。心裡也同時想到王科長關照他的話：「此事萬不可透露給陳參謀知道。」這時更使他想到松三爺當年說的那句：「處事易，處人難。」依稀還記得他老人家口中不時誦唸的那幾句歌詞：

圓者被人譏，方者被人忌；
不方與不圓，何以成其器。
人或譏我圓，圓圓思以智；
人或忌我方，方方思以議。
如斯人間世，作人誠不易！
俯仰規矩中，方圓各不貳。
（註：貳，音ㄋ一。）

六、居家就得想著過日子

果然，坐落在紅樓後方的這百戶眷舍，過了元宵節就交了屋。金土抽到靠西的一戶，還是坐北朝南的這一列。

在建造期間，凡是實地參觀過的人，都說兩間房太小，在成屋之後，再去參觀的人，卻又覺得兩間房，還挺寬敞地呢。特別是戶戶都有前後院，雖然小些，獨門獨戶，倒也別致。只是廚房嫌小，容不下兩人在裡面工作。

當金土還沒有抽簽，就與梅蘭籌畫搬遷台北後的生活設想。

在台南的這段日子，有李嫂這位幫手，梅蘭省去心力不少。這一搬遷，李嫂家在台南，子女雖然大了，可未必願意跟到台北去。再說呢，台北的房子，縱有兩間，合起來還沒有在台南現住的這一間大。李嫂要是願意到台北去，住，就是問題。李嫂在台南的這些日子，之所以能與她同睡一房，那是因爲金土不天天在家，往往半個來月也回不來一次。到台北就不同了，連中午下班，都回家吃飯、午睡。李嫂的住，就是一大問題。別說這個，就是兩個小東西的這兩張床，安置的地方，也成了問題。

「這兩張小床，一張也帶不走，」金土用尺量了又量，遺憾地說：「帶去擺不進咱們的臥房。」

梅蘭胸有成竹的聽著丈夫說下去，沒有答話。

「我想過了，大床小床都得訂做，」金土又說。「有些人家買的木床。」

說著金土再一次展開了他畫好尺寸的平面圖，指著他畫好的床位以及家具的擺設，說：「內房擺了一張大床，兩張小床，留下通往前後門的走道，已沒有安放梳妝台的地方。床尾靠墻，只能放下一個小小四方型的衣櫥。」金土的話還沒有說完，梅蘭就連連搖手，說：「我又沒說要梳妝台，房屋既然是在克難中建造的，名字就叫『克難』新村，我們就應該過克難日子。要的什麼梳妝台？在床頭邊的墻上，釘個釘子，掛面鏡子，把頭上的亂髮，梳理梳理就成啦！最主要的是兩個孩子的小床不能少，你的書架不能少，一個衣櫥不能少，一張桌子，幾個凳子不能少。當然，一張睡床不能少。鍋碗瓢杓不能少，洗澡盆、洗衣板不能少。其他的，都可以省。至於這兩張小床，就是擺得下，也犯不著帶去，還不夠運費呢！虧你還拿著尺子量過來量過去的，我看著就有火兒。」梅蘭這一陣鞭炮似的話語，轟得金土張口結舌。這還是他們結婚以來，第一次聽到妻子給予他的搶白。一字字的聽下去，心頭便一個「對」字又一個「對」字的，也像鞭炮似的跟著在心坎間響起。

「對對對！」梅蘭的話剛說完，金土便連連拍手，一字字吐出了這三個「對」字。又說：「對」。又說：「對極了！」

「嗡！對極了。」梅蘭又堵了金土一句。再說：「問題是我們有這兩個孩子，你同意李嫂跟去嗎？」

「李嫂不去，那你怎麼辦？」金土說。

「李嫂跟去，住在那裡？」梅蘭說。「多一個人吃，還繳費得起，李嫂跟了去，就不能作一年半載的打算。長遠開發一個傭人的工錢，你負擔得起嗎？」

金土聽了這番話，一時默然。

「依我的意見，趁著這個節骨眼兒，」梅蘭說：「把李嫂辭了。」

「那你……」金土想說「那你照顧得了嗎？」剛一啓齒，梅蘭口中的下文，已竟吐出，就把金土要說的話打斷了。

「這兩三個月來，我已經把作母親的，應怎樣去照顧新生的嬰兒，不但學到了，而且也一樣樣揣摩到搬到台北之後，我這個女人，應該怎樣去協助丈夫，過我們四口人的克難日子，也全想到了。」

梅蘭論起事來，總是開口一長串。金土聽了，纔知道他的這個妻子終不愧是大家的小姐，真可以說她懂得「治家」之道。不禁愧慚地想：「我怎想不到這麼多？」遂一時興奮地說：「好！咱們選個日子搬家！三月一日總統復職，就選這一天。」話音未落，梅蘭的話又出口了。

「又來了！你真是個書呆子。」梅蘭說：「我問你，你有選日子搬家的條件嗎？你僱得起一輛大汽車，從台南開台北嗎？」

金土一聽又默然了。他那裡想到選日子搬家，還得具備條件？

「坐火車，行李不多也有四件，」梅蘭說。「鍋碗瓢杓，能交火車託運嗎？上火車得有人送，下火車得有人接。我們還得一人抱著一個，連手都騰不出來。坐上火車，到台北準點也得六小時。車上要是擠，奶孩子都不方便。坐火車，成嗎？」

這些事，金土想都沒有想到。自然無言以對。

「最方便是坐飛機，」梅蘭又繼續說下去。「這地方距離火車站與飛機場，遠近差不多。邢庫長派部車送我們到飛機場或到火車站，都不是問題，問題是到台北這一段，誰來接應？可得先安排好。」

「在台北要輛車來接咱們，我辦得到。」金土答說。

「不是辦不辦得到的問題，」梅蘭說。「凡事都必須事先安排好，古人說的是，『豫則立，不豫則廢。』這話你是知道的。」

正說著，邢庫長進來了。他聽到金土他們在討論搬家的問題。他也奉到命令，調到屏東空運大隊擔任運務方面的科長職務。也要離開台南了。過來瞭解到金土他們遷居台北的搬家情形，遂告訴了他們，凡是在空軍服務的，當然坐飛機最方便。由台南來往台北的交通機，每周兩次，星期三與星期六，來回各一次。先登記，床呀！櫥呀！都能裝上去。落地之後，有交通車接出機場。說：「你們住在總部裡面的克難新村，準會送到家門口。」又說：「方便得很，沒有任何麻煩。走時，我派車送你們上飛機。」

大家又談了些閒話，便這樣決定了。

邢庫長走後，金土問梅蘭，李嫂不跟去，你帶得了兩個嗎？

李嫂已湊著金土回來的這兩天，回家去了。這時，還說他的兒子媳婦，會同意她到台北去的。雖然梅蘭已經露過口風，向李嫂表示，搬到台北她有能力餵飽兩個孩子，房子小，沒有地方多擺一張床。李嫂卻說她願意打地舖，日捲夜舖。一再地表示：「我實在捨不得這兩個小査博。」

梅蘭倒也想到，李嫂跟了去，給與她的方便，是太多了。可是多了這一份生活上的支出，算了又算，不是金土的收入可以從容得了的。同時，她又怕招忌。兩人手中的積蓄，固能貼補一時，俗說日子不可長算。梅蘭最能瞭解這一部分。他小時候的家，不但廚上有廚子，還有清掃、洗碗、摘菜的阿嫂，每一房都有一個丫頭。祖母房裡還兩個呢。油，成缸的買，米，成倉的買，柴，成垜的買。到了抗戰時期，逃難到外鄉，房子小了，房裡的丫頭，嫁的嫁，賣的賣，還不照樣的男人得去上班，女人得去下廚。人，有手有腳，有頭有腦，有肚腸更有心肺。一旦到了張口吃不到飯，伸手取不到錢，纔想到應去勞動手腳，勞動頭腦，想法子解決飢寒。「皇帝爺落了難，不也會河下挑水，山上砍柴。」這話是梅蘭時常聽到她媽說的。還有一句：「人是賤蟲，窮了樣樣能。」為了渡日不受凍餒之苦，不得不去多學些求生的技能啊！

「窮人家的婦人也生雙胞胎呀！」梅蘭這些日子，總是這樣想：「還僱人來照管啊？」所以，梅蘭思前想後，不能帶李嫂走。她當初要嫁金土時，就決定要過窮日子。這時，她怕的金土心軟，會一口答應下來，使她一時無法轉圜。

「台北的房子，我已經很清楚了。」梅蘭說：「你畫的這張圖留給我。你回到台北要做的幾件事，我也想好了。你聽著：」

金土聽了這話，又換了一個坐姿，說：「噢！妳說。」

「我這裡已經列了一張單子，你看！」梅蘭說著便遞給了金土。

接過一看，分別寫著：「1.大床（帶床頭櫃）2.小床兩張 3.衣櫥 4.桌子 5.椅子兩張（帶茶几）6.方凳子六張 7.方桌子一張 8.靠背椅兩張 9.書架（？）10.廚房中的爐子、切菜板、洗澡盆、洗衣板、小凳子兩隻、掃帚大一把、小兩把。盆兩個，盆架一個，痰盂兩個（作孩子便溺用）。還有曬衣的竹竿，支竹竿的木架。」在金土接過這張單子看時。梅蘭還說：「居家過日子，零零碎碎的事，多著哪。」

「要那麼多椅子、凳子嗎？」金土看了，非常佩服妻子想得周到。只覺得椅凳多了。算來有十張。

「你聽我說，」梅蘭解釋。「前房總得擺設得像個廳堂。兩張座椅一個茶几，靠墻擺，總得有個招待來人落坐的客位。方凳子六張，四張並放在方桌子底下。方桌子靠後壁放。壁上縱然沒有字畫掛，用紅紙寫上一張「天地君親師」，也像個祭不忘祖的家呀！我們既然有了自己的家室，那能沒有人來客往？若是來了三五位友人，留下吃頓便飯，難道還去左鄰右舍借凳子嗎？」又說：「兩張有靠背的椅子，六張方凳子，正好配上一張方桌，可以坐八個人。平常日子，兩張靠椅擺在方桌左右兩邊，六張方凳子，桌下並放四張，兩張分左右放在方桌前面。桌子靠前窗擺。我還想要你多買一張藤編的圈椅呢！」

經過梅蘭這一番解說，金土除了泛起了自愧他這夫不如妻的慚怍心情，幾乎是面紅耳赤。正要說話，梅蘭竟然兩手一指，詫然地說：「哎呀！還忘了兩個小東西的推車呢！」

「阿土你想想看，」梅蘭望著金土說：「推車怎麼辦？我每次到街上去，都留心過孩子坐的推車，沒有雙人的。得訂製，我見到的，貨都是日本造，怎麼辦？」

正說著，兩個小東西，有一個哭了。梅蘭急匆匆地跑過去看孩子。金土這纔想到，搬到台北，李嫂不跟去，若是沒有一個可以推行的雙人推車，梅蘭的行動就受牽制了。

「這事我到台北想辦法。」金土追隨過去，肯定地作答。

哭的是老二，兩張小床腳對腳擺的。這間房子大，雖是一間，倒比台北的那兩間還要寬闊。除了原有的大床、梳妝台、寫字台、椅子凳子，又靠外墻爲李嫂搭了一張床位，還是空空敞敞的呢。兩張小床，也挺寬大。梅蘭聽到老二哭；就想到剛出生時，老二就比老大體重重半磅，個子也高一些些。三個多月來，已分不出了。所不同的，就是屁股上，老大的青色胎記，在左邦子上方，老二的在右邦子的上方，青到腰上。據說，這類的胎記，過了六個月就會消失。這時候，兩個孩子的哭聲倒有分別，老大聲尖脆，老二聲粗壯。李嫂與梅蘭兩人，一聽到哭聲，就知道是誰？據說，這哭聲，大了也會變。其他不會變的地方，是腳趾與手指上的斗箕花紋。年紀愈大愈清楚。出生時，醫生就一隻隻把指紋等，全部拓印了下來。梅蘭就保存了這麼兩張。這次哭，不是餓了要吃，而是尿布濕了要換。

金土看到這兩個孩子，臉上的胎紅已褪，業已泛出桃花瓣似的粉紅，那小臉真的粉紅得像桃花瓣似的滋潤。在換尿布時，便停止了哭聲，睜開的兩隻小眼睛，黑多白少。再看看另一張床上的老大，還在無聲的熟睡，兩隻小眼睛，雖然閉著，卻也能在閉起的眼皮上，見到眸子還在眼皮下滾動。

「老二剛纔號得那麼大的聲音，」金土說：「這小子都沒有醒。」

梅蘭聽了金土這話，說：「三個來月，耳朵還不能聽。」跟著就順口溜出了這麼一首歌兒：

一哭！二要。

三驚！四笑。

五抓，六拿。

七坐，八爬。

九九生牙。

十月立，十一月噠。

周歲扶床轉。

梅蘭竟然正正經經的一字字，旋律起伏有致的歌唱出來。

金土聽了，忍不住笑出聲來，說：「我只知道七坐八爬、九九生牙，你怎麼唱了那麼多？」

「我是女人呀！」梅蘭輕快地說：「做女人的要是不懂得嬰孩的這些名堂，怎麼當母親哪！」

梅蘭說著已檢起了地上的尿片，要到後院去洗尿布。

金土尾隨著要求梅蘭講給他聽。剛出房門，小筠來了。

「喲！忙人回來了。」小筠一見到金土就這樣說。跟著就問：「什麼時候搬台北？」

「快了！」金土便停在廳堂，沒有再跟著梅蘭去後院。說著便接待小筠進房，一邊走著一邊說：「我下午回去，應用的東西買好了，就搬。」

再一看，只小筠一個人，遂又問那位許先生怎的沒一道兒來。小筠沒有回答，梅蘭就進來了。小筠一進房就走向小床去看兩個孩子，一走到床邊就說：「一天一個樣兒，小臉兒好喜人喲！再過些日子，就分不出老大老二來了，倆人真像。」

「要是快的話，」梅蘭向小筠說。「下星期就搬了。」

這時小筠一見李嫂不在，就問：「李嫂呢？」梅蘭回答昨兒晚上回家去了。說不定就會回來。梅蘭又把台北的房子小，帶不了李嫂去台北。又把她到台北的生活，預想到的一些困難，都想出了克服的辦法。小筠在聽，看得出她有幾分失神。

正說著這些家常，小虎兒的聲音，在院子裡飛揚到房內來了。聽到邢家三口子都在院子裡。

金土走出房去，小虎見到，就飛奔過來，親親地喊：「乾爹！」金土趨前一步，伸出雙臂把小虎兒攔脅抱起，原想吊起飛個龍尾兒，抱到手上，方始覺得這孩子大了、重了，不敢轉圈子飛起小虎的身子，只擺了一擺便放下地來。

「金老弟沒兒格走？」邢庫長問。

「吃了中飯就走，」金土答。「近來公事又多了些。」

「庫裡有一輛中吉普放台北，」邢庫長說。「你要是來得及，就省得擠火車。可以搭這輛便車走。」

「也是吃了中飯開嗎？」金土連忙問詢。

「沒問清楚，」邢庫長說。「我撥電話問問。」

說著大家一起進門。小虎兒一進門，就大喊著乾媽跑進了房。邢太太也隨了進去。

金土跟著邢庫長進去打電話。一問知是吃了午飯就走。邢庫長遂告訴駕駛走時，繞到他家，金參謀中飯後，也要回台北。又問可不可以帶一兩件行李？說是可以。十二點半左右，可以開來。

就這樣，金土便決定搭這輛便車回台北。連忙回房，與梅蘭商量，可以先帶走一些什麼物件？

七、遠親不如近鄰

遷到台北之後，金土方始體會到《詩》「周南」中的「桃夭」篇，贊美的「室家」二字，對於人生是多麼的重要。如今還記得松三爺講這首詩的時候；解說：「室，謂夫婦所居；謂一門之內。」所謂「宜室」，意爲男子大了，應當成婚。男孩子娶了媳婦，必須有屬於他們夫婦二人的房間。所謂「宜家」，意爲女子大了，應當嫁到夫家去。夫家，纔是女孩子的終身寄託。當他們順順遂遂搬入這一戶獨門獨院的住居，縱然不是屬於一己的私產，兩人的心情，都有「宜室」、「宜家」的歡愉。

凡是梅蘭那張單子上寫的，金土無不東詢西問，湊著下班後的時間，還有禮拜日這天不回台南，終於一樣樣買辦齊全。可以乘坐兩個孩子的推車，無處可買。祇有一家竹器店，應允可以訂做。說：「要到了孩子會坐的時候，纔能用上這樣的車子。孩子還不會坐，平睡在床上的娃娃，也不宜在房外推來推去。」其實，梅蘭要的這類推車，也是爲了孩子會坐會爬之後。那時，做母親的那裡敢放在家裡出門。就得有這麼一輛推車。雖然沒有買到，梅蘭也不怪丈夫無能。

當梅蘭一見到這獨門獨戶，合乎夫婦居處的室家，就欣慰的說：「我們有了自己的家。」回想到她下嫁給金土，可真像小說裡寫的那麼傳奇，只是在婚書上簽上名蓋了章，完成了法律上的婚姻關係。在當時，全是爲了取得金土的眷屬身分，方便以軍眷的名義，搭乘軍方的交通工具，逃離戰亂。來到台灣這一年多，雖有住處，卻是臨時借居，再加上夫妻倆一南一北，會少離多。在心情上，委實有萍飄的感受。

最使梅蘭感到欠缺的一件事，兩人來台灣後，竟然未能補行婚禮。如今居然又一胞雙胎，縱然給他們啓名叫雙喜、雙慶，實際上，這兩孩子等於未婚生子。這事，要是被家中的嫂嫂知道，能不說破了嘴、笑掉了牙？說不定還會加上一個罪名，「你們梅家大小姐是跟人私奔到台灣去的。」這句話，連家中的丫頭阿秋知道了，都會這樣笑話我。

梅蘭知道，這情事，小筠不會在信件上告訴她們的。就是將來他們全知道了，也失去了傳說的意義。在世態變亂中啊！從媽的信上看，她老人家得知大女兒結了婚，又懷了孕，真格是歡喜之情滿紙。不知收到第二封信沒有？要是知道了我一胎生下兩個男孩，真會使她老人家樂和得笑得攏不了嘴。還在期待著孩子的祖父賜給譜分上的學名呢！

這房子可不大。梅蘭卻最愛前後的小院，可以妝點一些花草。這些想法，她認爲不必去支使丈夫，她自己可以動手。但卻要求丈夫去添置一把挖土的鐵鍬，與一把挖土的短把鐵扒子。往往，金土竟遲遲忘了去辦。他的頭腦幾乎騰不出情緒放在家庭生活上。

雖說，金土的工作，還是很忙，但一切工作都已步上軌道，不像頭一年裡，夜晚加班，已成了常規。一年以來，像往常那樣棘手的大案，沒有再一件跟一件的到來，但零零碎碎地人事獎懲，還是每天收文在二十件以上，有時超過三十件。正因爲天天有這麼多的文件，非得當日事當日畢不可。有些思想遲鈍，筆下緩慢的同仁，天天都去加夜班。還有時會積壓下來，簽擬不出去。新規定的收文三聯單，每周一都要例行的追查進度。一周內未能簽擬出去的案子，就得申述遲延的理由。承辦獎懲案件的十多人，每天能送呈二十個卷夾以上，當日事能當日畢的人，只有一兩位，金土是其中之首。所以，自從妻子遷到台北，金土不去上夜班了。

往常，時有同事會以請教的方式，湊著金土手頭稍停的時候，走上前去請教。還有科長看著案子簽得文理不清楚，也要他去請金參謀幫他修飾一番。金土遇到這些情事，從不推拖，也不面露厭煩，總是誠心誠意的相助。

總統已經復職，陳誠擔任行政院長，空軍的周總司令接任參謀總長。人事方面，帶去了一批老手，陳定九就是其中之一，到國防部的職務是科長。金土這纔想到，陳參謀放棄這第一批眷舍的原因在此。第二批眷舍，聽說已在規畫，不但房戶的面積增為兩房一廳，連建築的工料都要提升。第一批是一百戶，住入的人家，紛紛表示墻太單薄，房內釘不得釘子，房外，經不住碰擊。釘上釘子，掛不住一個日曆牌，外墻往往不小心被一根竹竿戳到，就會有個洞。好在中間的隔間，是一磚橫砌起的。木架柱四周，是兩塊磚包起，塗上水泥的。這兩處，還能釘釘子。至於外墻，若是遇上斜風驟雨，吹打兩次，就會造成墻上的泥坯坍落。所以，再建第二批就要改進了。

這些話，全是住戶們的閒言語。固然是實情，住入之後，還沒有遇見雷雨，也沒有見到誰家的墻壁坍落過。對金土來說，他認爲比他孩子時代，家居的泥土墻，茅草屋；要體面得多了。對梅蘭來說，雖比不上她兒時家居的高墻瓦房；幾進房子，但這獨門獨戶，卻屬於一己的小天地，比他家居時的閨房，還要感到恬適。左鄰右舍，不時聽到她在房裡輕聲的哼唱搖籃曲：「小寶寶！快睡覺，明天起來，微微笑。不要啼哭不要吵，且讓媽媽輕輕搖。小星兒，向你招，引你天上逍遙。小鳥兒，輕說道，等你醒了再叫。小寶寶，快睡覺，搖呀搖呀搖呀搖。」乍一聽，像繞在楊柳梢下的黃鸝鳥兒在唱。再一聽，方始辨出是鄰家的金太太在催眠她的兩個寶寶睡覺。

這裡的房子，是一棟兩戶，中間只隔一道在籬笆上泥了土、抹上石灰的墻，前後院墻只是一道竹籬。原來的設計，是一棟兩戶，中間連竹籬都沒有。經過住戶反應，這纔加了一道竹籬笆墻。金土家的同幢緊鄰，是登記科的柴有道，夫妻倆都是北平人，先生已四十出頭，太太姓張，比梅蘭還要小三歲，也有兩個男孩子，大的已經五歲，小的也三歲多。由於這位太太是天主教孤兒院教養大的，與天主教會有著一分淵源，所以她們的這兩個孩子，已送到天主教的幼兒園去。早晨送去，下午接回。平常日子，這位太太總是一人在家。兩家的前後院，只隔一道矮矮不過人頭高的竹籬，自然是時時要打照面。當然，梅蘭搬來的第一天，兩個太太便相熟了。

起先，這位太太總是邀同金太太一同上菜場，還主動的要協助金太太帶兩個孩子上街。梅蘭卻以「可慣不得」這話答謝。初遷入的那個把月，柴太太幾乎天天要到梅蘭這邊來。看到梅蘭親手在縫製兩幅可以兜裹襁褓中的孩子的布巾，外層貼上各色適襯的布塊，加以圖形剪拼成的漫畫形兒童，縫製在包裹巾上。把嬰兒揹在背上，或是掛在胸前，那包巾給人的觀瞻，極爲別致。梅蘭這樣設計，是準備著一旦非得帶著兩個孩子出門，就背後揹一個，胸前掛一個。在生活的行動上，這一個雙包胎，就制肘不了她。可是這位柴太太見了，非要金太太教她照樣作兩幅不可。

梅蘭只得一樣樣教給她，把賸下的五色布塊，贈送給她，圖案也給了她。說：「做起來很簡單，只要把這一方布巾，用剪拼的幾塊有顏色的布片，貼上去就是啦！」又說：「沒有什麼難的。」

「我笨手笨腳的，說不定我還做不起來呢！」柴太太說著，又附耳過來，俏俏說了一句：「別小看我先生乾巴巴地，哼，上了床可厲害著哪！算不定我也會生雙胞胎。」

梅蘭聽了，臉一紅，沒有答腔。湊巧有個孩子在哇啊哇啊地，遂說：「要換尿片了。」藉機便趨步進房。柴太太卻跟了進來。一邊走，還一邊說：「我先生還盼我生個女兒，要是一胎倆姑娘，咱們兩家也好結親家呀！」

使得梅蘭無法作答，只有顧自爲孩子換尿布，裝作沒聽見。柴太太未得到回答，又看到金太太的臉羞得赤紅，方始覺乎著不該說了這樣的粗話，遂馬下找話下台階，說：「哎呀對不起！金太太，我是一時高興，說了一大堆瘋話。該掌嘴喲！」說著就揚手給了自己一個嘴巴；雖然是打著玩兒的，也使金太太聽到了響聲。居然把梅蘭引笑了。這纔快快樂樂地收了場。

從此之後，不但梅蘭盡情在生活上，設法避免接觸，縱有接觸，凡事都以正正派派的禮數答理。這位柴太太也逐漸識趣，不像一開始那些日子熱火得燒人。可是，卻又不時諷言俏語的隔著籬笆，或透過窗戶，一聲聲一句句遞送過來。譬如梅蘭唱搖籃曲或偶然哼唱幾句電影插曲，「我可愛的香格里拉」，都會招來閒言語。這天，梅蘭的一曲「搖呀搖的」兒歌，還沒有唱完，柴太太那尖峭響脆的聲腔，便又開播了出來，大聲喊他的大孩子：「大元兒，給我把棉花球拿來，老娘要塞耳朵眼兒。」一口的京片子。

實際上，梅蘭知道，這時她的孩子不在家，故意說給她聽的。

從此，梅蘭搖孩子入睡，也就不敢再哼兒歌。還好，孩子的哭聲，弟兄二人一高一低的唱和，還沒有招惹罵語，她知道她家的兩個孩子，只要在家，也會吵鬧。

對於這些，梅蘭全不放在心上。俗說「唇齒相連」的比喻，正好可以用在他們這類比鄰而居的情況，兩家人若無一家容忍一些，那就吵不完了。所以梅蘭出了房，一見到柴氏夫婦，總是先展出笑臉來打招呼。梅蘭想著：「送個笑臉，打聲招呼，也低不了自己。」而且想著：「縱使對方佯佯不睬，也不必在意。」至於金土呢！也是時時以笑臉迎人。遺憾的是，金土常常去思考問題，走路往往凝怔著雙目，昂首直前，不時有「視而不見」的情事發生。譬如他與柴家結鄰，兩家女婦的生活情趣不同，無法和合起來。這也怪不得任誰，抽簽決定的呀！人，各有其性向呀！

說起來，梅蘭是官家後裔，從小兒住的是深宅大院，與鄰家隔著高墻，還間距了防火巷道。不像現住的房舍，連擺臥房的隔墻，也不過一寸厚薄，床第間的耳邊細語，在夜靜更深時，都能聽到。這樣的生活，梅蘭只在大學中的寢室中歷驗過。那種生活，不但日子短，大家的言談，也能交融。如今，前後院只隔一道竹籬的這位鄰居，出身於比大雜院還要雜的難童收容所，在教育上，連小學程度也沒有。這種收容所，是因材施教，凡是不喜書本的孩子，日常生活便多派差，這位太太遂在市肆間學了一些粗活。到了十五六歲，只要有人家要，也就同意辦手續，嫁的嫁，傭的傭，各自聽命。所以，這麼兩位出身階層如此不同的唇齒之鄰，若要長久相處下去，可真得修來一門專業的學問。

金土也體驗到了。說：「咱們只有敬而遠之。」

「不然，」梅蘭以爲對這種鄰居，最不宜「敬而遠之」，說：「若是這樣作，就會造成一見面就瞪起眼睛，或低頭躲開。那不成了不交談的仇人了嗎！兩家住得這樣近，不但給自家生活上造成苦惱，別的人家知道了，也會把不是派給我們。」又說：「不論怎樣，從外觀上看，我們比他們高，你是上尉，他是少尉呀！」實際上，金土與梅蘭夫婦二人的丰采，還帶有幾分書香薰陶出的儒雅氣質呢。

金土聽了，沈默地點頭。這時，他聯想到中山先生的「民生主義」，只說了四講，也只講到了衣與食，還沒有講到住與行。根據戴傳賢先生寫的「孫中山先生著作及講演紀錄要目」，其中說到「民生主義」還有「住居、養生、送死」以及「民生主義結論」、「三民主義結論」沒有講。從目錄上看，就能推想到中山先生在「民生」問題上，把「住居」一事，看得極為重要。也可以推想到，「行」，或是該括在「住居」中的。可惜沒有能再講下去，就一病不起。可能在「住居」一講中，會談到「睦鄰」這一問題吧？

梅蘭見到金土的神情，又被什麼問題凝滯住了。遂伸出手掌，在金土眼簾前搖了兩下，笑嘻嘻地說：「你又靈魂出竅了。」

金土連忙伸手抓住梅蘭的手，說：「不是。我在想國父孫先生的民生主義，」梅蘭還沒有等到金土說完，就抽出手去，沒好氣地說：「人家已經在批評你了。說你總是昂起腦袋，瞪著眼走路。還沒升到大官呢，就擺起了大官的架子。」遂又小聲說：「以後啊！對我們這份芳鄰，可得多擺笑臉，放低身段，古語說得是：『遠親不如近鄰。』我的書呆子！」說著嬌嗔地伸出右手食指，向金土額上輕鬆點了一下，說：「你可得留心，我們這份鄰居可得罪不得，除非離開。」遂又思忖著說：「我想過，搬不了啊！」

大門的門鈴響了。房內的兩人一聽，一時疑詫起來，不知是誰？跟著就是一聲：「掛號信，姓梅的。」隨著又補充了一句：「要蓋圖章。」

「我去拿，」金土說著去拿圖章，梅蘭走到房門口，趕快回答：「就來。」

金土到門口交出圖章，郵差接過章去蓋好，撕下掛號條子，夾到鐵夾子上，便騎腳踏車離去。金土想到報上說的。台灣的郵差最爲勤奮負責，而且認真，禮拜天也送信，假日也不休息。信是台南小錡寄來的，用掛號，八成有喜訊。進了門便把信交給了梅蘭，歡愉地說：「小錡的信，想必要訂婚了。」

梅蘭接到手上，信厚厚地，卻憂心這一個又鬧翻了，又在信上訴苦。拆開一看，其中有一封，是金土的家書，遂興奮的喊金土，說是家中有信來了。這時的金土，原擬抱起床上的老大，孩子已認人了。一聽家中來了信，便停止了抱孩子，忙去看信。

果然，信是父親寫來的，一筆不苟的毛筆正楷。不知是收到那一封信寫來的？到台灣寫過兩封信了。

拆開來，外面是一張又硬又皺的油紙包裹著的，一層層剝開，其中祇有一張木板印的八行信紙。是爹的字，工整得直成行也横成列。上寫：

金土吾兒見字：到台灣兩次來信，先後收到。知在滬與梅家姑娘成親，一年後在臺灣獲一胞雙胎，吾與汝母之歡喜，何可言喻。汝母又犯喘病，今已春暖病愈。時時以未見媳婦一事為憾！而唸唸叨叨。有汝妹侍奉湯藥，不必掛心。今後若無要事，不必來信，善視二孫，吾願足矣！父字。

另外，附了一張柬帖式的紅紙，上寫兩孫的學名：

魯聲遠（乳名雙喜），字德成

魯聲揚（乳名雙慶），字道成

附言：依據族譜所排，上句：淮宗延壽永。下句：金聲振宇寰。以後依序啓名即可。

金土立著，雙手捧信閱讀，淚如雨下，喉口與鼻孔，不停的吞嚥著由心口湧上來的嗚咽。讀了一遍又一遍，推想到娘的喘病又重了。她老人家之所以唸唸叨叨地遺憾她沒有見到兒媳，可以推想到娘的喘病已加重，怕的是她此生見不到兒媳了！

尤其最後的那兩句：「善視二孫，吾願足矣！」竟要兒子不要常常寫信回去。一定是今日的生活環境，不適宜常通信息。往日，就是在中日交戰期間，不但郵路暢通無阻，連金錢匯兌，都沒有停過。如今，作父親的居然來信囑咐兒子，無事不要寫信回家。難怪報上說，大陸上施行的「窮人翻身」政策，已鬧得天翻地覆了。

在奶孩子中的梅蘭，睜著眼見到丈夫讀信，痛苦得像個淚人兒似的，也不敢發聲去問，卻也感動得鼻酸淚流。

有一兩分鐘，梅蘭纔下意識的說了一句：「給我看看嗎！」

「娘活不下去了。」這話在哽咽中抽搐著說的。

金土顫巍著手遞出了手上捏著的信紙，便嗤哼著鼻子去洗臉去了。

梅蘭抱著懷中的孩子，接過了金土手上的信紙，再次坐下，讀了一遍，認為信上沒有寫什麼呀！丈夫讀了竟是那麼痛苦得淚流滿面。可見人生中的親疏感受，就是在此處見分曉的。

在讀信時，又發現地上還有半頁紙片，拾起一看，是小筠的附言。說是住在香港的熊家，即將移民美國。今後不可能再收轉大陸友朋的信件。梅蘭想：「可能是她拆信的時候，一時大意不曾留心到小筠附在信外的這張字條。

「蘭蘭，」金土洗了臉，情緒業已鎮靜下來，遂向梅蘭說：「時間還早，咱們抱著孩子上西門町，照張像寄回家，外婆也寄一份。」

梅蘭本想把小筠的這張字條，給金土看，頓時一想，便停止了此一意念。怕的給丈夫的心情，再添傷痛。遂藏下了這張字條，連忙答允，接受了金土的建議。

於是，兩口子每人胸前掛了一個，出門走向仁愛路，搭乘公車，到西門町去照像。

八、平常日子平常事

正當大家被突起的南北韓戰爭，引發了美國國防部提出了軍事援華新計畫，馬上派遣第七艦隊航入台灣海峽，宣布協防臺灣，遏止任何方面對台灣的攻擊行動。在屏東機場養場隊服務的王泰山，翩然尋到了金土的住處。

梅蘭住在台南時，王泰山就尋到了。南昌機場的養場隊，遷到台灣在高雄上岸，就編到屏東機場。他一家四口全來了。

他知道金土在上海供應總處服務，在空軍的供應部門，查到了他的老長官在台南。等他一家在安定之後，尋到了台南，得知金書記官已高升到台北總部去了。官階已升到空軍上尉。空軍階級比陸軍高兩階，已是中校了。而且成了家。憑著他身著空軍上士級的士官服飾，居然問到了金書記官水交社的住處。

一見到金太太梅蘭，就認出了這人是他陪同書記官返家，路過九江，在街頭遇見的那位最漂亮的洋學生。竟一時驚異得張口結舌，瞪大了眼，說不出話來。當時的梅蘭，也被這位突然來訪的陌生客人怔住，在意識中也似乎在什麼地方見過？

「太太，我是王泰山。」一口的山東腔，又重又濁，音聲又粗大，梅蘭聽了，心直在跳：「俺是金輔導員的老勤務兵。多虧輔導員帶俺進了空軍，俺一家四口子，都到了台灣，住在屏東，還在養場隊當班長。咱們哪，在九江見過面兒的。」

這時，梅蘭也想到了金士曾不止一次兩次的說到王泰山這個人的名字，而且說。若是王泰山還在一處工作，就有人幫忙了。遂連忙堆出笑臉接應。

「噢！我想起來了，是王泰山，王先生。請進。」

這時，王泰山已是滿臉的汗水，直從腮上向下巴流到頸項。一聽太太說要他進去，反而畏畏縮縮不敢抬步。問：「俺輔導員在不在家？」梅蘭說在台北沒回來。王泰山便不願進門。

「那俺就不進去了。」王泰山說：「俺這次來，只是打聽清楚住的地方，」說著兩手一攤，又說：「瞧俺，啥子禮物都沒帶，下次俺帶老婆兒女一塊兒來。」遲疑一霎又說：「俺這次來是找地方的，」說著又拉出塞在腰間的毛巾，擦了擦臉上以及頸上的汗。一邊轉身一邊說：「太太，你別送俺，等俺那小兄弟出生，俺再來。」他看到太太的肚子大了。連梅蘭要說的幾句客套送客語，也沒有機會開口。

坐月子的時候，王泰山帶著蛋呀麵呀地到過醫院。他一個男人來的，又是士兵穿著，醫院中人認為他是代長官來送禮的，沒有接待。王泰山也沒有要求或說明什麼？在醫院裡踟躕了一會兒，留下了禮物，沒有人理他，便顧自回去。

後來，倒是帶著妻小，又來過一次。梅蘭不在家。又聽到金書記官已是總部的人事參謀，工作忙得很，大家都沒有見面，遂有恁長一段日子沒有連繫。這次突然到來，金士見到這位已有五年未曾謀面的老同事，不但老了許多，也胖了不少。他這次來，是特來告訴老長官，他已退伍，業已離開屏東，家小都搬到台北來了。

「輔導員，俺退伍了！」他見到金土，第一句就這樣感慨著說。「他奶奶的，俺纔過五十歲。」

金土知道，士兵除役退伍的年齡是四十五歲。

「沒有關係，餓不著。」王泰山見金土面現無奈，沒有答話，遂安慰老長官說：「台北的山東同鄉人多，不少人在踩三輪，在通化街的一個小山子邊上，大家夥搭了棚屋。快得很，咱人多，七手八腳的，三下五除二就每家搭了兩間，老婆孩子全接來了。」說著又打量了一眼金土住的這房子，說：「沒有你這裡漂亮，可比你這裡大。後院更大，可以養雞鴨。」

「噢！那你到台北不少日子啦！」金土說。意思有幾分怪王泰山何不早些日子來告訴他，也好資助他些許呀！

「不久，個把月，」王泰山說著就又感慨起來。「你瞧，韓國不是打起來了嗎！美國人多兇，一登了陸，就直搗黃龍，蔣總統說的一年準備，二年反攻，三年掃蕩，四年建國，說不定第七艦隊領頭兒，咱們的百十萬大軍，一鼓作氣，反攻大陸就成功了。」又說：「俺退伍的時候，大隊長向俺們說來。一旦反攻的號令吹起，動員令一下，你們這些老班長，都是排長。嗨！」說著更帶勁了，居然一躍站起，雙手握拳持平，像緊握機關槍把在放射，說：「俺這一批山東佬，組織衝鋒隊，他娘的，」把右拳向右一拐向左一搥，狠狠地說：「個個一馬當先，就打回老家嘍。」

由於王泰山精神憤發，嗓門兒大，房中的孩子，醒來了一個，在哇嗚哇嗚地哭起來，梅蘭上菜場還沒有回來。王泰山一聽，這纔歉然地低下頭去，小聲說：「哎呀！我諕了小弟弟了。」說著，忙著在衣袋中，掏出了兩張伍元票面的新台幣，隨著金土進房，向每個孩子胸口的衣襟內，一張一張的塞了進去。

「你這是幹什麼？」一時弄得金土不知所措。

「我給兩個弟弟見面禮兒。」王泰山說。

「不要恁麼多禮，」金土說。「去年你到醫院來，已經送過禮啦！」

「這是見面禮兒。」說著用手指輕輕一拂摸了孩子的小臉一下，說：「輔道員我走了，車子還在巷子口放著哪！」

說著就向外走，頭也不回的說：「俺知道地方啦！會常來。」顧自開門，也不回頭再說一聲，便揚常而去。

等梅蘭買了菜回來，客人已經走了。桌上茶也沒有喝一口。

梅蘭想到王泰山第一次到台南水交社來，就記得這人的爽快性格，真可以用「斬釘截鐵」一語喻之。本想埋怨丈夫怎的不留下客人吃了飯走？因為她見過王泰山一次，說來就來，說走就走，是留不住的。買來這多菜，只有分作兩天處理。

計算起來，金土的年齡，不過三十出頭兒，為了腹飽身暖，在這個動盪不安的時代裡，業已奔波了整整二十年的歲月。要是讓金土在這二十年的歲月裡，算一算他從事過多少種工作項目？數完了十個指頭，也數不完。從十來歲，就挎著竹籃子，用他那未曾變聲的童子音，喊著叫賣聲在混生活了。一句話，直到今天，在金土的腦海裡，都不曾記起什麼人生志向，從小有了意識那天起，他所看到的就是地上的水災與旱災，過不完的「減年」（農收不夠飽暖）。遂奠定他只求腹飽身暖這一大需求。到了今天，不但有了固定的職業，又升到了空軍上尉，在這個科裡面，連科長才剛升中校，同事中雖有兩位少校，但在工作的成績表現上，金土是數一數二的佼佼之輩。他是第一批配到眷舍的人物之一，又娶了一位出身官家，讀了三年大學貌美性淑的妻子，一胎生了兩個胖兒子。對金土來說，這種美滿幸福的人生，應是祖母口中的那句「前世修來的。」真格是，自從搬到這裡來，他與梅蘭兩人，都充滿了人生的美滿歡情。近年，又有眷屬米糧以及油鹽的配給，可以想知政府對於公教人員的生活，照顧實在周到。

尤其，那位放棄了這批眷舍的陳參謀定九，又回到總部來了。原因是科長必須是合乎職司的兵、業科出身的軍官，方可派任，「同」字號軍用文職人員，不合任用條例。所以陳參謀在國防部人事處的科長座位上，坐了不到半年，就又調回來了。實則，他可以不必回來，國防部的人事處，參謀的編階也有上校，休說是中校。可是陳定九已經在科長的座位上，坐了幾個月了。一旦讓出來，再與參謀們排排坐，自己總覺得有失顏面。調回來，不也同樣的有失顏面嗎？一向，他在這邊的科辦公室，是與科長對面坐的，類似副科長一樣，他的任務是代科長檢查全科的公文，若有缺失，譬如寫錯了字，用誤了辭，掉落了字，由他添加改正。若是文辭不順，他也會加以修改，加上一張便條，寫幾句客氣話，親自送還承辦人。重抄一遍，或重寫一遍。不巧的是，他走後，人事大加調動，不但參謀換了好幾位，最近，連科長也升了副處長，換來的新科長還只是少校階，把他對面的那張桌子，也取銷了。他回來，只有金土左邊的那個空位，可以由他填空，其他都已坐定。

起先，陳定九去找升任了副處長的老科長，希望改調他科，偏偏沒有空缺可以安插。兩年來，各單位的工作，早已上了軌道，不是一年前，空缺多。金土雖有意與陳參謀互換座位。不但金土的對手不同意，科長也不同意。事實上也有困難。他們這一科的獎懲晉升工作，按兵、業科等門類分件的，每科的一組人手，都是相對相連著坐的，不能個別拆開。金土個人雖願意連同手上的業務，也與陳定九的新接工作對換，科長卻說：「就是我同意，處長也未必同意。可能署長知道了，也不會同意。」因爲金土承辦的是飛行科。陳定九也祇有接下這通信科的工作。對手二人，都是通信科出身的小伙子。在專業問題上，比陳定九還要內行。

有一天，陳定九夫妻倆專程到了金土家，還帶著禮物，陳定九覺乎著回到科裡之後，所有的人都以卑夷的眼光看他，只有金土對他親切，下班時陪他一道兒走下樓。這次專程去看金土，意念裡是訴說他這次調走，不到半年就又調回來，原因極爲簡單，他解說：「三個字而已，身分低。」又說：「你我是文職人員，等級高的，代人捉刀。低的，代人錄事。像你我，」說著以手指一指金土再指自己的鼻尖，繼續說：「是代人捉刀這一級，」說著又皺起眉頭，伸手推了推鼻樑上的近視眼鏡，很感慨地說：「你應該看到我們的人事命令，你我的銜頭是『文書附員』，下註：（抵參謀缺服務）。你瞭不瞭解？」

金土當然看到人事命令上是這樣印上的，也知道「抵參謀缺服務」的意義，可不曾泛起像陳定九今天來牢騷出的這種心情。所以金土一時不知如何答話。

「按軍中的法令規定，你我是沒有資格來擔任這個參謀工作的，」陳定九說：「因爲軍中的兵業科人員，耍不了筆桿子，祇有我們這種書凱子，來代他們捉刀。」

「這也沒什麼！」金土說：「有個噉飯之所就好了。」又說：「待遇也沒多大分別嗎？眷補也大家一樣。何必爭競什麼名頭？」

陳定九一聽金土這樣一說，下面的話，說不下去了。

實則，這是金土的內心話，但在陳定九聽來，認為是有意的搶白他。遂改口接著說：「還是老弟你的想法對。」但心底總有一股子不平之氣，在向口腔衝。忍不住又說：「人活著靠一口氣，」話說到這裡，他太太與梅蘭突然在房裡咯咯咯地一起笑了起來，不知笑的什麼？被房內兩個婦人，這一陣歡快的笑聲，把陳定九的那一股子衝到口腔的下半句「總得爭這口氣啊」給搪塞住了。憤然的心情，也平下去了。嘆了一口氣，遂改口說：「嗐！還是古語說得對：『百無一用是書生』！認命了。」說著便起身向房裡走，一邊說：「我也看看這兩個小把戲！」尚未進房，就問：「妳們笑什麼？」

陳太太見到先生們進來，她先生一進門就問笑什麼？便打俏地作答：「笑什麼？笑我們婦人家的事，男人聽不得。」說著又向梅蘭關照了一句：「對吧？我們別告訴他們。」

這時，金家的兩個雙胞胎，已並肩被擁起斜躺在小型的竹製圈椅中，放在床上。手邊放了些小型玩具，由他們自由自便去抓弄。

陳定九一邊贊美著，一邊說，大了最好去學駕飛機，作個飛行員最神氣。

「你們談完了吧？」陳太太問。「太陽下山啦！該回去燒飯嘍。」

梅蘭已與金土商量過，今天由金土在家看孩子，她到西門町去看電影，片子是賽珍珠的《大地》改編的。由於剛纔兩人談得很好，遂說：「別走，在我家吃便飯，我請兩位去看電影。賽珍珠的小說《大地》，寫我們中國的。金土看過了，很不錯。」陳定九馬上接過話頭，連忙拒絕：「我不看外國電影，眼睛不好。話聽不懂，字幕太快。太吃力。」說著看到自己的老婆，頗有留下之意，遂向他太太說：「妳如有興趣，不妨陪陪金太太。不過，」又側過臉來向金太太說：「不必在你家吃飯，約好在電影院門前相會就是了。」

「就這樣說定，」陳太太說。「我六點半到國際電影院門口等妳。不在你家吃飯了。」

陳氏夫婦別後，金土二人便商量著，梅蘭必須提前出門，免得陳太太先去買票。

從此，梅蘭在家居生活上，多了這麼一位串門子聊閒天的閨友。有時，鄰家的柴太太也來加入。這位陳太太雖也沒有受過學校教育，卻也略識文字。尤其一手的女紅（針線活計）極其精巧。她自己說是蘇州人，在上海一戶商家作使喚丫頭，東家老奶奶喜歡她，認作義女，跟著公子、小姐讀了幾年書。由於自己用心，已能閱讀唱本。正因爲她是大家戶的使女，知道不少大家庭中的傳奇故事。正好梅蘭也是出身於官家破落戶的小姐，自也親眼見到不少，說來都像《紅樓夢》中的故事。柴太太加入之後，又附加了一些修女院中的故事。這三位出身不同，知識水準也不同，談到人生的傳奇故事。可真像一台連本好戲呢。

這些人生中的傳奇故事，也都一件件輸入了金土的腦中。

陳太太的老東家，還住在上海，香港也有分號，住在香港的人，仍與上海往還。金土隨也因此透過陳太太獲得一處收轉家信的地方。

就在農年過後不久，元宵燈節未到，金土收到家信，得知他娘在十月初一就病故了。

參　渦

一、突然發生的突然

「好在已把兩個孩子的相片寄去了，」金土淚眼婆娑地抽咽著向梅蘭說。「娘在合眼前，定能見到了兩個孫子……」

「爹這封信，沒有再說不要再寄信去，」梅蘭說。「可能社會安定下來了。」

「不是還大喊著抗美援朝，在出兵打韓戰嗎？」金土擦乾了眼淚說。

「我看了郵戳，」梅蘭說。「由你鄉間的郵政代辦所寄出，到香港祇十二天，還不到半個月呢！」

說著又向金土建議：「再寄一張給外婆吧！」

「那咱們再去一家合照，」金土說。「最好邀小筠帶著她的男朋友來，大家合照一張。寄上這麼一張，不是更好嗎？」

梅蘭同意。但她卻擔心小筠不會帶那位許先生來。當她知道婆婆纔六十一歲就過世了，卻也憂心她五十八歲的媽！既然大陸上的郵路無阻，確是應該再寫信去。如今，又有了轉信處所，日子又過得非常平實。寫封平安家書，爲人子者，怎能疏懶？每年在歲滿月圓的季節裡，這兩封平安家書還是免不了的。

陳定九期待中的第二批眷舍，在登記的時日，他正好調到國防部服務，第一批眷舍登記時，他就嫌小放棄。這第二批雖有兩房一廳的眷戶，若不是科長以上的主管，則必須四口之家的兩代同堂，纔有登記的資格。陳定九只兩口人，雖然登記了母親還有一個七歲的女兒，都不在身邊，所以在辦理登記的時候，也沒有通知他。等他再從國防部調回，已經登記完畢，當他回來再去登記，祇能列到第三批。對陳定九來說，這面脫了，那面也落了，弄得兩不搭。在心情上，總有幾分失意感。人嗎！任誰都難免，何況這位事事傲人一級的陳定九？

來到台灣這兩年來，他已搬了兩次家，爲了上班方便，陳太太更爲了串門子近，纔搬到安東街來的。雖只是在後院的墻角、依墻搭建的一間留作堆放雜物的小房，隔成了兩間，固然沒有金土住的兩間大，卻是磚砌的墻。新搭的竹籬廚房，也是靠後墻蓋的，門旁就是後門，獨家出入。每月租金兩塊銀元，上班走五分鐘即可。陳太太串門子到金土家，還不要五分鐘呢！

梅蘭是紹興人，雖然不會說紹興方言，還聽得懂，陳太太說一般人說的官話，也不流利，說著說著就夾入了上海話或蘇州話，梅蘭也能貫通語意。柴太太是北平人，不但一口的京腔，而且在兒音太重時，連梅蘭也聽不懂。正由於這些原因，漸漸地，當陳太太串門子到了金家，柴太太已不常過來加入。有時，柴太太卻不時站在竹籬的另一邊，與金太太隔著一道竹籬咬耳朵。唧唧咕咕地有得說呢！全村中的張家長李家短，她都能地保似的一五一十說出來。梅蘭最不愛聽這些是是非非，她有兩個雙胞胎的孩子，越大，越需要管教。眷村的兒童多，好在村子有幼稚園，又設立了子弟小學。在近處不遠，也有國民小學。但一到假日，眷村上的孩子們，還是雀群似的咕喳著，有如出籠的蜜蜂，在巷道中嗡嗚著。她家的這兩個纔兩歲多的孩子，聽到門外巷道中的孩子們鬨鬧，也會走出房去，雙手攀著竹籬笆。從縫眼中，展開了稀奇的心理在嚮往。梅蘭每次見到這情形，總是把兩個孩子帶進房裡，說：「我們別跟那些野孩子玩兒，會摔跤的，摔了跤，頭會流血的。」若是柴太太隔著籬笆再向她傳播什麼新聞，總要想出一些話來躲開去。這天，柴太太竟說到了陳太太，說：「陳太太要回香港了。」

梅蘭一聽，不覺一怔！心想：「怎的沒聽到陳太太說起呢？沒幾天還來過。」遂答說：「好像聽陳太太說過。」又說：「她有娘家人在香港。」

「老陳也走。」柴太太說。

梅蘭又怔忡著了，沒聽到金土回家說過。再一想老陳已調到另一個處去了，已不與金土在同一科辦公。遂馬上答說：「這我可不知道。」遂又說了一句：「一起去探親吧？」

「不是，」柴太太說。「老陳已上了辭呈。」

「我沒有聽到我先生說。」梅蘭這樣回答。

「妳跟陳太太那麼的親近，親姊妹似的，」柴太太說：「陳太太怎麼瞞著妳？」

柴太太不相信金太太不知道陳家的這件事。

梅蘭聽到兩個孩子在家打架，雙喜在大哭起來。連忙轉身奔回房去，連個招呼都來不及向柴太太致意一聲。

緊跟著門鈴響，柴太太來了。

梅蘭去開門，見是柴太太，便推想她是急於要說完陳太太要回香港的這件事。遂也不能拒絕，便歡快地迎進房來。

「弟兄倆又打架了！」柴太太一邊走一邊說。「金太太妳是聽到的，我們那兩個也是誰也不讓誰？我那個丫頭兒更兇。」

「對不起，我沒聽妳說完，就跑回來了。」梅蘭歉然地說。

「兩個球是一樣的，也會爭，真是沒有辦法！」

坐下之後，柴太太又繼續說。「金太太你不知道陳太太是個丫頭出身嗎？」

「我知道，」梅蘭說：「陳太太並不在意這個。」

「她的東家是有錢人家，姓榮。」柴太太顧自說下去，「說是上海什麼棉花大王，有錢的，英國美國都有他們的工廠。老陳在這裡不得意，要他太太去求東家，這纔辭了這裡，到香港織布廠去作什麼經理？」

柴太太咭哩咕嚕說了一長串，梅蘭約略的想到，陳太太說過她的東家姓唐，也是上海紗廠界的大商家，不姓榮。總是聽到陳太太口中的唐家長唐家短，說的都是唐家的事，榮家是上海的名門大戶，知道的人多。這些，梅蘭素來不注意這些，只覺得陳太太離開台北，少了這麼一位常來聊閒天的人。梅蘭愛聽陳太太敘述她東家的許多閨房瑣事，有些丫頭們鬪俏，有些少奶奶爭寵，與她兒時在家庭的生活見聞，有著頗多相似。所以梅蘭從不膩煩陳太太來。在一時聽說陳太太夫婦倆要離開台灣了，頗有幾分失落感。

「水向低處流，鳥向高枝棲。」梅蘭引來這兩句古語。遂又頗有感觸地說：「翅膀大的鳥兒，都不會在屋簷下咭咭喳喳。」

柴太太聽不進去這些文縐縐的語言，沒有理會梅蘭的這幾句話，又說：「聽說老陳的媽帶著他七歲的孫女，也到了香港，這裡正蓋著的第二批房子，也沒有老陳的份兒。舒蘭街的那一批，老陳也沒登記上，只是後補。必須先登記的人家不要了，纔能分給他。輪起來，候補的人，老陳排在第五。松山的那一批，老陳沒有登記，嫌上班路遠，地區又空曠，四處都是稻田、水塘。他媽媽與女兒到了香港，擠在一個同鄉家，這個同鄉還想仰仗著老陳幫助他一家到台灣來呢！這麼一來，老陳是非得離開台灣不可，要不然，他娘帶著他女兒來了，連個眷舍都沒有分到，他那張臉往那兒掛啊？」

梅蘭一聽，猜想到柴太太的這些話，一定是她先生說的，更認爲是同事們在背後對於陳定九的議論。後來。陳定九改調到登記科，與柴先生同科辦公。使梅蘭納悶的是，怎的沒有聽到陳太太說起這些事呢？連婆婆女兒到了香港的事，都沒有提過。

晚上，金土下班，一進門，就向梅蘭說：「老陳昨天上午遞了辭呈，今兒格就沒來上班。據說昨天晚上夫妻倆就到基隆搭船到香港去了。」

梅蘭愣怔了一霎說：「一個鐘頭前，柴太太纔告訴我，說是陳定九遞了辭呈。前幾天陳太太來，也沒有說要去香港。怎的突然走了，連口風也不露？」

「據說陳太太的東家已投匪，」金土說。「老陳離開台灣到香港去投靠陳太太的東家，不先瞞著，怕的走不了。」

梅蘭聽了，這纔明白。遂長歎了一口氣，說：「那裡看人去！」

這天，梅蘭與金土兩人，分析了一下陳定九這個人。認爲他並不是壞人，缺點是自信心太強，聰明外露，凡事都想勝過人，偏偏的自己又沒有真才實學，更無專業知識，就是在等因奉此的應用文上，無論判斷是非，以及文筆，也都極其平常。卻又具有那一分由自卑萌生出的自尊，左右了他在人生上的舉止動靜，時時、事事，都擺出大人狀。就像這次使他非得離開台灣不可，正因爲在台灣無處可以使他建立起，能夠大過他現時職司的自尊！自然只有逃離一途了。到了香港，縱然得不到勝此一籌的地位，已無前後相對的比況，時時呈現在那多熟朋友的眼光投射之下，心情自會安適下來。正如柴太太口中轉述出的那句話：「在這裡，他那張臉往那兒掛啊？」

第三天，金土就收到陳定九離去時，準備好的一封辭行信，在基隆登舟前投郵的。信上只有三句話：

我匆匆就道，寬諒我們沒有向你們告別。

這地方對我太薄，你我文士要有文格。

香港有家工廠請我，我當然去。

希望時常通信，只有你老弟懂得我。

署「陳定九頓首」五字。

金土看了這封信，交給梅蘭，說：「陳定九被他的自尊心害了。」梅蘭看了信，說：「不是自尊，是自卑。」

金土則說他的先生松三爺告訴他，在人世中作人，要向路邊的小草學習，應自知自己渺小，不能與大樹比粗比高。在性行修養上，要向水學習，外柔內剛，盈科而後進，閉之則成淵，放之則成川。金土的話還沒有說完，梅蘭就伸手嬌嗔地打了金土一下，搶過話頭說：「嗡！說來容易，做來難！」

「哎呀！」金土也反手嬌嗔地輕輕還了梅蘭一拍，說：「萬不可把難字當前。」話還沒有說完，兩個孩子在後院哭起來了。還聽到柴太太在大聲大氣說話：「我又沒有打著你，號什麼？號喪啊？玩球幹麼向我們家的廚房窗戶上打！」

梅蘭走到後院去了。還沒說話，柴太太就開了腔。

「金太太，你們的倆寶是在院子裡玩球，一球扔過來，險些兒把我家廚房的窗玻璃打破，我把球撿起扔給他們，也沒碰著他們誰，竟哭了起來，真驕貴！」

說完竟自進屋去了。梅蘭一看，兩孩子腳下的一隻飯碗大橘色的紅色橡皮球，已經癟癟的了。

「柴媽媽把球給割壞了。」兩個孩子哭著異口同聲地說。

「不要哭，媽給你們再買一個。」梅蘭一看地上的球，是用刀割破的，忙著安慰兩個孩子說。

這時，柴太太又走出房來，一到後院，就說：「金太太呀！我以爲球本來就是破的呢！一問纔知道是我們家的老大割的。」又連忙向兩個孩子說好話：「小喜子小慶子別哭，柴媽媽賠你個新的。」

「別恁麼說，怪不好意思的，」梅蘭向柴太太打著哈哈說：「不要緊的，球已玩了不少日子啦！玩具都是玩壞了的。」連忙岔出一句問話：「柴太太你晚飯燒好了吧？」

「已端上桌兒啦，還沒有吃哪！」柴太太回答。

「我還沒有熱菜哪！」金太太說。「我先生纔回來。」

「妳先生是紅人兒，」太太又接過了話碴，「忙著哪！」

梅蘭沒敢再回嘴，便帶著兩個孩子進屋。一進門見到金土又坐下來翻書，卻想到了一件事，遂告訴金土：「這個月的水電費，還是我們付的。」兩家共用一個電錶與水錶，說好輪流著付。因爲電錶水錶都在金土這邊，收費的人，自然按他家的門鈴，一次次都是梅蘭付。雖然，把水電費收據，交給了柴太太或柴先生，他們接了收據，口中雖說待會兒送過來，卻也很少送過來。軍眷半價，數目不多。

金土總是告訴梅蘭說：「給就收，不給別去討。」當梅蘭再告訴金土，這個月的水電費還是他們付的，金土便憤然站起，說：「把收據給我，我送過去。」梅蘭卻一笑阻止，說：「算了。我們還是遵守那句老話：『吃虧人常在』呀！」

若是認真起來，可吵的事多著呢！前後院中間的那道竹籬笆，也被柴家占用，一旦梅家晒上幾片尿布，便被拿下扔到這邊地上。梅蘭也都忍了下來。她認為，既然遇上了這樣的鄰居，總得有一方謙讓著些兒。

「我是大家戶的姑娘，唸過大學的學生。」

梅蘭的為人處世，總是想到她應該具有這分自治的尊嚴。

自從陳太太他們到了香港，一年兩節，都能收到大陸爹、娘的來信，雖明知大陸的親人，在信上不敢說什麼？有苦也不敢訴！雙方能夠通信，已是幸運者了。

從陳定九的信上說，他在一家縫衣工廠作秘書，地址在新界。既未說明工廠的名稱，也未說到在港的工作情況，只有一句感慨於古語的「萬般皆下品，惟有讀書高」這話，說是「高」字應改為「糟」纔對。一年來，只通了兩次信，轉了兩次信。推想陳定九到了香港，境況並不好。這些問題，又怎能是金土他們考慮到的呢。

梅蘭有上海幼專的同學，在台灣各地擔任幼兒園的行政或教養工作，卻由於有兩個孩子纏身，不願膺聘。一是所得雖足夠付出兩個孩子的褓母費用，卻不忍心把幼兒給別人扶養，放棄了做母親的職分。如今，孩子兩歲半了，台北赤峰街上的公設幼兒園，兩歲半的孩子，作褓母的保育員，或作教養的輔育員，可以隨身帶去。梅蘭在端陽節前，便接下了這家幼兒園的輔育員聘書。開始去工作。還在設想著重考師範學院呢！

一天，同事們爲梅蘭母子三人，合照了一張相，個個都笑嘻嘻地，非常可愛。遂又想著多洗了幾張給爺爺與外婆看看。這纔又寫了兩封信寄請陳定九收轉。還另外寄了一份禮物去。通常，都是對方來了回信，陳定九纔一併封妥轉寄。收到家書的回信時間，總在一月以上。但這信寄出不到一個月，金土便在辦公室接到一通電話，說他是軍法處的劉法官，有件公事，需要向金參謀求教，要他到福利社去一趟，他在那裡恭候。金土放下電話就下去了。

一到福利社，就有一位身著空軍中尉制服，領佩軍法標誌的中尉軍官，站起來笑臉相迎，說：「是金參謀吧！」金土一看此人，他不相識，年齡不比他小。遂伸手去應接，答說：「是」。二人便坐了下來。

「我姓劉，」這位中尉說。「軍法處調查科。」又說：「有件事，處長需要你去一趟。」

「噢！」金土狐疑著。軍法處各科他常去，沒有見過此人。正想問，門外有三位士官進來，說：

「可以走了吧？」

這位中尉便馬上起身，說：「走。」遂向金土說，「請金參謀去一趟。」

金土一看時間，問：「必須馬上去嗎？」

「去一趟，馬上就回來。」這位中尉說。「現在纔四點多。」

「那我撥個電話告訴辦公室，」金土要求說。

「好！」這位中尉馬上應允。他見到門外服務台上就有電話。

金土撥了電話，是科長接聽的。他告訴科長說：「軍法處有公事，要我去明白一下。」顧科長只應了一聲「好」，沒有說什麼。

金土隨著這位劉法官，走出福利社，一輛小吉普便停在門口。劉法官讓金土坐進後座，他坐在前座。車子發動便從後門開出。這時金土方始想到軍法處也在紅樓，坐上吉普車，到那裡去？遂問：「處長在那裡？」

那位劉法官，好像沒有聽見金土發問。車已開到新生南路向左轉了。金土移移屁股，欠欠上身，伸頭向前，又問了一句：「處長在那裡？」

「在台灣大學後面，」劉法官說：「就到了。」

「我的辦公桌，還攤開著公事，沒有收拾呢？」

金土這話是近乎自言自語說的。這次那位劉法官沒有回答。只是愣愣地目不轉瞬，像一雙車前燈，指示著車子一直向前開行。

這時的金土，突然回想到那年被兵丁架上一輛大卡車，開到一處不知名的地方審問，坐了幾個月的黑牢。他呀！想著想著，忽然有些兒失神、落魄，昏昏沈沈地被那輛小吉普載到了一處兵營……。

二、人事環境的變遷因子

梅蘭在赤峰街上班，回到住處，總要七點左右。她帶兩個孩子必須走上約十分鐘的路，纔能搭上公車，下了車還得走一段路，始能到家。到了車站，得排隊等車，下了車，更得經過小菜市買菜帶回。燒好了晚飯，先生還沒有回來，推想可能辦公室有事，又要加班了。因而也就沒有放在心上，吃了飯，把留下的飯菜，放在鍋內，擱在煤球爐子上溫著。天氣已經煖了，爲兩個孩子洗了澡，便料理他們上床。她還有廚房的事要做，衣服得洗。等家事料理完，已近十時。金土還沒有回來。

過去，加班到十二點纔回家的情事，也不時有。但近三幾個月來，幾乎沒有加班過，下了班就回家。

但一覺醒來，床上沒有身邊的人。走到外房，打開燈，見到壁上的鐘已過一點。心裡便不安的想到：「怎的這時候還沒有回來？辦公室離家祇有不到五分鐘的行程。」再一想：「也許臨時派去外埠出差了。」遂又再去入睡。

天亮醒來，兩個孩子又問：「爸爸呢？」遂又回答他們：「爸爸到台南公差去了。」便照常帶著孩子上班去。

在辦公室方面，到下班時沒見金土回來，他的對手李參謀便把金土攤在桌上的公文，收進卷夾，代他放入抽屜。第二天，還沒見金土上班，便有人問：「金參謀出差啦？」科長見到金土沒來，遂想到昨天下午接到金土在福利社打來的一通電話，說是到軍法處去接洽公事，李參謀說：「到下班時金土都沒有回辦公室來。」科長則說：「要是公事還沒有完，等一會兒一定有電話來。」他以爲今早，金土又到軍法處去料理昨天的案子去了。中午快下班了，金土還沒有回到辦公室來，科長便走來坐在金土的座位上，問李參謀：「有沒有聽他說家裡有什麼事？」李參謀答說沒有。李參謀也想了想說：「好像是接了一通電話，匆匆走出辦公室的。」科長說：「你到軍法處去問問？」科長說了這話，便走回自己的辦公桌去了。一邊走一邊說：「金土手上還有件案子，署長要他去解說呢！」

李參謀問了回來，說是軍法處各科室都沒有人需要與金參謀接洽的公事。昨天，金土也沒有到軍法處來過。

一直到了晚上下班，金土還沒有回到辦公室。

「要是隨同軍法處的人公差，事情再匆忙，也得有個電話啊！」陳科長這樣想。臨下班時，陳科長親自到了軍法處，去問軍法處長。金土雖然一天沒有上班，同事們無不感到怪怪的！因爲金土的工作認真，上下班從不遲到早退，也從不溜出去閒聊，連辦公室中的電話，都極少用來談公事以外的閒事。今竟突然不來上班，連個招呼也沒有，怎能不令同事們感到奇怪？

知道金土與登記科的柴科員住同一棟眷舍，遂託柴科員下班後問問，是不是病了？柴科員說是早晨見到金太太帶著兩個孩子出門去上班，沒有其他不同於平常的狀況。

這件事，柴科員回家一說，柴太太可興奮了起來，第一句話就說：「是匪諜，被抓起來了吧。」近來報上，時常出現破獲匪諜的案子。被捉的人，大都是讀過大學的人。

「不要胡說，」老柴警告他老婆，「誣告也犯法，判重刑。」

「別緊張嗎！我只是在家裡說說，」柴太太放小聲來說。「瞧你那緊張兮兮地樣兒！」

柴科員預想在吃過晚飯後，再專意到金家這邊來問詢。等到他要來問詢的時候，梅蘭已帶著兩個孩子出去了。梅蘭回家沒有見到先生回來，在菜市場遇見另一位同事的夫人，胡太太突然問她：「金太太，妳先生到那裡去啦？聽我先生說，他今天沒有上班。」

這位胡太太的先生胡保成與金土同科，承辦晉升考績方面的業務，同一個辦公室。在春節，全科人員眷屬會餐時見過。這時梅蘭知道了她先生今天也沒有到辦公室上班，聽了這話，心有些下沈。「真是的，能到哪裡去？裡裡外外都沒有打聲招呼？金土不是這樣的人！」心裡這樣想。遂答說：「昨兒晚上他沒有回家，我還打算到辦公室去問呢！」

「有人說被軍法處約了去，到外地辦案去啦！」胡太太爽爽利利地作答：「同事說羅副署長知道。」

所以，梅蘭匆匆吃了晚飯便帶了兩個孩子，到羅副署長家去問詢。羅副署長是金土的老長官，在徐州時他就在這位長官麾下工作，帶到上海、帶到台南、又帶到台北，金太太與金土結婚，不但是羅處長的證婚人，到台灣來，羅太太還特別安排了一間二等艙位給梅蘭姊妹，同船由上海到了台灣，還同住一處。可以說是兩家的主屬之交，已有數年。羅家就住在近處新生南路的瑠公圳邊走路不要十分鐘就到了。彼此都忙，羅太太又在一所高中教書，彼此也好多日子沒見，遂借此機會去串串門子。

不曾想到，連羅副署長也在奇怪金土這一次不平常的事。

說是劉署長已向軍法處嚴處長問過，各科室都沒有人與金土接洽什麼公事。正在向派在憲兵隊的人事查問。

這事居然過了十天，沒有任何消息。

梅蘭也只有懷中揣著一團團地狐疑，帶著孩子去上班。天天回家向兩個孩子回答：「你爸爸到台南出差去了，很快就回來。」還得早早晚晚地一見到柴太太，就得接聽那一句：「金太太你先生還沒有回來啊？」

又過了幾天，終於得到了消息。確如鄰家柴太太所期望的那句心裡的話：「是匪諜被抓起來了吧？」金土雖不是匪諜被抓了起來的，卻也是類似的問題，受到牽連，被扣了起來。

陳科長獨自一人到了金家，以嚴肅而無奈的表情，一見到梅蘭，就哀歎著說，「金參謀被扣在憲兵隊，爲了你們寄大陸的信。」梅蘭一聽怔忡了一霎，說：「是家信啊，我知道信上，寫的沒有牽涉任何有關政治上的絲絲縷縷！」

「不是信的內容問題，」陳科長說：「關係在轉信人的身上。」

梅蘭一聽，頓時圓起了眼睛，張開了口，竟然錯愕起來。

「陳定九他們？」不禁呼出了這麼一句疑問。

「陳定九已經投匪，去了大陸。」陳科長回答。

梅蘭聽了，歎了一口長氣，知道事已至此！只有求神福佑了。

「事情已經問出了頭緒，推想問題不大，」陳科長說。「問題是，這種事既已立了案，必須追蹤查問出個結論來，這件事纔能結束。可能金參謀一時回不了家。」

梅蘭愣怔地聽著，低下頭，眼眶中的淚水溢流下來，一大滴、一大滴向下滴。

腿邊的兩個不到三歲的孩子，呆呆地在聽，雖然聽不十分懂，但已聽懂他爸爸一時回不了家。又看到媽媽在哭，眼淚滴滴下滴，竟然哇地一聲喊了一聲：「媽！」哭了出來。一個跟著一個哭！

「別哭！」梅蘭強忍著內心的痛楚，摟過兩個孩子到雙膝之間，說：「爸爸會回來的。」

擦擦眼淚，神情便鎮定下來。

「我想不會出大事的，」梅蘭這話的意思是不會被判死刑的，「在今後的生活上，受折磨可能難免，我只求長官們憑公論斷。」

「這一點請金太太務必放心，」陳科長說。「軍法處已經去公事，要求移到我們的軍法處承辦，人是我們的。等人移過來，也許就沒有事了。」

「全靠長官們愛護我們，」梅蘭的聲音略有幾分哽咽。以下的話，已哽咽得說不出來。

「各級長官會盡全力的，」陳科長說著起身告辭，又低聲說：「副署長原要親自來的，覺乎著不方便。」

「我知道！謝謝長官們的愛護！」

送走陳科長之後，一進門就聽到柴太太在隔著竹籬笆問：「妳先生有下落了吧？」

「知道在那裡了，」梅蘭輕快地作答：「多謝同事們的關心！」

當梅蘭要進房門時，又聽到柴太太還在問：「扣在憲兵隊是吧？」梅蘭雖已聽到也沒有答理。

又隔了十多天，梅蘭在信箱中取到了一封沒有貼上郵票的平信，拆開一看，是金土寫來的。信上只寫了兩句話：「我已在本軍看守所，再過幾天，會通知妳帶著孩子來看我。」梅蘭知道金土已送回空軍審理，陳科長說的第一步，業已實現，可以說未來的晴天，已見曙光。只是近來感到身子有些倦怠。原以為是疲累過度。今又突然噁心嘔吐，這纔想到可能又懷孕了。

把兩個孩子送上床，理清了家事，沖個浴，已近十一時。躺到床上，久久不能入睡，賣粽子的粗沈叫賣聲，把「蔴粢」兩字拉長距離，在村中的巷道中，已來去喊了兩次。梅蘭沒有看錶，也知道時間已過夜半。儘管她從情理上推想，丈夫被抓去審問的這一案情，不可能危及生命，若可能，一經查問清楚，無罪開釋，應該是可能的。法律的公正，是毋枉毋縱的啊！陳科長已告訴了她，「長官們對這件事都會盡力的。」尤其金土的信，說是已移出了憲兵隊，交由本軍審理，也就足以證明這事已經查出了端倪，不久就會回來了。這個孩子的到來，好像是來報喜的呢。決不再去商請醫生取下他。

梅蘭想到這裡，心情便頓時安適下來，遂沈沈安然入睡，還是兩個孩子先醒，纔驚擾了她從夢中醒來。

從此，梅蘭的生活，像往常一樣，一早，帶兩個孩子出門，晚上，帶兩個孩子回來。季候已入夏，如不是雨天，三個人的換洗衣服，晚上洗滌就晾在後院，第二天一早，就可以取回。若是晚上遇到了雨，未能及時收回，早晨便收下再擰擰水，晾在房內，晚上回來，也能晾得半乾。

懷孕已是第二胎，嘔吐的現像，轉瞬間就過，對於梅蘭的工作，也沒有受到影響。

關於金土的事，辦公室中的同事，大都知道案情，只是託陳定九轉過兩次家書，問題只在於陳定九這人回到大陸去了。知道長官們替金土在出面作保，連總司令都關照了軍法處。因之連柴太太也沒有再作異常的表示。由於梅蘭白天在上班，收繳水電費的人來，若是梅蘭不在家，柴太太也會主動去向收費人繳納。事後，還親自送到金土家來，梅蘭總是照數分攤付費。連柴太太提起過去金家墊付的事，梅蘭也以她不清楚，都是金土管的，遮掩過去。不願再斤斤計較這些。柴太太雖有時忍不住提了一句，也是同情與慰安的語氣，不是那麼語中帶著刺兒的了。

可是，又過了半個多月，都沒有再獲得金土的來信，上次來個字條說的，「再過幾天，就會通知你帶孩子來看我」的話，竟然遲遲沒有出現。也沒有再聽到有關於金土的任何消息？眼看著要滿一個月了，居然仍舊無聲無息，梅蘭的心情又自然沈甸起來。

「怎麼回事呢？」她想。「這長一段日子啦！」

這幾天，卻又期待著柴太太能隔著竹籬向她嘮叨啦！

偏偏地，柴太太也去上班了，到天主堂的託兒所去作褓姆去了。也是早出晚歸，生活也改變了，忙碌了。不像往日那悠閒地時時站在院子裡，等著向人播送新聞。

很想再到羅副署長家，去問詢一聲。想想，還是算了。「若有什麼問題，或好或壞，都會告訴她的。」梅蘭想：「若是沒有定案，他也不會知道。去問，反而給長官增添煩惱。」有一天，在路上遇見胡太太，梅蘭故意的停下來，多說了幾句家常話，菜又漲價了的生活經。企盼著胡太太能透露一些有關他先生被關的事。這胡太太竟沒有像上次一樣，主動地說了一些陳定九的事。梅蘭忍不住了，遂輕聲問：「唔！不知我先生怎麼樣啦！這一個多月，竟然無有信息！……」

「這樣子啊？」胡太太也不能洞知這事，聽了也感到黯然。說：「我不知道，唷！前些日子倒聽到我先生說，金參謀被牽扯到匪情上去，問題就複雜啦！」又說：「聽說長官都幫金參謀說話，不要緊的吧！」

梅蘭只吐出了心情沉痛的期待，說：「多虧長官愛護！」

事實上，關於這類涉及匪情的案子，在審查期中，除了當事者，任誰也無從道出底蘊的。梅蘭不是想不到，委實是心情過分在期待一知究竟啊！

又過了一些日子，梅蘭纔在信箱中又收到金土的第二次信。說：「我的問題，還是在追查中。不久會有結果。我一切很好，大家都非常照顧我。盼你把那部《文心雕龍》檢出。交給科長，他會託人送給我。阿土手書」梅蘭見到這封信，心情舒坦多了。既然能夠准他讀書，他還有心情讀這類厚重的大書，推想在生活上，已經正常了。信上說：「不久會有結果，」想來應該不會拖太久了。不論好壞，有了結果，懸盪的心，纔會停下來。

當這部《文心雕龍》送去不幾天，梅蘭又在信箱中，收到軍法處看守所的一件通知，寫著金土的家屬可以會見的日子，要家屬在接到通知後，三日內先到軍法處調查科去登記，取得探視證件，再依時按址前往會見。這時，適巧是中秋節的前幾天，小筠來了，王泰山帶著妻子兒女也來了。

他們都是今天纔獲知這一突發的事件。
三個多月了。別說是王泰山，連小筠梅蘭都瞞著，不曾寫信告知他們。

三、行為人對於構成犯罪之故意

金土已接到通知，會見家屬的日子，就在明天上午十點。這事在第九次審問過後，方始得到這一張便條。祇告訴了他會見家屬的時日，其他都沒有交代什麼。但對金土來說，在腦海中卻波濤洶湧。

三個多月了，當他被吉普車載送到那處兵營，就被送到這處營房內的一個地下室，那小小洞穴，只有一床一桶，還有掛在洞壁上的一個燈泡，亮度可以數清燈泡中的紅色燈絲。倘能從燈光中，見到洞口的鐵柵欄門。

儘管，被關在這洞穴中時，金土的神智都是昏昏沈沈地，但有一個問號卻清明地掛在腦際：「這到底是怎麼回子事呢？」

在這洞穴裡，若是不時去看手腕的錶，是分辨不出時間演進的。當他聽到那洞口的鐵門卡嚓一聲被關上時，他看看錶是五點鐘。他想到快下班了，桌上還攤著未辦完的公文。照當前的情勢看，他知道今天是回不去了。

他被弄到這裡來，他的長官，可能已被通知。「我犯了什麼過錯呢？」他一再的想，想不到自己在工作上、在生活上、在行爲上，有何過失？

八點多鐘的時候，有人送入一盤飯食，盤中有米飯有菜餚，送來的人，還歉然地說：「對不起，他們通知的晚！」把一些飯食從鐵柵欄的方口，送交給金土，說了這麼一句，便走了。

金土接過了這飯食，但乏食欲，只吞了兩羹匙，便停了。他仍舊在疑難不解的想：「這倒底是怎麼回子事呢？」

隔了約莫半小時，有兩個人進來了。一位身著制服的上士，那上士是開門的，一位穿灰色西褲白色上衣的中年人，進來之後，笑吟吟地說：「委曲你了金先生，我們到另一邊談談。」說著還伸手要金土走前。金土遲疑了一下，沒有說話，便照著吩咐走出洞門。那上士前導。不曾想到這洞穴還有別徑，又彎到了另一個洞口進去。進去走了二三十公尺，便豁然開朗，燈光亮堂起來。這裡是一處大的洞穴，其中有桌有椅，還有沙發茶几，電話，儼然像個客廳。靠右一邊，有一張長型桌案，已經坐了兩個人。桌前有一張椅子，帶金土來的那位穿便裝的人，便指示金土坐在桌前的椅子上，面對著桌後的兩位身著軍服的人。從肩章上，金土認知兩位都是陸軍上尉階級。帶他來的那位穿便衣的中年人，便繞過去坐在桌案的後面，另兩人的左邊。金土一看這情勢，便知是審問他了。因而一時之間，心情非常鎮定。

問詢的語氣，非常客氣，一開始便從攤在桌上的文件中，取出了一件，交給金土，一面交一面問：「這封信是你寄出的嗎？」

金土接過一看，是他寫給香港陳定九，託他轉寄一件家信的信封。上面貼了一張字條，還蓋了香港郵局的郵戳，仔細一看，是退回來的。退回的原因，有紅筆鉤出的一條是：「收信人已遷離，去處不明。」遂一時疑惑，這信能有什麼問題？當他想進一步去抽出信中的家書及照片時，始行發現這信封中已無一物。還沒有說話，桌案後的人，又說話了。

「信裡的東西，在這裡！」

金土舉頭一看，說話的人已把一疊文件交了過來。只得隨著伸出雙手，敬敬重重接了過來。還沒有翻檢，便一眼認出，這些就是他寫給陳定九轉大陸兩地的兩封家書及孩子的照片。遂馬上說：「這些，都是我寄託陳定九代爲轉寄的。」

「陳定九是你的同事？」

問話的人，是坐在中間的那一位。

「是。」金土答：「都在同一科工作。」

「以前認識嗎？」又問。

金土答說不認識。又用思維算了算，又補充說：「先後不過同事兩年光景。」

「你太太梅蘭小姐與陳定九太太是同鄉？」

「不是。」金土答。「我老婆原籍是紹興，在蘇州生長到九歲，此後都生活在江西，住過九江、南昌，還有贛南的贛州。」

「你太太是南京金陵大學畢業的？」

「不是。」金土照實作答。「她在金陵女子文理學院讀到三年級，又轉到上海幼稚師範專科學校，時局亂，都沒有畢業。

頭一次就問到這裡。但結束問話後，那位穿便衣的人，竟過來向金土說：「這件事情還要調查，你暫時不能回去。在這裡得取下你的領章、肩章。爲了力便，你還是換穿另一套衣裳。你回去就換下來，我們會替你保管，可以留下的東西，會告訴你。」說過沒有等待發問，就轉身走去。身邊已到來兩位兵丁，便說：「我們送你回去。」

仍舊送回原來的那個洞穴，臥床上已放妥了一套灰布軍服，折疊好了的。送他回來的兩人之中，有一位說：「請脫下身上的，換上這一套。」金土知道要坐牢了。便只有唯唯聽命。

換穿的只是一種舊式的灰軍服，卻除去了所有的口袋。又聽命一樣樣取出了原衣裝口袋中的鋼筆、皮夾，以及零錢紙片等隨身雜物。除了一隻指甲剪被取去，其餘都沒有拿走。但卻掏清了換下來的衣褲口袋。臨拿走時，還要求金土再檢查一次。

等他們走後，聽到洞口的鐵門卡嚓一聲，被關上了。金土的心便頓時沈到海底，認命而哀痛地想：「這真是天有莫測風雲，人有旦夕禍福。」託陳定九轉封家信，也會惹來這坐牢的禍事，怎能想得到呢？

他看到了退回的信件上，貼著的字條，鉤出的原因：「收信人已遷離，去處不明。」想必陳定九去了大陸。他馬上想到他在十年前，路上遇見鄉村的農民協會在遊行，高喊打倒日本帝國主義的行列，他一時興起，竟然加入唱了一曲「松花江上」，居然被抓去坐了三個多月的監牢，幸好教會的鍾斯牧師救他出了獄。如今，怎的又會因爲一封家信，又惹上了坐牢的災害？越想越自責，責備自己的大意。爲了信件，已經發生過一次了。在徐州，爲了跟南京的梅蘭通信。那時，也曾經被檢查到，有人去調查他。此刻想想，若是梅蘭在金陵女子學院是位左傾分子，早就遭了禍了。

想來，這事都怪自己，怪自己粗心，怪自己頭腦愚笨，沒有想到這些麻煩事情上去。再一回想到陳定九這個人，越想越要責備自己，怎的忘了自己早已認定此人是位心如天高才比紙薄的俗物，而且告訴了自己，對此人應該敬而遠之。爲什麼卻又爲了貪圖他夫妻在香港可以代轉家信的這一便利，竟然忘記了先前斷定的人品。

「唁！」金土想到這裡，懊惱地搥胸掌頰，「怎的沒有想到這人會投匪呢？」

從今天的盤問語路來想，問題就出在陳定九的投匪事件上。今天，既然把他身上穿著的制服都扒了去，換穿了囚服，顯然地，他也被當作匪諜的嫌疑犯，扣押起來調查、審問，不是三天兩天可以清結的了。當然，如今最使他擔憂的是在家帶著兩個孩子的妻子。他知道，想送封信出去，也是不可能的。但他卻能從今天的第一次審問的話頭上，推理出來的調查重點。突然使他去追憶一生的生活遭遇境況中，縷出了當年松三爺與他團練爺爺說閒話時，說到的一句話：「大老爺的公堂，是謊神老兒的天下，太乙真神是擠不進去的。」當然，那時的金土聽不懂，事後問起三爺爺，經過松三爺解說，纔知道這話的意思是：兩造到大堂之上，要各說各的話，只要謊話說得圓，圓得合乎情理，大老爺就會照著謊話說得圓的一方，來心證官司的輸贏。俗語說的「八字衙門朝南開，有理無錢莫進來。」花了錢的一方，大老爺就會勾通花錢的一方，編造一套圓而無縫的判詞，讓他贏了。松三爺還說：「謊神爺的廟，就設在各級衙門的大堂上，那塊『明鏡高懸』的金字大匾，就是謊神爺的廟號。」這時際，金土又加深的領悟到了。

在這原是防空洞穴的地窖中，關了一個多月，便移轉到空軍軍法單位，禁閉的處所已是平房，一人獨處一間，書也准許看了。看守人也常來與他聊天，自由多了。好在自始至終，都沒有給金土戴上刑具，並沒有把他當作重刑犯看待。

跟著，一次又一次的審問，使金土推想到審問的追蹤路線，大部分都是根據他的資歷表與他附在資歷表後的自傳，引發出的思路。金土知道，他在自傳中，沒有寫上他第一次坐了三個多月冤獄的事。

也沒有寫入他在蚌埠扮演花鼓娘，惹出的那件說了連自己也臉紅的事。推想是他們追問不到這些的。這些實話，如不追問，自是不應述說的。

但審問者一直鎖定在陳定九的離職，走後纔遞的辭呈，這件事實，再三的問金土知不知道？金土只有照實說，他知道，事後聽同事說的。因爲他們不在同一科同一個辦公室服務，陳定九走後遞的辭呈，他只是事後聽到同事們說的。至於陳太太時常到他家來串門子，那是基於他太太是蘇州出生的浙江紹興人，陳太太是蘇州人，兩人具有這份同鄉的情誼，陳太太又沒有子女在身邊。遂不時到他家串門子，與他太太聊家常。這些事，金土都照實陳述。在以後的多次審問中，金土感受得到，審問者似乎在設法肯定他與陳定九的關係，立腳在怎麼個地位。在這最近一次審問中，一而再的，反而覆的，問金土既然已經知道陳定九的離職，不是奉准了之後，辦妥了離職手續走的，辭呈只是行前纔遞出的，這種行爲，在法律上說，是脫逃。

「你懂不懂得？」這樣問。

「沒有任何一位同事，說陳定九是逃走的，」金土答。「只聽到同事們說陳定九領了當月的薪餉就遞了辭呈。到了香港，還寫信來，有好幾位同事收到陳定九的信，不祇我一個。」

「別人都沒有與陳定九通信連絡，」法官說。「我們問過，也查過，只有你一個人，往往返返通了好幾封信。」

「只通過兩次信，」金土說。「也只是祈求託陳定九代爲轉封平安家書。」

「陳定九有沒有在給你的信上說，他要回大陸家鄉去？」

「沒有。」金土說：「要是有，你們早就查到了。」

「郵檢方面，對於平常人，只是抽查。」法官這樣解釋說。

「保密防諜，人人有責，這句話你知道嗎？」居中的那位說。

「知道，」金土答：「我從來沒有洩露過什麼機密。」

金土正要敘說他在抗戰期間的遂川飛機場，任職書記時，曾保管一本密電碼，放在身上揣了兩年，卻被法官的話擋住了，沒能說。

法官竟然責備金土說：「你已是空軍上尉階級的軍職，又是整天裡在處理公文的人，在生活上的友朋往還，竟是如此的缺乏保密防諜的警覺，……」把話說到這裡，這天的審問便結束了。

這天，金土卻也感受到他的這件案子，已近尾聲，連美國的基督教浸禮會，有無金土自傳中寫的那幾位美國牧師，都去調查過了。

就在這次審問的一週後，金土接到通知，可以與家人見面了。日期就在明天上午，對金土來說，這自然是一件非常感奮的消息。所以這天晚上，他一幕幕回想了這三個多月來的日子，是怎樣度過的。特別是那一次次被審問的情況，從問話的徑路上，他已感受到最近這一次的審問，可能會不久結束，意味著他可能判定無罪開釋。他所牽連到的問題，只是陳定九代他收轉過兩次家信，遺憾的是陳定九又返回大陸，認定陳定九是投了匪了。陳定九的離開香港返回大陸，可以確定金土並不知情，要不然，就不會再照著地址寄去這封信，還附有帶兩個孩子合照的相片，託陳氏夫婦代爲轉寄大陸上的兩處老人家。所以金土推想出的結論，可以認定自己是牽扯不上犯罪條款的。何況，最後這次審問中，主審的法官已用責備的語氣，教訓了金土一頓，說金土「缺乏保密防諜的警覺。」

實際上，金土在這處看守所的禁閉日子裡，看守所中的上上下下，都沒有把他當作罪犯看待，不但沒有把他與其他被看管的人犯關在一起，也沒有禁止金土閱讀。雖獨自一人被鎖在一間小房中，只要金土有所請求，譬如想到圖書館借書，也會帶他去。不但看守所圖書室中的三國、水滸、西遊、以及儒林外史、鏡花緣，還有大小五義、施公案，他都借去翻翻檢檢看了一遍，連家中送來的文心雕龍，都作了兩本劄記，還有一些必須去追尋閱讀的相關書籍，也都一一記下，留待出去之後，再去一一到圖書館查尋求答。

這情事，固由於是金土的長官從中關說過，卻也由於金土的為人和樂悅人，厚重敦實。再說，所裡的官兵，也都認為金土牽涉到的案子，一旦調查完畢，就會無罪釋回的。他又是總部承辦人事獎懲業務的上尉參謀。這一點，也是看守所中的官兵，都對金土禮遇的原因。

通常，看守所（或監獄）的犯人，接待家屬會見的地方，都是特設的，兩者之間隔一道木板墻，會面的地方是一個由玻璃隔開的窗口，內外的會見者，可以清楚的見到，說話卻聽不到，必須靠兩個電話聽筒交談。可是金土會見他的老婆孩子，這裡的看守所則安排在會客室給他們相見，所長還特來向金太太說了一番慰藉話，使得金太太在這次會見了被關的丈夫，她那忐忑地心情平坦了下去。帶著孩子離開時，也以為丈夫不久就可以回家了。

梅蘭帶著兩個孩子到木柵這一處看守所來會丈夫，還是陳科長出面向汽車隊派出的吉普車。都以為金土的案子，不久就會無事釋回。不想一個月過去後，竟無聲無息起來。

一天，陳科長被羅副署長的電話，叫到辦公室去。悄悄地告訴陳科長，剛纔署長說金參謀的案子，可能有了變化。就是國防部軍法局提出了判例，認為必須判刑。遂又感歎地說：「這麼一來就麻煩嘍！這種案子最低三年。判了刑就得撤職，一撤職，家庭生活便頓時受到影響。薪餉沒有了，配給也沒有了，眷舍也得收回。」說到這裡遂又歎了一口長氣，說：「金土一家四口怎麼辦呢？」

「決定了嗎？」陳科長也失望地問。

「聽署長說，這是由各單位會報研討案情後，共同得到的結論。」羅副署長說。從情勢上看，已無轉圜的餘地。爲今之計，只有去託情軍法處的審判科，在量刑上從輕發落。要陳科長私下裡去向軍法處的審判科趙科長，瞭解一下案情涉法的輕重。

金土是羅副署長一路帶上來的，萬一金土判了重刑，對他的前程，也擔心會受到影響。

凡是涉及了「戡亂」兩字範圍的案子，除了總統之外，任誰都不敢置一辭。就是經手審理的法官，也不敢違悖了既成的判例。譬如金土這一案情，若是依據「懲治叛亂條例」，全文各條款，幾乎尋不出可以據以判刑的依據。就是「戡亂時期檢肅匪諜條例」，也尋不出直接訂明的條款，可以適法論刑在金土身上。祇有採用刑法第一編第二章第十三條：「行爲人對於構成犯罪之事實，明知並有意使之發生者，爲故意。」再配上第十四條：「行爲人雖非故意，但按其情節應注意、並能注意，而不注意者，爲過失。」可以適用在金土這件案情上。過去已有多件判刑的案例。在會報上，已有人提出了類同的判決例子。

軍法處的趙科長，便這樣據實回答了陳科長。還抱憾地說：「我也莫可如何啊！」遂又加了一句：「我們處長也莫可如何啊！」

依照判例，刑期是三年半。金土在獄，還有三年歲月，一千多個日子，對金土這個家，一個年輕的母親，帶著兩個不到三歲的孩子，怎麼過？

這事羅副署長要求陳科長保密，不可透露一絲風聲。

在梅蘭方面，還認爲金土不久會無罪開釋呢！怎能想到判決書下來，判定的刑期竟是五年，褫奪公權五年。

四、別怪任誰只要策勵自己

當金土的案子，由上級軍法機構覆判，以行爲人金土具有軍人身分，不能與一般平民的類案判例相等，得加重刑罰，改判有期徒刑五年，褫奪公權五年。判決書送到原判處所，軍法處的嚴處長曾拿著這份判決書，親自到了人事署的署長辦公室。說明這件案子的居然加重刑罰，委實歉於莫可如何！但事已至此，各級長官個個都爲部屬盡了心力，想來這分遺憾，也祇有用「莫可如何」四字了結。處此戡亂時期，把守這一關口的人，總是特別的嚴苛，卻也怪不得。

這判決，最難過的是羅副署長，金土跟著他，由徐州到此，已五六年了，是位品學兼優的部屬，今竟牽連到這麼一件與戡亂有關的匪情事件，使各級長官都無插嘴之處。想著想著，忍不住一陣心酸，遂連忙起身，走回辦公桌的座位。坐在一旁抽煙的譚署長，也祇是黯黯然地猛抽手上的一支煙。看得出心情也非常沈重，只以爲最多也不過判上個三兩年，結果竟是五年歲月。這五年歲月的牢監，往往會把一個好人煉燒成壞人或廢人。遂也熄了手上的煙，站起身來，回到座位上說：「這樣吧！」譚署長提議：「判決書到來，金土是非撤職不可。薪餉、配給，也非停發不可。」又問羅副署長：「聽說他太太是大學畢業，是不是可以安插個僱員進來？」

「金土的太太已有工作」羅副署長說：「在市政單位的幼兒園作保育工作，她南京金陵女子學院讀教育系三年級，與金土結婚便跟著來了台灣。一胎生了兩個男孩，快三歲了。」

「那未來的問題不大，」譚署長說。

「最大的問題是房子，」羅副署長說：「金土判了刑，眷舍也失去了住居的權利。」

「他太太若是有個傭員身分，總可以吧？」譚署長說。

「這事得問問總務處看，」羅副署長說。「眷舍管理是總務處的業務。」

譚署長聽了，便按鈴要勤務去叫陳科長來。

陳科長到來，譚署長除了告訴他金參謀已判五年徒刑，撤職後如把金太太以傭員聘用，現住眷舍是否可以繼續住下去？要陳科長去洽辦。

「這事我已與總務科討論過了。」陳科長說：「祇要沒有人檢舉，或在背後說閒話，總務處不會主動去催討。」又說：「要是金太太有軍中的傭員身分，從情理上說，應該是可以住下去的。」

譚署長一聽笑了，說：「這事不能以你的想法斷定，還是去與總務處研究一下。」又說：「還應該早一天去通知金土的太太，安慰她別為未來的日子憂心，生活問題，我們會為她母子安排的。」

陳科長辭出後，譚署長突然問：「刑事犯服刑，不是有假釋嗎？問問看假釋的辦法是怎樣的？」說過，便坐在座位上，拿起電話撥給嚴處長。一問假釋的辦法，據告：「根據《刑法》第十章第七十七條，『受徒刑之執行，而有悛悔之實據者，無期徒刑服滿十年後，有期徒刑逾二分之一後，由監獄長官，呈司法行政最高官署，得許假釋出獄。但有期徒刑之執行，未滿一年者，不在此限。』可是凡因牽連上戡亂時期的匪情案件，全不能援用假釋條例。」這一說，金土的五年刑期，勢必得在監執行五年。

不過，此等刑事犯，若是在獄服刑，行為良好，又有特殊才能，有關機關，可以援用假釋條例，以正式公文借用。倒是有事例的。只是調用者擔保一切法律責任。

關於金土入獄服刑後，家中妻子兒女的生活安排，梅蘭聽了陳科長前來轉達的長官德意，自然是萬分感激。又開車陪同梅蘭帶著兩個孩子，到看守所去跟金土見了一次面，知道不些日子就要離開這裡，送到正式的監獄去服刑了。金土還不知道送他去服刑的監獄在那裡？他聽說監獄每月都有排定了的會見家屬日期。可以定時見面的。

梅蘭也把陳科長轉達來的長官德意，告知了金土。說：「長官對我們如此厚待，我倒願意這樣的安排。我的生活你可以不必憂心啦！不知道你在監獄服刑，過的是什麼樣的日子？」可是這一問題，金土也不知道。祇聽說監獄中設有各門各類的工廠，服役的人，可以挑選他願意去學著做的某一種。金土卻回答梅蘭說：「我從小就是在窮苦環境中長大的，我曾經告訴過妳。可以說，凡是人能承受的苦難，我都能承受。這一點，妳千萬放心！只是苦了妳，身邊還有兩個恁麼小的孩子。」

金土把話說到這裡，梅蘭竟然兩頰一紅，低下頭去，用手展開穿在身上的外氅，露出了腰身，說：「我又懷了，已經五個多月，上次來看你，沒有告訴你，那時，還以為你會無罪開釋呢！」

經過梅蘭這一說，金土不但聽到了，也看到了。一時間呆瞪瞪起來。梅蘭遂又羞羞赧赧地說了一句：「你應該記得那個日子。」那次事後，當梅蘭發覺到金土沒有使用避孕套，還責問了一句：「你沒有套上它呀？」

這事就發生在金土被帶走那天的頭天晚上。當梅蘭的健康產生變化，反胃、嘔吐、倦怠，推想時日，正是那天晚上發生的事。所以，金土呆瞪瞪了一霎，自然也印證上了。

「早該拿掉纔對。」金土這樣無奈地說。

梅蘭卻沒有告訴金土，當她發現又懷孕時，正是陳科長到來，說是金土的案情輕微，極可能不久可以判個無罪開釋，懷這孩子，還認為是個吉兆呢！但如今，說也無用，腹中的孩子已成形，金土的罪名已確定，五年監牢，非坐滿不可。多謝老長官們的關顧，未來四年多的苦日子，總得過下去。略微遲疑了一下，遂轉過話頭說：「放心吧！有你這多長官關顧，我與孩子的生活都沒有問題的。你在裡面，只要注意你自己就夠了。我會如期帶孩子去看你！」說了這些，遂在哽咽中離開。

這次，是陳科長開車送她們去的。在路上，陳科長告訴梅蘭，軍法處正在協調把金參謀送到北鄉這個監獄去。主任是曾經作過這裡政治部副主任的李上校。有了熟人，就有了照顧。路途雖遠，卻有公路局客車可以到達。

然而，人間事怎能盡如人意。聘用僱員是有名額的，名額已經滿了。眷舍雖已陸陸續續在兩年多來，建蓋了五處，還是不夠分配，眷舍繼續住下去的可能不大，已有人提出覬覦金土這處眷房的申請了。同時，梅蘭帶著兩個孩子，又挺起肚子，一早一晚的出出進進，竟也感受到鄰人的目光與神情，不像過去，不但有白眼的感受，也有交頭接耳，背後指指點點的情況。特別是緊鄰的柴太太，常常粗聲大氣罵孩子，夾有諷言諷語。有一天下班，梅蘭帶著兩個孩子，邁進大門，還沒有轉身關好，就聽見柴太太站在院子裡，罵孩子，不但粗聲大氣卻又字字滾圓的吼：「大元兒，我看你是丈二和尙進城，不低頭也不成啦！你想學屎蜣螂滾糞球兒，步步往後退著走，可也香不起來。」起先，梅蘭不曾留心，還聽不懂她那一口土腔土調的京片子。不想柴太太這幾句話兒，一連幾天，都聽到她說，聽懂之後，方始知道這話是說給她聽的。

這時的梅蘭，已知道長官的理想安排，年前不可能實現。還得再等一個時期。陳科長告訴了梅蘭，署長已交代政策處提出業務需要，報請增加僱員名額。但金土的服刑獄所，已安排妥當，送北鄉監獄服刑。這裡的服刑者，大多數都是違反了戡亂政策者。金土被發監執行一月期滿後，方始獲得特准接見家人。以後，便是兩月一次。第一次，是陳科長開車送梅蘭母子去的。

見到金土之後，知道金土在北鄉監獄受到的恩遇，比在看守所還優厚。他被安排在一個邊間，只住了兩人。另一位朱先生原是高中歷史教員，比金土略長幾歲，重慶時代的中央大學歷史系畢業，只是因爲講課時不慎，說到了金圓券崩潰的社會亂象，被學生記入週記，遭遇到檢舉，被判了三年半徒刑，已到獄服刑三個多月了。二人同住一處，言談卻也投契。二人都被分派在印刷部工作。金土告訴梅蘭，這裡的生活極有規律，不但常有名人來演講，也月月有娛樂晚會，有戲看，也有歌聽。一天三餐，菜蔬雖不如家中可口，金土認爲比他童年時代的日子，還要好些。

「妳不必關心我，」金土告訴梅蘭，「我在這裡不會受折磨的，所不同的是，我在服刑期間，出不了這個圈（ㄐㄩㄢ）就是了。只是妳們母子……」說到這裡，突然悲從衷來，竟嗚咽得說不出話來。兩個孩子見了，馬上喊了起來，「媽！爸爸怎麼哭啦？」這時的梅蘭，也昏顫喉塞，心胸收縮，淚如雨下，馬上擦拭了眼淚，鎮定起心情，說：「你放心吧！我上次已經告訴你，長官對我們非常關顧，縱有困難，也會給我們解決的。我只盼你要奮志，不要餒氣。那怕生活再苦，我也會帶著這兩個孩子，活得昂頭挺胸，人活著，就要活得心安理得，這件事，只是你我犯了過錯，沒有對不起祖宗，對不起國家的行爲。無論別人怎麼看我們？怎麼說我們？我都會忍受下來的，你放心！」梅蘭越說越激動，聲調也越來越高，坐在一旁的陳科長，連連小聲阻止，說：「小聲些！小聲些！」梅蘭這纔戛然停止下來。馬上在淚眼中展現出一絲笑紋，向陳科長忙著道歉說：「對不起，科長……」還想補上一句，

「你不知道，我的鄰居時常打譬語說俏皮話罵我們哪！」卻忍下來了。

這一次會見，仍是一種特殊的安排，在守衛室的休息室會見。當梅蘭見到金土的情緒很好，臉色也比前次滋潤了些，還似乎胖了些。而且告訴梅蘭說這裡的圖書室，比看守所那裡的書要多上幾倍。主任說，這裡沒有的，還可以寫出書名，向青潭圖書館去借。但梅蘭回家之後，展開金土塞給他的字條，要她把家中書架上的幾本魯迅、茅盾、張天翼等人的書，一律燒掉。實則，小筠聽說姐夫爲了家信被抓了關起，就來幫同姐姐把那些本查禁的書，早已全部剪成碎片，拎出撒到瑠公圳的河水中了。

梅蘭知道，金土的薪餉，只能發放到這個月爲止。梅蘭也知道，這種案子，收押之日，照法理就得停職停薪。如今，挨到判刑確定，今則按收到判決書之日起止薪，已經發放過的，也不追回。可以說是特別關照了。至於眷屬補給，已發出到今年爲止的眷補證，總務處也表示不再追回，由金土家屬領到年底，明年就不能申領了。這些情況，陳科長也都告訴了梅蘭。

自從這次到北鄉監獄見到了金土，梅蘭知道金土的監中生活，除了失去職務，失去薪給，失去自由，只要安分守己的在監中，循規蹈矩的奉命如儀，委實沒有其他什麼可以爲之勞心的。要是生病，也如同常人一樣去就醫、住院。

只是一樣，梅蘭總感於住居的生活環境，氣氛有幾分變了。特別是她這個居處，還沒到家門呢，就得作心理準備，不知今天的柴太太，說出來的俏皮話，又換了什麼詞兒？每次，連兩個纔三歲大的孩子，一聽到柴媽媽站在院中說出粗聲大氣的俏皮話兒，也會脫口而出的向媽媽哀怨著說：「媽！柴媽媽又在罵人啦！」因爲他們兩個也時常在後院兒，聽到柴媽媽罵他們。果然，今天梅蘭帶著兩個孩子一進門，就又聽到柴太太說俏皮話啦：「大元兒，我瞧你是土地老兒上天，妄想！關老爺走麥城，天數到啦。」每次遇見這種情事，只有裝聾作啞。不作理會，但心情總是哀怨地，人嗎！

近來，一下班就在赤峰街近處的菜市場購買菜蔬，躲開眷村的菜市。有一次，遇見那位不時在路上或市場上停下來，攀談幾句的胡太太，如今見嘍！也不是往常那麼熱火了。老遠見到，還有意在躲避著呢！梅蘭自也不便去親熱地去接近。梅蘭曾想：「惹上了匪情的罪名，家屬像變成了痲瘋病人似的。」

因而想到前些日子王泰山來，知道金土判了五年徒刑，就說了恁麼一句：「太太，妳搬家吧！俺給你們搭兩間小屋住，山邊的空地多著哩！」當時只想到王泰山不過是一句客氣話，這時，回想到王泰山這句話，比小筠建議搬到車路墘依靠她，或在她服務的那所幼稚園，也謀上一職，要適合多了。梅蘭怎忍心離開台北，丟下了在北鄉監獄服刑的丈夫？若是王泰山說的那句話，是出於真心實意，不是一句應酬語，倒是可以接受他的這一建議。想想手頭還有一兩多金子，壹佰二十元銀洋。也可以拿出來作為搭蓋房子使用。若是可以這樣作得成，就不必為了這處的住房，讓長官們去傷腦筋了。

不知道，搭蓋兩間像王泰山他們那樣的竹棚房屋，需要多少錢？她曾與金土帶著兩個孩子，到過王泰山的居處。若從環境上說，要比這裡的住處差多了。梅蘭曾不時聽到金土講他兒時過的窮日子，那麼，梅蘭見到的王泰山他那一幫子山東同鄉，在通化街那裡聚居的地方，也近似金土口中的兒時生活。可是金土則說王泰山他們那裡，比他小時候還要好些。然而梅蘭卻想到，住到王泰山他們這一區，總不會還會遇上像柴太太這樣的鄰居，總不會還有人把他們母子當作痲瘋病人似的疏離。

什麼好日子，壞日子，梅蘭都不會想了，只想到她帶著身邊的兩個孩子，還有肚子裡的這一個，如何活得下去？新來的所長，業已在所務會議上，露了口風，說是處此戡亂時期，今後用人，第一道闕，應過慮思想，要不然，一旦出了問題，作主官的會受到層層牽累。梅蘭原擬等這方面的長官，安排她作個僱員時，再主動請辭。今竟一時不能達成僱員的安排，也似乎去主動請辭比較好。這工作是她的同學黃雲英介紹的，可是前一位所長走了。當這位所長到任後不久，就露出了這一口風。那時，梅蘭就想遞假條，但想到不去上班，每天在家，豈不是更得天天聽鄰家柴太太的俏皮話，這纔隱忍下來。

爾今，可真是到了非得遷離這個環境不可了。甚而巴不得馬上就離開這個地方。真想馬上去找王泰山，終於又忍耐了下來。推想這個禮拜天，王泰山會來。

這一晚，梅蘭一直思前想後，輾轉反側，不能入眠，連腹中的嬰兒，時時表演武術，拳打足踢，也沒有了感覺。小床上的孩子發囈症，也聽而不聞。直到一聲「蕭粿（肉粽）」的叫賣聲，從門外小巷一聲聲傳來，她方始想到夜已經深了。

「明天上班，第一件事就是遞辭呈，」梅蘭的思維打了結，這工作不應再作下去了。這房子也不應再住下去了。一想到柴太太的那些諷言諷語，就想到應該迅即避之為宜。要不然，與這種人吵起嘴來，也丟人。遂想到手頭的積蓄，總還夠賃房居住個一年半載。掛在有志氣的人口唇上的那句：「天無絕人之路」，給了梅蘭下定決心的動力。遂決定明天一上班就遞辭呈，下了班就去王泰山那裡，請他代為找個安居之所，準備找妥了房子，馬上搬家，未來能居在王泰山那個地方，像王泰山上次說的，搭兩個竹子紮的棚屋，也不願在這眷舍中等了。

同時，也寫信給小筠，為了生活，也只得離開台北，接受上次小筠的建議，到車路墘加入他們的幼稚工作行列。目前的現實環境偪著她，非得離開不可，眼看著，一家就是四口子的生活擔子，全落在梅蘭一人肩上。人活著，不祇是爲了腹飽身暖，還得活得有尊嚴啊！
梅蘭想到這裡，心情頓時恬適，安然入睡。

肆　泫

一、凡是人所能承受的我都能承受、

……

阿土：

我們母子已於昨晚搬出眷村。現住在王泰山這裡。

搬出眷村的決心，是從你那裡回來，入夜後深思熟慮，而且是抽絲剝繭縷出了這一根綫頭出來的，決定搬離這裡。

到圈中去看你那天，原想告訴你出事後，就受到刺人的俏皮話，灼人的紫外眼。幾次話到唇邊，礙於陳科長在場，只得舐舐舌尖，收了回去。這些生活上的重要問題，食呀！住呀！工作呀！長官們都設想到了。但卻被法令所阻，使不上力。薪餉沒了，眷補停了，都不要緊，我還能謀得一份工作。這眷舍雖能再繼續住下去，陳科長說：「已向總務處洽商過了，只要沒有人起鬨，不會主動催討的。」可是啊！在人世冷眼與閒言語的環境中，我自己覺得是不應該再腆顏賴下去了。尤其是我們的兩個孩子，既能聽得懂話，也能領會到臉色。越想越覺得非離開此處不可。

天地這樣開闊，我不相信無有遮頭的天、立腳的地。

王泰山知道你遭劫之後，曾說過一句話：「太太！不要住在這裡啦！在俺那裡搭兩間竹棚子，給你辦個幼兒園吧。」原以為是句狂語。我去找他，他們這一夥山東、安徽，還有蘇北的老鄉，說幹就幹。當晚，就來了五部三輪車，拾掇拾掇，綑綑紮紮沒有花上兩小時，就全部搬到了王泰山那裡。他們先騰出了一間給我們母子安身，馬上就分頭去鳩工庀材，在那小丘的後方，披荆斬棘了一番，就準備搭一個大棚子，再搭了三間竹屋。看情形，不要十天就可以完成。他們連天加夜的幹，這一區，住有近三十户人家，童男童女有十多個呢！

阿土！這件事我對不起你的地方，是搬家時沒有事先去報告你的長官，我今天纔去見羅副署長，並交出眷舍鎖鑰。看來他們很不高興，責備我不該說搬就搬，也不事先打個招呼！說：「我們一直在為你一家人的生活在想法子安排，怎的說搬就搬，離辦公室這麼近，為什麼不來說一聲？」老實說，我也沒有想到王泰山這班朋友，會連夜踩著三輪來了。到了之後，王泰山便領頭拾掇東西，綑紮的繩子都帶來了。我們家的東西又少，連最大的一張竹床，都被綑到三輪車上搬運。五、六輛三輪車，一趟就搬走了。

阿土！你應該知道，隔壁柴太太的一口北平俏皮話，什麼：「丈二和尚進城，不低頭也不成。」、「土地老兒上天，妄想。」、「關老爺走麥城，天數到了。」還有些聽不清楚的。這些話，怎麼好向長官們說呢？還有，眷村中的大多數人，都認為你是犯了匪諜案子關進牢獄的，所以，我們母子在眷村人的眼眸中，像是害了痲瘋病的人，連熟人都在躲避著。

阿土！我必須寫出這些該向你訴說的苦處！俗說：「萬事一忍解千愁，」我雖然向你寫出了這長串的苦楚心情，還在盼望著你知道後，也忍受下去。別惹枝節，應該想到我們是罪犯啊！

最後，我要再說一句，你別為我母子憂心！我們母子（還有肚子裡未來的這一個），會快快樂樂地把這幾年苦難的日子過下去的。你不是時常向我說，作人要向小草學習嗎！

「無懼野火，無懼鐵鏟，更無懼於鐵鞋踐踏。」

「凡是被鐵鞋踐踏過的草，無不根根在土中發芽。」

「草的生活要求簡單，只要一撮土就夠了。」

「無論山多麼高，草能攀登絕頂，無論海多麼深，草能深入底層。冰雪，凍不死草；深淵，淹不死草；大石，壓不住草；厚墻，堵不住草；因為，草有追求陽光、享受自由的堅定意志。」

阿土，過去，當你不時說到「草」與「水」，我都沒有深入的感受。你說：「生活要向草學，性格要向水學。草，本質邈小，幹不高大，花不香艷；所以不希求與大樹比粗比高，也不與百花爭奇鬪妍。水，外柔內剛，有本有源，不舍晝夜的流，盈科而後進，放之四海。本質是務實的。若是有源頭的水，誰也擋不住他，所以說「閉之則成淵」。

如今，你的案子，好在已經塵埃落定。五年的歲月雖長，我們一定能夠平平適適地度過來的。年底，老三又要出世了。你放心，在這個時代裡，我會學習你的草樣生活，水樣性格。你放心吧！需要什麼書，就寫信來，我會買來送去。小筠那裡，我決定不去了。她要把每月的薪水匯給我，我告訴她目前還不需要。搭蓋的竹屋，我給了王泰山一兩金子、五十塊銀元，我流著眼淚，偪著他收下的。

還有三五天就能搭好。這次住進去的房子，屬於我們自己的呢！你應該安慰吧！

我希望能在下次你會客的時間，帶孩子去看你。近來我有了時間，寫來寫去，竟寫了三張稿紙，還有好多好多話要說沒寫下去呢！

梅蘭手書立冬後一日

金土收到梅蘭這封信，讀了首句，就大感驚詫，怎的突然搬了家，有了什麼變化嗎？唸完了信，纔深切的贊同梅蘭搬得對。起先，金土還沒有想到他的妻子在眷村，會受到這樣的躲閃傳染病似的排拒。幸好有個老部屬王泰山那種鋼鐵樣性格的漢子，要不然，梅蘭帶著孩子怎麼受？鄰家柴太太的京片子，夾帶著甜酸苦辣五味的俏皮話，金土也聽到過。只是匆匆地搬走，沒有事先向長官們打個招呼，不能不使各級長官們誤會。這一點，必須向長官說明未能事先去報告的苦衷。金土推想長官們不可能想及金土被判了五年刑期，關入監牢，眷屬在傳言中得知的案情是「匪諜」案子，遂產生了對其家屬有躲閃排拒的情事。遂馬上擱下手上的一件，新交來的校對文稿，寫信給老長官羅副署長：

副署長：

今天接到梅蘭的信，纔知道她們匆匆搬出了眷村。之所以沒有先去向您報告一聲，梅蘭說行動得過於匆忙。來幫忙做這件事的朋友，是我在抗戰期間的一個老部屬，受傷住院，全是這位王泰山照顧。後來，隨我轉入空軍場站，當了一名養場兵，升到上士班長，山東泰安人。退伍後在台北踩三輪車。自我出事，他知道後，不時踩著三輪來，問問有沒有需要他幫忙的地方。

自從我判刑確定，眷村的鄰舍們，對於梅蘭母子，便產生了躲閃與排拒，或交頭接耳，竊竊私語的情事。連往日見面時熱熱火火打招呼的熟人，也望見後，都老遠躲開去。還有人在說俏皮話挖苦我們。雖然長官給了我極大的幫助，還在為我家小的生活，想盡了辦法，來作妥善安排。可是，我觸犯的是有關戡亂方面的匪情案子，在一般人的心理上，怎敢去接近這類犯人的家屬。所以，梅蘭母子生活在這麼樣的眷區環境裡，再繼續生活下去，精神上受到的折磨，想來，殆千百倍於腹饑體寒。應可想知她母子是很難在眷區那個環境中忍受下去的。一時之間，她說不出口來。眼看著她們母子就是四口人，棲身、饑寒，自是切身的問題。當王泰山來，知道了我的妻子兒女，在生活上發生了如此大的困難，他便挺身要為我肩起這個擔子。當然，他有著報答我帶他轉入空軍，遂得到了來到台灣這個機會。然而我知道，王泰山最瞭解我絕不可能是匪諜。這應是他膽敢來擔起我這罪犯的妻子兒女生活擔子的鐵石心腸。梅蘭說，王泰山一聽她說在眷區住不下去了，想不到王泰山當天回去，就決定連夜把我一家三口子，搬上五輛三輪，王泰山的那種誠實懇切，又是那麼斬釘截鐵的決斷行動，幾已不容許任誰說個不字。搬到王泰山那裡，雖然住的是竹搭的棚屋，衛生環境，勢也不可能像眷村那麼清潔整齊。但總不至於在生活上，失去了人的尊嚴。

副署長，我在你麾下服務六年了。從沒有想到會犯法坐牢。這五年牢監，也影響到你面上失去光彩。我是誰也不怪，都怪自己對於這個時代，缺少認知，關於陳定九這人會去投匪？我如今想來，此人的赴港情況，領了當月的薪餉，就不辭而別，悄悄赴港，留下了一紙辭呈，便算交代了他的辭職。以及此人之想當科長，未能如願。這些許許多多，我惱恨自己何以不曾去思考？他到香港來了信，不但與他書信往還，還託他代轉家信。惹出了這一件匪諜案，對我來說，應是罪有應得，沒有什麼好怪的，只怪自己在這個時代裡，還欠缺處世的學問。但願我這罪刑，不會連累到長官你的前程。妻子兒女因此受到的磨難，我除了歉疚，別的還有什麼好說的呢！

我的這位妻子，是賢惠的，堅強的，而且有才幹的，我們結婚前，我曾向他表白了我出身貧家，童年時為了飽肚子，作過不少卑賤的事。早已養成了凡是人所能承受的一切，我都能承受。我是一棵小草，只要有一撮潮濕的泥土，我就能夠存活。那時，她曾堅定的回答我：「放心吧！凡是你能過的日子，我都能過。凡是你能承受的，我都能承受。」還以更堅定的語氣說：「因為，我也是個人，當然能夠作到凡是人所能承受的，我也能承受。」所以，我相信這五年的分離，梅蘭會堅強而勇敢的帶著孩子，快快活活生活得落花流水似的。

謝謝長官們的特別關顧，獄中的生活，業已適應，在印刷部作文件、書冊的校勘工作，有時，我也去跟著領班去學檢字、排版，相信這一技能，我會學得到的。

問候

闔府潭釐！並請叩候

署長安泰！

舊屬　金土　百拜上

小筠收到姐姐的信，知道已搬到通化街那裡，由王泰山代為搭蓋了兩間竹屋，還準備辦一所幼兒園帶托兒所。這封信便催促了小筠趕在這個周末，就趕著到了姐姐這裡。她也想到了，姐姐居然搬出了眷舍，住到踩三輪的王泰山那裡，只是為她們用竹子搭蓋的棚屋，一定是眷舍不能住下去了。要不然，兩周前她纔離開姐姐那裡，怎的這樣快就搬了出去，而且住入了王泰山那些勞力大眾之間，怎會突然有了這麼大的改變呢？

小筠到了姐姐那裡一看，這裡的竹屋，以及紅瓦土墻的小屋，還有竹編加泥墻，屋頂是蘆草覆蓋的，已經東一列西一列的形成了一個小小村莊，左邊有一處竹林，背後有好幾個大水塘。其他前後左右，全是農田，雖有人家，也是稀稀落落地。說起來，這裡的環境，應算得清幽宏曠，遺憾的是，一向無人整理，一處竹林，還有人爲了竹筍竹葉（葉大可以包粽子，裹青菜），不時去清除雜草，還未荒蕪，他如那幾個大水塘，都是二次世界大戰時期，美國空軍飛機的炸彈炸成的坑塘，沒人去管，早已變成了茅草淵藪。近年來，雖從大陸來了些難民，爲了暫避風雨，在此處荒地上，搭個竹編的棚屋權作棲止，卻也無人有心去整頓居處的環境。這時，韓戰正在止戰談和，「一年準備、二年反攻、三年掃蕩、五年建國」的口號，正在蔣總統領導台灣的軍民吆喝著。凡是從大陸逃難來的老老少少，有誰不在企盼著，不久就可以打回大陸端返家園，荒蕪的地方，也就無人想著料理它了。

當小筠到達這裡時，王泰山他們爲梅蘭搭蓋的房子，已經完成，正在內部裝釘甘蔗板，這一兩天就可住進去。兩間，不比眷區的眷舍小。前後的空地，可以圍作院子的地方，大過原住的眷村前後院，一倍也不止。小筠看了，說：「滿不錯的嗎！」姐姐給小筠的信上說，還打算在這裡辦個幼兒園帶托兒所，小筠則認爲辦不了。四周人家少，光是自己這廿來戶，也最多十來個孩子，也攪費不起教學上的開銷啊！

起先，小筠還以爲姐姐仍在市政單位的幼兒所上班，來後纔知道，也是爲了姐夫的牽涉到匪情案子，被半途解了聘。這一來，原要與姐姐商量她的婚姻大事，也閉口不談了。她原先決定的按月把薪資分一大半匯給姐姐，想來馬上就得實行。這一點，也得跟男友說妥，婚後，她得按月把薪資分一大半周濟姐姐，四年多呢！

姐姐又要生第三個了，馬上就得用錢，小筠知道姐姐手上的積蓄，搭了這兩間房子，所賸已無幾。然而小筠卻絕口不談這些問題，她決定回去之後，就把錢匯來。

她知道姐姐要嫁給金土時，說過這麼一句話：「我決定嫁給他，就準備好去過苦日子的。」遂又想：「姐姐總不會想到他會坐牢吧！」

二、開卷有益，疑者得之

金土是位最能適應環境的人，何況服務機關的長官，又有關照。所以他雖是監獄的刑事犯，由於案情人皆洞悉，又在兩處被觀察了這一長段日子了，業已瞭解到金土這人是個忠厚老誠，循規蹈矩的人，獄所中人，對他也就特別寬容，遂把他與那位因教書在課堂上失言，判了三年半徒刑的朱信立，安排在牢房刑犯以外的一間小房中住居。

朱信立是抗戰時期的中央大學歷史系畢業，有不少同學來到台灣，在軍政界的，有人已小有地位，在學界的，也有人有了教授名分。監所中的印刷部，工價比一般印刷廠所便宜，朱信立遂介紹了一些同學，將個人的、朋友的，或公家的印刷文書，送到獄所的印刷部來。因此朱信立在獄服刑的這一年多來，業已建立了這麼一層利益關係。

朱信立的刑期祗餘下一年半了。自從金土入獄服刑，他兩人便被安排在一起居住，也擔任相同的工作，校對印刷文件。金土的毛筆字寫得端正秀麗，獄所中的文件，有時也找金土抄錄。兩人與獄勤人員，相處的非常和諧。朱信立比金土年長幾歲，世故的閱歷，也比金土老到。經過幾次交談，他發現金土在國文這一科，具有豐富的經學常識。若是遇到了文學上的章句、練字，以及訓詁義理，尤其內行。甚至是歷史上的常識與認知，聽來，往往比他在大學四年學到的，還要多些。遂有心利用在獄中的這兩年多刑期中，趁著與金土這位難友同宿處的機會，寫一本有關歷史學門的著作，出獄後，也好用來進行大專學院的教職。

在平常的日子談論中，朱信立發現金土對於春秋三傳，似乎更其深入，遂買來左傳不時閱讀，遇有問題，便時時向金土請教。在工作上，校對到學術性的書刊，兩人也會走出校對人的立場，去討論作者在學識的認知上，論點的建立上，以及訓詁義理的解說上有所論斷。要是發現了問題，也會你一言我一語的去討論。這位朱先生喜愛南宋史，對於南宋的偏安局面，曾經用過一些心思，談論起來，滾滾汩汩，金土便沒有插嘴的餘地。可是朱信立說：「我不敢下筆寫這一段歷史的評論，」，他舉出的原因是「非其時也。」所以朱信立誠誠懇懇告訴金土，他要紮紮實實的讀讀左氏傳，對於「寓褒貶，別善惡」這六個字，已深深感到一字之褒貶的書法，值得述說。要求金土指導他作這門學問，願以師事之哩！

可是，獄中的時間安排，除了他們的校對工作，還有不少囚犯們必須參加的活動。再說，金土還在惦記著梅蘭的生活，已經三個孩子了。金土知道她手中的積蓄，也所賸無幾。別說找不到工作，就是有了工作，也無法丟下三個孩子去上工。如今，只靠王泰山在那個眷區，爲她張羅七、八個六歲以下的孩子看著，像教幼兒園一樣，教他們唱遊、認字，這樣，自己的兩個孩子也能在身邊。還兼辦了托兒，王泰山的老婆也參加進來，學習著去作。王泰山太太是養過三個孩子的母親，對於嬰兒的餵養與照管，不學也會。收了三兩個要按著月份多寡去調攝飲食、必須按部就班，其他都與母親平時育養襁褓中的孩童，沒有兩樣。梅蘭一家人的飽暖，所依賴的只有這麼一件工作。同時，梅蘭還帶著住戶們，在假日去整理住處環境的清潔呢？

至於金土長官方面的誤會，雖然寫了一封信去解釋過了，羅副署長到獄中去探視金土時，也藉機當面向長官報告過了。但梅蘭既已帶著孩子搬離眷區，就是可以把她聘爲僱員，也無法再分配到眷舍，事實上，長官們對於金土家小的關懷，已盡不到力。金土是位明情理的，自然能諒解到這些，梅蘭的不得不搬離眷區，也是莫可如何的事。人生活在這個時代裡，就得適應這個時代，想通了，自然也沒有什麼好怨的。

雖然，金土如今是一位在獄中服刑的牢囚，獄方分配給他的工作，在收益上，也有抽成給予獄囚付出心力、勞力的應得報酬規定。每月，金土還能分得百拉八十，甚至一百出頭。晚上，九點半就熄燈了，一早就得在號音中起床，隨同大家夥去早操、升旗，晚上的降旗得參加，還有定時的政治教育，必須去參加。身上穿著囚服，除了集合時大家集體活動，工作時也得個個在工作場所工作，不方便自由自便行動。這情況，只靠兩人在午晚休憩的這短暫時間裡，也就不易去自由自在的去作學問。朱信立是孤家寡人，金土則不但有家有眷，還有三個孩子呢！雖在獄中作囚犯，每月既有了這一校對工作，多多少少都能獲得百而八十的收入，對於梅蘭四口子的生活，卻也不無小補。金土也就在這方面特別賣力，希望能多獲得一些進益。

梅蘭每月帶孩子來一次；有時，王泰山也來。

有天，朱信立校對一本小說。這本小說的歷史背景，安置的是清朝光緒末葉，一開頭就寫著一位中了進士，又點上翰林的人物，居然在北京城置了「翰林第」。不但此也，這「翰林第」的府址，還是一位貝子爺的「貝子府」，半賣半送讓給這位「翰林」作了「翰林第」的。這位朱信立先生讀到這裡，忍不住拍案立起，說：「荒唐！貝子敢賣貝子府嗎？」朱信立的這拍案一掌，不但使坐在對面的金土謔了一跳，連這間房中的其他數人，也驚駭得一怔。這時，朱信立方始拿起案上的文稿，攤給金土看，又說：「金老弟，你看，這位大作家居然寫著貝子賣了貝子府，給一位纔入翰林院的人物作了翰林第！豈不荒唐。」又氣火火地說：「這位仁兄對於歷史竟無知到這種地步，還有膽寫這類小說？」

在一室工作的人也站起走過來。朱信立當著大家唸了一大段，又說：「不必說貝子府是不能賣的，更不能送人情的，更得知道翰林是個什麼官？北京皇城能准許一個翰林置『翰林第』！這可能嗎？」

擁過來的幾位，雖不懂什麼貝子、翰林什麼的？但卻見到朱信立那種氣憤填膺的神氣，卻也相信那書上寫的，一定有錯。

「這簡直是糟踏歷史，用屎尿污穢歷史，」朱信立仍在憤憤地說：「我是讀歷史的，看到這種文章，真是令人火冒三丈。」

朱信立見到金土一直苦笑著沒有說話，氣也消了下去。

「小說的藝術重點，在小說家的宇宙觀，廣不廣大。歷史觀有無獨到的觀點。人物的塑造，有沒有賦予精靈的生命，鮮活不鮮活？縱有那麼一些些歷史上的誤差，還不關緊要。」金土說到這裡，就把他手頭正在校對的一本「詩經講義」拿起，說：「咱們兩個交換一下，我倒要看看這本長篇小說，究竟表現些什麼？」

「好。」朱信立馬上同意，便兩相交換。把金土校的那本「詩經講義」接到手上時，突然猶豫起來，說：「詩經，我校得了嗎？」

「哎！咱們校對，只管照作者的原稿校對，」金土說。「咱又不是作先生，改學生的作文，管他錯對，原稿怎樣寫，咱就怎樣校，原稿上管他寫什麼錯不錯？咱們作的是校對，不是作校勘學，也不是作校讎學。就是檢字的檢對了，咱也照原稿校改。要知道我們倆是作校對的。」

經過金土這一說，不但朱信立領悟過來，連擁過來的另幾位同在工作的人，也聽得懂金土說出來的道理。

他們在校對的這個地方，是監獄圖書室的一間辦公室，除了金土與朱信立兩人，還有兩位難友，也派到這裡工作，在整理國防部一些舊法規、舊法令的案卷，修修補補，一本本整理完成後，用錐子鑽幾個洞眼，再用針線裝釘起來。另外兩個是圖書室的工作人員，實際是在此監管囚犯們工作，兼代為他們奔進奔出，作服務的。他們對於朱信立說的那些歷史上故事，似懂非懂，頗感興趣，其中遂有一人發了問。問「貝子」是什麼？「翰林」又怎的不能住貝子府？

這時，朱信立的氣憤已消，反而後悔自己怎的又衝動起來，影響了服刑的品德，聽到這一問，居然要金土解答。金土還是要朱信立解說，還說：「你對歷史比我熟，說說嗎！我也得聽。」說著遂把剛纔接過來的那一疊校稿遞給了朱信立。

於是朱信立解說「貝勒」、「貝子」是清朝皇族中的爵位，排出等次，「貝子」列在第四位。他們的府第不是私產，貝子要是除了爵，就得讓出給新任的貝子住居。「翰林」是考中了進士之後，再被選上庶吉士的人，入翰林院學習三年，散館（結業）後，若是有幸被選在翰林院任職，這幾位被選留在翰林院任職的人，不論什麼官職的名號，一般人便稱這些在翰林院任職的進士們，謂之「翰林」。

由於這些位「編修」、「檢討」什麼的，都是中了進士後第一次任官，照樣一律七品。新科進士，祇有一甲第一名（狀元），初任官職翰林院的「修撰」是正六品。其他所有的新科進士，選派的官職，全是正七品。朱信立像在課堂上講課似的，簡簡單單的說到這裡，遂又言歸正傳的說：「這位小說家，居然一開頭就這樣寫著，遂又拿著這一大厚疊書稿照原文唸了起來：「駱太夫人張文英七秩大壽，駱府張燈結綵，喜氣洋洋。『翰林第』三個大字也閃閃發亮。這三個大字是戶部尚書駱啓堯當年買下這個大宅第時親筆書寫的。那時他纔二十五歲，欽點翰林不久，家裡有錢，學問又好，一筆王字幾可亂真，詩畫亦稱雙絕。少年得志，意氣風發。據說這個大宅第原來是什麼貝子府，那個貝子很賞識他，便半賣半送地將這個貝子府賣給他，因爲貝子新造了更豪華更氣派的貝子府。」唸完了這一段，心頭還是浮起了一些憤慨，遂又忍不住把這疊校稿扔到桌上，說：「這位寫小說的傢伙，國文程度可能還沒有唸到中學。」

金土只是聽了一遍，似乎除了「貝子」與「翰林」兩個問題，卻又感受到這段文字的修辭，也有些兒拼拼湊湊之病，沒有說話。其中倒有一人插入了一句：「『什麼王字可以亂真』？指的是王羲之還是王獻之。怎麼個亂真法？亂那一份帖的真？」遂又向大家說：「我學過寫字，從來沒有聽見有人說過寫王字可以寫到亂真的說法。這話也是外行冒充內行的大笑話。」

「寫小說嗎！」金土插言岔過這番閒話，「可以瞎編胡謅的，認不得真。要是太認真，會氣成病的，可划不來。」

「對，另有一人轉身要回到座位去繼續工作，遂說：『大風吹倒梧桐樹，自有人來論短長。』還是幹自己的吧！」

一句話提醒了大家，遂又各歸各位，繼續各自的工作。

事後，朱信立一直惴惴不安，換過去的一疊「詩經講義」校稿，久久校不下去，偷偷兒地竊竊向金土說：「我吼壞了！心情很不安。」金土能洞悉這時朱信立的心情，遂假借教朱信立使用以米突尺校對方法。用米突尺界定出一行行，不使它與別行混淆眼睛，再兩下裡一行行一字字校，排出的字有誤，就照原稿，一字字改正過來。若錯亂了一行，或漏了一字、一段，一字字用正楷從原稿上錄出，畫出指示線，予以補上。萬不要分出心來，去校勘原稿的文辭錯不錯。管它錯不錯呢！既不費腦力，也不會惹氣。卻也竊竊安慰朱信立，認為他的衝動，不會有什麼影響的。

儘管，兩人的校對工作，採取了機械的方式，總難免會對經手校對的文稿，不時發現到可疑的問題。尤其許許多多文法累贅，小說中的形容詞比況不出人物的容止情態，無謂的對話，強占了大量書頁的空白篇幅，以及國文講義，訓釋古文辭語的出乎義理範疇，兩人也都暗自記錄下來，在回到囚房後，相對著討論一番。特別是朱信立校對的這本「詩經講義」，每天都記下了不少疑問。原稿是鋼板臘紙鐵筆刻寫的油印件，有些已經漫漶糢糊，還得時時向金土請教。

晚飯後，睡眠前，便是這兩人在房中，談文論藝的時間。金土把有關歷史上不能瞭解的問題。記下來，朱信立把有關文學上字辭文義不能瞭解的問題，記下來，留著晚上入睡前，相互切磋。當兩人都弄不清時，就去查書。圖書室沒有要找的書，朱信立就一條條列出，寫信給他教書的同學，到中央等圖書館去查，若有書可買，就買得來。

兩人就是這樣在獄中研讀學問的，他們極力避免在辦公時間裡討論。兩人都時時告誡自己，這時的身分，萬不可忘我，任情發洩自我去高談闊論，得時時要收斂著啊！

儘管如此，這兩人在睡前的這段時間，還是免不了去討論他們在校對時，發現到的一些問題。一旦在讀書時發現疑問，如未能求得答案，那問題會時時刻刻糾纏著扭結著心情。兩人都有這同一種癖性，所以一遇上他們可以暢所欲言的時空，就相互發洩了起來。

《詩小雅》的「蓼莪」篇，詩中「昊天罔極」的句子，這位教授怎麼說成「是老天爺不好呢！」朱信立說著把手抄的資料，遞給金土，說：「你看。」

金土接過去一看，上寫：「罔極，無良。意思是說：老天無良，把父母給奪去（死去）。」也甚爲懷疑這解釋太新鮮了。與他當年所學，意義相反。猶豫著想去讀全詩的解說，沒敢說話。

「你看，」朱信立又遞過書來，書是朱熹的《詩經集傳》，說：「朱熹的解說是相反的。」

金土又接過書來一看，這句注辭是：「罔，無。極，窮也。言父母之恩如此，欲報之以德，而其恩之大，如天無窮。不知所以爲報也。」這詩，是金土小時候學過的，雖然記不起朱子的注解文字，卻能回想到松三爺怎麼講的。他是連著上文「父兮生我，母兮鞠我，拊我、畜我、長我、育我、顧我、復我、出入腹我，」接上「欲報之德，昊天罔極！」再看朱子全章注解：「賦也。生者，本其氣也。鞠、畜，皆養也。拊，拊循也。育，覆育也。顧，旋視也。復，反復也。腹，懷抱也。」所以金土一看朱子的全章注釋，當年松三爺講授這篇詩的言語聲調，頓時浮現眼前：「這一章，也是賦敘體，敘述這位孝子的溯想父母是如何辛辛苦苦養大他的經過。遂溯想出了這麼一大段：「父親給了我生命，母親懷我十月。生下我來，從襁褓起，一直把我拉拔到會爬、會走、會跑，一直到長大成人。爹娘養育我的這份大恩、大德，比天還要大，我這作兒子的，如何能報答得完啊！」如今，讀到這位大學教授的說詩，居然把「欲報之德，昊天罔極！」解說成怨老天爺「無良」（沒有天良嗎？）把他爺娘的生命奪去！」從章句上說，也似乎不大說得通。

朱信立見金土一直在沉思著不說話，遂問：「金老弟，你也不懂嗎？」

兩人使用一張小桌子，各自坐在床沿上，面對著清談。

「不是，」金土答。「我解（ㄒㄧㄝ）不透他這樣說詩，據何義理呀？因爲他的說法與我學來的說法不一樣。」隨著便把松三爺講這章詩的話，講了一遍給朱信立聽。

「噯！這就理直義順了。」朱信立聆聽之後說。「還有一段呢！」說著又去撿起桌上他抄錄的一疊紙片，又翻出了一頁，說：「這裡還有一段呢！」

這一段是「缾之罄矣！維罍之恥。鮮民之生，不如死之久矣！」這位教授的注釋：「缾，是打水用的瓶子；罍，是貯水用的罈子。罄，空。缾空無水，自然灌不滿罈子；這是用來比喻兒子不能夠好好地養父母。兒子不能好好地養父母，也是父母的羞恥。」下一句注：「鮮，和斯字音近義通；鮮民，和斯民同義。「不如死之久矣！」說作『久矣不如死掉』的意思。」金土讀了兩遍，又去查考朱熹的《詩經集傳》注，說：「比也。缾小罍大，皆酒器也。罄，盡。鮮，寡。……缾資於罍，而罍資缾。猶父母與子，相依爲命也。故缾罄矣！乃罍之恥。猶父母不得其所，乃子之責。所以窮獨之民，生不如死也。」讀了這段注釋，金土，就連想到他先生松三爺說這段詩句的情況。說是：「缾子要是空了，罍也空空，不能供應缾的需要，應是罍的恥。那麼，若以父母子女來比，誰是缾誰是罍呢？這一比喻，我們必須向義理上去求。我們讀文的人，應知道文之義理，乃人之情理，事之本末也。作父母的，在情理上，有教養子女的責任，在子女沒有成人時，父母是罍，子女是缾，反之，子女長大成人，父母年老力衰，那麼，子女是罍，父母是缾，何以？子女有奉養父母的責任。烏鴉尙知反哺，何況人乎！

試想，子女長大成人，無能奉養年老的父母，豈不是爲人子的奇恥大辱！所以詩句說：「鮮民之生，不如死之久矣！」朱子注「鮮」字的文義是「寡」，寡，少有也。「鮮民」二字，就是寫這詩中的主人物，在感歎自己沒有在他父母還活在世上的日子，作到子女奉養父母的責任，遂想到：像我這世上少有的不孝之子，活在世間丟臉，還不如早就在戰亂中死了好呢！」

朱信立聽了，輕輕鼓掌，說：「這我就懂了。」

「這本《詩經講義》，我拿到手上，就大略的翻了一下，」金土又說：「最大的缺點，還不在這說詩者自作主觀的認知上，應是他作註時，無一處曾註上說詩意旨的淵源。先不說詩四家的說者，說各異辭，解各異調，說詩者可以各說各話。作爲大學生學詩的講義，似乎應該注明此說源自何書、何人？提供學生去尋來參考。這樣，纔能合乎師者的傳道、授業、解惑的意旨。這本《詩經講義》的注解，完全自說自話，無一語注上來歷。就像朱先生你記下的這類懷疑的文句，有智慧的大學生，也會同樣懷疑的。」

「這種講義，怎麼能寫出來作教本？」朱信立憤然的說。

「不能這樣看，」金土說。「這位教授的這些說法，可能有根據。自漢以來，兩千多年，說詩、解詩的人，比任何一書都多，我們必須下一番工夫，多讀一些說詩的論著，纔能尋到這位教授的師承。我們不能光以朱子之說，來反駁這人的說法不對。我們只能從義理上，來說他的這種解說，無法與人生的情理合轍。」

「哎！你校對這本小說，沒有發現什麼離了譜的問題嗎？」

金土一聽笑了。說：「光是讀了第一章的萬把字，便發現了十條也不止。譬如欽天監正，竟是一位身著絳色道袍的人物。作過一任縣令的進士，丟官後在一位尙書人家當家教，平常都稱呼他爲「王進士」。可見這位小說家對於清代官場的稱呼，還欠缺知識。形容一個人的笑聲，是「金聲而玉振地哈哈大笑」。形容端午節時期的蟬鳴是「蟬聲唧唧」。那裡還有胃口繼續去吞食它。用米突尺界定行列，照原稿校對就是了。」

「沒有聽你迸出一言半語，還以爲我的看法是大驚小怪呢！」朱信立說。「原來你是那千斤之衡，用不上你去秤那三粒芝蔴。」他說著把大姆指一伸，又說了一個字，「高。」

「小聲！小聲！」金土馬上阻止。

門外有腳步聲，由東往西，步聲鐙鐙然而過。

看看時間，已九點多，知道快熄燈了。朱信立告訴金土，明天有位在台北教育局工作的同學來看他。說：「我曾寫信託他爲我張羅出獄後的工作。」又說：「等他來時，我也請他爲你留意。」金土則哀感地說：「我還早呢！」

突然，燈熄了。

三、女人是男人的肋骨

金土與梅蘭這一對恩愛夫婦，被這個殘酷的時代，如同「捧打鴛鴦」似的，不得不分開，轉變到兩個不同的環境中數日子。經過一度寒暑之後，對於各自的生活新環境，業已養成習慣。更應該說是能夠適應。然而，彼此都在心坎間、口唇上，時時倒數著重聚的時日，說：「還有幾年幾個月？」或說：「還有一千幾百幾十個日子。」

雖說，金土在監獄裡，過的是囚徒坐牢的日子，梅蘭在王泰山居住的那個眷區，過的就是自由的日子。若是認真說起來，梅蘭的日子，過的比金土要酸楚多了。

先不說，金土出身貧苦，坎坷的日子，歷驗得多了。如今過的雖是坐牢獄的日子，暗中卻有長官們的庇護，在生活的環境上說，比外面的自由世界，還要單純。就像金土在獄中，被安排了難友朱信立與他同監房，兩人擔當的是校對工作，還可以「校」學相長，公餘，還可以說短論長，時時討論學習心得。他們還期望在牢房中寫自己的論文呢！可是梅蘭搬到通化街王泰山他住的這一眷區，生活環境的轉變，對於梅蘭來說，頗有身處異域的感受。

說起來，這地方在當時，的確是台北市東區最偏遠的地段。由市區通向東西方可以行駛汽車的大路，像什麼民族、民權、民生、南京、八德、忠孝、仁愛、信義、和平，這幾條橫貫市區東西的幹線，還沒有伸長修築，行駛市區的公車，向東只能開駛到安東街。通行基隆的幹線，只有八德路那一條，通向宜蘭的，也祇有羅斯福路這一條。但在通化街這一區，卻有一條光復南北路，穿過南京路通到三張犁。所以，通化街周遭這一帶的大片空曠，除了東一塊西一塊的農田，其他遂成了台北市東區的雜物舊貨市場。特別是拆除舊屋取下的樑柱門窗，以及竹木、板堆、磚瓦，形成了另一種建築材料廠。這些材料廠在這一帶，雖不能算得櫛比，卻也是前前後後，左左右右，望去不遠就有一家。這些陳舊的建築材料廠，像王泰山這類人眾，便是他們的衣食丰顧。

從王泰山住的這一村里，向南望去，可以看到公館方面，台灣大學東隅的農場，山邊就有一長列竹棚木屋，向北看，靠三張犁延吉街那座大磚窰旁的小丘，陂陂阿阿也搭蓋一大片竹棚木屋，還有向東的吳興街口，也有一長列木屋。王泰山曾指著這些竹棚木屋，告訴梅蘭說：「太太，住在那些竹棚木屋裡的人家，全是咱們這夥子鄉親，十之八都踩三輪兒過活。」從王泰山住的通化街這一地處，向東遠眺，可以看到松山，當火車行駛時，噴出的煤煙，一團團地飄在空中，都能清晰的望見。王泰山還指著東方三里之遙的村里說：「松山商職那裡，也住有咱們的鄉親好幾十戶。」

這些由大陸避亂來的人們，新聞紙上稱之為「難胞」。可是這些人，大多數都是在八年抗日戰爭中，又被捲入戡亂剿匪戰爭中，冒著槍林彈雨，身經百戰，有功於國家的仁人志士。有的已經失去了部隊的依靠，有的已不願再回部隊。儘管，他們囊中無銀，身上無藝，卻有鋼似的筋骨，沸騰的熱血，有力的肌肉。遺憾那時的台灣，還沒有可以到處去打零工的地方，於是，他們便有人打造了一輛輛上海式的三輪車，也有載客的，也有載貨的，各憑勞力，踩三輪渡日。

這些鄉親們，先是三三五五一夥，漸漸地，七七八八一幫。有的來時就一家數口，有的獨身卻也娶了婆娘。他們只為了有個遮避風雨的所在，遂在山邊水涯，空曠田野，自力搭蓋個一間半間木屋，暫避風雨。他們個個人的心裡，都懷有不久就會反攻大陸的希望。驅向韓國戰場的共軍，就有幾萬戰俘，吵著要到台灣來的，就有一萬多人。這新聞，給他們這夥兒人等，頻添了不少希望與信心。所以，這夥人的要求很簡單，只要在生活上，日子過得去，縱然生活勞苦一些，日子簡陋一些，也無所謂。譬如房子漏雨，交通不便，賺的錢少，買了米就沒有錢買菜，孩子生病也看不起醫生。作妻子的也會鬧情緒，作丈夫的就會說：「咱們這是逃難，暫時弩著點兒，不幾年就會回去的。」所以，他們這夥人，吃的、住的，一切都很簡陋。

梅蘭一家四口，搬到這裡來，王泰山就準備好要全力照顧老長官這幾口子的生活，直到老長官出獄。在搭蓋住屋時，就沒有搭蓋廚房，連廁所都與王泰山一家合用。只為他們搭出一個小小的洗浴間。

可是，王泰山娶的妻子陳秋妹，雖是江西遂川人，在生活上，已被王泰山同化，飲食上已是麵食爲主。雖爲梅蘭炒上兩樣菜，鹹淡口味，全不適口。兩個孩子也不習慣。

兩家同一庭院，出入同一大門。兩家共有五個孩子，王泰山的大男孩王汀生已叫七歲，二的女孩王南娜，與梅蘭的兩個男孩同年，只大兩個月。

自從遷居到這裡，魯聲遠、魯聲揚這兩個孩子，真可以用「如魚得水」似的活潑起來，略大些的王南娜，雖然是個女孩，卻比男孩還要野性。打從搬來第二天的上午一認識，她就帶著雙喜、雙慶這兩兄弟，先去爬那小山，爬到山頂，再向下滑下來。玩夠了，又帶他們到水坑那裡去拔草，捉蜻蜓。四歲上下的孩子，懂得什麼，只顧得玩兒，其他什麼會不會挨罵？會不會發生危險？頭腦裡全沒有。何況雙喜雙慶這倆孩子，從來也沒有這樣自由的玩樂過。尤其是像這些爬高下低，在野地裡奔競，到水坑邊拔草玩水，真是新鮮極了。那裡還會想到回家？

梅蘭以爲倆孩子跟著王南娜在王泰山家一起玩兒，她只顧安置房內的事物，那裡會想到王南娜會帶他們兩個去撒野？

陳秋妹也只顧著準備午飯，王泰山帶著王汀生協助梅蘭整理家室，搬過來，擺過去，還一面吩咐著王汀生，跑進跑出的買東買西。全把孩子給忘在腦後。

直到這三個孩子被鄰居趙太太發現，像趕鴨子一樣趕了回來。這三個孩子的下半身，都幾乎濕透，三個人的小臉兒，都是泥糊糊地。一個個都像闖了禍被抓到拴起來的小狗，睜著膽驚驚地雙眼，瞪著人不敢吭聲。趙太太則訴說她看到了這三個孩子在水坑邊玩水，便趕忙前去，把他們帶了回來。

「那水坑挺深的，」趙太太說。「掉進去若是上不來，會淹死的。」

王泰山一聽，又見到這幾個孩子滿身是泥水，頓時就知道是怎麼會子事。忍不住就吼起來，說：「王南娜你幹的好事！」說著就要竄身出去，把王南娜提拉來，揍上一頓。王南娜一看情勢，馬上就號得大哭著轉身向回跑。梅蘭馬上笑嘻嘻地伸出手去，把王泰山攔阻住了。說：「別動氣，孩子小懂得什麼？」遂又向趙太太連聲致謝！又向王泰山說：「可不能動氣！」一眼望見王汀生愣在旁邊，遂支使王汀生趕快跟著妹妹回家去幫她換衣服，又轉臉向王泰山說：「王伯伯你還是替我繼續作下去。我給這倆孩子換衣服！」

雙喜、雙慶這兩個孩子，已經在抽搐著，號得失了魂兒嘍！

「走，換衣服去，」梅蘭絲毫不帶怒氣地說。一手牽著一個，向房內走去，一邊說：「你們兩個不怕冷啊！敢下水去玩泥巴。」

「不是，」其中雙慶說：「姐姐掉下去了，我們去拉她，也掉下去了。」

「是，」雙喜也接過話頭說：「我們去救她。」

梅蘭聽了，心裡直發皺，沒有說話。把兩個孩子帶到房裡，纔發現兩個孩子的下半身全濕透，雙慶幾乎由腳濕到腰，衣服濕得水流流，台灣的冬天雖不是結冰樣冷，十五、六度的水溫，溫透了的衣裳，貼在肉上，還是很涼的。梅蘭一邊爲孩子脫衣，一邊慈祥地問：「冷不冷？」兩個孩子都異口同聲的說：「冷」。這時，業已見到兩個孩子的口唇都變成青紫色了。遂教育孩子說：「既然知道冬天水冷，以後就不要去玩水。」又問了一句：「知道嗎？」

「知道。」兩個孩子回答。

突然聽到王泰山在打孩子，遂匆匆地爲孩子換洗妥後又忙著到王家去。

剛搬來的頭一天，就得到這樣的一次教訓，梅蘭就想到住在這裡，對於孩子的生活環境，以後還會發生問題。每天一到太陽落，就聽到那個小山丘上，大孩子們的吼叫吵嚷聲，不時傳來。兩個孩子聽到就想出去看。別說這兩個叫四歲的孩子，連那個睡在籃裡還不到一歲的老三魯聲清，看到兩個哥哥走出門去，還在追呢！

這時，梅蘭方始真切的記起金土不時掛在唇邊的那句話：「我們活著就得遷就現實，萬不可逃避現實。」遂又自責這次的移動，沒有先跟金土商議之後再作決定，遽然在不能忍受冷眼熱嘲的情況下，遷移到王泰山這裡來，雖然逃避了另一冷漠的環境，卻又到了這麼一個情趣不諧的環境。怎的事先沒有考慮到這一層呢？上一輩子的老人家，爲兒女的婚姻首先考慮到的，就是門戶相不相當的問題？如今，梅蘭體會到這一層了。兩者間生活情趣不同，可真得付出精神去適應。

俗諺有言：「由貧適富易，由富適貧難。」這話應是人生金言。

想當初，兩人決定終身結合成一體的時際，金土表示他最大的長處，就是能耐人生中的勞苦，說：「凡是人類所能承受的苦難，我都能承受得起來。」梅蘭想：「我不也附應著說：『我也能承受』嗎！」

「潑生潑養，無病無殃；嬌生嬌養，咳咳嗆嗆。」對於孩子的教養，不也有著這樣兩句諺語嗎？

「喝一口井水長大的孩子，有中狀元的，也有作混混兒的；作狀元的，也有被抄家滅族的，作混混兒的，也有爲國立功封侯的。凡是征服不了水土的人，那只有苦惱一輩子。凡是不能適應環境的，也會倒楣一輩子。凡事，只要心安理得。豈能盡如人意，但求無愧我心。」梅蘭想到了這些話，都是金土平常日子，說閒話時說的。如今反芻起來，倒是越嚼越有味兒。

「橘過淮則成枳。」梅蘭又想到這句古語。更使她對今後的生活下了決定，「既然漂海到了這裡，就得靠這裡的水土為生活依仗。既然住到王泰山他們這個眷區中來，就應該跟著這個眷村中的人們生活，溶成一體。」從此之後，不但在飲食上，交代陳秋妹不要為她們特別準備，要陳秋妹像平常一樣，他們吃什麼，她們也吃什麼？還說：「我跟孩子，都喜歡北方飯食。」孩子適應得快，不久也就飲食正常，不挑撿了。

等到小筠來，看到姐姐的打扮，諕了一跳。連穿著都改了，棉褲棉襖力士鞋，頭髮攏成一撮，翻捲成攢，用個紅繩網裹起，上端還插了一根銀質玉頂的長針。不要說背後看去，認不出來，就是迎面遇上，也會在「似曾相識」的心情上，辨識一霎，纔會驚詫地喊出：「哇！你怎麼這樣打扮啊！」

當小筠見到，驚問起來，梅蘭便笑著說：「我是作啥像啥！賣啥吆呼啥！」遂又解釋說：「這是妳姐夫說的。我現在是這個眷村的孩子娘，這樣穿著，那樣不好？」

小筠一聽笑了，說：「想不到姐姐也會被丈夫同化。」

「男人是女人的頭，丈夫是妻子的頭，女人只是男人身上的一根肋骨，上帝造人，就是這樣安排的嗎！」梅蘭又緊接著說：「嫁雞隨雞，嫁狗隨狗，嫁豬也得隨豬。這是我們中國人的古話。」

小筠這時卻沒有笑，竟沈下心來本本嘴，說：「那我決定嫁穆容之算了。」

「選定啦？」梅蘭一聽就問：「撇得開許清泉？」

「早就不跟他來往啦！」小筠說。還罵了一句：「下流東西。」

穆容之是海軍官校正科班的，兩人都是小筠的中學同學。

這裡的幼兒園、托兒所，正如梅蘭預先估計到的，在那麼一個偏遠的地方，交通又不便，近處的人家又少，縱然有人出錢蓋房子，買設備，沒有孩子入學，也是枉然。實際上，王泰山這裡，兩樣都不夠條件，只有一樣，這些出生在黃土地上的漢子，幹勁挺大，說幹就幹，還是搭起了一個大敞棚，桌子、椅子，書架報架都有。他們蓋的是村自治會辦公處兼中山室。

這裡面，就附設了一個托兒所，交給梅蘭老師主持。

在梅蘭搬來的時候，這裡只有廿六戶人家。其中當過兵打過仗的，有廿戶，還有三位掛過彩。最高階級的一位，當過營長，一位連長，兩位排長，其他還有大戶，都是鄉間的鄉長、聯保主任、保長，或是個人跟著親友出來的小夥子。原是單身的也成了家。那位姓陳的營長，被選上會長，一位姓申的連長選上副會長，王泰山雖只幹到上士班長，由於他爲人熱心，凡屬公益的事，他總搶先去領頭幹，遂也被選爲副會長。

他們經過會議，雖然知道沒有財力，也沒有環境上的優越條件，來辦幼兒園或托兒所，計算起來，還有幾家願把孩子，送來教養。這個村里小，只有這二十來家，梅蘭到來不到一個月，大家便熟稔起來，全村的人，都有口皆碑的贊揚金太太這個人，不但容貌俊美，爲人更是和樂親切，如同家人。在穿著上，那種古古樸樸地鄉村婦女打扮，越發的烘襯出了她本質上的那分典雅風度。使得這村中的老少婦女們，在背後贊賞著說：「金太太雖是三個孩子的娘，看著，倒像個還沒有出閣的大姑娘呢！」更有人說：「這樣俊美的小娘兒，在俺那周圓三幾百里的地面，也休想尋到這麼一位！」

還有人說：「不應論人家的樣兒，長得俊不俊？俏不俏？論爲人哪！咱們誰也比不了。」

「人家是官家的小姐，見過大台面的。」

「人家唸過大學，喝過幾碗墨水的。」

正由於村上的婦女們，個個播出了對金太太梅蘭的口碑，別說願把孩子送給金太太看管，連自己都想商請金太太教她唸書認字哩！

事實上呢！辦起幼兒園來，可也沒有那麼簡單。

算起來，這村中可以送來的孩子，大大小小共有十人。除了梅蘭自己的三個，王泰山的一個，其他祇有六個。若以年齡計算，一歲以內的嬰孩，連同梅蘭自己的一個，共有三個。六歲上下的有兩個，（一男一女）。三歲上下的五個，（三男三女）。這其中，梅蘭有兩個男孩，王泰山有一個女孩。換言之，一共十個大小不同的孩子，梅蘭與王泰山兩家，就上了四個。決定交托的費用，是每人每月一百元。看管孩子的人，除了梅蘭以外，由王泰山的妻子陳秋妹作副手。

按一般幼兒園的保育人員，折中薪資計算，梅蘭月支五百元，陳秋妹月支三百元。下餘兩百元，作爲燒煮餐點與雜支，水電費由村自治會支付。王泰山暗中只收兩佰元，一百元繳付王南娜的托兒費，另一百元貼補金太太。

梅蘭不收，說：「我還餘兩百元，作爲每月的伙食費，還有小筠每月匯來的二百多，足夠一家四口零用的了。何況，每月金土還有工錢百而八十，甚而兩百的收入，已不愁錢了。」

雖說，梅蘭母子四口子的飢寒，以及日常起居，還有親鄰相處，生活適應，都沒有了問題。只是托兒的教養工作，倒是一件需要付出心力與勞苦的麻煩工作。

固然，梅蘭曾就讀於南京金陵女子文理學院教育系，又到上海兒童教育家陳鶴琴創辦的幼稚師範專科學院，去修習幼稚兒童教育，可以說梅蘭對於幼兒教育，倒是學到了一些。可是在這麼一個祇是方便於這個小村子的幼兒，有人管教，免得一個個從小就成了野孩子，纔設立了這麼一個幼兒園。實際上，凡有關幼兒園以及托兒所的應有設施，十分之一也沒有。十個孩子，若論年齡，得分作四個班次，一個托兒班，幼兒班就有大、中、小三個年級的學童，上上下下，裡裡外外，只有這兩個女人。合成一班，都已經奔波不過來。像什麼幼稚教育的程式：「五指教學法」、「行爲教學法」，那裡用得上？

這塊地方，也得作三段式使用。早上七點到八點半，下午五點到九點，是村民到中山堂休閒的時間，閱報、下棋、聊閒天。中間自上午八點半到下午四點，纔是幼兒園的活動時間。好在，園中的幼兒都是本村上的，遇有病痛燒熱什麼的，就去通知家長。要不然，兩個女人，委實是照管不過來的。就這樣前後不到一年，梅蘭竟在向孩子們，講說故事的時候，突然像磚柱似的倒在地上。

村上的人，也早就看到了。都說：「梅老師憔悴了！」

當梅蘭的病情，不得不送入醫院，這一件托兒的工作，也不得不停下來。村裡的太太們，個個都哀惋著說：「梅老師累倒了！」村上的老老少少，都願意共同負擔梅老師的醫藥費。三個孩子由陳秋妹照顧，一年多來，早已廝混熟了。三個孩子，除了剛會走路的老三，每到晚上會哭鬧一陣，雙喜、雙慶兩人，已經懂事。只是曾經淚流滿面的問過：「媽媽不會死吧？」

四、病使人深刻人生

梅蘭在向孩子們站著說故事的時候，正在手舞足蹈著，卻突然如同倒墻似的摔倒。躺在地上，死去幾達一分鐘之久，可真是諕死人啦！祇聽得陳秋妹吼著：「怎麼啦？怎麼啦？」雙喜、雙慶，頓時就諕得哭起來！另幾個孩子也哭了起來。像死了人！

可是梅蘭醒轉之後，自動坐起，囈怔了一霎，意識恢復，竟揉揉眼，搓搓眼角邊的耳門，就站了起來，說：「不要緊的，老毛病。」在旁的陳秋妹攙扶著她，一再問：「摔到頭了沒有？摔到頭了沒有？」實則，沒有摔到頭。當她暈倒下去，下意識中，兩隻手就撐開來，倒下去的，手先著了地。身邊有好幾個草墊子，用來大家坐著聽故事的。

「沒有摔到，」梅蘭又像常人一樣作答。「這是神經交感不良，老毛病，我過去也這樣摔過。不要緊，休息一會兒就好。」

只是在當場見到母親突然倒地不起的雙喜、雙慶，仍在大哭著，「媽呀！媽呀！」地叫。在當時見到的人，真是害怕！

這情事，誠然是梅蘭的老毛病。十多歲時，發生過，在金陵女子文理學院時，也發生過一次。醫生檢查過，說這病徵是血管神經的迷失，一時走錯了路，產生的昏厥。主要的原因，由於腦部血液供應減少，遂暫時失去知覺。

可是，當陳秋妹攙扶著梅蘭，坐到近旁一張椅子上，發現到梅蘭臉上、頸上，已是汗水淋漓，也看得出梅蘭的體力倦怠，坐下之後，就閉起雙目，臉上的汗，已順著兩腮向下滴。

「老師！我得去喊人來，」陳秋妹有點兒發慌，「送妳去醫院。」

這時，梅蘭又睜開眼來，去接過陳秋妹手上的毛巾，擦去臉與頸子上的汗，有氣無力地說：「不要緊，我休息一會兒，就會好的。」

「媽媽！妳不會死吧？」雙喜哭泱泱地走過來說。

「媽媽不會死！」雙慶雖然眼淚汪汪地，聽到哥哥說這麼一句話，馬上反應著，補上這一句。還伸手推了哥哥一下。

兩個孩子的這兩句話，卻把陳秋妹激發起來，說：「我得喊人來！」說著便大踏步，走了出去。梅蘭確是感到很倦，沒有阻止。但卻伸手摟過兩個兒子，緊擁在懷！

另外還有四個孩子，站在一旁，兩個大的愣怔著，兩個小的也跟著雙喜雙慶一起哭了起來！照樣在「媽呀！媽呀」地叫。王南娜竟尾隨著她娘跑出門去了。

梅蘭極想站立起來，恢復活力，繼續帶管這幾個孩子，但卻心餘力絀，剛用雙手想扶著椅掮站立起來，兩眼便發花。只得搖搖手，招呼幾個孩子不要哭。她這纔想到昨晚沒有睡好，今早太累了。

陳秋妹陪同陳會長到來，四個小的還在哭著，「媽呀！媽呀！」地在叫。另一戶的趙太太聽說，忙回家把歇工的丈夫喊起來，要他盡快踩車到幼兒園去，趕緊送梅老師去醫院。

送醫院的事，梅蘭沒有反對。她覺乎著今天的情況，與往日那次不同。但卻憂心著自己的三個孩子怎麼辦？

陳會長建議陳秋妹帶著梅蘭的老三，陪同梅蘭先走，然後，再由趙太太帶著雙喜、雙慶跟了去。還得等人到班口去喊回一輛車來。他想到還得去準備金錢，擔心會住院，要壓金呢！

等到陳會長騎車到了醫院，剛好檢查完畢。說是血壓過低，高八十，低五十二，血色淡，濃度也低，貧血嚴重。先注射鹽水加葡萄糖，再繼續檢查。得住院。

晚飯後，王泰山也來了。知道必須住院檢查，住院的壓金，陳會長已經付了。梅蘭的病情如何？醫生說必須檢查之後，纔能知道。但這時經過鹽水葡萄糖的注射，又休息了數小時，精神已經恢復，言談與神情，已如常人。若不是已經付了住院壓金，她真的就想這樣回去。說：「老毛病了。醫生說是交感神經不良，突起的一種現象，休息個十分二十分鐘，就能恢復正常。」王泰山則說：「太太，醫生說你貧血太厲害，得查出原因來。」要梅蘭好好休息，檢查之後，大家纔會放心。

梅蘭遂勸說兩個孩子，跟著王伯伯王媽媽回去，老三已經睡著了。兩個四歲大的孩子，也懂得媽媽生病，得住醫院療養。醫生來看過，說是不需要家人留在醫院照顧。

王泰山第二天一大早，就到了北鄉，告知獄中的金土。將梅蘭的病情，詳細告訴了一遍。等這一兩天檢查報告出來，方能肯定病因。目前已肯定貧血現象嚴重，血壓過低。怕的是有隱藏著的疾病。

當金土請准了探病的外出假，梅蘭已經出院了。

醫生檢查的結果，是營養不良，造成嚴重的貧血。至於昏厥症狀，病人過去，雖曾發生過兩次，證明病人的腦血液循環系統，素有迷走現象。如今，則是貧血造成血糖下降，工作勞累，合併形成的後果。其他臟腑器官，都無病徵。只要加強飲食上的營養，多多休息，一旦血壓升起來，貧血現象弱下來，昏厥病情，就不會再發。不過，情緒得穩定，不可憂慮。

獄方依照規定，派人陪同金土探了妻子的病，雖祇見面不到兩小時，梅蘭見到金土的臉色，近來稍微豐滿了些，也滋潤了些，就知道他在獄中的生活很正常。

「我在寫論文，」金土說。

趁著隨行人不在旁邊，遂悄悄地說：「有位姓田的先生，會送一百美金給妳，妳收下就可以了。」

這話使梅蘭聽了發愣，大睜著的雙眼，放射出懷疑的光暈，沒有說話。金土卻體會到妻子驚疑他那裡來的這一百美金？又說：「妳放心收下，是一筆捉刀寫論文的代價。」

梅蘭還沒有理解到給什麼人「捉刀」？神情還在怔忡著。

「不是犯法的事，」金土又解釋說：「只是替別人寫一本書。我知道妳病了，纔答應下來。」

「好。」梅蘭擦擦眼淚，說：「真是難為你了。收到後，我就去還上陳會長墊的醫藥費，」又說：「這裡的人，對我太好了。」

金土離去時，兩個大的已經懂事，快快樂樂地送到路口，還問：「爸爸你什麼時候回家？」小的則愣愣地，他們父子相聚的日子太少了。

自從朱信立的同學，聽說有位同房難友金土先生，國文程度非常之優越，而且家庭負擔沈重，便商請金土如能應允代人捉刀寫學位升等論文，每本五萬字上下，稿酬是壹百美金。當時的稿費，千字三十元，五萬不過一千五百元。每本最少可獲美金一百元，兌換台幣四千元。這條件已相當優厚，三個月寫一本，算來比得上大學教授的薪俸。遺憾的是，不是長久之計，就是出獄之後，也未必能以此為業。

說來此事言談已久，金土之所以推卻至今，方始應允試試，也只是獲知妻子病了，情非得已。他協助朱信立經營那本《中國鐵道發軔史》曾坦白的表示過，說：「斯舉良非文士應為。」那時，他之所以去協助朱信立去審閱中國鐵道史的資料，還參予商酌章目，除了有「同窗」（同一牢房）之誼，還兼且感謝朱氏為了他詢及「光緒年間，可以由天津坐火車到濟南，再由濟南坐火車到南京嗎？」這問題也是在那本，寫著在北京城買下貝子府，改作翰林第的小說中，發現到的一個問題。金土也只是隨意問問，他懷疑津浦路在清朝似乎沒有通車。金土是靠近津浦鐵道線上的人。當時，朱信立也不十分清楚，而他卻寫信去問他那位服務交通部的中大同學，居然得到兩三份詳確的史料。弄清楚了這條道路，在光緒十幾年時代，就開始計畫了，到了宣統年間方始進行修築。到民國十年前後，才全程修通行車。祇由天津到浦口，到不了南京。由浦口到南京，還隔一條大江呢？

金土欣賞朱信立的認真，爲了這一小小問題，左一封信，右一封信，還得不時向獄方的行政人員打招呼。卻也因此引起朱信立要寫一本《中國鐵道發韌史》的動機。湊巧，他這位在交通部服務的同學，在大學歷史系兼課，想有一本著作送審，可以得到一張副教授的審定資格證書。朱信立要求金土協助，遂也推辭不得。這次聽說妻子病了，住進醫院。除了應允代人捉刀寫本論文，別的委實沒有可以獲得一大筆金錢收入的門路。

「信立兄，我太太病了！已住入醫院檢查！」金土會見了王泰山回來，向朱信立哀傷地說：「急需用錢！你上次說的那件事，我可以幫忙。寫春秋上的《鄭伯克段於鄢研究》，對我來說，下筆比較容易。」遂又囁囁嚅嚅地說：「這一百美金必須先付。」

金土還沒有來得及等到回音，就把這一百美元的收入，先告知了梅蘭。這一百美元，果然在金土告知妻子的下一周，田先生便把這一百美金兌換出的四千台幣，送到梅蘭手上。

這筆錢，對梅蘭來說，實實在在不是小數目，住了三天醫院，近四百元的數字，已是一位中低級公教人員的月入薪資。如今得到這筆金錢，真是做夢也想不到的事，在牢獄服刑，還有機會能賺這麼多錢。梅蘭知道金土是基督徒，雖聽到金土談到教會，對某些神職人員之不守教規，每有不諒的微辭。但論到神祇，卻堅信基督教信奉的「上帝」，就是儒家門徒口中的「天」。他非常相信基督教義中說的：宇宙中祇有一個神，這位真神是自來有，無所不在，自也無所不知，無所不見。與我們眾人口中的那句：「舉頭三尺有神明」，是同一理念。所以梅蘭相信這是「神助」。

「醫生說我貧血嚴重，是營養不良，工作過量。」

梅蘭相信醫生的診斷是不錯的。一年多來，爲了遷就王泰山家的飲食，又全力照顧三個孩子，天天在刻苦自己。更爲了每月有兩百元的收入，來維持四口人的衣食，又不能不付出勞力，來照管四級不等年齡的十個幼兒，祇有兩個婦人，陳秋妹還得燒煮幾口人的三餐飯食。全靠北方人的吃法，饅頭、包子、水餃、大鍋菜。不然，陳秋妹也忙不過來。

「一年多了！」梅蘭承認：「我就是這樣累倒的。」

「可以休養一陣子了。」梅蘭想：「要是沒來這筆錢，光靠小筠的那每月兩百元，這日子，真不知如何過下去？」

「跟王泰山說吧！」梅蘭決定：「幼兒園的事，沒有力氣做下去了。卸下了這一勞累的工作，我可以自己起火。」

「告訴王泰山，」梅蘭想：「金土可以在牢裡寫書呢！」

「不能說。」梅蘭又想：「說是小筠的未婚夫接濟的。較比合適。」

小筠已與穆容之訂婚，婚期訂在過了春節，在高雄結婚。遷就穆容之的必須在艦上實習一年，膺任了正式海軍軍官之後，再舉行婚禮。穆容之在台灣也是獨自一人。

王泰山爲了梅蘭自己炊爨方便，又爲她在後院，搭了一個小小的廚房。雖然幼兒園的工作，是停止了下來，可是仍有三兩家，帶著他那四歲上下的孩子，像串門子似的，不時到梅蘭家來，陪同梅蘭的三個孩子一起玩兒。原有放在自治會辦公室棚屋中的木馬、搖椅，也搬到梅蘭家的後院。太太們還不時問這問那的學說故事，學唸書呢！

自從梅蘭住了三天醫院回來，大家聽說梅蘭是營養不良造成的嚴重貧血，竟此起彼繼的送食物來，紅燒肉啊！豬肝呀！雞湯呀！惹得陳秋妹在暗地哭，她很在意聽到梅老師的病，都是她這一年來的伙食差，纔害得梅老師營養不良有了貧血症的。

梅蘭沒有想到自己起火炊爨，會衍生出兩家的情誼破痕。所以她又想到了母親說的那句話：「得罪人是件大事」，何況得罪的是有恩於己的難中友人！遂想到此事必須從速化解。

想了想，便取出一個海底藤鑲銀的手鐲，還有一幅絲質織花的頭巾，拿去贈送給陳秋妹。說：「這一年來，受累的是妳，跑裏跑外，弄吃的還得弄喝的。倒下來的居然是我，想來我的身子可真是沒用。我呀！是不足月生下來的。嚴寒臘月，冰天雪地，媽不小心跌了一跤，我就提前出世了。所以我從小就七病八病的，我這突然昏倒的老毛病，七、八歲的時候，就有過。犯過好多次了。不要緊的，不是什麼營養不良。血壓低，也是從小兒就這樣。如今，管教幼兒的事，既然停止了，應該歇歇的是妳。說實在的，這一年來，我已經吃慣了你的飯菜。包子呀！水餃呀！紅燒獅子頭呀！我還得請你教我做呢！我們兩家，同門同戶的，還分什麼彼此！……」

梅蘭的這一番大道理，居然把陳秋妹結在心上的結，給解開了。遂興興致致地說：「以後啊！太太，妳想吃包子、水餃我來做。」

金土來信，要梅蘭這次去看他，別忘了把那本《左傳》帶去。還有那三本上海開明書局版的《文心雕龍注》也帶去。他正寫那篇「鄭伯克段於鄢研究」。朱信立與金土這一年多的「同窗」之誼，向金土學了不少有關國文上的認知，不但洞悉了中國文學是文、史、哲三位一體的組合，更獲知了從事中國任何一門學問，都必須以文學爲基石。習文程序，第一步是認字知義。但是，想把這一步的認字知義問題，研考到精確，窮畢生之力，也不易做到完美無瑕。第二步是明白字義形成章句的基本精神。

光是這兩個基本層次，若是沒有耐心去探索，那就別想一窺中國文學的千仞宮墻。

朱信立這位習史出身的人，在行將出獄的時日裡，極想在金土口中得到一些指點。金土要朱信立去一讀《文心雕龍》，說：「這是一部論述中國文學有根、有幹、有枝、有葉的文論。」又說：「其中『章句』、『練字』、『聲律』、『麗辭』等等，都是從事文學者的必修課文。」所以朱信立急於要讀到這本書。金土告訴他，家中就有一部還是上海《開明書局》版的註解本。從家裡送來，比託獄中行政人員代爲購買，要方便得多。

可是金土這批書，自金土由看守所轉移到獄中服刑，帶到看守所中的那批書，都託人送回家去了。家中原有一個竹子的書架，自從搬到這裡來，丈夫得幾年回不了家，怕是孩子喜歡把書從架上抽下來玩，弄散了會遺失，掉在地上忘了撿，更會在泛潮的水泥地上漚爛。丈夫的那些書，除了新文藝的散文、小說什麼的，其他的古文，她都不去翻。遂索性一骨腦兒都全部收撿到兩個硬紙箱子裡，在箱面上，貼了一張書目。金土入獄服刑之後，連這次只要過兩次書，說是監獄裡的圖書室，收藏的書還挺豐富的。

金土這次要梅蘭取出那三本《文心雕龍註》帶給他，方始向床底下把那兩隻紙箱拉出來。不但紙箱上的一紙書目，已被塵土泥封，墊在紙箱底下的報紙，也都漚爛得大片大片變成灰土。梅蘭這纔想到很久沒有想到去過問它。遂一一搬出，準備打開取出曬曬。台灣的冬月天，若是無風無雲，陽光下的氣候，像江南的初夏。怎想到其中的一箱，剛把紙箱上的折疊紙頁拆開，就發現了長翅的白螞蟻飛舞起來。梅蘭便忍不住驚歎著說：「哎呀！有了白螞蟻。」這纔想到近來不時有白螞蟻一隻兩隻的飛來飛去。再進一步去一本本把書撿出，天哪！白螞蟻已經在書冊間營建了窩巢，有些書冊已被它們的窩窠粘成了餅，蛆似的白蟲，個個都是赤腦剪齒，蠕蠕動動，看去極爲噁心。這一窩白蟻，已經占據了有五本之多的地盤。這五本書已全部從中蛀空，在其中下卵生息，幼蟲蠕蠕成團。好在沒有蛀食到金土喜愛的那幾本。但這五本之中，有一本小說《葛菜齊拉》，是金土特地爲她購買的一本書，其他還有幾本高初中國文教科書。若是五本書疊堆在一起，無論平擺或直立起來，都看不出書已不能讀了。中間則被蛀空，作了白蟻它們的家。這五本書的前後，最少還各有三本，也被蛀成了歪歪斜斜的溝渠。用於閱讀，也只能將就上下文去猜。梅蘭見了，忍不住一陣心酸，心裡懊惱地想：「我怎的忽略了這些書呢？」好在有DDT，把白螞蟻殺了。

趁著天氣好，把兩箱書全部取出，搬出了家中的椅凳，還有兩張小床與席子，把書一冊冊攤在椅凳與物件上，曬了一個午時。再把那隻改放雜物的書架騰出來，擺入曬過的書。心裡一直在內疚著：「毀了金土的書，真是對不起他。」

就在梅蘭準備帶著孩子，明天一早就去北鄉的這天下午，那位田先生又來了。這次來，除了再送來兩千元台幣，說是另一本論文的訂金。說：「這事，我得跟金先生見面說明。明天，我準備車來接金太太你們母子一塊兒去，省得妳帶著孩子去搭公路局車，轉來轉去，費時間。」

梅蘭想想，田先生的這分好意，不能拒絕。向王泰山夫妻說明，這次，就不必王泰山陪她們了。

五、人應知神如何助你

當金土收到書的當天，朱信立就拿了去。他的刑期，下餘已不到百日。這些天來，朱信立老是鬱鬱木木地，還說：「我真想再犯一次法，加重刑期，來個無期更好。」金土聽了，就說：「你這想法太古怪，居然坐牢坐上了癮。」朱信立便向金土解釋說：「我與你不同。你有位賢慧的妻室，三個可愛的兒子，我是一無所有，孤家寡人一個。大陸上的爹娘死了，結婚一年的妻子離了。出了獄，連個去處也沒有，可以說是四顧茫茫！這一年多來，應是我這一生最快樂的一段日子，比我在重慶四年來的大學生活，還要過得充實。……」說著說著竟興奮地以右手背重重抵觸左手掌，乓地一聲響，還「嗨」了一聲。

金土一聽笑了。說：「你這一說，我倒瞭解了你的心情！祇不過感慨於你一己的孤獨。教書吧！說了幾句閒言語，也會惹上思想有問題，判坐三年半監牢。坐牢，反而沒有這些枝枝節節的煩惱。這一年多來，咱們哥兒倆，在校對工作上，還可以研究學問，還可以在偷閒寫論文。你竟然滿足了這坐牢的生活，未免太自暴自棄了。我，可不是這麼想！」

經金土這麼一說，朱信立的興奮心情，突然凝滯起來。頓然還原了鬱鬱地神情，環睜起眼睛，本想問上一句：「那我出獄後該怎麼辦？」還沒有開腔，金土又繼續說下去了。

「你信不信宇宙中有神存在？」

朱信立想不到魯金土會問他這麼一句話，遂馬上以氣憤地語氣回答：「我不信神。」

「所以啦！你總是被苦惱這妖魔糾纏著，」金土說。「我相信頭上的無頂青天，就是主宰人生的大神。祇要你不時去回想你在人生中的際遇，準會推想到宇宙中有一位主宰人生的大神。我這次被判了五年徒刑，基因都是在人生際遇中巧合成的。我的案情，你是很清楚的。就拿你的案子來說，不也是在人生際遇中湊合成的嗎！你在課堂上扯出來的閒言語，若不是被一位學生無心的寫入週記？要不是那篇週記被有心人發現，拿了去報功？若不是在這個時代裡，發生了國（民黨）共（產黨）為了爭國釁起的生死鬪爭，而你我偏偏活在這個「戡亂」的環境裡，咱們倆的這種行為，怎麼會惹上牢獄之災？」金土伸出舌頭舐了舐口唇，又說：「要不是你我活在這個時代裡，惹上了這個時代的嚴刑峻法，被判刑關入監牢？要不是在時空的運轉上，七拼八湊的使咱們倆在同一間牢房『同窗』，分派在同一工作環境中服勞役？咱們哥兒倆，也不知會在怎樣的機遇中才相識呢？就是能夠相識，也未必能夠像如今這樣的，對同一門學問來同切共磋？老朱，你想想：咱們倆的相識，不是有神在冥冥中安排的嗎？」

「有道理！有道理！」朱信立高興起來了。說這兩句話時，還連連以右手背抵摧他的左手掌，磕得乒乓響，聲音也提高了。

金土馬上伸出左手的食指豎在唇上，輕輕一噓，要求低聲。看看錶，已過九點，熄燈的號音快吹了。每天晚上的這段時間，是他二人在一起談天說地，論文評藝的時段。雖然每天都走出獄房，到圖書室的那一間辦公室上班，若無文稿校對，就抄騰文件。或加入其他兩人去修補、裝訂舊法規。都靜靜地在工作，沒有人一邊在工作，一邊在閒聊天。這情形，似乎是參加工作的獄囚，一個個在自動控制著的。連金土與朱信立在校對時，遇有文稿上的字體潦草，或字的正俗，撿排的字與原稿寫的不同，但文義並不錯，是不是照原稿不改？兩人需要相商時，也是竊竊私語式的在討論。有時聲音稍微高揚了些，在同房工作的人，就會把頭轉向過來，以驚疑的眼光望著了。房外的人，也會走近來，向房內觀看。但在住上幾十個人的牢房中，說話的聲音，就如同菜市場一樣的。但在工作場地，無論人多人少，只有工具聲響，沒有人聲嘈雜。

這兩人住的這間平房，是大牢房左旁的一個側間，靠近圍墻，近處不但有看守的衛兵，窗後高墻上，還有碉樓一座。兩人的交談，也早就習慣了那種「切切咀咀」的私語聲調。這兩人的自由交談，只有每天晚間這兩三小時，他們兩人稱之爲「晚課」。但有時，還有晚間必須去參加的晚會活動，一旦遇上這樣的晚會，這段「晚課」，也會爲之剝奪。

金土入獄之後，特別是這兩年多來，對於人生的領悟，非常之多。自從與朱信立同一監房，居然際遇上代人捉刀寫論文，使妻小渡過了這大的危難，他都認爲是神的安排！就連他自己的陷入了牢獄之災，也是神的安排。他這樣想：「若不是有了這一牢獄之災，勢必會在幕府中，爲人作嫁到限齡退。那時，年踰半百矣！」小時候，跟松三爺唸書的那幾年，希望能作個教書先生。進了教會中學，也曾一心一意的立志去讀神學院，將來投入教會，作一位牧師，獻身於基督，作一個神職人員，傳福音於世人。怎想到大戰的關係，竟受聘爲中學國文教師。又怎能想到一件命案牽連到他，又失去了這份工作。步入軍營，孜孜十載，娶妻生子，竟又沾惹上「戡亂」政策訂下的嚴刑峻法，判刑入獄五年。原以爲從此步入了「小魏的江山」（陳白塵的一篇監獄生活小說），五年後出獄，可能是另一個人了。真是沒有想到，他坐的這個牢監，還有時間去研究學問，去寫學術論文。又認識了一位是「求知若渴」的書呆子。像這些個一件件意想不到的際遇，怎能不是上天的安排呢！

「你再想想，」金土問朱信立：「你運用交通部的中國鐵道史資料寫的《中國鐵道發軔史》一書，若不是我去協助整理舊檔案，無意間發現了那張，清政府向英、德銀行訂立的『津浦鐵路續借款合同』，簽訂的時間是宣統二年八月，可是交通部的官方史料，竟寫著津浦鐵路於光緒卅四年（一九〇八）六月，先由北段開工，南段再於同年十二月開工，開工後四年造竣的史說。你就照著交通部的《中國鐵道史》所寫的不正確史實寫了進去，你的書，還能流傳下去嗎？」

「你的這一大功，我是沒齒難忘的。」朱信立連忙接過話頭來說。而且舉起雙手握拳作謝。

「我向你提到這件事，並不是爲了向你表功，」金土說。「我只是繼續我的話頭兒。拿咱們兩個人的這件事考索學問，來證明人生際遇，似乎冥冥中有神在安排。星相家口中的運命，大多由這些巧合來立論的。我相信『運』這個字，不相信『命』這個字。說到『命』的人，往往屬於宿命論的說法。我反對『宿命論』。俗說：『人生有命』，總是人在失望時候說的自慰之詞。『人生有命』這話在我想來，應是指的人是具有精、氣、神的血脈流通，筋骨靈活，又能獨立思考的高等動物。所以我們既然生而爲人，就應該重視一己的生命，使我們一己的生命，在人生中，不要辜負了造物主賦予我們生命的責任，更不可辜負了父母在艱辛中養育了我們。先聖賢以立德、立功、立言爲三不朽，來勉勵人生的奔競價值。而我，則認爲人在任何環境之下，只要無時無刻的想著人活在世上的人生意義，仰不愧於天，俯不怍於地，時時刻刻想著去創造自己，更應該想著自己如何去創造？卻也萬不可去追求什麼名呀！利呀的。一旦有了『名利』二字薰心，那便失去了人生在世應去創造的意義了。這些日子，我一直爲了你的刑期將要結束，感到快慰！想不到你居然想到出獄後的日子，還沒有坐牢快樂！未免使我感到痛苦！……」

人，總是主觀的，在言談中，也總是表現自我的。說起來，金土這個人，在言談舉止上，一向自我節制，若一旦進入了他的議論，往往會失去了控制。今天，談到人生處世，更爲了糾正朱信立這位同窗難友，出獄後不致於像他自己說的那樣，會自暴自棄的自甘墮落下去，遂引發了金土大事發揮了他的人生大論，竟不知不覺地越說聲音越大。正說到這裡，被巡監的人巡視完監房時，走出門來聽到，他倆在高談闊論，便走來用手輕輕敲了兩下門。金土這纔剎然住聲。

這兩人一向品行端正，從不踰距，而且是上級交代應加關照的人。遂祇是輕輕敲了兩下門，說：「快熄燈了！」暗示了這麼一句，也就施施然離去。

「你瞭解了吧？」金土悄悄聲說：「這裡是監牢。」

「我懂了！你的話我全懂了。」朱信立說：「問題是我走出牢門，沒有棲身之所。」

「同學們呢？」金土問。

「唷！」朱信立聽了這一問，忍不住一聲長歎！說：「你還沒弄清楚，我們是政治犯哪！出了獄，誰敢理我們？」

「田先生不是常來看你嗎？」

「嗨呀！」朱信立聽了這一問，又是一聲無奈的歎息！說：「老田這個人是唯利主義！他向咱們這裡跑，是生意經。」

電燈眨巴眼了。朱信立說出了這句話，就知道說錯了。這不是拆他們兩人的密封嗎！遂馬上藉電燈眨巴眼的機會，把剛纔的話頭打住，說：「要熄燈啦！咱們還是照老樣兒，用手電筒摸黑讀咱們的吧！」金土還在愣怔怔地思想剛纔，朱信立說田守成向他這裡跑，「是生意經」這話，一定說的是捉刀寫論文這碼子事。然而金土卻一直在想這件事，對於他，等於是雪中送炭的神助。朱信立怎的說田守成是生意經呢？又一聽朱信立不願再說下去，也就不想去問。

關於用手電筒摸黑讀，是金土與朱信立兩人，在熄燈後在監房中，摸黑讀書的方式。當燈熄後，靠近高牆高樓的那扇小小鐵窗，還能照入一線微光，把這兩人的黑暗牢房，照得如同晨曦時的暗灰光景。兩人坐在床上，中間隔著兩張課桌椅，兩人尙能辨識彼此的眉眼口鼻。只是攤開在桌上的書本，卻不能一字字認得清楚。但手上拿著的自來水筆，或是鉛筆，倒還能憑手熟的筆畫，來記寫必須寫下來的文字。那麼，若一旦需要去查證書上的文辭，他們就使用手電筒，豎起來以燈口朝下，亮燈研讀一番。通常，在使用手電筒時，還用黑紙作燈罩，套在手電筒上，使燈光亮時，不致燈光外洩，只照在書本上的小小天地。這就是金土與朱信立兩人，在牢房中用手電筒讀書的辦法。

朱信立讀春秋左氏傳，一直糾纏不清的就是「褒貶」二字的「書」法問題。雖然聽到金土一條條的說了，由於手上的本子，注解的太簡略，一次又一次的去體會，總覺得自己還不能貫通起來。

「你上次說的經、傳、注、疏這四大解經的層次，我是懂得了。」朱信立說：「你說的有關一字之褒與一字之貶的『書法』問題，我還是弄不清楚。如今有了這一冊注本，可以一例例地詳詳盡盡教我了吧？」

「說什麼教啊？南宋偏安臨安的歷史，你不是也教了我嗎！」

金土說了這麼一句，便說：「我們還是討論《鄭伯克段於鄢》。」於是，金土便切切咀咀地說起書來。

按魯隱公元年，「鄭伯克段於鄢」的故事，左氏的傳文，已經寫得很清楚。鄭莊公即位的時候，他的胞弟段，封在京這個地方，稱之爲「京城大叔。」大叔在京，一天天擴大勢力，他依恃了母親的寵愛，不但目無兄長，兼且忘了君臣的名分。莊公的臣子，一次又一次諫請莊公注意他這個弟弟，莊公一再推拖。一直到段要起兵攻伐他，而且還有母親作內應，替段開啓城門。莊公這纔下令發大兵去伐京。這時，京城的人民，也都背叛了段。段沒得辦法，便逃到鄢這個地方。莊公再攻伐鄢，段再逃到共，又追到共，（誅殺了段）。所以史稱「共叔段」。孔子作《春秋》，對這件事，遂寫了「鄭伯克段於鄢」六個字。

《春秋》經文所謂的「鄭伯克段於鄢」六字，雖可成爲一句完整子句，但事實上，段由京入鄢，鄭伯伐鄢，段又由鄢出奔共；鄭伯又進迫到共。鄭伯在共地捉段殺之。又把他母親送到城穎這地方軟禁起來。還向他母親罰誓說：「不及黃泉無相見也。」是以左氏作傳至此，遂說：「不言出奔，難之也。」左丘明這句話中的「不言」，就是指出「鄭伯克段於鄢這六個字之所以「不言」段出奔共，便是《春秋》經文的貶字涵義。

晉人杜預注傳文「不言」二字，說：「不言出奔，難之也」的「難」字，作陽平讀，認爲「難言出奔」乃鄭伯之「志」，在必殺段。所以難以言段之出奔。若是在經文上，寫上了段出奔共。那就加甚了對鄭伯之「貶」。實際上，這件悲劇的起釁，不在鄭伯。《春秋》經文之不言「出奔」，正是意在留下事實的真相「不言」，導讀史者進入史實，來演斷鄭伯與叔段昆仲之各有非是。

「在我看來，」金士加上己意說：「左氏筆下的『難之也』的『難』字，也可作去聲讀。」又作結論說：「當我們明白了這一史事的真相，能不去責難鄭伯與叔段的不君不臣、不兄不弟？」

試想：身爲哥哥的國君，竟有一個背叛他的弟弟，也同時是背叛他的臣子。這之間固然還夾雜著母親的偏心，卻也推不掉他身爲國君又是兄長的教養責任。豈不是應該責難他？身爲弟弟而又是臣子的叔段，沒有做到他身爲弟弟者的悌道，更未作到身爲臣子的忠君，居然逆兄叛國，豈不是應該責難他？所以孔子作《春秋》，不言「出奔」，若一說到出奔，鄭伯追到共把他弟弟抓來殺了的事實，也得寫出來。

還有，左氏傳的傳文，有一段寫在經文「鄭伯克段於鄢」六字之上，有「書曰」二字。這兩個字，也是《春秋》書法的文辭。傳文的解說：「段不悌，故不言『弟』。如二君，故曰『克』。稱『鄭伯』，譏失教也。謂之『鄭志』。……」這「書曰」二字，意思雖是指的下文的這幾句話，這幾句話在《春秋》的經文上，便隱寓了「褒」、「貶」二字。左氏傳文中的解說，經文只稱「段」，不稱段爲鄭伯之弟，正因爲段不悌，不像個弟弟。更由於叔段的行爲，在京竟然加高城廓，聚積糧秣，增訓軍隊，企圖攻打兄長，取而代之，如同另一國君。所以孔子寫這六字，用「克」字。譏誚鄭伯這位作兄長的人，失去兄教弟的責任。像這些情事，左丘明認爲孔子的論斷有關鄭伯克段于鄢這件事，並不完全是鄭伯的主張，鄭國人民也有「克段」這個意思。

不過，另兩位傳《春秋》的公羊、穀梁，卻另有解說。於是金土又繼續解說公羊、穀梁二傳的異解。遂又取出他錄出的另兩傳傳文，用手電筒照亮，兩人閱讀了一遍。

「清楚了吧？」金土用問語解說：「公羊對於『克』字，解說可就大不同於左氏。」

又按亮了手電筒，讀公羊這段傳文：「克之者何？殺之也。殺之則曷爲謂之克？大鄭伯之惡也。何爲大鄭伯之惡？母欲立之，己殺之，如勿與而已矣！」。這解說《春秋》經文的字義，與左氏正相反。」那麼穀梁呢？又有一番說辭，說：「段，鄭伯弟也。何以知其爲弟也？殺世子母弟目君，以其目君，知其爲弟也。段，弟也。而弗謂弟，公子也。而弗謂公子？貶之也。段失子弟之道矣！賤段而甚鄭伯也。何甚乎鄭伯？甚鄭伯之處心積慮於殺也。于鄢，遠也。猶曰：取之其母之懷中而殺之云爾。

甚之也。然則為鄭伯者，宜奈何緩追逆賊？親親之道也。」

朱信立讀了這段傳文，說：「我還得再讀一遍，文義太深。」

忽然聽到門外有雜沓地腳步聲走來，兩人知道巡夜的走過來了。金土悄悄地說：「明天再談吧！別又惹來一筆。」

兩人在暗中的微灰視覺中，靜靜地對坐，一言不發。雖是冬夜，墻下仍有蟲鳴，不過一分鐘工夫，三五人的雜沓腳步聲，夾雜著零零落落地言談聲，便在夜風鴞鳴中消失。

朱信立仍在思考著《穀梁傳》上的最後一段文辭，無論如何得再讀一遍，希望金老弟能詳細講上一遍。

「金老弟，我得再讀一遍，」朱信立要求著說：「我得讀懂它，要不然，怎能睡得著覺！」

兩人遂又按亮手電筒，又讀了一遍。

「殺世子母弟目君，以其目君，知其為弟也。」朱信立說這句不懂。金土說：「殺世子三字是故典，指晉獻公殺世子申生事。認為鄭母武姜寵叔段，有窺伺君位，殺世子寤生（鄭伯）的企圖。因為武姜與次子段有覬覦君的企圖，所以知道《春秋》文中的段，是莊公的弟弟叔段。」朱信立聽了，還有些疑疑惑惑，不能貫通。

「我給你譯成語體，」金土說。「你拿著電筒，我寫。」

朱信立馬上亮燈，用手掌持著，金土取出紙筆，在一團圓圓的燈光下，一句句譯寫：

克字，是什麼意思？當能字講。能字又是什麼意思？當殺字講。為什麼不直直接接寫個殺字？意在提醒後人知道叔段還擁有打仗的部隊。

段，是鄭伯的同母弟弟。文中沒有明寫怎能令人知道段是鄭莊公的弟弟？因為這件歷史已經寫明白是母弟二人企圖謀得君位，想把長子除掉。歷史上的史實就是叔段依恃著母親的寵愛，企圖奪得君位。

段是鄭伯的弟弟，既不稱之為弟，也應該稱公子。連公子也不稱，直寫其名（段），這個段字，就是貶辭。段的奪國行為，已失去了他作子弟的道德。孔夫子用「克段」二字，既看賤了叔段，連公子也不配稱。克字，也把鄭伯對付同母弟的惡毒行為加重。加重了鄭伯一些什麼罪行呢？加重鄭伯的誓殺其弟段，曾經處心積慮過的。（史實左氏傳的記事已寫明了。）

鄭伯追殺其弟叔段，追到了鄢，（逃到共，又追到共），這樣寫鄭伯的誓殺其弟段，一再的追趕，追到老遠地處，恰像從母親懷中掠來再殺掉那麼的狠！

鄭伯眞是太狠了些！他如果是個有愛心的哥哥，有孝心的兒子，應緩緩慢慢地的追擊，放弟弟逃走，這纔是親親之道哩！

金土寫完了這段譯文，說：「這你總能貫通了吧。」

「你說的《春秋》書法，我還是不能瞭解？」朱信立惘然地說。

金土一想，又拏筆直寫下去：「關於《春秋》的「書法」，著意的就是一字之褒、一字之貶。「鄭伯克段于鄢」六個字，其中的「克、段、于鄢」四個字，都具有褒貶意旨在內。這些字，也就是我們後人習稱的「微言」，或「微言大義」。」又說：「仲尼先生的此一微言，杜預注左氏傳，寫了一篇序文，曾把《春秋》的書法，據左氏的傳文，縷出了七大類，如：書、不書、先書、故書、不言、不稱、書曰等等，」還沒有寫到這裡，貓頭鷹的哀感啼聲，又傳來了。在深夜，啼聲更其悽楚！兩人不由得一怔，朱信立手中的電筒熄了。詈聲詈氣地說：「可能又要死人了！」跟著又是一聲更悽楚地哀鳴！金土說：「明兒格，你還是仔仔細細讀讀杜預在左氏傳上寫的那篇序，我說的這些，全在杜預文中。這些書法的名稱，杜預名之稱爲「諸稱」。我們說到的「鄭伯克段於鄢」，就含有「書曰」、「不言」兩稱。像杜元凱先生縷出的許多書法的「諸稱」，就是我們研讀春秋傳者，首先應去了解的。如不通諳這些書法，那就很難了解《春秋》的微言大義。」

貓頭鷹哀怨地啼了幾聲之後，就聽到有人扔擲石子驅逐它。不一會兒，就聽到鳥兒展翅飛走的聲音。

金土去小解，他準備入睡。朱信立也跟著走去，說：「晚點兒睡吧，早晨睡熟了，就聽不見槍聲。」金土則答說：「槍聲有啥稀奇，我上過戰場。」遂又換個話頭兒說：「別吵我！我在背《東萊博議》，」說著便在喉頭細聲細氣地背誦起來：「釣者負魚，魚者何負於釣？獵者負獸，獸者何負於獵？莊公負叔段，叔段何負於莊公？且爲釣餌以誘魚者，釣也。爲陷阱以誘獸者，獵也。不責釣者而責魚之貪餌！不責獵者而責獸之投阱，天下寧有是也。」等朱信立小解回來，坐在床沿上，還準備再問些問題時。金土已在背誦聲逐漸消失時，傳出了鼾聲。他也祇得脫衣上床。

在睡夢中，突然聽見在遙遠遙遠的地方，隱隱約約傳來一陣陣鐘聲，鐺！鐺！鐺！鐺！鐺鳴響了很久！門外，似乎有人在那廣大庭院中言談！看看錶，纔十二點多。

第二天，方始知道半夜零時鳴鐘，是爲了迎接由韓國返國的一萬四千餘位反共義士，他們將於今日到達基隆。

六、一張張小紙片的秘密

金土從事校對的工作，只是依據作者的原稿，校對檢字排版的人，有沒有撿錯字，排錯地位。就是文化人說的「手民之誤。」凡此之外，無論原稿所寫，錯到令人「笑掉大牙」，也不作非其本分的事。所以他與朱信立兩人，都相商著嚴守此一工作本分。還發明了使用米突尺作爲一行行的界隔開來，導引心神不入乎文義。可是，人不是機器，在校對時，又怎能不使心智步入文辭所展現的知識之境？譬如這本小說上寫著：「詩經是我國最早的文學作品，本來我國古詩有三千多首，經孔老夫子一刪，只剩下三百零五首，後來又失掉五首，所以詩經只有三百首，這真可惜。」金土讀了這麼一段文句，能不戚然心動，忍不住要凝起心神去仔細讀讀上下文，辨別清楚這話是這位小說作者在炫耀一己的學問？還是爲了塑造小說中這位龍天行的知識貧乏？再往下看，一位日本女孩子川端美子說：「不然那更有意思，」又問：「孔夫子爲什麼要刪那麼多呢？」龍天行回答說：「他說過：詩三百，一言以蔽之，曰思無邪。大概他就要去掉那個邪字吧？」這位日本女子川端美子說：「其實文學作品，最好存真，詩經是你們祖先的作品，原始社會還沒有禮教，他們仍是一片純真，不知道什麼邪不邪的。」竟把詩經比到原始社會時代。這位小說中的人物龍天行又接過來說：「你說的很對，可是孔老夫子要照他的意思刪古人的作品，這樣一來，我們後人就看不到古人生活的真面貌了。」這位日本女子惋惜地說：「這實在太可惜！這是你們文化的一大損失。」又寫龍天行這位小說中的主人翁回答說：「損失在他手裡的還不止這些。」金土讀了這一段，已經明白這小說中的這些對話，就爲了要表達這位小說作者的學問淵博。卻又推想到這位小說的作者，對於文學常識，未免出奇的無知。存於今世的「詩三百」，明明還有三百零五篇，由漢至今，沒有再遺失過。在孔子時代，所謂的「詩三百」有三百一十一篇，戰國以後，小雅中有六篇遺失了。遺失的六首詩，名目尙存。凡是讀過中學的人，都會知道。這位「小說家」怎的會如此肯定的說孔子刪詩，刪後的詩，只賸下三〇五篇，後來又失掉五篇呢？還說：「損失在他（孔子）手裡的（文化）還不止這些」呢！

「這些論說，是根據那些書上得來的呢？」

當金土剛一想到大陸上的共產黨在「批孔」，便馬上想到那天朱信立爲了一本書上，寫著北京皇城中的貝子爺，居然敢把他的貝子府，半賣半送的讓給了一位纔點上「翰林」的人物，作了「翰林第」，曾經氣得拍桌大罵這位作家糟踏歷史。這纔去看看這本書的書名叫「塵世」。遂問朱信立，是不是那本貝子府作了翰林第的同一本書？朱信立接過去 看，正是同一本，這是第二本。遂答說：「就是這個人寫的這部小說，居然還有第二本。」金土又說：「還沒有完呢！」朱信立又說：「這樣無知無識的人物，也是小說家，真是丟這個時代的臉！」金土聽了朱信立說出了這句話，在心頭便泛滾出這麼一句話：「有斯世也。而有斯人也。有斯人也。而有斯文也。」也就馬上決定：「這樣無知無識的文辭，還值得登錄下來去查證嗎！」倏然一想：如此時代，這部大書極可能會獲頒文學獎呢！

金土永遠忘不了他的先生松三爺的話，說：「古時的讀書人，手上總是拎著布囊，或把布囊揹在背上，準備隨時隨地的，把所見、所聞、所感，用小紙片紀錄下來，投入布囊。晚上取出整理，分門別類的貼存。在寫作時，可以隨時用得上。那麼在閱讀時，就更應該隨時劄記。要不然，怎麼作到展卷有益？」所以，金土身上，總是掖著一疊疊小紙片，作隨時隨地紀錄之用。

在獄中的生活，囚衣沒有口袋，金土手上老是忘不了帶著筆與紙。爲了使用這些紙片方便，總把字紙簍中的廢紙，撕下白邊，一片片疊成一小疊，用大針粗線（裝釘書用的），釘成一小疊又一小疊，連同削尖了的鉛筆，縫繫在褲腰上。爲了不讓它們垂在腿上，搖搖盪盪地不好看，總是掖在腰間的褲帶裡邊。用時取出，把要記的事，得個機會時，就寫在紙片上。晚間入睡前，再一條條一語語地謄寫在十行簿上。在校對文件時，若是發現了值得一記的常識，也會隨時把放在手邊的小紙片，取來一張寫上去。一片寫不完，寫兩片、三片。特別是在有關論著的文章上，發現了徵引的文辭，值得一再品味，又希望以後能一讀引證的全文，就記下作者的姓名與文辭的篇章。這樣就會便於以後查考閱讀。儘管，在校對時，嚴守著校對的本分，縱然知道原稿是錯的，也不予以改正，全以原稿爲準。可是金土記得先生松三爺的話，說：「無論在任何時候，若是發現到有人說的、寫的，與你已經知道的不一樣？就要詳實記下來，留著去查證是你對！還是你錯？若是發現到的知識，是你應該知道的，你竟然不知道，就更應該馬上記下來，否則，再去追尋，很不容易。」所以金土總是隨時以小紙片登錄，還小心翼翼地收藏起來。

一天晚上，燈已熄了。金土與朱信立兩人已入睡，突然來了三個人，兩個穿軍服的兵士，一個身穿中山裝。其中一位兵士拎著一盞手提紙燈籠。打開監房門進來之後，那身穿中山裝的人，用命令的口吻，語氣卻很溫和，說：「金先生，你起來穿好衣裳。法官有問題要問你！」

金土與朱信立兩人都起身坐起，怔忡著不知出了什麼事？

「怎麼回事？」朱信立驚詫地問。那位穿中山裝的人，語氣非常溫和地答：「沒有你的事，法官只問金土一些問題。」

金土沒有說話，忙著起身穿衣，但卻疑惑而且驚詫著，法官爲什麼在這黑更半夜提審他？朱信立怎能睡得下去，坐在床上發愣。入冬的氣候，深夜還有些涼意，朱信立上身雖還穿了一件棉布襯衫，風寒侵犯著他，微咳了兩聲。這時，他在吐痰時，纔發現那個兵士手上還拎著一副腳鐐。越發的想問一句什麼？還沒有開口，金土已穿好衣裳。剛穿上鞋，向前走了一步，兩個兵士便走向前去，說了一句：「對不起，過堂得帶刑具。」金土應了一聲：「噢！」便微微岔開兩腿，一陣鎖鍊的唏哩嘩啦，腳脖子上帶上了腳鐐。正要出門，又進來一位中尉軍官，那位身穿中山裝的人，說：「你們先去，我隨後到。」其中那位手拎燈籠的人，留下沒走。另兩位 官一兵，前後押解著金土在一步一聲的腳鐐奏鳴聲中，走出門去。

這位穿中山裝的人，望見朱信立已披上衣服，愣愣怔怔地坐在床上，遂向朱信立說：「也好，朱先生你起來幫個忙。我要看金先生的一些東西。」朱信立便應了一聲「好！」便穿衣起床。那位手拎燈籠的兵士，順隨著那穿中山裝的人，搜查金土桌案上以及抽屜內的書本、十行簿、記事本等等。金土使用的紙紙片片，都放在金土掛在床頭上的那個布袋裡。

朱信立只是看看那人在搜尋，連一張小紙片也不放過。朱信立的一部分，也全部取走。朱信立本來想說一句：「那是我的。」卻也膽戰心驚得不敢開口。

被褥、枕頭、床板、床底下，還有鞋子，都仔細搜查。

走時向朱信立說：「對不起朱先生，打擾你啦！這些東西必須呈給法官看過，我們會全部發還的。」朱信立想問？已經驚忡得開不了口。看情形，好像金土出了大問題。又給他帶上腳鐐，一官一兵押著。這一夜，朱信立都沒有合眼。怕的是拖出去槍斃，直到天大亮了，纔迷糊著睡了一會兒。連起床號都沒有聽見，當他聽見號音時，已是升旗號，還有唱國歌的聲音。這時他纔想到已經睡過了頭。

看看對面的床上，金土還沒有回來。霎然一股涼意浸入了全身的細胞，難道金土會……。

何以沒有人來打開牢房門，要他出去參加升旗禮？

操場傳來了跑步喊一二三四的聲音。昨兒他們走後，沒有再脫衣服。癡癡地起身下床。一拉門，門還是鎖起的。越想越覺得有問題了。不知今天是不是還像往日一樣，吃了早飯到辦公的地方工作？門響了，原來是送飯的，只把飯送到門的開口處，放到那塊板子上，說了一句：「飯」。便走去。朱信立這纔推想到金土定有了大問題。自然也影響了他。「怎麼會子事呢？」關在牢房中的人，想問，也沒得辦法問啊！

如今，這間牢房，只剩下他一個孤家寡人。

話說金土被押到大獄中的一處，並不像法庭，但卻是一處極為森嚴的大房間。燈光並不十分明亮，有一個可以四面圍坐的長方型會議桌，已有兩人坐在長桌對方。金土被帶進之後，就讓他坐在對面，桌上已擺妥一盞加罩的檯燈，當金土忐忐忑忑坐下之後，對方的一位年長者，面帶微笑地說：「請坐請坐，不要怕！只是請教你幾個問題。」金土輕輕連聲答是。聽得出金土的喉頭已在打顫。

金土坐下之後，對方那位沒有說話的人，就從桌案上遞過一張紙過來，用手推到金土面前。金土一看，是一張六裁白報紙，貼了一條條寫上字的紙片，有長方型的也有四方型的，上面有字。一入眼簾就認識那是他經常用作隨手記事的紙片。能有什麼問題呢？再一看一張張都編上了號碼。

「你看看，是你寫的嗎？」還是剛纔那個人問。

「是。」金土答。又補充了一句：「是我寫的。」

「你寫了這些小紙片，作什麼用？」

金土的心情已經鎮定下來，遂把他讀書記事的方法，一一述說了一遍，而且肯定地答：「大多讀書人，都是這樣作劄記的。」

「請你看第三號，」那人又問：「你這張紙片上寫著：『春王正月、二月、三月，以下三季不加王字。桓公十八年……』這些話是什麼意思？

這一問，金土就想起來了。一年多以前，在圖書室上班的文書上士周清波，準備高等考試檢定，向金土問到春秋傳上的「春王正月」問題，一時不能說得清楚，遂把《左傳》杜預註拿來，又再閱讀一番，隨手記出了這一春秋書法，好詳細些告訴周清波。金土便一五一十的回答了紙片上記的話，是指春秋三傳的編年紀事，史事雖以魯國爲中心，所寫年月則是周天子的曆日，所以要加「王」字，來說明這史事上的年月，是王的紀年，不是他們魯國的紀年。一年四季，祇要在春季一、二、三月上，加「王」字，寫作「王正月」、「王二月」、「王三月」就代表了以下夏、秋、冬三季。所以夏、秋、冬三季，就不加「王」字在夏四月秋七月、冬十月上面。可是，魯桓公在位十八年、只有元年、二年、十年、十八年，凡四年書有「春王某月」，九年，只書「春」，無「王」也無「月」，其他計十又三年，有「春」也有「月」，但不書「王」字。因爲桓公是弟弒兄篡得君位。爲什麼桓公在位十八年，春秋經文，有四種不同的書法？那是因爲這十八年之間，在歷史上發生了不同的情況，所以孔夫子在編寫時，有了不同的寫法。金土一一敘說至此，遂說：「這個紙片上寫的『桓公十八年』以下，還有一大片紙寫了注解上的文句，周清波已經鈔錄在他的筆記上。可以說這紙片之後還有很多字呢！」

「周什麼人現在那裡？」金土答說周清波就是這獄所辦公室的文書上士。可以去查問。

「噢！」遂又問：「你再看第六號紙片，上寫：『王字的意思，爲不方正，不平坦，不整齊，不正常。毫無清潔上等之意。』（有紅筆批：「主字又像王字」）」等金土看完抬起了頭，法官又問：

「我問你紙片上的這幾句話，是什麼意思？金土便面露微笑的回答：「那不是個『主』字，也不是個『王』字，是個『圭』字。」吸了一口氣，遂又繼續解釋下去：「那些文字，是解說《孟子》「滕文公」篇中的『卿以下必有圭田，圭田五十畝，餘夫二十五畝。』過去近二千年來，對於『圭田』這個名詞，都以漢代大儒趙歧的註爲準，說『圭田』是『潔也。』作祭祀用的。又稱作『上田』。上等田纔能作祭祀用。到了清朝末年，有人指出趙歧的說法錯了。『圭田』應是裁截井田之後，餘下的不方不正，零零星星不能成井的畸零地。今人周谷城，採用了字形學的考證方法，尋出了凡是字從『圭』的許多字，字義都是不方正、不規則的。證明從『圭』的字形來說。也足以說明『圭田』就是『井田』畫成之後，餘下的畸零地。這些不方正的圭田，不能廢棄，也可以播種禾苗。所以卿以下的士級，除了一夫授井田百畝，也授圭田五十畝，餘夫二十五畝。」這些話，金土侃侃道來，問的人，恰似鴨子聽雷，可以說是疑疑惑惑地聽著，至於什麼井田？什麼圭田？既不能一知，自也無從半解。

「這些用文字學的字形，來解說圭字與圭田說，是朱信立的筆記上記下來的。」金土又補充說。

「周谷城教授是朱信立在四川讀大學時代的老師。」

「你說的這些話，有朱信立的筆記作證嗎？」

金土答說有，朱信立還在監中，可以去查問。

「你再看第九號，」那人又問：「亂字，又怎能不是混亂的意思？孔子作春秋，亂臣賊子懼！所以我們戡亂建國。你這裡寫著亂字不是混亂的意思。也不是治理的意思，應是終結。這些話又是那裡來的？」

「我也是從朱信立的大學筆記上抄下來的，」金土說：「這個亂字也是那同一位教授講的。他從字形上，發現到這個亂字的篆書寫法，上面是一隻手，中間是三縷絲，下面也是一隻手。」一面說一面還用手比畫著，這樣用手比畫，還是不能讓聽者懂得，遂向問者要了一隻筆，一張白紙，馬上寫出一個酒杯樣大的篆書「[illegible]」字。說：「篆書的亂字，就是這樣寫法，雖然寫法也有不同的變化，大體上的原則，還是相同。所以周教授從這個篆書亂字，就他知道的字的形、音、義三方面來說，它的字義應該是人用手來結紮散絲的意思。上面是手，下面也是手，中間是絲，象是兩手相向，把一根根散絲搓攏去，決不是把一團亂絲來分開。俗說：『䜌麻績綠』，就是把亂麻理出線來聚結起來。可以說『亂』字的基本意思，應是結合起來，凡是團結、終結、綜結等，都是亂字的原始意義。」金土說到這裡，歎了一口長氣，又說：「這些小紙片，一疊疊地，寫上之後，夜間睡覺之前，便謄到十行紙上，或謄在記事簿上。謄完之後，這些小紙片就不要了。」說著遂又指著攤在桌上手下的那張貼了他的記事小紙片說：「這些小紙片，都是我丟棄到紙簍或垃圾堆上的。這裡貼的零零星星，不完整，文句都接不上了。」

問的人雖然聽不懂金土回答的那些學問上的道理，卻也能理會到那些小紙片上抄的，都是閱讀心得。檢舉者的杯弓蛇影，有了穿鑿附會上的誤解，遂又問最後一條。

「請你再看第十一號，」看上面的句子說：「…『留著兩撇小鬍鬚，那臉蛋更像一種特別滋補的半孵出來的雞蛋，已經生了一點點小黃翅桂花蒸。』這些話是什麼暗語？」

「這幾句話，是從張愛玲的小說中抄下來的，」金土回答，「這篇小說的名字是《桂花蒸，阿小悲秋》，我太太在上海唸書時，就很喜歡讀張愛玲的小說，剪貼了一個簿子。我入獄之後，朋友們建議我在獄中，可以利用時間寫文章，賺點稿費補貼家用。小說比較容易登出，要我學著寫小說。我這纔要我太太把她那本剪貼簿，送來給我。我發現張愛玲的小說，很喜歡使用比喻，她文中的比喻，文詞都非常俏皮誘人。我除了讀時用紅筆作上記號，遇到不能體會的描寫，也抄寫出來，以便有機會向人請教。從《桂花蒸》上抄出的這幾句話，是由於我體會不出她用這些文詞，來形容阿小的東家，名叫哥爾達的那個外國男人，留著小鬍鬚的臉蛋子，是怎麼個長相？我想來想去，體會不出。所以我特別抄了下來。」稍一打眼，又說：「我記得另外還有一句，形容阿小丈夫的臉，她的描寫我也體會不出是個什麼樣的長相？」金土的回答，像與朋友平常在一起聊天似的。問話的人，居然感受到金土有幾分，在故意把問題扯到別處去。卻也知道無法再問下去，遂問：「你說的這些，都有證據嗎？」

「我房中的那些本子裡面，大都寫有這些事。」金土說：「朱信立、周清波，都可以作證。」

「好吧！我們再查證一下。」遂又說：「委曲你啦！」

這時，似乎天已亮了，電燈光已轉弱，燈泡已變黃。問話紀錄送到金土面前，說：「你看一遍，記錯的地方，可以改。認爲紀錄不錯，就簽字。」

當金土被押出這問話的房間，沒有出大門，便被關入另一間小房，小得只有一張床，好像原來是個巷子。押送的人，把他送進去，什麼也沒說，便卡嚓一聲，把門關上了。

這房子，頂棚上吊了一個約莫十支光的燈泡，燈泡中的紅絲一環環非常艷麗。通風的地方，似乎只有牆頂四邊的縫隙，纔有風吹進來。鐵門上的方孔，也是關起來的，只有門外的人，纔能打開。

金土迷惘起來了。他們剛纔問的這些，都是讀書的問題，怎能聯繫到罪名上去呢？當金土想到古人口中的那句：「欲加之罪，何患無辭！」天哪！他不敢再想下去。

另一邊的朱信立，也被關在獄房裡，連放風都輪不到他。每天的兩餐飯食，都從門上的小窗口送入。他越想越是想不通。「我離開出獄的日子，祇有二十幾天了。怎的又被金土連累到我！當真，金土是一位潛伏在軍中的匪諜？怪不得這小子連一句牢騷也沒有發過。除了論學，別的他都不多加論斷。……」

想呀想的，也認了命！只得認命！怎的會與金土這麼一個危險人物同囚房？

整整七夜，金土又被送回來了。

朱信立見到金土回來，臉色慘白，雙目下陷，腿又 跛一跛地被一位兵士送進門來，扔下手上的兩隻布袋，沒有說話，便轉身出門，再反手把門關上，上鎖。見金土手上沒有梏，腳上沒有鐐，猜想已沒有什麼事了。可是，看得出金土極爲疲憊，連說話的力氣都沒有。只是一跛一跛地走向床。

「究竟怎麼會子事？」朱信立不解地問。

金土走到床前，便躺臥下來。有氣無力地說：「我睏得很。」躺平了身子之後，又說：「這幾天，我幾乎被臭蟲、跳蚤、虱子咬死。」說著還在雙手撓著腿，撓著腰。不一會兒便聽到金土的鼾聲。

朱信立去拾起那兵士丟到地上的兩個布袋，是前幾天搜查時帶走的那些。其中也有他在大學中記下的筆記簿。翻了翻，就是那幾本不是掛在床擋上，就是放在桌子上。又不是什麼秘密，兩人在閒談時，遇有可記的讀書問題，都會隨手記在本子上。能有什麼問題？翻了翻，在金土的那幾本簿子上，發現了紅藍鉛筆，在文句旁畫上的又粗又長又不直的道子，唸唸文句，也唸不出所以然來。翻看一下自己的簿本，其中「圭田五十畝」以及「亂」字的解釋，也畫上了紅槓藍槓。遂想，難道這些也有問題？

門上的洞打開了，說：「飯」。朱信立知道晚飯到了。走過去一看，祇有一份，把飯取來，看到金土睡得像死人一樣，一點兒聲息也沒有。用手摸摸頭，溫溫地，鼻孔有呼吸，胸口有起伏，認爲金土可能好多天都被疲勞審問。可能受了重刑？

飯已經涼了，朱信立還沒有動箸，他要留下給金土。他一直在微弱的燈光下，讀金土的劄記，有些懂，有些不懂。但在一本剪貼舊報，舊雜誌的文章裡，讀到《桂花蒸、阿小悲秋》這一篇，竟發現到這篇文章上，有紅鉛筆點上的句點。在那句「主人臉上的肉像是沒燒熟，紅拉拉的帶著血絲子。新留的兩撇小髫鬚，那臉蛋便像一種特別滋補的半孵出來的雞蛋，已經生了一點點小黃翅。……」用紅鉛筆畫上了框框還不算，又在兩行字旁，狠狠地畫上兩道直槓。朱信立突然由那「兩撇小髫鬚，」聯想到蔣總統的那兩撇髫子，而且臉總是那麼紅潤潤的，是「特別滋補的」話，更會令人去附會。但在這幾句話的上面，用紅色毛筆批了幾行小字，說：「這幾句形容詞有誰能體會到哥爾達的臉，是個什麼樣子？」批語旁邊寫上了「戊子冬金土於滬濱」八字。「大概這八個字，替金土解了危吧？」朱信立想。

電燈眨巴眼了。朱信立知道熄燈號音就要在擴大器中播放出了。飯，早已冷了。金土只翻了一次身，還在昏昏地睡，叫過兩次，都沒有反應。他推想金土這幾天，受了刑，可能昨天還經過疲勞審問。熄燈號音響了，電燈熄了。

朱信立打開鋁製的飯盒，摸黑胡亂吃了一點，便脫衣上床。

一覺醒來，不但聽到起床號音，門外已有人在開門，說：「快起床參加升旗。」這話已近十天沒有聽到了。金土也在起床號音中，警覺的坐起。朱信立見到金土推開被子坐起身來，興奮地說：「這一覺，你已睡過了十二小時。我知道你受了罪嘍！」

金土還有些綿綿地，這一覺，卻已恢復了多日來的的疲累。朱信立要他吃點飯食，填填肚子。不然，就得放到門內的窗口板上，待人來收去。金土這纔胡亂扒了幾口冷飯，吃了盒中的冷菜。胡亂濕濕毛巾，擦了一把臉，趕去參加升旗。朱信立告訴金土說：「從你走後，我便關在房中，沒有出過門。別說升降旗，連放風都論不到我。」門外有衛兵持槍監視著。

從這天開始，這兩人纔又恢復了前些日子的工作。但已不在圖書室上班，到竹製工廠，去學劈竹子。金土這纔告訴了他受審的情形。只過了那麼一次堂。吃虧的是那間牢房，又小又窄，又暗，都能忍受。只是床上的臭蟲、虱子，地上的跳蚤，連合起來吃人。日日夜夜都不能睡，我拾起地上的兩個半塊磚頭，還有在破棉花套扯出的那一團團棉花，日日夜夜捉了弄死，還是捉不完。渾身被咬，癢得入骨，手抓不到的背部，脫了衣裳，打赤膊貼到墻上磨擦。腿部還有跳蚤跳上來咬。幾天來，日日夜夜喂這些千千萬萬地蟲子。幾天來，我弄死了成千上萬，還是那麼多。墻上的小洞、小縫，全是它們的家。再過幾天不放我出來，我會撞死在裡面，實在受不了。

真是謝謝上天，他們把我放出來了。還好，經我一再要求，第三天纔把腳脖子上的腳鐐取下來。要不然，我這兩個腳脖子，都會潰爛。

朱信立出獄了。金土也被放出獄外作勞役，勞役的地點是《申江印刷廠》，在市區中正東路。到了工作地之後，方始獲知他之所以能被派在這家印刷廠工作，全靠這次的審問與調查，更加認定了金土是位標準的讀書人。思想純正，來路有根有蒂。在安全單位留下了一筆潔白的紀錄。俗語有這麼兩句格言：「不經冰雪寒徹骨，怎得梅花撲鼻香！」

說來，金土的小紙片，無情地給他招來這麼一次生活上的磨難，若是沒有這七日夜的牢獄體驗，還以為監獄只是人生的另一居所呢！

七、聽天命守本分的女人

老鼠家裡嫁姑娘，嫁給南山黃鼠狼。
狐狸婆婆作媒人，花貓姐姐作伴娘。
黃狗公公敲鑼鼓，白兔哥哥放爆仗。
嗚哩嗚哩哇！嗚哩嗚里哇！

梅蘭正在與村中的兩位太太，帶領著幾個孩子，作唱遊活動。三個大人，五個孩子，正唱得歡暢，跳得起勁，王泰山的太太陳秋妹進來了。走到門口，就招手要梅蘭過去。大家便停止了唱遊。梅蘭走近前去，問有什麼事？

陳秋妹悄悄以手罩口，輕聲說：「那個姓田的又來了。」

梅蘭一聽，就扳起臉來，說：「你吱唔他走嘛！」

「還有那位朱先生。」陳秋妹又補充了一句。

這兩位先生，陳秋妹都見過。特別是那位姓田的，陳秋妹更清楚了。若是他一個人來，她決不會來告知梅蘭，也會把此人打發走的。若是不走，也會拿棍子趕他。

陳秋妹不會忘記一年前的那件事。

那天，比今天這個節令，約莫遲兩個月，端午節前幾天吧？晚飯過後，八點多鐘，梅蘭老師正在爲兩個四年級的學生，補習功課。天落著小雨，不是飄飛著霧毛，就是斜風吹舞著雨絲。那位姓田的先生，已經坐在梅老師家的廳中竹椅上，帶著梅老師三個孩子，在玩槓子打老虎，四個人的手中，各拿一支筷子，茶几上的盤子裡，放有十來顆糖果。田守成就跟這三個孩子，玩耍槓子打老虎的游戲。這個遊戲，簡單明瞭，四歲上下的孩子，一說就會。玩起來，只有兩個名詞，「槓子」、「老虎」。兩人同時喊出，喊老虎的人，遇見對方說槓子，就算是輸。兩人說的同樣，就和。田守成作莊家，莊家輸了，給贏者一顆糖果，若是孩子輸了，就把糖果收回。沒有糖果，就伸出小手來，被贏者輕輕打一下。就這樣，田守成陪著梅蘭的三個孩子，玩得嬉嬉哈哈，歡歡樂樂。在另一邊爲兩個大孩子補習功課的梅蘭，受到驚擾，兩個大孩子分了心，遂使梅蘭不得不暫停一會。便起身走過來，打算把這位田先生支唔走。剛好陳秋妹拎了一壺開水來，遂馬上隨機應變地說：「王大嫂妳把我這三個孩子帶到妳那邊去。」又叱喝三個孩子說：「快跟王媽媽到那邊找你們南娜姐姐玩去，你們在這裡咭咭喳喳、嘻嘻哈哈，媽媽還能作事嗎！」陳秋妹一看又是那個姓田的，遂也沒有理睬他，便命令著三個失神的孩子，說：「走走走，跟我那邊去玩，別吵你媽在上課。」那個小的魯聲清還在撅起嘴來抗議，說：

「我們要跟田伯伯玩槓子打老虎。」

「不可以。」梅蘭用叱責的語氣說：「你們這位田伯伯還有事要跟媽媽談。」

陳秋妹知道這位姓田的不是好人。梅老師那天探監回來，已經告訴了他們夫婦倆，說是這位姓田的在北鄉請她們母子吃飯的時候，就說了些他不該說的話。他以同情梅蘭的語氣，向梅蘭說：「像這種牽連思想的案子，出了獄也謀不到事的。我真爲妳們這母子們的未來憂心。」梅老師說她當時就回答他：「我們未來的日子，不會挨餓受凍的，我們還有親戚，還有同學，還有朋友。我還有手有腳，有頭有腦。我不會憂心。」想不到這位姓田的竟然提出了建議，說：「作妻子的，若是丈夫在思想上犯法，判了三年以上的徒刑，就可以申請離婚，依法可以判定成立。對方連抗訴權都無有。」梅蘭聽了，知道此人心地不良，當時便沈下臉去，不再答理。回來，就把此事告訴了王泰山夫婦，告訴他們若是此人再來，就支吾他離開，不要接待這個人。

雖然一次又一次的被支應開了。但那一天，他在毛毛雨中，居然獨自闖進梅蘭家中，說：「我送一筆稿費過來，已與金先生談妥了。」那天，梅蘭遂說：「你先說明一下，我蓋章收下就可以了。我還要給孩子們補習。」

這位田先生居然以天雨作搪塞，說：「妳先去給他們補習，天下雨，我坐一會兒，等雨停再走。」梅蘭也就沒有翻起臉來趕他。想不到他竟然拉攏了她的三個孩子，用糖果作賭注，玩起槓子打老虎的游戲，不但咭咭喳喳吵人，影響了她的補習工作，兼且帶壞了她的三個孩子興起賭輸贏的惡習。梅蘭忍不下去了。遂託王太太陳秋妹帶走她的三個孩子，便坐下來，和顏悅色的與田守成談話。

半月前，梅蘭見到金土時，還不曾說到又有了一本論文寫作的事。由此也可以推想到這人此來，仍舊是藉故騷擾的托詞。

「對不起，田先生，我的孩子在煩你！」梅蘭先說謙詞。

「不不不，我喜歡孩子。」田守成歡快地說：「我孤單日子過久了，看到孩子特別愛。」

「又有一本論文給金土寫嗎？」梅蘭趕快言歸正傳，開門見山地問。

「是這樣的，是……」田守成吞吐起來，略一猶豫，纔說：「是這樣的，有位朋友的論文是關於鐵道方面的史論，老朱已寫好了，送去審查打了回來。金先生的兩本都通過了。因此想請金先生幫忙。」

「我沒聽到我先生說到這件事，」梅蘭說：「我十多天前纔去看過他。」

「金先生是不知道。」田守成說。「這事不敢透過老朱。說穿了，使老朱難爲情。」

「那你跟我說沒有用啊？」梅蘭回答。「這不是金士的專業，他能不能寫？我怎能代他決定！」

「不錯，所以我特地來懇求梅老師，陪我到北鄉去一趟。」梅蘭還沒等到田守成說完，就馬上作答拒絕，說：「我先生已不在北鄉，派出去服勞役去了。」

田守成一聽愣了，惘然地說：「到什麼地方服勞役？」

梅蘭回答她不知道，只知道這二至三個月，他們不能見面。

實際上梅蘭知道丈夫在台北市中正東路一家印刷廠工作。早晨上班，晚返監獄。梅蘭不能告訴他。話只談到此處，梅蘭便說她的補習課還沒有教完，兩個孩子在等著。遂起身逐客，說：「等我打聽清楚，請王先生便中代我告知你。」

可是送出門之後，他卻又折回來了。又逕自推門進來，坐在原來的地方，自言自語地悄聲說：「雨還在下著。」

梅蘭只顧教課，沒有注意到此人又折回來，坐在廳內。

過了不大會兒，陳秋妹帶了四個孩子來了，一進門就看到田守成獨自一人還坐在竹椅上看書。三個孩子來了，一進門就看到田守成獨自一人還坐在竹椅上看書。三個孩子一見到田伯伯，馬上鬨叫起來，叫了一聲田伯伯，連同王南娜都一擁上前，吵著說：「我們還是玩槓子打老虎。」這時，梅蘭方從房內帶著兩個補習的孩子出來，一眼見到姓田的，就帶著幾分氣惱的語氣，說：「田先生，你怎的又回來啦？」

這時，陳秋妹纔用怔忡的眼神，與梅蘭交換了一瞬目光。馬上便以怒牛似的大眼，瞪著坐在那裡，擁抱著老三魯聲清在與他用大姆指與拳頭在比畫著，說：「槓子」、「老虎」在玩兒。恰似目無旁人。當他聽到梅蘭走出房來，氣虎虎地問他：「你怎的又折回來啦？」這纔靦面嘻嘻地站了起來，說：「天下雨呀！」

「這霧毛雨，怕什麼的！」陳秋妹也沒好氣地說。

「時間還早，纔九點多鐘，」梅蘭委委婉婉地說：「走一段路就搭上了公共汽車。借一把雨傘給你。」

田守成居然還是那種靦面嘻嘻地的樣子，衝著梅蘭目不轉睛的瞪著，說：「我實在喜愛這幾個孩子，捨不得走。」遂又吞吞吐吐地提出了要求：「這樣吧？」

陳秋妹看到田守成那種嬉皮賴臉的樣子，早已氣從頭頂上冒出三丈，一聽田守成說出這話，頓時大聲地就問：「你要怎麼樣？」

「天已入夏，落雨天不熱不冷，」囁囁嚅嚅地說到這裡又不說了。他本想說：「我想在這裡坐一夜。」一想這話不能說，便停下不敢說出。這時，梅蘭已進房去取雨傘。

陳秋妹見他囁囁嚅嚅說了這麼兩句牛頭對不上馬嘴，搭不上弦，接不上調的廢話，就更加火大，遂說：「怕雨水淋濕了衣裳，就坐三輪走。滾！」

說著，就順眼去墻角拿起那把掃帚，調轉掃帚頭來拿著，那姿勢簡直想用掃帚把抽去。好在梅蘭已把兩傘拿了來，這纔沒有動手。

「謝謝你田先生，」梅蘭把雨傘送到田守成手上，馬上說出了送客的話：「改一天我再跟你連繫。」

田守成這纔連連說：「好好好！」拿住雨傘走出門去。

此後，這位田守成又獨個兒來了兩次，一次來還雨傘，都被陳秋妹打發走了。這次，卻是隨同朱信立一道兒來的。朱信立出獄之後，已來過一次。梅蘭還特地請這位朱先生來吃過一頓飯，王泰山與陳秋妹都知道這位朱先生是金土獄中的難友，而且那有關捉刀寫論文的事，都是這位朱先生連繫上的同學關係，田守成只是一位從中奔走的同學。再說，田守成的這碼子事，梅蘭沒有告訴金土，所以朱信立也不知田守成還有這一件丟人現眼的名堂。這次來，還是為了田守成說的那本《中國鐵道的發軔》一文的未能通過問題。儘管對方不能再要求作者重寫，當朱信立知道了這事，總覺得有責任再協助人家重新修改，或另起爐灶再寫一本。因為金土已調遣在《申江印刷廠》釋外服役，不在監中，遂又找到梅蘭這裡來。所以當陳秋妹見到是朱信立要來見梅蘭老師，自不敢不來報知一聲。若是田守成一人，陳秋妹早就把他喝叱走了。

梅蘭考量了一霎，說：「王大嫂你到後面去幫助孫太太他們照顧一下，我去接應他們。陳秋妹說他們在自治會辦公室，於是兩人一進內一出門。

梅蘭出了門，剛一磨角，就看到兩人站在自治會辦公室門外。梅蘭便揚手打個招呼，遂走過去領進自治會辦公室，尋了一處座位坐下。這地方有閱報的地方，也有下棋的地方，也有售賣茶水、冷飲，以及花生、餅乾的福利社。五月的午後四點多鐘，晴口的太陽，雖不酷熱，也不涼快。梅蘭還是北方村婦穿著，一套白底紅點的褂褲，足著繡花鞋白色線襪，頭髮還是後梳的髮髻，脂粉不施，越發的顯現出這少婦的清純素雅。三人坐下之後，福利社中的小姑娘，便送來一盤花生一盤瓜子，三盞茶。朱信立連連推辭，說是把幾句要說的話，講妥了就走。另外還有事。

「這事，田先生說他已經向金太太你說過了。」朱信立說。「就是那本論文，還需要改寫。」

這事梅蘭方始想起去年下雨天那件事，遂答說：「我不記得啦！」朱信立，只得把這事悄聲細語地說：「是我與金土兄在裡面寫的，資料不夠，沒有寫得好，還得重寫一遍。金兄的文筆好，頭腦又靈活，所以那位朋友要求金土兄代他完成。」說著，田守成就把衣袋中的一厚疊，裝在牛皮紙信封中的鈔票取出，伸出雙手捧著遞給梅蘭。

梅蘭描了一眼，沒有去接，還表露出卑夷的眼神，說：「這事我可不能代我先生作主，我也沒有聽到我先生說起這件事。」

「我們去了北鄉，說是金土已移監，」朱信立說。「行政方面的人事，也有了變動。」

梅蘭只應允等到金土來信，或見面說明白之後，她纔敢接下這些金錢。連帶來的一本文稿，梅蘭也不肯收下。

實際上，梅蘭對於這些男人家，一律保持疏遠的距離。

梅蘭送走了兩位客人回來，陳秋妹已把另兩個太太及孩子們打發走了。說：「他們都會唱啦！我還不會呢。散了算啦！」遂又問這兩人來作啥？梅蘭編了個理由，說是爲了金土張羅出獄後的工作問題。陳秋妹就說：「那個姓田的還好意思來啊！那天，我手上的掃帚把，差一點就抽到他身上，居然還敢來，真是臉皮厚。」

當晚，王泰山送來一張紅帖子，村上的一位弟兄娶親，新娘是宜蘭人，就在台北煙廠作工。照村自治會訂下的規矩，全村的人家，一律下請帖，而且規定去吃酒每人送三十元，二人送五十元。不去吃酒送一十五元。王泰山之所以親自把這張紅帖送來，他也附帶代喜家面邀梅老師帶三個孩子去吃酒，表示他有面子能請到梅老師。梅蘭還是拜託王泰山照自治會的規定送了卅元，她是不便去參加婚禮的。吃酒時，王泰山卻帶去了老大魯聲遠。

對於婚禮，梅蘭頗有感觸，總是覺得自己的婚姻，在決定婚嫁的不多時日裡，為了要取得兩人的婚姻關係，可以登記眷屬身分，盡速搭乘軍方運輸船舶離開上海到台灣，只匆匆填了兩張婚書，就完成了二人的婚姻合法程序。原說到台灣後，再補行婚禮。終因時遷勢移，兩人的生活環境，拼不出這麼一個機會出來。這時代，竟為梅蘭造成了這麼一件終身的遺憾！

所以，梅蘭只要觸及到結婚這件事，她就會想到她家的丫頭阿桂嫁出去的事。當家人知道阿桂與米店中的送米小二，有了勾搭，而且懷了孩子，便決定給阿桂製辦一份有舖有蓋有穿有戴的嫁妝，由她男人從偏門接走。這樣嫁出去，比趕出去，合情些，也好聽些。可是阿桂卻跑到廳堂，跪在奶奶膝前，哭求一件事，說：「奶奶！我知道我該嫁出去了。想到我從七歲就到了奶奶家，已經十多年了。我知道我只是一個使喚丫頭，可我總是你們梅家的人。我是善堂收養的棄兒，米店的小二也跟我一樣，都不知爹娘是誰？我想坐花轎，他訂不起。我這纔來求奶奶可憐我是梅家的丫頭，給我訂個花轎，從偏門抬到小二家去。我這一生一世都不會忘了奶奶的大恩大德的。」梅蘭那時還不明白阿桂為什麼非要坐花轎嫁出去？後來纔知道那時的女人坐著花轎嫁出去，最起碼得有一個吹喇叭的，還有一個打鑼的。能這樣，纔算是公諸於世的冠冕的嫁，明媒的娶。

梅蘭還記得小時候，三代同堂住在蘇州城醋庫巷一個五進庭院裡，妯娌們吵嘴時說出的話。大伯母銜著二伯母理直氣壯地說：「怎麼！看不起我是鄉下人？我可不是投懷送抱來的，我是梅家用大紅綵轎到我儂娘家去抬得來的，有十六個吹鼓手吹吹打打，還沿路燃放鞭炮，還有那麼老長一串迎親送嫁的人。在街頭上看熱鬧的人，人山人海。我這鄉下人可是風風光光坐花轎抬到梅家來的。在正廳上拜過堂，纔入洞房的。」因為二伯母是留日的洋學生，與二伯父在日本結的婚，是不是行過婚禮？也沒有聽到二伯母提過。家中人一直懷疑這件事。(家中訂的親退了，那個可憐的女人，到如今都沒有嫁，在娘家作老小姐。)

從那時候起，梅蘭就知道女孩子出嫁，非常看重坐花轎，行婚禮、拜堂、入洞房。今天，男女婚嫁，不也很重視婚禮的排場嗎！穿禮服、坐名牌汽車、大宴賓客嗎！

當金土有了兩筆論文的收入，對南部的妹妹小筠，北部的老部下王泰山，也都解除了經濟與精神的牽羈，所以小筠決定在雙十節日結婚，比預定的三月廿九日，只延遲了半年。由於穆容之服務的軍艦在基隆，婚禮的地點也還在基隆。當然，梅蘭必須是小筠的主婚人。穆容之也是隻身在外，由他的艦長作主婚人，艦隊司令作證婚人。小筠知道王泰山像親人一樣，在危難中照顧她姐姐一家數口，還特別商請這位王大哥去客串女方的介紹人。

自從姐姐有了收入，不要她月月匯寄生活費，遂想著為姐姐訂做一套乳白色西服，橘色絲襪白皮鞋，還特地為媒人王泰山縫製了一件呢料長衫，白府綢上褂呢。

梅蘭這兩年來，住在王泰山這一夥以踩三輪車為生的竹棚木屋村里，為了要適應這一村里人家的生活習尚，首先著意的就是穿著與打扮，遂脫下了往日的衣裙，改穿北方鄉村婦女的裝束，上短褂、下長褲，髮型也改為後梳的垂髻，還在髻上包裹了一層有色的網子。上插碧玉鑲頂的長針撥頭。腳上總是穿著有繫繩的力士鞋。自從停辦了幼兒班，每周六上的家教，還有日間的孩子們，不時跑來，纏著梅老師說故事，也教孩子們唱唱跳跳，生活過得還是很充實的。更由於自知丈夫還在牢裡，她身爲婦人，理應像個寡婦似的，在家唸數寡居的日腳，「日出而作，日沒而息。」身邊還有三個年方三歲五歲的幼兒，更加約束了她，每天過著「大門不出，二門不邁」的苦守日子。

爲小筠的婚禮，去作主婚人，這是理所當然不能躲的事。雖然小筠爲她做了一套新衣，並沒有穿起新衣出門，她仍舊穿著這兩年來常穿的短褂長褲，偕同王泰山一家人，浩浩蕩蕩，搭乘公共汽車到了基隆的小筠歇處，方始更換衣裝。休說別人，連三個孩子見了，都驚異地說：「媽媽今天好漂亮噢！」三個孩子也都換了新衣。

梅蘭今天雖然換穿了一套乳白色的西服，翻領上衣，曲線及膝式的短裙，白皮鞋橘色長襪，後梳的髮髻，繫結了一條大紅綢巾，還在髮髻上，綰了一個蝴蝶結，飄流下的兩條綢帶，散落在肩，隨著頭頸的動態飄擺。雖脂粉不飾，卻也越發顯出了她那本質上的清純情韻。

她是婚禮開始時纔進場的，一進場就被司儀喊到禮台上去。起先，台下有兩行身穿白色海軍禮服、手拿指揮長劍相對立，用長劍架起一道禮門，阻擋了台下賓客的視線。等到新郎新娘通過這一道禮路，雙雙對對站到禮台之前，這兩行手持長劍的同學撤去，顯現出的台上那一列人物，最搶賓客眾目的，就是梅蘭。頓時吸引去眾人的目光射向了她。遂有不少人問：「那位清秀佳人是誰？」當大家聽說是新娘的姐姐，竟有人推想這新娘姐妹必定是大戶人家的姑娘，要不然，不可能有這分富貴的氣質。也有人問這位姐姐是作什麼的？有人說是位老師，更有人說是教大學的。也有人問有沒有結婚？知道的人，就說：「新娘入場，拎著花藍前引的兩個男孩，還有在新娘身後扯紗的另一男孩，都是新娘這位姐姐的孩子。」聽到的人，無不驚詫這位育有三個孩子的母親，還有如此的丰采！真是天生麗質。更有人問：「她的先生是那一位？」有人答說：「在美國，是位博士。」還有人在估計年齡，都說不會到三十呢！

站在台上的梅蘭，一直沈沈靜靜，莊莊重重，自自然然，在淺笑恬淡的神情中，擔當她的女家主婚人職位。蓋章也有秩有序，不慌不忙。按說，婚禮是男家的事，主婚人致辭，只要男家主婚人說上一段就夠了。但由於男家沒有親人在此，作為男家主婚人的長官艦長先生，是位不到四十歲的人，穆容之也纔到艦上不久。當這位男家的主婚人，見到女方主婚人竟是如此的風度典雅而又丰神如仙，遂把這致辭的責任，栽到梅蘭頭上，認為由梅家大姐來說幾句話，這纔名符其實。台下的賓客們，回答的又是如雷似的掌聲。梅蘭也就不便扭妮作態，便大大方方地出列向前。站到禮台的麥克風前。倩兮微笑著說：

謝謝親朋好友！來慶賀我們穆、梅兩家的喜事。我是新娘梅筠的姐姐，今天，我能以胞姐的身分，代替我倆陷溺在大陸上的寡母，來為我這個從兵荒馬亂中帶出來的胞妹主持婚禮，委實有無限的感觸！卻也十分欣慰！他們倆是高中同學，穆容之也是隻身在外。兩人相戀數年，一直等到容之海軍官校畢業纔結婚。我們的母親兄嫂，早已知道他們這一對。我見到這樣簡單隆重的婚禮，就使我想到我們的生活環境，已日趨安定。回想我在上海結婚時，正遇上百物飛漲，市場上沒有價、也沒有市。別說行婚禮，就連湊乎著弄一頓飯吃，還得向大廚房去打商量呢！這就是我心頭上的無限感觸與十分欣慰的事。這時候，我站在這裡，非常快樂的想到，等我們反攻大陸，回到了家，我見到了老母、兄嫂，會不折不扣的把今天的歡樂場面，作一次無憾的交代。謝謝親朋好友的光臨！

菜餚未必合口，但願大家喜酒滿杯！要盡興喫！

梅蘭這一段不到三分鐘的致辭，不但贏來了全場人士的轟雷掌聲，還使新娘感觸到姐姐的運命舛蹇，竟一時忍耐不了，頓時，飲泣嗚咽不止。倒在新郎懷中，聳顫著肩頭，不敢仰臉。司儀見景生情，馬上喊出「禮成」！再喊「送新郎新娘入洞房」。方把新娘有感而心傷飲泣的這一幕，遮掩了過去。但已有人爲之感受到了。

一切結束後，散席去的賓客們卻說，在這家婚禮上，不但帶回了新娘的豔麗，更帶回了新娘姐姐的仙姿與溫馨的笑顏。梅蘭業已說定散席後即返台北。所以已準備妥一輛中型吉普，送他們兩家人。

梅蘭當天夜晚，便會同王泰山一家人，坐上穆容之他們準備好的車，返回台北，回到家已近十二點了。

這已是半年前的事，直到今天，陳秋妹還不時的說：「老師，妳在阿姨婚禮上的那種打扮，太美麗了！在場的客人，個個都說妳像仙女似的。」又說：「人長得俊，無管怎麼個打扮，都是俏氣的，俺們哪！越打扮越醜！」實際上，梅蘭也很喜歡那套西服，她要等到丈夫出獄之後，有機會出去作客，再來穿它。另外，還有一頂貝殼型的玫紅色帽子呢！帽上還插有一根孔雀羽毛。那天，她不敢戴，怕的是俏過了頭，會招惹閒話的。丈夫還在獄中啊！

一天，朱信立與田守成兩人又來了。帶來了金士的信，要梅蘭收下這筆錢，梅蘭知道這兩人上次來說的那件事，先生已經應允。

自從金土監外作業，梅蘭已不必再跑北鄉了。

按獄中的規定，服刑的人，男的一律剃光頭，女的一律剪短髮，身穿沒有口袋，胸前繡上黑線號碼的藍布囚服。在工作時，也是這一身。朱信立與金土在圖書室擔任文書抄寫，以及作舊卷整理工作，還經常擔任印刷廠的書籍、雜誌、論文等校對工作。日子久了，信得過了，也就特許這兩人罩上一件灰布的工作衣，光頭上，可以戴頂帽子。離開監獄，去作監外的作業，或修路、或濬河，或去一般工廠作工，也都是一批批有人率領，早飯後，乘車送到工作地，完成交接工作離去。晚飯後，再到各工作地交接，乘車帶回獄中。不分男女，都得身穿囚服。工資計成發給，比監中的工資高些。卻也有些人不願到監外作業，羞於身穿囚服，到市廛間去拋頭露面。金土到《申江印刷廠》工作，還是這家印刷廠特別要求的呢！

所以，梅蘭若有事要與金土相會，已不需要等候會見的時日，祇要在工作的時間中，到這家印刷廠去就可以見到。然而梅蘭則是一位聽天命守本分的女人。從不任性越情而爲。反而並不常去，以免干擾金土的工作。有時，孩子鬧著要去看爸爸，也選個周末的午後四點過後，五點以前的這段時間去，快要下班了，讓孩子們與爸爸親熱親熱，也就算了。

在梅蘭想來，丈夫還是個獄中的囚犯，做妻子的，越少拋頭露面越好。

八、大學聯考的國文命題

說起來，金土的監外作業，《申江印刷廠》之所以要求金土能派到他們廠裡來作校對，就是從那些小紙片的案情，引發出來的。

當承辦這一案的軍法官，押來金土過了一次堂，把那些檢舉來的小紙片，與金土簽定的審問筆錄，還有蒐查來的金土與朱信立的筆記簿等等，由於缺乏文史上的常識，雖經審閱也無力印證。事關人之生死大事，不能隨便依據檢舉人的附會，應該請教專業的行家。遂想到了他的表弟陳詒。他畢業於北平輔仁大學中文系，現在教育部任編審，師範學院也有他的課，對國文是內行，此事應該向陳詒請教。

這類案卷，又不便帶出，也不忍積壓。便決定把陳詒請到家中便餐，自家表弟，說話也方便。當陳詒一見到那些檢舉出的小紙片，與金土的答話筆錄，馬上便說：「這是檢舉人的杯弓蛇影，這兩位在獄刑犯的思想，沒有問題。」又向他表哥魯文璘說：「可別羅織罪名，寃殺好人。為子孫積點兒德吧你！」

陳詒遂應允了表哥的請求，代他閱讀這一堆資料，寫了一篇調查報告。卻也因此看中了金土這位囚犯，竟是一位精通國文的人士。在心情上，竟有掘得隋和之玉似的興趣，認為金土這個人物，倒是一位難以得到的，可以討論國文教學與考試命題的幫手。但這時，金土還是一位囚犯，不能擔當公務的職司。由於、《中江印刷廠》也是承印教科書的一家，這家印刷廠屬於情治單位。有了這層關係，金土的監外作業，便派在這家印刷廠擔任校對工作。在這樣的情況下，金土也就獲得了與陳詒接觸的機會。

陳詒比金土大四歲，個頭兒與金土差不多，面色黑赤赤地，湖北漢口人，生在北平，一口京腔。自從有一妻兩子一女，太太是北平協和醫學院護理科畢業的，現在臺大醫院作護理長，家庭很幸福。自從各級學校的課程標準，重新修訂，頒布實施，中小學各科課本，已由省教育廳統一編印，發交各校使用。

課本既已統一編印，統一使用，為了貫徹統一思想的教育效果，遂又有了大學、中學的入學考試，也應採取統一命題，統一報考，統一應試的舉措。於是，遂有了「聯考」的制度。

金土到《申江印刷廠》之後，陳詒就拎了一個手提箱，裝得滿滿一箱國文資料，有課本，有文件，興興致致地來找金土。一見面就說：「我可遇見了一位行家。你可得幫我這個忙，好多種課本，好多種考試資料，我都帶來了。」一邊說著，一邊就忙忙迭迭地去打開手提箱，霎那間，便把手提箱中的資料，一疊疊一本本取出，堆到桌子上，壘了一大堆。又一本本地拿起，說：「這是商務的，這是中華的，這是中正的，這……」又翻了翻，取出一大疊裝訂起的，說：「這是從各方面蒐集來的試題資料。」又無奈地再說了一句：「還沒有開會呢！得寫出議題，編成議案，交會議作最後決定。大學與中學的校長，還有教育專家，都在邀請之列。由部長親自主持。司長指示我，最少要擬出三案。」說著已是滿頭大汗，遂一邊擦汗，一邊說：「這事我真是頭大如斗。所以纔忙著來請教你這位專家。」

陳編審的這一爽朗性格，一時使得在場的金土與葉經理，都插不上嘴。尤其金土見到桌上堆起的左一壘(ㄌㄨㄛ)右一壘的課本與文件，不知如何措手。陳編審說的那些事，也似懂非懂。所以也不知如何回答。還是葉經理插了一句，說：「坐下談，坐下談。」三個人就順勢圍著業務部的那張辦公桌坐下，一番遞茶送煙，寒暄過後，這纔言歸正傳。

「明年大學的入學考試，改為聯合考試，」陳編審說。「統一編訂的課本，已經實施第三年，為了配合統一編定的標準課本，打算擬訂一種聯合考試制度，不但減輕了學校的招生應試等等手續的繁瑣，也減少了學生的奔波。只是試題的擬訂，可不是一件容易的事。國文科交給了我，別說三案，我一案也想不出來。」金土這纔聽出了一些眉目出來，他是為了聯合考試的命題議案傷腦筋。他想：「對於這些，我也沒有經驗。」想起他在塾屋中的考試，「一是背書，二是訓詁（註釋字義辭義）三是章句（白文斷句—俗謂點書）四是典故（註明出處）五是語譯（譯成語體文）六是論斷（指出文之優劣）七是作文，八是書法（大小楷）。到了新式學堂，考試則有前所未有的「是非」、「選擇」兩種。雖然想到了這些，金土都沒有說。他想：「像這些，陳先生既是大學中文系畢業，一定都知道的。」儘管腦中想到了這些，也不便說出，免得於己於人，都不雅馴。遂吃吃艾艾地說了一句：「我沒有這方面的經驗啊！」

「別客氣，」，陳詒一聽，馬上說：「金先生你若是肯幫忙，一定能給我想得出方案來。」

金土知道這一次小紙片的案子，多虧了陳詒先生的，紙調查報告，怎能斷然拒絕呢！又怎能不想到自己目下的處境，怎由得他自作主張？金土一時產生了此一心意，便微笑吟吟地兩眼看著葉經理，葉經理自然心知肚明，馬上接說：「金先生你還是把陳教授的這些資料收下來，就放在廠裡。你看完了這些資料，就知道幫得上忙，還是幫不上忙？你們兩人再見面商量。怎麼樣？」

就這樣，陳詒的問題，便這麼決定。

三個人又閒聊了一會兒，陳詒透露了台灣師範學院已決定改爲大學。這話卻又勾起金土想起了妻子梅蘭，若不是懷孕嘔吐過甚，住入了醫院，擔誤了轉學的限期，失去了這一次就學的機會，早已師院畢業幾年了。

陳編審走後，葉經理就讓金土停止了手上的一件校對工作，全心去辦陳編審交來的那件事。

金土一看，由台灣省政府教育廳國文科編輯委員會編輯的這六本高中國文課本，已注明是由教育部審訂的「標準教科書」。從編輯大意上看，知道這一套課本的編定，是遵照民國四十一年十二月部頒之修訂高級中學國文課程標準編輯的。翌年秋已開始照此「標準」課本，統一實施。今年度的下學期，業已全部實施完成。各中學的課本，既是一家編印的，內容已統一，大學入學考試，自然可以聯合起來，統一招生、統一考試。那麼，考試的題目，自應統一命題，方能公平的考驗出學子們的程度高低。明年是第一次試辦。命題的問題，自應未雨綢繆，主辦的教育部，必須召開會議，來討論這件事。開會，就必須先立議案。議案的擬訂，就必須有三案以上，在會議中方有討論的中心話題。金土這纔弄明白了，陳編審要他幫忙的是提供大學聯考的國文命題議案。

在陳編審提供的大學招生，有關國文命題的資料，蒐集的有：北方的北大、清華、輔仁、南方的復旦、武漢、廣州。資料雖都是些枝枝葉葉，卻都題題針對著學生的國文程度作測驗的，如：「詩在漢時有那幾家？一一寫出各家姓名。」又：「司馬遷怎樣解說詩之四始？一一書出之。」他如：（荀子：勸學）：「禮之敬文也樂之中和也詩書之博也春秋之微也在天地間畢矣」1.斷句2.句中「之字何義？解釋之。又：（丘遲與陳伯之書）：「尋君去就之際，非有他故，直以不能內審諸己，外受流言，沈迷猖獗，以至於此。」譯成語體文。還有：「將『以』字的用法，寫出五種不同義的文句。（舉古人句亦可。）」金土考量，像這樣的試題，包括了史：章句、辭義、文義，若是不出乎這六冊「標準教科書」的課文之外，似乎也可以列入「聯招」考試的命題範疇之內。

金土耗去了兩個半日的時間，便想到了三個議案。

他知道，命題的範圍，是不能離開這六本標準教科書的。但試題總不能不注意到，考試的目的是測驗應試者的程度，考國文，就是測驗應試者的國文程度。任何一科的考試，試題的目標，都應放在看他懂不懂？懂到多少的點線之上。而且，要測驗的是應試者的聰明、智慧，看他有沒有舉一反三的機智。絕不是測驗他們的死記。金士遂依此想法，代陳編審擬定了三案：

甲案

問答題（50％）

A　國文（30％）

1. 操吳戈兮被犀甲，車錯轂兮短兵接。旌旗蔽兮敵若雲，矢交墜兮士爭先。（屈原：國殤）

2. 枯藤、老樹、昏鴉，小橋、流水、人家。古道、西風、瘦馬，夕陽西下，斷腸、人在、天涯。（馬東籬。天淨沙）

（上列文句，何字是動詞？一一填在左方□內。

□□□□□□□□□□□

（答案：操、被、錯、接、蔽、交、爭、下、斷、在）

3. 公子重耳謂之曰：「子盍言子之志於公乎？」世子曰：「不可。君安驪姬；是我傷公之心也。」曰：「然則曷行乎？」世子曰：「不可。君謂我欲弒君也。天下豈有無父之國哉？我何行如之？」（檀弓選）

（上列文句中的「之」字，在句中是何詞性？是何文義？分別答之。

1.　　　　2.

（答案：1.子之志，公之心，父之國，介系詞。謂之，如之，指示詞。2.謂之，指申生，如之，指去處。子之、公之、父之，指「之」字上的代稱者。）

4. 爾後陵遲衰微，迄於有晉。太康中，三張、二陸、兩潘、一左，勃爾復興，踵武前王，風

流未沫，亦文章之中興也。（鍾嶸詩品序）

（上列文句中的「三張、二陸、兩潘、一左」是那些人？一一列出姓名。）

（答案：張載、張協、張亢，（張協、張華、張翰）陸機、陸雲、潘岳、潘尼、左思）

5. 易大傳天下一致而百慮同歸而殊途夫陰陽儒墨名法道德務為治者也直所言之異路有省不省耳竊謂觀陰陽之術大祥而眾忌諱使人而多所畏然而序四時之大順不可失也（司馬談論六家要旨）

（上列文句，分段標點之，重寫於左：）

6. 荀子「勸學」以蒙鳩之巢作喻，試將其喻義，以百字之內說之。

（答案：蒙鳩築巢，用毛髮作材料，編織工巧，結構精實。然而，竟把它建築在蘆葦枝上。有風吹來，蘆葦斷了，巢也傾了，小鳥也摔在地上，死了。喻治學無歷史基礎，論點基礎不穩。）

B　應用文（20％）

1. 應用文有那些類？試一一舉出之

2. 自作設想，一封借銀信

C　作文（50％）

（全部考試時間一百分鐘）

乙案

問答題（20%）

1. 班固在《漢書藝文志敘》中說，六藝之文，該五常之道，而「易」為之原。其他五經如何分任五常之道？一一誦錄之。
2. 字有實字虛字之別，試將其別，各舉三字例說之。

（答案：1.無以和神，仁之表也。詩以正言，義之明也。禮以明體，明者注見，故無訓也。書以廣聽，知之術也。春秋以斷事，信之符也。
2.禮、義、仁、智、信、實字。之乎者也而焉哉，虛字。）

測驗題（20%）

1. 晚號「六一居士」之唐宋八大家是⑴韓愈⑵曾鞏⑶蘇軾⑷歐陽修 4
2. 《醉翁亭記》的寫作意旨是⑴記山水之勝⑵敘賓客之樂⑶抒外謫之懷⑷憤心中不平 3
3. 《蓼莪》詩中的「昊天罔極」一辭，義為⑴老天爺不好⑵天大無可比⑶天塌無人擋⑷天無日月怎辦？ 2
4. 《中庸哀公問政》說：「天下之達道五」，其三是⑴智仁⑵夫婦⑶禮讓⑷君臣 2
5. 「誠者」與「誠之者」的分別是：⑴誠者明乎善，誠之者否？⑵誠者智，誠之者遇⑶誠者天之道，誠之者人之道⑷誠者君子，誠之者小人 3
6. 「管夷吾舉於士」，義為⑴管仲中舉得官⑵管仲落魄之時是小兵⑶管仲在游蕩時被捕。⑷管

仲在獄中被請出作宰相 4

7. 《正氣歌》序中有「汙下而幽暗」一詞，其中「汙」字讀音是(1)ㄨ(2)ㄩ(3)ㄨㄚ、(4)ㄏㄨㄟ、 3

8. 《春秋》一書是(1)孔子作(2)左丘明作(3)魯史官作(4)司馬遷作 1

9. 「散文」與「韻文」之別，在(1)有韻與無韻(2)小說與詩(3)傳奇與戲劇(4)辭賦與駢文 1

10. 「彼秦者，棄禮義而上首功之國也。」句中的「首」字，義為(1)重武輕文(2)以打勝仗為第一功勳(3)崇尚實利不講禮義(4)爵賞以上戰場斬首多少為主 4

B 應用文（10％）

（自作假設，下一手諭，指示下屬辦理一次聯歡晚會）

C 作文（50％）

丙案

寫一篇 應用文 寫一篇 作文（各50％）

金土在左一番右一番思考之後，只能擬出兩題。他想到了他讀到的前幾代科舉的應試，命題的原則，只有這：那就是考學子的腹笥，有無五車之富，治學有無識題的智慧，以及行文破題的機變。他想到了松三爺說到命題測驗應考學子的一個笑話。考試的題目：只用銅筆帽（銅質套在毛筆上的一種，一頭圓一頭尖，圓頭空，尖頭封實的筆帽。）蘸硃蓋了一個紅色圓圈，它是刻本經書上的一個起章句的符號。作文的命題，只是這個起章句的符號，圓形圈圈。許許多多的考生看了，都愁眉苦臉不知如何「破題」（八股文首句必須破題），雖然有一些學子強其所難，寫成了篇，拔爲魁首的那位，破題的句子是：「夫聖人之未開言，而乾坤之象成矣。」隨後便起承轉合，洋洋灑灑，而千言成章。傳說這人就是王陽明。雖是附會的笑話一則，豈不說明了古時考試的命題宗旨。

「新學堂的考試，用的是測驗題，不是選擇，就是是非。甚至是無所知的學生，亂猜亂鉤，也會遇上一題對的。」松三爺還說。「這比唐代的明經科，還要更下一等。」（唐代的「明經科」試卷是填空格。）

陳編審來了，千恩萬謝的取去，說是他可以交得差了。

金土老老實實向陳詒表示，他不贊成代學生作題，所以他想了又想，只有能力作了兩案。當金土把他的先生說的那個考驗學生的命題笑話，說給陳詒聽，陳詒也想到了他老師高步瀛說的另一則同樣的命題故事。說是題目出自《論語》「原憲」，把「原壤夷俟」的下語，與下一章「闕黨童子將命」的文句合成題目爲：「以杖叩其脛、闕黨童子將命」。應試的舉子，當然背得出原章文句，也知是考官在測驗舉子的破題機變，其中有一人這樣破題：「一杖而原壤起，再杖而原壤倒，三杖而原壤死矣！三魂渺渺，六魄茫茫，一陣清風，化爲闕黨童子將命而往……」也是洋洋灑灑，完成了「闕黨童子將命」這一章。這當然都是文士們製作的試題笑談。不可能實有其事的。

「正因爲我略知命題之難，」陳詒說：「所以我千思萬想，也作不出議案來。」

金土知道這案子還得不少次大小會議討論，好在事不關己。又去照常作他的校對工作，不關心了。

他如今校對的，就是當年應用的國文教科書。

朱信立出獄之後，原應再調出一位，補上朱信立的這張空床，金土已核准監外作業，早出晚歸。

上次提到的那位文書上士周清波，這兩三年來，就隨著金土與朱信立在監中作業，周清波同一個辦公室擔任校對。周清波在國文與歷史方面，不時向這兩人請教，業已由檢定考試考取了普通考試。具有了普通考試及格的證書，可以用同等學力報考大學。湊巧，金土要到監外作業，早出晚歸，已無時間向金土討教文史。他便異想天開的，期望金土能住在他與吳管理員同住的那間寢室。礙於規定，典獄長不准。但卻同意周波清陪金土住在獄所的那間囚房。變通的辦法，他可以多一份門鑰，分擔一分管理員的任務。周清波居然同意下來。

說到周清波，也有一段坎坷的命運。他今年纔二十三歲多一點，江西大庾人，十七歲那年剛讀高三，便被過路的敗軍掠了去，用來抵充逃兵的缺額。居然給他穿上軍服，繩綑索綁，列在被捕的逃兵行列中，一路押解到廣州，上了輪船，漂到了台灣。經過一番七整八編，被編到海防部隊，連排長一看周清波還是個孩子，問明是個學生，被過路的部隊掠來充數的，又沒有受過軍事訓練。遂在一念之仁的心理上，改爲文書室幫寫，升了文書上士。他隨同部隊的調遣，派到這所軍事監獄，在擔任防衛工作的部隊裡，使他在這裡的安定生活環境中，得到了自修的機會，考取了普考。聽說普考及格證書，可以作高中同等學力報考大學，當然，也可以報考高等考試。所以周清波非常用功的在準備功課。

金土在印刷廠的工作，除了校對，業務上的事，如來件的估價，有時業務部的人事不在，也找金土來談。因爲金土到了印刷廠不到半年，他便諳熟了有關印刷方面的一切程序，各類雜誌書刊的開紙多少，版型大小。各開版型的每頁字數多少，行數多少，直行還是分批？各種版型，都有尺寸的定律。行與行間的襯隔鉛條，也有不同分寸的區別，名之爲幾分條。懂得了這些還不夠，還得懂印刷方面的機器常識，廠裡有幾部印刷機，四開機幾台？對開機幾台？平版機幾台？鑄字機幾部？字模幾種？製版設備是自設還是外製。……這些都得入行去理解。俗說：「世上無難事，只怕心不專。」金土這人，凡事，他一旦想去認知，勢必專心去學。真格是金土進人印刷廠，半年就諳熟了這印刷方面的各種業務。連檢字他都學會了。

《中江印刷廠》在台北是一設備完善，規模最大的民間印刷廠，僅次於印鈔票的《中央印製廠》。這位愛學求生技能的金土，樣樣都去「放心」於是的學習。所以，不到一年，連印刷業務上的事理，他無不摸索得頭緒清清楚楚、明明白白。他不但任事勤快，脾氣又好，總是笑臉迎人。到此不到一年，廠長就開出了支票，要求金土刑滿出獄，不必再去求人尋職，他說：「本廠要增加的業務部協理一職，我們大家共同推薦金先生來擔任。」正由於金土在人事上獲得了多方面的佳譽，方始促成了他在監中服刑的特別優待。所以，他原來住的那間囚房，雖未調換，卻也變成了一間普通寢室，不但周清波伴他住，還有一位管理員，也搬了進去，住在周清波的上舖。

每晚，他們房間的燈，不必按熄燈的號音熄去。他們三人可以開燈讀書到十點半或十一點。反正這間房是邊間，不影響其他囚房的生活作息。

省教育廳統一編印的標準教科書，國文第六版已經出版，發交各中學統一實施。周清波買來這一課本，拿來給金土看，說：「這一冊有好多課，我貫通不了。」說著還附上一張十行紙，又說：「我一條條記在紙上了。」雙手交給金土。

金土接過來一看，他已見過，而且翻閱過了。在陳編審找他研究大學聯考命題，已經見過這一冊課本。還不曾作整體上的研究，只是選了兩篇作爲命題的取材。今經周清波這一問，他接過書來，這纔翻閱目錄一看，全書計有二十八課，選文賅有經、史、子、集，以及詩、詞、曲、小說，還有附錄的應用文教材，以及國學述要等。委實不是今日學制的高中學生，一學期的四閱月時間，可以貫通得了的。就是講授，每天兩小時，一學期也講授不完。遂說：「這課本我得認真研讀一遍，纔可能把你提的問題，一一商談。」遂又說：「我近來在監外作業的工作，不祇是校對一項，印刷業務上的許多工作，我都在作、在學。忙得沒個閒工夫。連我的老婆孩子偶然來看我，都沒有工夫多陪陪她們。不大會子，就得趕他們走。明年我就出獄了，印刷廠願意留下我，所以有些印刷上的工作，我得認真去學。」話說到這裡，方始發現到周清波那一臉的失望神情，遂又話鋒一轉，說：「反正我每天晚上回來，還有不少時間跟你在一起研讀國文，你先把問題提出來，我們一條條去研究。應該去查證的書，你先去查鈔來，或把書買來。」又說：「讀古書，查證參攷書是第一要務。我們愛讀書的人，離不開圖書館。」一說著，便展開周清波的那張字條，見到其中一條寫的是：「自天子以至庶人，壹是皆以修身爲本。其本亂而末治者，否矣！其所厚者薄，而其所薄者厚，未之有也。」金土一看就知道周清波不能貫通句中的「厚」、「薄」二字，也是他兒時讀《大學》，不能充分瞭解的一個問題。遂坐下來，把書攤開，展出這篇「大學」首章的課文，從頭至尾朗讀了一遍，說：「我們若是光讀朱注：『本，謂身也。所厚，謂家也。』忘了朱子注文的下句：『薄謂國與天下，言薄待其家者，而欲厚施於國與天下，不可得也。』應知人生在世，無論貴爲天子的人，還是一般的平民，都應該『以修身爲本』。那麼修身之『本』是什麼？乃『大學之道』的『在明明德』，這一個應該加以『明明』的『德』字，就是修身之『本』。在位者的治國平天下之『大學』（大人之學）的『明明德』，在『新（親）民』上面，要做到『止於至善』的地步。也是『德』字。」

「人為萬物之靈，最大的缺點是不知乎所止，」金土繼續講下去。這書金土最熟，松三爺講這段文章時候的聲腔語調，絲絲縷縷，還緊纏在心，只要扯出頭來，便如績絮的轆轆然。所以金土的話匣子打開了。至聖先師勉人以『知止』，遂以『定、靜、安、慮、得』五個層次，勉人知止。又以情理告訴我們：『物有本末，事有終始，知所先後，則近道矣。』此一本末終始的先後，不但上該『明德』之『本』與『知止』而『能得』之『末』，更該括了下兩節的『格物、致知、誠意、正心、修身、齊家、治國、平天下。』由此，我們當可洞然地瞭解到『自天子以至於庶人，壹是皆以修身為本』的『本』，是『明明德』，那麼其『末』呢！自然是『治國平天下』。程子說：『大學，孔氏之遺書，而初學入德之門也。』也指明了『大學』是人（自天子以至於庶人的所有貴賤人等）們的『入德』之門。所以，人要是不在『修德』上著力，要想作一個大我的大人，自是不可能的。我們若是貫通了上文的一字字一句句的章句義理，就能認知『其所厚者』的『厚』字，其文義指的，應是『明德』，人如不在修德上著力（此乃厚也），『而其所薄者』的『薄』字，其文義指的，應是『明德』以外相反的事，換言之，就是偽裝修德者，那麼再加引申，便是朱注的『所厚，謂家也。』再換一句話說：「人要是不在『明明德』上做到『新（親）民』而『至於至善』，竟一時自私自利，只為個己身家著想。還企圖把國家治理成一個富有而安定的邦家，自是不可能有的事。一位尋常的平民，若是德行有虧，也不會得到社會大眾信任，甚而會成為過街老鼠。」

周清波聽了，眉開眼笑，說：「我懂了！」

「這就是循著義理來理解章句的。」實際上，『所厚者薄，所薄者厚』，就是本末倒置的意思」。

金土說到這裡，忍不住倦怠使他打了一個哈欠，熄燈號音也奏鳴起來。周清波遂說：「金老師你先睡吧！」

伍沄

一、新婚不如久別

魯金土就要出獄了。

近三幾個月來，梅蘭一直在節制著內心的歡欣，然而，終難抑止住在眉眼與口角上泛瀾起的恬適漪漣。連王泰山的太太陳秀妹都看出來了。首先見到的是梅蘭的臉色，一天天滋潤起來，像擦了脂粉。再者，不時聽到她責備孩子，說：「你爸爸快回來了，要乖一些，不要一言不合就吵嚷起來，當心會挨你爹的拳頭。」

老三小清，有時也會向玩伴兒透露，說：「我爸爸快回來了。」若有人反問：「你爸爸在那裡？」他就會嬌嗔地答：「我不告訴你。」

另外呢！陳秀妹見到梅蘭已把兩間房子，又重新整理過了。原來，臥房有兩張床，一張大床、一張雙人床。兩個大的，今年下半年就要上小學，老三也四歲多，爸爸回來，固然可以三個人擠在一張大床上，在生活上，可不方便。那時，榴花盛開著呢！

原想把雙人床移到前房，後房再加一張小床。可是，前房再擺一張雙人床，固然可以擺得下，若是來了三四位客人，起坐極不雅觀。還是王泰山建議，在後院把原來的廚房，再加擴大，加出一間，可擺上兩張雙人床的位置，仍舊用木板釘牆，竹桿搭頂。都是用的拆下舊房的木材，廠商就在村後的基隆路這一帶。王泰山說：「大多都是熟識的，任咱們選用，花錢不多。」遂又搭了一間。現在，祗要移出這張雙人床，在原放雙人床的地方，再添一張魯聲清睡的小床就夠了。

俗云：「新婚不如久別」。對梅蘭來說，金土坐了五年監牢，今將刑滿出獄，在梅蘭心海上激盪起的波濤，似乎比這句俗語說的比況，還要洶湧。讀者們都知道，梅蘭的新婚，不但沒有舉行婚禮，連洞房花燭這件簡單的禮俗，也不曾嘗試。金土入獄時，雖已生了一胎雙胞，腹中又懷了一個，已是三個孩子的母親，終究還是一位年青的少婦。在這五年來的精神折磨、物質迫降、環境適應，事事都得過自我節制的生活，今日總算在茹苦含辛的承受下，渡過了這一千八百多個日子。想到丈夫在監牢中，猶不忘辛勤地去用筆耕耘，還能賺來一筆又一筆的金圓，使她母子四口，沒有受到饑寒。又多虧了王泰山這位老部屬一家人，像親兄弟親姊妹一樣的，照顧了她一家四口。還有妹妹小筠的按月寄錢，也助益不少。若是推想起來，金土此次入獄，還不是多虧了空軍的幾位老長官，暗中關顧。要不然，經過了牢獄五年的生活，那就難以想像是怎樣的一個現在情景了？

一次小紙片的事件，要不是遇見了一位好法官魯文琳，以及那位陳編審，爲金土滌清了檢舉人的穿鑿與附會，一旦羅織成罪，命都沒有了。如今，竟連出獄後的工作，都簽了約。

「這許許多多，都是金土出獄後，應一一去感謝的貴人。」

當梅蘭一想到這許許多多，有關金土出獄後，應該作的一些要務，那裡還會有「新婚不如久別」這句俗語中的內涵。

「有沒有說明是上午還是下午?」王泰山也一直企盼著這個日子,所以他這樣問梅蘭,說:「我得去接他。要不然,他找不到咱們這裡。別說是先前沒有來過,就是五年前在此地住過,沒有人帶路,他也摸不到家門兒。」說著,忍不住伸手向天畫了一個圓圈,又說:「瞧嗎!這幾年的變化多大?」

的確是變化太大。原來祗有街名的通化街,如今已有了兩層或三層樓的店家,雖不整齊像西門町的衡陽路、成都路,以及昆明街,還有另一條古老的延平路,那樣的繁華,南北雜洋百貨,卻也林立起來,天主教的主教公署,已被周遭的房舍吞沒,不能在遠處見到他了。只有基隆路那麼一長條,看過去是空蕩蕩地。延吉街方面的那個煙囪挺拔的磚窰,也拆去打了建築房屋的地基。那一些的空地上,也一堆堆擺滿了建築的材料,或建築用的工具,向東對松山區望去,也不那麼空了。他們住的這一處竹棚木屋,有的人家,已改造成了磚瓦房,還有兩層的呢!原名為「克難通化新村」的名義,雖還保有著,村自治會仍在那裡老方式活動著,早已名不符實了。它已被里長辦公處取而代之。因為這裡的房屋越來越密集,他們這二十來戶的三輪車班頭人家,也有搬到他處住的,餘下二十幾戶,雖還踩三輪為生,但環境變了,交通更是變得大,班口的地點,也隨著變了。像過去,他們所掌握到的南由公館,北到饒河街這一長線的行車班口,也隨著交通路線的改變,一次又一次的更改。所以,有不少踩三輪車的人口,還住在此村,但行車的班口,則已分散在他處。王泰山的行車班口,就在仁愛路的安東街口。

原來,在這眷村背後的小小山丘,還有前後左右的水塘,如今也全不存在,早就高的鏟、窪的墊,蓋上房子了。

梅蘭告訴王泰山,說是金土告訴她說的:「在他出獄前十天,便停止監外作業。在獄中還要參加講習。出獄的那一天，他跟隨監外作業的難友，一同到台北。下了車到印刷廠。然後由廠中的朋友，陪他去理髮、洗澡、換衣服。然後，再打電話來。我接到電話帶孩子到印刷廠接他。在家休息一周，就開始上班。」

王泰山聽梅蘭說了這些，遂說：「陳會長要我安排時間，擺個三幾桌，大家聚聚。」

「這可不能，」梅蘭一聽，馬上阻止，說：「金土坐完了五年監牢回來，又不是在外國得了學位回來，做了官回來，有什麼值得慶賀的。萬不能這樣作，我們也不能接受。」

王泰山一聽，還是師母說得對。實則他們要擺席酒菜大家聚聚，是爲了梅老師這幾年來，帶領著眷村上的孩子們，步上了正途，藉此機會，來賀賀梅老師一家團圓，沒有想到其他問題。當王泰山要把大家的此一心意，表白一番，梅蘭又說：「我先生一再向我說，他理理髮、洗洗澡，在澡堂裡狠狠睡上一覺，再去印刷廠等我們，一家人在外面吃了晚飯，悄悄回家。他遂說連你一家人，都不要去打擾，第二天我們再見面。」遂又補充說：「金土自小兒就害羞，你應該知道啊！」王泰山只有點頭，沒有話可答。

梅蘭遂又把她與金土商定的回家後，一週的活動日程，以及其他生活計畫，向王泰山說了一遍。這一週，他們必須去拜看幾位老長官，還有幾位分外關心的老同事。同時，他們也必須在這幾天裡，與王泰山一家人，聚餐一次，順便把正副會長夫婦倆請到，正好一桌。至於其他，如：獄中難友朱信立，法官魯文琳，陳詒編審，還有那位準備考大學的周清波、吳管理員等人，都安排在這近兩個月內，一一邀請餐敘。王泰山聽了，更是覺得師母他們設想得周到。然而，王泰山卻要求在老長官晚飯後返家的那一天，他夫婦倆各踩一輛三輪，到飯店門口，接他們一家四口回家。

這一要求，梅蘭也拒絕了。說：「金土已決定。飯後蹓躂蹓躂，一家人坐公共汽車回家。」又說：「你這位老同事的脾氣，你是知道的。他最怕羞，坐完了監牢出來，還有什麼樣的臉？可以擺得出來呢！」

臨出獄的頭天晚上，周清波還問他關於「禮失而求諸野」這句話，班固說是仲尼先生說的，但在十三經中，尋不到孔子說過這句話。周清波說後，卻發現金土雖然兩眼望著他，心神好像不在心上，笑吟吟地兩眼怔怔然，半天半天沒有作答。不像往常，知不知道，都會馬上回答。今晚的飯桌上，周清波特爲金土加了兩樣菜，還有一小瓶五加皮酒。金土雖然素不飲酒，經不起朋友的力勸，也喝了一小杯。他知道在獄中就這最後一晚，明天一早就離開這所謂牢獄的囚房。想到這四年多來，除了其中因小紙片一案的那七天，在那狹小的囚房中，餵了七天臭蟲、跳蚤，幾乎送了他的命，其他全是獄方的優待。並沒有像傳說中的，還有獄中的老大老二在約束著囚犯的獄中生活。這幾年來，他祇是睡在囚房裡，並沒有像其他犯人一樣，過的是囚犯的生活。記得朱信立在監出獄之前，曾有戀戀獄中的日子，很想再犯大罪一次，有著在監獄中終老歲月的想法。因爲他是獨身，怕的是出獄之後，流浪的孤獨日子，比在獄中作囚犯，還要難過。如今，像他這位家中還有苦候丈夫、父親回家已達五年歲月的老婆兒子等人，臨到出獄時，也有幾分戀戀情懷，尤其面對著這位談書論文的周清波，更有一分離別意蘊縈繞於心。同房近兩年呢！

「我喝醉了！」金土歉然地說。「我一向滴酒不沾。」

說著便仰身倒在床上。周清波也看到金老師的臉，已經赤紅得出油汗，眼睛紅得似乎連黑眼珠都是紅色的。遂替他脫下了鞋，把雙腿擺上床，拉開一床褈子，蓋上肚子。時間還早，周清波顧自在燈下去準備考大學的功課。

金土這一覺從夢中醒來，已過午夜，周清波已經睡熟。他雖已酒醒，但是頭還有些兒脹脹，有人說五加皮酒喝不得，酒會衝腦。遂去打開水瓶倒了一杯水，希望喝杯水，和緩和緩。怎想喝了一杯水，頭脹雖失，睡意也沒有了。看看時間，纔一點四十分。囚房的窗戶，又小又高，滿月的光輝照入，房內不用開燈，景物也都清晰可辨個體。怕是吵醒了周清波，遂又睡到床上。他知道不可能再入睡，便躺在床上想明天一天的應有作爲。

囚衣已經交了。頭髮這半個月未剪，已經絨絨叢叢，經常戴在頭上的帽子，出獄後應換的一頂新帽子，已經買好，淺藍色的，不耀眼。黑色西褲灰襯衫，都已準備好。從澡堂睡覺出來，便換穿齊整。金土一向在容止上，注重樸實，這次出獄，更應維持著。尤其，從澡堂子出來，第一站到印刷廠，就想著讓同事們見到，絲毫也未改舊態，看去一點都沒有變，他希望能作到這一步。

當然，他也想到了今天回家的第一個晚上。梅蘭已經向他說過了，爲了安排他返家後的居住問題，還特別又在廚房邊加蓋了一間小房，雙喜、雙慶兩人已搬到新搭蓋的那間小屋去了。兩張雙人床搬過去，又買了一張小床，放在原來的雙人床的地方，就在他們的睡床對牆。雖然一道三夾板的牆，比先前住的大一些，房內的擺設，還與原先住處一樣，沒有什麼大的改動。只是與王泰山兩家的房屋，不大一樣，雖然肩連肩，倒是各自一體的。院子則是兩家合一的，前後門都是同一個門出入。他卻想到房裡的老三，也四歲多了，與他離家時，纔兩歲多，在生活上已不能同日而語。

在監中，與朱信立同房的時期，朱信立向他說到了關於性方面的事情，說是監獄是一處易於產生同性戀的大本營，尤其是五年十年以上的犯人，最容易產生相互慰藉的事件。也有爲爭寵鬧出事件的情事。朱信立認爲他們兩人之所以沒有住在大囚房內，與幾十人一張通舖，那是我們被特別優待。否則，朱信立曾一臉倩笑向他說：「像你這粉白臉蛋子的男人，不遭劫難，纔怪！」朱信立也曾教他當性欲強盛時，可用海棉濡濕擦肥皂，用來自慰。這種手淫方式，比打手銃要減少性能上的傷害。……想呀想的，卻想到了「新婚不如久別」這句俗話，忍不住性起，不敢再想下去了。遂輕輕地起床，在床前作甩手式體操，不久，曙色已透入房內，天亮了。

周清波請假陪金老師回家，辭也辭不掉，他非去不可。

兩人看了一場早場電影，金土對電影一向不感興趣，沒有小說值得咀嚼。但周清波選的這場電影「野宴」，金露華、威廉霍頓演的，對金土來說，還挺對胃口，看完之後，發表了一些意見。於是兩人去尋一家北方館，坐落在中華路上的會賓樓，去吃羊肉雜碎泡餅。飯後去近處的一家澡堂理髮洗澡。在澡堂裡，周清波又問到了「禮失而求諸野」那句話，金土這纔答說：「古聖賢的話，遺失的比留下的多。我們得相信班孟堅的話是對的。」又說：「以自己的話托之聖賢者，不是沒有。劉向父子整理的古籍，後人就有所疑。像『禮失而求諸野』這句話，我們引用時，寫明出自《漢書藝文志》班固序，就可以了。」昨晚，金土睡得太少，遂在泡了熱水之後，躺在臥椅上，一覺睡到四點半，還是周清波把他喊醒的。五點半鐘他太太帶著孩子，到印刷廠等他。

五點十幾分鐘，周清波陪金土到了印刷廠，梅蘭還有王泰山帶了三個孩子，已經到了。被接待在業務部辦公室，金協理的辦公桌已經擺好。一周後就要坐在那張辦公桌上處理業務了。三個孩子聽說那張舖有玻璃墊板的辦公桌，就是他們爸爸坐的，老三小清首先要搶著去坐。被梅蘭阻止住了。喝叱著說：「不准胡鬧。」

一會兒金土與周清波進來了。三個孩子擁上前去，小清抱著爸爸的腿，第一個要求就是：「爸爸你說過的，回家後就帶我們去看電影。」金土忙著介紹周清波給大家認識，說是在裡面的日子，周清波暗地裡照顧得最多。周清波想到他在北鄉，曾經見過金太太及兩個孩子，總有兩三年了。當時就認爲金太太是位有教養的大家閨秀，落落大方。如今面對面見到，越發覺得金太太是一位窈窕淑女。三個男孩也都眉清目秀，富富泰泰，個個都遺傳了父母的儀態，只是老三吱吱喳喳在吵嚷不休，兩個大的，文文靜靜，沈沈默默，像金老師似的。

金太太個頭兒是小巧玲瓏型的，五官、四肢，尤其勻稱，眉目最爲清麗，雖然，穿著是鄉村婦女的褂褲，白底紅色豆點的洋布，髮型是後梳，由脛部綰析上去，如鳥的尾翼上翻那樣，用一個帶紅色鞍型髮夾夾住，腳穿黑布質鞋頭綉花的布底鞋，白線襪，那打扮像抗戰以前，一般大家婦女的流行裝束，如今的婦女，老老少少，日趨於西洋的衣著，像金太太這種年方卅上下的婦女，還有這種穿著的人，在台北街頭，委實少見，縱能見到，也是五十開外的老婦人。所以周清波見到金太太的這種穿著，就回想到兒時隨同老人到韶關，在街上見到的青年婦女們的打扮，就是這樣，已婚未婚之別，只在髮型上區分，已婚的綰攢，未婚的紮辮。

先前已經說定了的，在印刷廠會合之後，先去吃飯，飯後帶孩子們去看場電影，散場後回家。周清波住在鄉下，電影散場後，再趕車回去，已經遲了。最近，他還在準備考大學的功課呢。

本來，周清波要求這就分手，被金土與王泰山強留他吃了晚飯。

看電影是遷就孩子。要不然，金土倒想再去看一次「野宴」，他推想梅蘭會喜歡的。遂向梅蘭說：「改一天我們去看野宴，今天另選一部吧！」攤開報紙，祇有在「新世界」等院上映的《愛與罪》，是葛蘭、王豪、王萊等人演出的。第一場是七時十分，看完回家剛好。這返家的時間，是金土選定的。

公車經過的地方，大多都是金土五年前的腳步踐踏過的，尤其仁愛路這一帶，四周的青綠稻田，十之八九已成了房舍，不是克難的木屋，就是磚砌的瓦房。在安東街那前後左右的幾處，長滿了灌木叢的丘陵，全不見了。小河流水，以及一行行的小樹林，也都一一消失。下車之後，金土站在通化街口，幾已不知身在何處？王泰山一一指著，說：「那就是三張犁，那就是吳興街，那就是兵工廠……」金土意識著這一帶有磚瓦窰呢！

王泰山告訴金土：「只有一家了。明天帶你去看。」

「我帶爸爸去，」雙慶說。小清聽了，卻搶著說：「不要你帶，我會帶爸爸去。」

王泰山的兩個孩子都大了。王汀生已十二歲，小學五年級，王南娜已叫九歲，小學二年級。陳秀妹比梅蘭大兩歲比五年前胖了許多。

跟著，村上的自治會長以及經常與梅蘭有往還的幾位太太，也一批又一批的來見梅蘭的先生。大家都知道金土的五年監牢，是遇上了這個不講公理專論私理的時代，遇上了等於生一場傷寒病，有什麼怨的？有什麼說的？

大家也祇有一句慰勉之詞：「否去泰來，苦盡甘來！」

也有人指著他們的三個孩子說：「瞧著你們這三個文質彬彬的孩子，二老還怕未來沒有好日子過嗎！老天爺長著眼睛呀！瞞不了老天爺！」

「我們該走了。」一位吳太太說：「人家夫妻倆分別五年啦！俗語說得是：『新婚不如久別』，我們別鬧了。」吳太太這句話，提醒了大家，這纔一鬨離去。

金土何嘗想到出獄返家，還會有這多人到來，擠滿了一屋子，咭咭喳喳，有這麼一個熱熱鬧鬧地場面？這纔感受到梅蘭帶著孩子住到這裡來，比建國新村，要人情味兒多了。

入睡時，小清不願意一人睡在小床上，吵著要跟爸爸睡。也只有遷就著孩子。在梅蘭還得去看著兩個大孩子睡好，爲他們關燈，這纔回來。等小清睡著後，這纔抱到小床上去。

當兩人熄燈躺到床上，金土的手剛剛伸過來，搭到梅蘭肩膀上，梅蘭便萬感交集，伸出雙手緊緊摟住金土的脖子，哇地一聲，恰似打開水閘的門，積水出閘汹湧而下，嗚嗚呼呼哭得無法自抑。跟著，金土也無法再抑制這幾年來積鬱在心的忍受，也黃河啞口之水似的奔騰飛躍。二人竟緊擁著，誰也按捺不住的心胸中的積水上湧，祇有任之痛痛快快地哭吧！哭吧！

小清被哭聲吵醒了。醒了一看，他睡在小床上。聽到大床的媽媽在哭，遂也哇地一聲大哭了起來。這纔壓制住兩人，馬上停止了哭聲打開燈。這時，小清已爬下床來，一見到爸爸媽媽兩人都坐在床上，馬上說：「爸爸你欺侮媽媽，我打你！」說著就衝上床來。梅蘭已下床把他抱過來了。夫妻倆這纔破涕微笑。

「來！跟爸爸媽媽一起睡大床，」梅蘭安慰著說：「別哭別哭！爸爸不敢欺侮媽媽的。」

遂把小清放在兩人中間，金土也去安慰小清說：「爸爸不會欺侮你媽媽的，爸爸那有這麼大的膽子。」

小清反過身來，用雙手推金土，說：「我不要爸爸！」

「好好，你不要爸爸！」正說著，兩個大孩子也被吵醒了，從另間小房下床，先到窗口，問：「小清鬧什麼？」

「小清發囈症，」梅蘭說。「你們快去睡，明天還要上學，不准請假！」

房外傳來賣肉粽的叫賣聲：「麻粢！麻粢！」

已清醒的小清，說：「我要吃肉粽！」

「好！爸爸去給你買去！」

……

二、事到臨頭方知難

雖說，金土回家休息一周後，再去接任《申江印刷廠》印務部的工作。在七天休假的日子裡，先些日子，已與妻子商量好一件又一件出獄返家後的活動日程。可是到家之後，在心情上，卻又有了改變。

金土這個人，從小怕羞，當臨近出獄的那幾天，他的心情就有幾分萎縮，一想到出獄後，遇見熟人時，對方若是問了一句：「你出來了！」別說事實上會不會有此一語，就是這時在心裡想到，心也會一時發燒，臉也發燙。總覺得羞愧！

返家的那一天，幸虧是晚上，還有王泰山陪著，此處又是金土不曾住居過的地方，除了王泰山一家人，別無相識。就這樣，還免不了一批又一批與梅蘭相熟的左鄰右舍，一個個來噓寒問暖。實則，大家夥總還帶有幾分好奇，趕來看一看梅老師的先生，是怎樣的一個人物。在你來我去，一位位坐下來說幾句家常，金土都不敢脫了帽子。頭毛不還短得連小平頭的髮型還留不出來呢！

原說，到家的第二天，就去看那位提攜他的老長官羅副署長，禮物，梅蘭都準備好了。金土卻遲疑起來，竟說：「等些天吧！」

「不可以。」梅蘭堅決的說：「不久，羅太太還打電話來問呢！」話是自治會辦公室轉來的。這幾年來，還不時著人送糧票來。梅蘭曾親自去了一趟，說明金土在獄中的情形，還能寫論文賺錢，家裡食用不大。兼之，梅蘭身邊有三個孩子，也無法接受請託，出去工作。這纔淡薄下來。梅蘭鑑於己身處境，也不便時相往還，是以連他們的變動，也不清楚。近來曾託王泰山到原住處打聽，說是還在新生南路那個老地方。這纔決定帶著小清晚上去。

兩個大的今年秋季上小學。這兩孩子生日晚，論年齡都叫八歲了。

見到老長官羅副署長，方知人事異動很大，譚署長調任聯隊長，屬下配有U2飛機的那個聯隊，負擔的任務很吃重。羅長官是防空司令，任務也不輕。署中的處科，也都兩易其人。不過，文職身分的老同事，變動很小。獲知金土已有了工作，也就很安慰的說：「吉人自有天相」。認為金土還是有前途的。只是認為金土這人，似乎不適於商業這一行當。也許金土坐了幾年牢，看穿了世態，遂想著去投入商場，學著去賺錢吧！這意見，卻沒有表示出來。

看到金土的妻子梅蘭，穿一身村婦型的褂褲布鞋，後梳上攏的髮型，脂粉不飾，還洋溢著當年學生時代的青春氣質，心頭遂也慰藉的想：「這幾年來，這位帶了三個孩子的青年母親，還能有此恬然的青春氣象，算得是女中豪傑了。」

在羅家，一個說浙江話的小女孩，十歲上下吧？與小清在一起玩。他們辭出後，王泰山說這小女孩是大陳義胞，由大陳島隨軍撤出來的。

若依他們原訂的活動日程，還要到建國新村去一趟。

兩人又四面八方地想了想，那裡儘管還有幾家談得來的同事，出事後，也有好幾位同事關心，走來一次又一次。同時，梅蘭一向有恁麼一個想法，有人希望你死，你沒有死。有人希望你不如他，你偏偏比他強。他希望你倒下去，你偏偏又站了起來。我們應該活給他們看看，站起來給他們看看。兩人見了面一想，方始認爲這種心理都不該有。只要我們活著，只要我們站著，只要我們活得心安理得，活得自自在在，不就心情快樂，情緒恬適了嗎！何必非得站到人家面前去躍武揚威？做人，應該有這種想法，萬不可有這種作法。兩人想通了這些，也就不想到這裡去那裡去了。

梅蘭透露了那位從中穿梭上論文寫作，收轉金錢的田守成，曾經演出的那段故事。金土聽了也只一笑了之。他認爲這是人之常情，不必記恨那些。金土知道朱信立出獄之後，便進入一家報社工作，寫了兩個專欄。年初有信告訴他，打算成家呢！

自從金土監外作業，在《申江印刷廠》工作，朱信立只去過一次。他認知到金土的監外作業，已無空餘時間來寫論文，他自身的工作也忙，這件寫論文的事，也就沒有繼續。金土監外作業的百分二十收入，廠方爲了能吸收金土這位有學有才的人手，又按月貼補了一些金土的家用。再加上梅蘭補習幾個孩子的功課收入，生活費用，已毋須愁煩。朱信立這方面業已經年未有往還。算起來，其他已無多少可以應酬的友朋。

小筠已懷孕待產，在左營已有了眷屬住屋，挺寬敞的，三房一廳，準備接姐姐一家去住，梅蘭不去。她記得金土說過這麼一句話：「外鄉的樓閣，比不了家鄉的草窩。」（金土說他家鄉的住屋，都是茅草頂、泥巴牆的低矮房屋）。丈夫在台北坐牢，忍心帶著孩子到左營去。小筠挺著個大肚子，也不方便車呀船呀的到台北來。車路墘的工作已辭，換到左營內唯國小去了。爲了夫妻們的生活方便。

遂又換了工作。

本來，梅蘭提議到高雄去，孩子們也鬧著要去。金土脫了帽子，摸摸頭毛，苦笑著說：「我看，還是等小筠生了再去。」

也就由於這些心理因素，金土悶在家中七天，也不想出門。原想帶著小清，三口子在附近走走，金土也不想去。原說到一家像樣的菜館，訂一桌上等的菜餚，與王泰山一家，合起來吃上一頓，歡樂歡樂！連陳會長三口人也請了去，整好一桌。金土也不願這樣招搖，說：「坐完了五年監牢出來，有什麼好歡樂的？」梅蘭想想，金土現在的想法，比前些時的想法正確，王泰山也認爲對，遂也取銷了這一預訂的活動。

結果，兩家人相聚著合火炊爨，每餐加了幾樣各自喜歡吃的菜，卻也歡歡樂樂地過了這幾天。

金土又恢復了五年前的生活樣式，吃了早飯騎上腳踏車到印刷廠上班。路不長，不到半小時，即可到達。

說起來，印刷廠的工作重心，就在印刷上。營業的收入工具，靠的是機器的滾動能量。這家印刷廠的規模，占地約三千坪，房子是上下兩層。設備可以說是齊全，連製版、裝訂，都不須外送。有對開活版機八台、四開八台、平版五台，可印五色套版。檢字、排版，自然是全套工作，由收件到送件，在印刷工作程序上，一貫的作業工具，齊全不缺。廠的工作組織，在正副廠長以及主任秘書與文書課以外，分設業務、印務、財務三大部門。每一部門設經理、協理各一人。財務掌管會計、出納兩組。另有校對一事，由文書課兼辦。（印刷廠只負責初校，其他三校都是客家的事。）金土擔當的印務部協理一職的工作，責任在配合業務部的業務需求。何者要急？何者可緩？都由業務部掌管。然而，業務部收件。更得依據印務部機器的生產能量，來作業務收受的準則，來配合印務的能量。

古諺有云：「不在其位，不謀其政。」這話的意思，本是一句告誡人別去管你不應管的閒事。那麼，再把這話的意思，放在「在其位」者一方呢！在其位者，就應當深入的去瞭解自己究竟應該去作什麼？所以，金土一旦接任了這一印務工作，這纔感受到他過去一兩年來，雖然非常用心的去學習，如今自己投入了這一工作，方始發現到另一句俗話：「事到臨頭方知難」的意義。凡是人間的事，若一旦降落在自己頭上，纔會真切地體驗到「人間萬事事事難」。這一「難」字，幾乎都是人爲的。

印件要上版了。但活版印刷，並不是把排好文字的版，卡上機器放好了印版，就可以按鈕開動，印出貨來的。首先要排定單雙頁碼的反正折疊秩序。這一上版印刷的首要程序，必須準確。此一單雙頁的印碼排次，是固定的號次，屬科學的，發生錯誤的機會不大。可是，印務部的主管，在簽字寫上了「OK」二字，必須折疊一次，前後按頁次上的號碼，一一對正不誤，方敢簽字。往往，還是會發生錯誤。這情事，印方與客方，總會在全書印好，尚未付之裝釘，都得先檢查一番，審視頁次有誤沒有？否則，一旦裝釘成書。纔發現了這種錯誤，就得拆書重印，可就麻煩了。

最不易發現的錯誤，是版面上的文字，往往會出現一片片印刷不清的情況，油墨不夠黑，字還認得出。有時，一面文字又出現了斜出一半空白，沒有印出。這情事，往往在平版印刷機上出現。像這印刷上的錯誤，都是印務部應該負責的事。

像活版的版面不平，出現了一片文字，墨色消失，花花斑斑地的情況。金土到任後不久，就發生過一次。最後簽上「OK」二字開機工作的人，是印刷組的王組長。那天，美國副總統尼克森，來我們台灣訪問，飛機在松山機場落地，由新築成的南京東路進入，但交通管制，卻包括了中正東路這一段。市場活動還照常。然而人心都有幾分振奮，在工作上，難免有幾分心散，等到全書已經印完，折起的書樣，送到金土手上，順手一翻，就發現到這一不𠀋字淡的錯誤。追查到簽字的原件，這一片文字，並沒有淡的墨色。再一查驗，方始發現到印數三千卌，在印到八百多頁時，這一片便淡下去了。「何以會突然墨色淡了下去？」在拆下機器的這塊活版後面，墊上的紙片厚薄，也不易查驗出，送去打印一張，也無淡去墨色的現象。從事理上說，這一情事的發生，在上版後，開動機器之前的那段墊平活版的工作程序上。既然這一版已經印了八百多頁，都沒有出現這一片墨淡字不清的情事。那就很難找出錯誤是怎樣發生的了。

「不必去追查這些，」李經理不希望金協理在這方面去斤斤計較，趕快補印這一台。說：「沒什麼，再補印這一台就是了。」

金土推想到這情事，是看管這台機器的師傅，動的手腳，不是爲了整那位印務組王組長，就是給個警告。李經理的語氣，他已聽得出。他到任以來，對於各項工作部門的需求，比以往嚴格。雖然，金土沒有官架子，對人和和樂樂，成天面帶微笑，在言談中，謙遜有禮，吩咐工作，不忘那個「請」字。但大家夥對金土到任以來，訂立的工作規範，一條條的都需要那麼按部就班；認爲太死板。也有人認爲「此人處事刻薄」。這句話，還沒有敲到金土的耳鼓上呢！

金土這個人，凡事都求好，若說是「求好心切」，可也不是，他只是凡事認真，盡職負責，在希望中，想做好它。他卻忘了，人若是處在人上，就得有另一套處世的哲學。可是金土在性格上，並沒有與生帶來那種處在人上的領導之學。如今他忘了他這印務部的協理職位，在這一不大不小的單位裡，只是處在三人（廠長、副廠長、印務部經理）之下，上千人之上的人物。「印務部」在這一印刷部門來說，它是這個廠的脊椎骨，一如房屋的樑柱。換言之，這個廠的生命，全靠印刷機的運作，有如動物的心臟，全有賴於它的血脈運轉。所以，金土到任後，不到半年，就覺乎著自己不克勝任，廠方也感受到金土擔任此一職司，才非其任。半年後，印務上的領導工作，便逐步移到王組長身上去。其中的校對工作，全權交由金土處理。

在此種情況下，金土遂想到去找朱信立，得另謀工作，他又回想到他喜歡的教書一事。這裡的契約是一年。已與廠方談過。廠方還希望金土能改文書課長呢！

三、算得是「利見大人」也

人間事，優、勝、劣、敗之分，很難以理來解讀。就像金土這人物的勢必非得離開《申江印刷廠》不可，可以說雙方都有一分無奈的心情，在心坎上縈繞著。

當初，廠方看中了金土可以擔任他們的印務部協理工作，正因爲金土在廠中近兩年來的學習，已經熟諳了各部門的業務，在學識方面，爲人方面，無不受到識者的佳譽。尤其是那分認真負責的工作態度，最受稱道。然而，一旦進入了工作核心，人與人之間，產生了利害，在各自處身的立場，也就會產生不同的想法。

按說，金土在這家印刷廠印務部的協理一職，只是經理的助手。他應聽從經理的指示去作。然而，他一到任，經理就把近年來廠方業務蒸蒸日上，印務部的工作，竟然配合不上業務的發展。雖又增加了印務設備，業績的提升，較之機器工作量，不能成正比。必須設法增強印務的業績。於是金土發現了一些缺點，在於新增的機器，操手對於機器的性能，不夠熟諳。對於舊的機器，維護與修理，不夠認真，總是希望能汰舊換新。此一發現，一經提到業務會報上，結論的首要措施，就是調整人手。這麼一來，金土便得罪了一些工人。

工人有工人的立場，主管有主管的立場。就這樣，金土到職不久，就引起了部分工人的反感。又提不出正面的理由，只有在暗中動手腳了。

這家印刷廠，在業務的性質上，還夾有商業以外的特種任務。雖說，文書課的業務，若依學識能力來說，交給金土負責，比較合適。可是金土是判過刑坐過五年牢的人，又是思想案子。怎能讓他主管文書業務？報上去，也不會准。業務部，在業務的估價出出入入上，也不是金土這個書呆子可以幹得了的。不是他無此才能，應是他這人太真實了。財務，更不是金土所能涉入的事。

「若不是一開始就聘為協理，」廠方在考量金土的續約問題時，曾向同仁這麼說：「尚有斡旋的餘地，安排個校對室主任。」可是如今，再改為校對室主任，職在文書課長以下，就不好看了。

金土也想到他的性格，最好去教書，再不然，去考高考，做個小公務員。

說起來，金土就是在此兩相無奈的心情下，彳亍然離去的。

朱信立在南昌街一家兒童報工作，曾經要金土寫有關兒童閱讀的故事。金土遲遲沒有動筆，他自愧於自己的文筆，寫不出可以讓兒童讀得懂的文章。他知道，朱信立之所以能進入這家報館，由於他是中央大學畢業，不但此間有不少同學，大學畢業這學歷也管用。金土，卻連一張高中畢業文憑也沒有。在社會上謀職，可是條件太差了。

金土不去印刷廠上班，梅蘭有幾位同學，都在教育界工作，其中有位同學已經當上小學校長，來找過梅蘭，願意為她安插一份教職，可是梅蘭受到三個孩子的牽絆，動彈不得。如今可以去了，她又懷了孕，預產期就在十月。若是人家應允下來，怎好挺著個大肚子，一上課就得請產假，豈不是有意去給同學添麻煩。也不敢去接。

「你還是準備考高考吧！」梅蘭向金土建議。「積蓄夠一年以上的費用。」

「我得先考檢定，」金土說。「考及格了，才有資格參加正式的高考。」又感慨地的說：「場場順利及格，也得兩年。」

「兩年就兩年，準備考嗎！咱們祇有這條路；我也跟著你念書，也去考。」

兩個人情投意合的笑了。孩子不在身邊，竟然相擁著親熱了一番。

事後一想，金土的檢定考試，得從普考檢定考起。算起來場場順利也得三年以上，才能到達高考。高等考試，也未必每年都舉行！

「能考取普考也好，」梅蘭說。「只要有個小差事，夠養活我們六口人，能生活下去就夠了。我們還希求做什麼高官？」又感慨地說：「金門不是還有砲戰在你來我往嗎！在這個時代裡，在這個島上，豈不定那一天……」

話還沒有說完，有人叫門，抬頭外望，見是陳詒先生來了。

金土正要出門，陳詒便在門外叫了：「魯先生。」金土一走出房來，陳詒就笑逐顏開的進來了，說：「我相信你在家。」一進門就又急不及待地說：「我跟張主任約好了，十一點半到他辦公室去看他。」又看了看錶，說：「現在十點還不到。」

進了門，梅蘭已把茶泡好送上，還說了一句：「陳先生麻煩你了。」

「沒有什麼，張主任是我老師。」陳詒這樣說。

陳詒為人非常熱心，當他知道金土離開了《申江印刷廠》，希望教書，就一直熱血滾滾地為金土奔跑。無奈金土沒有學歷證件。曾經教過中學的資歷，也拿不出來。已碰過好幾次壁了，可是陳詒，並未死心。在一次聚會上，見到了任職國民黨中央黨部組主任的張敦善先生，在重慶時代，上過他的課，教的是羅馬興亡史。留學過比利時。近三幾年來，社會間最興旺的一種事業，是創辦學校，從小學到大學，都有人在開天闢地。憑著張主任的地位，一封八行書，沒有成不了的事。這位熱心如火的陳詒先生，便憑著他的天真意想，想到了這一條出路。

這麼熱的天氣，陳詒居然衣裝整齊，一進門就得脫下上衣，他已滿臉的汗。金土知道陳詒上次來，曾經告訴過他，說是有位老師任職中央黨部組主任高職，可以求來一封八行。雖然金土曾經婉拒，這位熱心的朋友，還是聯絡了拜見的時間。他這次來，又穿得這麼整齊，想必是來約他去利見大人。金土在心情上雖有幾分萎縮，卻也不便再加拒絕。可是，金土卻想到他連一套可以穿上身的西服都沒有。當年盧姑姑給他做的那一套，早已縮小，不能穿了。之後，這多年來，一直都穿軍服。尤其空軍的服裝，冬天的呢絨，夏天的卡機，都是上等料子，也是西式的，冬夏常服都得打領帶，委實用不著再穿西裝。如今，金土坐了五年牢出來，雖在《申江印刷廠》作了一年的印務部協理，卻是成天身著工人服在機器間穿梭，也穿不著西裝革履，所以今天要去「利見大人」，才想到連一件利見大人的衣裝都無有。

「換上那件新買的香港衫，就可以了。」梅蘭建議。

「可以。」陳詒也附和著。「我這位老師是留歐的，不注意這些的。」

可是金土，還是穿了一套夏季軍常服，內著白襯衣，還繫上了一條藍底白花的領帶。這套軍常服，上面還有軍階，領章，梅蘭忙著拿剪刀，一一取下。從樟木箱中取出來的，雖然折疊得平平板板，但折紋如皮，插上熨斗燙了一遍，也熨不平。樟木香與霉臭味兒，濃濃地，穿出門時，還能在風掃塵埃時嗅到。梅蘭還特別在金土的皮鞋上，擦了油呢。

這位張主任的辦公室，在貴陽街，鄰近法院。一大片平房，都是這一組的辦公處所。主任的辦公室占有兩大間，外面是起坐間。一到了那裡，當然先在外面的接待室等候。

坐在外面的侍從人員進去通報後，傳話出來是：「要你們進去。」於是陳詒歡歡樂樂地向金土說了一聲：「好，我們進去。」陳詒在前，金土在後。

房中有一張長大的辦公桌，靠房門左邊，還有一張小型辦公桌，坐的是一位年輕的小姐，見到二人進門，就站了起來，說：「請坐。」靠窗就有一套沙發，還有茶几、矮方桌。陳詒進門喊了一聲「老師」，便帶著金土要他去坐在靠窗的長沙發上，他坐在另一張單人坐的沙發上。兩人都面對著張主任。一直到陳詒二人坐定，這位張主任都沒有起身去接待這兩位客人。

這位張主任年約五十上下，瘦削的臉型，幾乎沒有顋，所以是尖下巴，金邊眼鏡，架在鼻樑上，赤黑的面容，越發顯得冷峻，坐在座位上，似乎不曾移動，但眼神射出鏡片，幾乎是未曾把心放在這兩位客人身上。

二人坐下之後，總有五六秒鐘，張主任都沒有開口。

「這就是我說的金土先生，他姓魯。」陳詒介紹說：「他的經學根基深厚。……」這時，侍從人員送了兩杯茶來。

陳詒的話尚未說完，張主任就開了腔，面衝著金土問：「你那裡畢業？」

「我沒有畢業證書。」金土答說：「高中差一年沒念完。」

「老師，魯金土先生教過中學。」陳詒馬上補說了這麼一句。

「沒有學歷，是不可能有人聘你教書的。」張主任說：「教育是樹人的事業。是傳道的事業。沒有學歷證明，怎麼當老師！」

金土聽了這些話，素性害羞的他，只有苦笑著紅起臉低下頭，一言也不敢發，連陳詒也尷尬著無話回答。

「這樣吧！」張主任拿起了放在桌上的金土的簡歷表，說：「我看你年紀也不小了。高中都沒有畢業，連考大學的資格都沒有。」說著，左手揚起那張簡歷，伸出右手食指指著問：「這上面的毛筆字是你寫的麼？」金土抬頭見到手所指的是他的簡歷片，紅著臉低聲說：「是」。

「你的毛筆字寫得挺清秀，」張主任說。「有機會給你補個職員。」說過，便把手上的簡歷放下了。

陳詒知此一贄見之禮已經結束。

「好！謝謝老師！」陳詒說著便與金土起身。

張主任不但沒有站起來，連句告別的應酬話都沒說一句，竟然拿起筆來批閱公文去了。

陳詒最愛講話，辭出時卻也低著頭默默然走出。

走到街上，伸手緊緊地握著金土的手，沈沈地說了這麼一句：「對不起你，金土兄，我看錯人了。」

「不要這樣說！不要這樣說！」金土也緊握著陳詒的手，一再地搖著。「可能張主任心頭有別的事？」

金土堅持著要陳詒到他家去聊聊。

在金土家吃了中飯，方始說到在大學時，從來也沒聽過張敦善的課，他是讀中國史的，張敦善教外國史的。來到台灣，在同學會上才認識的。但陳詒爲金土這位朋友的職業尋求，可真是死心踏地的啊！

陳詒聽了金土夫婦的高考計畫，卻也深表贊同。然而，陳詒總是爲金土抱屈，他說他當時很想說：「金土先生代大學老師寫的升等論文，有三本升了教授，」陳詒說：「有兩次話到唇邊，我又舐舐舌頭，吞下去了。」

陳詒告辭走後，金土回想到今天的這件遭遇，有如古禮上的「相見禮」，既然應允接見，雖是「卑見尊」之禮，也不應如此無禮？那麼，這也算得是「利見大人」吧！

四、讀書、課子、寫文章

梅蘭生了個女兒，啓名聲雅。爲了節育，作了結紮手術。滿月後，便委託給鄰家何奶奶看管。早晨送過去，晚飯後接回來。梅蘭接聘，帶著小清到她同學孫寶珍的幼稚園工作去了。家中祇留下金土，靜靜地讀書，準備高普考的功課。同時，又接下了代人捉刀的論文寫作。每本五萬字上下，代價新台幣壹萬元。三兩個月可寫一本，算起來比公務員收入還好。只是這工作未免有幾分「無聊」，恰似大家女暗中賣淫，說不得的呢！好在這工作，也是一件讀書人的正常日課，不影響正常閱讀，爲了生計，自也樂而爲之。

可是，參加普通考試檢定，第一次有兩科不及格，這兩科，居然是三民主義與中國史，深感怪異？約周清波來，向他請教。周清波已考取了師範大學國文系。

金土不相信這兩門會不及格。如今回想起來，還能背得出那些問題，以及己之所作答案。譬如歷史問題的五道問答：一是「北京人」在何處出土距今多少年？二是戰國的布衣卿相有那幾位？三是明崇禎亡後，繼立的明代君王有那幾位都於何地？四是義和團事變在那一年？起因為何？五是「五口通商」的五口是何處？並說明其起因？事後，金土翻查史書，祇有二、三兩題，答案不夠完整，但也在百分之六十以上，其他三題，都在百分之九十以上。接得通知，歷史一門不到四十五分，得重檢。至於「三民主義」只有兩道申述題，一是國父民權主義的真假平等如何界說？試簡要申述之。一是民生主義與共產主義不同之處何在？試簡要申述之。答案也應在八十分以上。卻是四十分不到。也得重檢。所以金土接到成績通知單，非常納悶。

周清波接到金土的信，就來了。一經涉入了問題，也深感不解。周清波尤其感歎的是，金土竟然老實到從普通考試檢定考起。實際上，他可以尋上兩位長官或朋友，甚至以他的軍中上尉職階的資格報名，可以從高等考試檢定考起。可是金土認為他沒有高中畢業，卻也沒有想到軍中的上尉職階，也可當作學歷用。而且，他還有銓敘部的薦任任用銓敘證書。報考高等考試的資格，似乎也可以用來報名。當周清波見到金土竟然有了銓敘部的薦任任用證書，遂告訴金土說：「你已有了薦任資格的銓敘證書，高考都用不著去考，憑這張證書，就能擔任委任級以上的職務。為什麼還要去從普考檢定考起？」

「我們只想作個低級公務員，」梅蘭從旁說：「在這麼個時代裡，只求有碗飯吃，安安分分能活下去就成了。還是做個不起眼的小人物好。」

「到機關衙門去謀個一官半職，太難了。」金土說。「考取了普考，政府可以安排個噉飯之所。按月領薪，還有糧米油鹽配給，老婆子還有一份收入，六口之家，就餓不著了。」

金土說這話時，心頭卻在浮泛起去求職時的「利見大人」之事。他不便把這事向周清波提起。可是，金土去報名時，也曾帶著他的服務證件，登記報名的人看了，卻告訴報名的金土，說是若沒有學歷證書，就得合乎同等學力，上尉的官職，沒有辦法算。所以金土只得從普考檢定報名起考。他自慚自己提不出任何學歷證明書。

「可以申請覆查考試成績，」周清波建議。又說：「這成績，我也懷疑。」

這事，金土沒有寫信去問，但在半月之後，竟然收到銓敘部一紙通知，答說：「台端•○月○日大函查問本年普考檢定成績，有無錯誤一事，經調卷查對，並無錯誤。」這才知道周清波熱心地代他寫信去問的。金土早已瞭解到這事不必去問。他已與梅蘭商量過，不必去考了，還是投稿碰碰運氣吧！千字五十元上下，每月能登出一萬字，也得抵上小公務員的大半收入。何況，朱信立還不時有捉刀論文在找他呢！

「我的證件，好在有那一次師範學院復學的案子，還留存一份登記，」梅蘭說：「要不然，我的學歷證件也無從提得出呢！」

梅蘭之所以能順利的到同學的幼稚園去服務，仰賴的就是台灣師範學院，那一紙登記復學的案卷證明書。

從此，每天一早，兩個大孩子上學，老四託同村何奶奶看管。何奶奶只有母子二人，只一個兒子。

兒子上班，早出晚歸。她是山東人。先生本是上尉連長，來台灣失去了部隊，也插在同鄉中踩三輪，前年心肌梗塞過世了。年紀稍長，近六十，兒子三十出頭，所以大家都叫她何奶奶。她抱去了魯聲雅，像初生的母親照顧新生兒那樣用心。

梅蘭帶著老三到幼稚園工作，早出晚歸。家中只餘下金土一人，靜靜地讀書寫作。午飯，梅蘭已替他準備好，放在電鍋裡溫著。他想著陳詒說的那句話：「要想教書，得先寫兩本著作，比攤出畢業證書還有用。」金土認爲這話是正確的。講師、副教授的升等，不是得提交論文嗎！他已捉刀寫過五本了，都已通過審查，升了等。爲自己寫一本兩本，比代別人寫容易，在心情上，不受牽扯。像年初的那一本《六書的指事論》，那當事者不但列出了繁瑣的綱目，還附帶著許多剪抄的資料，資料又雜亂無章。還要求一一把那些資料，都能收納進去。是一位正在大學中文系主講文字學的副教授。既有能力在課堂上講課，又蒐羅了那多的文字學資料，居然要找別人，代之捉刀寫論文升等，豈不怪哉！

金土便拒絕了這一萬元的收入。

金土之所以希望教書，並沒有企圖走到大學講台上去。在他的印象中，大學的教授，不是在外國留過學的，就是在科舉中進過學的（中過秀才、舉人、進士的），金土從來也不曾去夢想過他能教大學。自從在監獄中與一位大學歷史系畢業的難友同監房，兩人談談說說了一兩年，這才知道了一些大學中老師講學的情況，與他的老師松三爺，還有舉人老爺王學監，以及臨溴集的正誼書院趙拔貢來講史記鴻門宴，都像說書人似的。講起來無不是意興遄飛，口沫四迸。在金土的腦海中，時時波濤著的就是他松三爺的那種連說帶唱（扯長腔吟誦）的情態。這種站在講台上踔厲風發的氣勢，金土在浙江衢州貞文中學教了一年多，也曾學過松三爺的那種教學法，很受學生的喜歡。可惜爲時不長，便失去了這一教學職業。回想起來，也只能怪是：「時也！命也！」

從印刷廠辭退，一心想謀得一份教職。陳詒先生曾付出不少熱心，都沒有成功。想一想，那位大人說得是：「沒有學歷是不可能有人聘任你教書的。」這話可是一句真理，只得死了這條心。這一年來，死心踏地的讀書，準備普考，今竟連檢定也不合格。雖然明年還可以補考這兩門，更可以依照周清波說的，可以參加高考檢定考試。這時，卻也失去了參加考試的興趣。他與梅蘭推想到，從普考檢定考試，竟有歷史與三民主義兩門不及格一事來回想，這其中必然夾雜著他入獄五年的紀錄問題在內。還是在家以筆作犁，在有格紙上辛苦耕耘吧！如今，他在家掌握的是全天候的自我時間。兩個大的上小學，老三跟媽媽到幼稚園去，老四寄託給何奶奶看顧。家中祇餘下他一個人。梅蘭早晨帶小清出門時，金土的午飯，也準備好放在電鍋內。他可以自由自在的全心神放在寫作上。

陳詒認爲要走上教書這條路，如有著作，比有一張學歷證書，還要可貴。這六七年來，金土已代人捉刀寫了五本論文，知道姓名的三位，都過了審查關口，升了教授。這幾本作品，別說沒有底稿，就是有，也不便再去違背人情，鬧出雙胞案來，兩方面都沒有面子。本來，陳詒要他依據手頭資料，重寫一本，送到教育廳，申請高中教師資格，審查的單位是不同的兩個，不會穿幫的。重寫一遍，也未必語辭的雷同。金土認爲教授的升等論文，不同於中學的教學，遂決定從訓詁的認字知義與章句方面，寫一本國文教學的書，說：「這一部份，我在塾屋裡學的就是這些，我可以順理成章的寫得出來。」陳詒一聽，也頓時開悟，說：「好，你快著點兒寫，最好七月初寫完，還趕得上這個學年。」又說：「這是一套教國文的基本課目，你這科班出身的人物，自然得心應手，不費大勁兒，隨時都寫得出的。」

「書名就叫《國文教學研究》，」陳詒這麼建議。

「這題目太像研究所的論文。」金土說。「我想不用『研究』兩個字，用『淺說』兩個字怎樣？」

「好！」陳詒一聽，就鼓掌叫好，說：「《國文教學淺說》這書名，不但謙遜有禮，而且大眾化，好！」

住居的這地方，雖然日漸繁華，市囂喧騰，但在金土的心境上，則有「心遠地自偏」的情趣。為了要付出全心志寫這本書，他幾乎又走回到童年時代，在塾屋中受教時的種種情形，尤其是那些位，動輒扯起長腔吟誦，一字一辭的講解，總是上下貫串，四通八達的義理。遇有故典，不但指出源流，而且把所涉的故實，也一一說個頭頭尾尾。如《滕王閣詩序》中的「東隅已逝、桑榆非晚」，不但說到開始使用「東隅」與「桑榆」兩辭的人是誰？而且引到「日出東南隅」這首漢人的詩歌，到日落後餘暉尚留在桑榆枝葉間的歷代引用，也都一一敘說。淵明的《歸去來辭》，首句「歸去來兮」，在吟誦時，應知章句的「設情有宅，置言有位」（《文心雕龍》句）的義理與辭性。知道了這些，才不至於把「歸去來兮」四字，誦讀成「二二」語法。而字音輕重失致。所以，金土一邊寫作這部份，忍不住也就一邊琅琅吟誦。遂引來村中在家的婦女與孩童，走到竹籬院墻以外窺聽，站到籬外的孩子們，學著他的吟誦腔調，咦咦啊啊、嘟嘟嚕嚕、咯咯哈哈地唱著跳著跑去，金土這才停止了吟唱。

每天晚上，三個孩子在做母親的梅蘭一一問卷完了兩個孩子的功課，還得跟做父親的金土，讀一章四書，吟誦一篇短篇的古文。採取的教學方式，是先跟著一句句音聲鏗鏘地唸上幾遍，聽到孩子的唸誦，語氣已經順了，字音已經準了，便一句句開講。講完之後，還要一句句考問。然後，必須背誦，要背得熟，熟到可以提上句，接下句。吟誦時，不是循著詞句數唸珠那樣，唏哩呼嚕唸經，應是歌唱者那樣，字正腔圓，音節悠揚，聲腔傳出文中情意。所以唸誦《阿房宮賦》，必須能在聲調中，界域出其中文句的韻文、散文，可使聽者一聽就能吟味得到。唸誦《醉翁亭記》，除了在聲調中，要求孩子必須誦出文中的情韻，更能讓聽者能夠吟味到作者歐陽脩作此文時，志不在山水之間的遣情之樂的無奈。全文二十一個「也」字，個個都得吟誦成句點，尤其重要。這是歐陽脩立意要表現「也」字，應是句點的特色。

金土與梅蘭的生活，就是這樣平平實實的過下去的。每個星期天，兩人總會帶著孩子，到街上蹓躂，看場電影，吃頓小館，或到郊外走走。可是金土這麼認真完成的《國文教學淺說》一書，近六萬字的篇幅，還花錢打字複寫了五本，送去教育廳審定，不到兩周就退回來了。理由是，各級中小學教師的資格審查，訂有審訂辦法。由各服務學校檢具證件送呈，不是在職者，無法受理。至於教師檢定考試，一旦日期決定，除函知各級學校外，亦同時刊登報端。

這一學年，預期的希望，又落了空。

「我們不要走這條路了，」梅蘭說：「我們就照這樣生活下去，不也餓不著嗎！最低限度，你這本書，總還能換得幾文稿費吧？」

梅蘭這句話，倒提醒了金土。近年來，爲了寫這本國文教學，也偶爾另外抄出一些可以獨立成篇的短文，寄到報紙副刊去，也能刊出。譬如「孔子不姓孔」、「左丘明姓丘乎？」以及「食」的讀音問題，都是副刊樂於刊出的。每篇不到千字，稿費三數十元。梅蘭見到稿費到來，總是笑嬉嬉地說：「這叫細水長流。日子還不是這樣流過的。」

最感不平的不是當事人——金土與梅蘭，倒是陳詒與周清波。當周清波得知現在教他這年級修辭學的某教授升等論文，竟是金土捉刀寫的，他竟表示要檢舉他。被陳詒、金土兩人阻攔住了。說：「這樣作，不但沒有證據，就是由金土提出了證據，金土也同樣受到傷害。」周清波雖然沒有檢舉，卻在聽課的時候，每次都作了筆記。每次，到金土家，總要說一些在課堂聽課的故事。這位教修辭學的教授，可作笑談的資料最多。

這位教授上課，從來不帶書，也不發講義。瘦瘦條條的個子，頭髮花白地披撒著，眉目清清秀秀，頗有幾分名士派頭。總是春風滿面的手中拿著一根粉筆，一進教室就走上講台，背身給學生，一筆一畫，在黑板上寫了「修辭學」三字。然後背轉身來，用他那蘇北的腔調，說：「修辭學」。跟著，又是那句口頭禪：「想當年，我跟道元先生作事的時候……」於是一大串「豐功偉業」，便長江大河的流洩出來。當他發現學生的反應不佳，便趕快說：「好，我們上課。」遂轉身在黑板上寫了四句詩，或幾句散文，有古人的，也有今人的。他便講說那詩句的平仄，那散文的句子。有一次，一位同學起立問：「少小離家老大回」這首詩，是第一人稱？還是第三人稱？大家見到這教授，頓時剎聲，但笑容還在臉上，輕輕淡淡地說：「這是詩啊！又不是小說，分什麼第一人稱第三人稱？」話音未落，居然又有一位學生站起，說：「汪老師說，詩也是有人稱的。」這學生說完剛坐下，大家便見到這位教授的臉，頓時鐵青，指著那位同學叱喝：「你站起來！搗亂，你！」跟著就說：「我是官方派來的，我在上課你搗亂，我可以開除你！」突然，學生大嘩，都站起來了。

你一言我一語，咭咭喳喳，鄰班的課也受到影響。雖有學生走向講台，向老師解說，他們教詩詞的汪老師，的的確確是這樣說的，這位教授也不作理會了。氣火火地走了。嘴裡還在喃喃吶吶著：「搗蛋！我報告校長去。」

周清波說：「那位同學訥哭了。」已有不少同學要聯名趕走這位官派的修辭學教授呢！

魯金土沒有上過大學，聽到了這個鬧學的故事，覺得有如一則「天方夜談」。梅蘭說：「我們金陵女子文理學院的老師，也沒有這麼蹩腳的貨色。」

「同學們說，有不少好的老師都沒有來。」周清波說。

「有這麼多人花錢找人捉刀寫論文，」金土想：「這就難怪了。」

跟著，報上刊出重要新聞，廈門的共軍向金門連續開砲兩小時轟擊四萬餘發，陣亡了兩位將官。軍民傷亡二百餘人。

五、「弩」就是勒緊褲帶過苦日子

一年來，對岸砲轟金門，間間斷斷，射出的砲彈有二十幾萬顆。美國在台灣海峽大事增兵，連航空母艦都派來了。

雖有不少有錢人，設法移民外國。據說，美國領事館的門前，夜晚就有人去排隊，每天每天都排一條長龍。但祇有金土住的這個眷村中人，一個個信心十足，堅信可以跟著蔣總統打回老家去。大家住的竹棚木屋，有的已經十年，搭得晚的，也七八年了。業已經過了幾次颱風。有不少家已換過了屋頂。也有人拆了重新改成磚瓦房屋，卻不是他們這幫子踩三輪的侉佬。別說是颱風暴雨襲來，就是平常的陰雨天，也有不少人家是屋外落雨，屋內撐傘。金土這兩間房，更是如此。當初搭蓋的時候，就是以克難的原則，草草搭成。這一晃七八年了。經過這一次籠蓋全島的大風雨，雖然水災在中南部，受害最重。可是金土的這兩間住所，委實是不能住了。屋頂有縫漏雨，再加上一層油毛氈，還能遮掩，屋的樑柱歪了，非得遷出不可。

王泰山的那兩間，搭蓋用的樑柱是杉木，金土的這兩間，是舊料雜木，經不得歲月的腐蝕，根已爛了。非得拆了重蓋不可。說起來，可也不祇金土這一家。

過去，遇到天雨屋漏，總是王泰山剪一塊油毛氈，搬梯子過來，爬到屋頂，刷上油漆，把油毛氈貼到有縫的地方，雨漏即止。窗戶上的玻璃破了，都是王泰山夫妻兩人來作。可以說，全村子上的踩三輪的住戶，都是這樣在克難中過日子。他們有一句共同的口頭禪，說：「熬著吧！不久就反攻大陸啦！」每次，在海峽上空，我們的飛機擊落米格機，這村上的人家，都會燃放鞭炮慶祝。他們總認為共產黨的那種共產主義，在大陸上是維持不久的。不是有不少反共義士，費盡千辛萬苦，輾輾轉轉，逃到了台灣嗎？報上也天天登載大陸人民公社的生活苦況。

說起來，他們剛在這裡搭蓋了竹棚木屋，住居下來時，既無水也無電。梅蘭搬到這裡居住的時期，雖然接了電燈，也接了自來水管。由於水壓太弱，裝在墻上的水龍頭，流不出水來。在墻外必須挖下一尺多深的坑，在水管上接個水龍頭，再套上一根塑膠管，用口對著管口用力吸，吸出水來後，水才能潺潺流出。

梅蘭剛住進來時，在生活上，最不便的就是用水。有的人家，挑起水桶走上老遠一段路，到延吉街的磚窰那裡去取水挑回。大多時候，都是王泰山的妻了陳秋妹去挑。

「妳告訴我，王嫂，水在那裡挑來的？」梅蘭問陳秋妹。說：「我也能挑。」

「不要，」陳秋妹說：「師母，你作不了的。桶會搖，水會灑。路又不好走。」

可是，用口去吸膠管，梅蘭去試，終於吸出水來。

「我不相信別人作得到，我作不到。」梅蘭總是認爲別的女人作得到的，我不可能做不到。不但能作到了從膠管吸出水來，還能去體會到水在入夜，大家都不用水時，水壓可能會升高起來。遂試著在午夜起來取水，果然，用口一吸，水就吸出，而且水就氣勢旺盛地汩汩濆出，比白天的水勢大，剎那間就接滿了一桶。一桶桶灌滿了缸。還給王泰山家的水缸，也灌裝得滿滿。第二天告訴陳秋妹，可以半夜取水，不用老遠去挑了。

當初，搭蓋這些竹棚木屋，在大家心理上，總覺得三、五年就會回去，那裡會想到竟然十年歲月，都已溜走。雖然台灣海峽有美國的第七艦隊在保衛著，在這太平洋上，不但有美國的太平洋艦隊司令部的海岸基地，也有太平洋空軍司令部的空軍基地，美國的總統艾森豪、國務卿杜勒斯，對於金門受到對岸共軍的炮轟，動輒幾萬發，曾發出了警告：「不要妄圖在台灣海峽動武。」卻沒有協助國軍反攻大陸的跡象。

房屋的屋頂，已經換過一次了。木板頂的白鐵皮銹爛，又加了一層油毛氈。這三幾年之後，油毛氈也有了裂縫，一下雨就漏。雖然可以貼貼補補，但這次的大風大雨，連支撐屋頂的柱子，也跟著根爛歪斜，屋要倒了。

大家雖然忙著購買杉木柱子，一家家都用杉木柱子，打斜處支撐起來。且也知道這可不是長事，得作整體解決了。

所以，村自治會便開了一次會。決議整建。也好藉著這次風雨的災害，申請政府補助。這事，便央求到金土頭上。都知道金土的文筆好，又明理知法。在政府機關辦過公事。對金土來說，也義不容辭。遂也參予了整建一事的籌畫。

「首先，得決定土地，沒有土地不能蓋房子。」金土在籌備會議上提出有關法律上的意見。又說：「未經地主同意，蓋好的房子，也得拆除。法律上有『拆屋還地』這一法律名詞。」

遂有人說是我們這村子裡，已有人蓋了兩層樓房。

「我問過了他們，」陳會長說：「土地是花三十五元一坪買下來的。」

他們這一夥，還有廿五戶，有的已經搬走了，頂來的人家，已不是他們踩三輪的行業，可以不理會他們的。有人說：「房屋是相聯的，不妨問問，願意參加，就聯合起來。」一經調查，二十五戶有八家知道他們的地主是誰。還得問過他們要不要買下他們的土地呢？不知道的，可以到地政處去查。

「雙管齊下，」金土提議。「一批人去談土地，一批人去交涉風災後的房屋修建。」

就這樣，大家夥奔波了半年，終於成功。土地由個人籌款買下，房屋的修建費，依法分等統一發給補助費。他們遂組織了一個修建委員會，決定改建成磚牆瓦頂的平房。有錢的人家，願意加蓋一層樓房，由各人自主，與建築商個別訂約。

連拆帶建，期約八個月完成。建築期間，大家各自賃屋居住。

當所有一切改建問題，一處又一處，都獲得了結論之後，每戶的建築費用，是兩萬八千餘元。其中的樑柱窗牖，舊料不得超出一半，樑柱有蛀眼者，一律剔除。建築費用，分三期付款，開工時付一萬元，進度過五分之三時，再付一萬元。餘款交屋時付清。但土地費用，必須開工前辦理過戶時，分兩次付款。土地過戶完畢，即行動工。每戶占有土地，五十坪左右，每坪一百二十二元，土地費伍仟餘元。政府補助工程款，每戶伍仟元。優利貸款一萬元。金土這一戶，尚須自籌一萬八千餘元。土地款伍仟餘元，馬上就要交付。加上動工前的首期款一萬元，對金土來說，委實拿不出如此多的錢。

「輔導員，」王泰山推想他這老長官，可能籌措不出這多錢，他自己，也多餘不出多少，不會不夠。想問問看，大家想想辦法。「你們的餘錢，夠不夠？土地過戶款，就得馬上付現。」

金土與梅蘭兩人盤算過了，手上的餘款，夠付土地款，餘下的，只有黃金一兩多一些些，銀元二十元。其他，若是除了政府補助，及優利貸款，尚差一萬五千元之譜。這幾年來，金土代人寫的五本論文，算來收入也近四萬元。小筠結婚，還了小筠幾仟元。數年來家常日用，全靠這筆收入。補習，每月收入微薄，家門親鄰的，有一陣、沒一陣。這些積蓄，還是金土在印刷廠服務一年來的收入。近兩三年來，在家準備高普考的功課等等，沒有工作收益。每月雖有些稿費，百而八十，只能當作加菜。兩個大孩子上了學，七七八八的零用雜費，也得開支。不敷的這一萬多元，除了借貸，別無他途。可是，每月兩萬餘元的債務，優利也得一分五上下。月月得付二百多元的利息，債還總是欠著。這一負擔，壓力相當沈重。

兩人計算了一下，希望小筠那裡能借伍仟元。這債欠也得還，總是每月減少一些利息的負擔。

當金土把他們的經濟情況，以及計畫中的希求，向王泰山說了，王泰山說：「邀個會，二十個人，每人五百元，就夠了。」

「這樣問題更大，」梅蘭說。「邀會，錢先用了。固然濟了急。以後月月付伍百元。還得去向另外十八人催會。萬一有人付不出了，那作會頭的怎麼辦？」梅蘭不贊成邀會。他知道小筠結婚時，曾向車路墘糖廠優利借了一萬元。利息比銀行還低些呢！

陳秀妹把她的一隻兩錢重的金戒指，取出給了梅蘭，說：「老師，這個妳拿去兌，錢等你日子寬餘了，再給我打一個。」

梅蘭沒有接，說：「用不著它，我差得多，需要整數。」終於由小筠代他找了兩個保人，向台灣糖業公司的蔗農合作社，月息一分三厘五，借了一萬伍仟元。按月付息，也可以在付息時付本，逐月減少，沒有年限。比銀行貸款，還要方便。問題，就是這樣渡過的。可是一旦住入新房，以後的月月支出，除了一家六口人的生活費用，還有月月必須繳付的兩筆貸款利息。祇有梅蘭一人的千元多些的收入，金土到今天，還沒有固定的職業。代人寫作論文的事件，也不像往年那麼爽快。已改作兩次付款，先付一半，餘下的一半，若是論文沒有通過，就不再付與。還有些什麼是文史科以外的氣象學、經濟學等科的「代作」，金土都一概拒絕。漸漸地文科也減少下來。

「別發愁！」梅蘭說。「天無絕人之路，你還是照著你的想法，走你要走的路。我們弩著過，這段苦日子，總會弩下去的。」

金土聽了梅蘭一而再的說出了「弩」這個字，忍不住笑出聲來，說：「妳也會說咱們家鄉人的這個『弩』字啦！這個『弩』字，意思就是刻苦、忍耐、儉省，勒緊了褲帶，在吃不飽、穿不暖的貧困中，平平實實地過日子。」說到這裡，金土便忍不住心傷，頓時眼睛濕潤了，抽咽著說：「妳嫁給我十幾年了，幾乎天天都在這個『弩』字上過日子。我的生活環境，成天綳著，就像一張送上戰陣、面對敵人的弓弩，非得緊綳起弓弦，時時刻刻放箭不可。這多年來，真是夠你弩的了。」說著說著嗚咽得說不下去。梅蘭也淚眼婆娑，於是二人相擁而泣。

老三小清，從門外大叫著回來了。說：「媽！陳伯伯與周叔叔來了。」

兩人這才鎮定下來，趕快揉揉眼，擦去淚痕，迎接兩位客人。

陳詒一進門就興興然說：「魯兄弟，你的《國文教學》我推出去了。發在《國立編譯館》館刊，只是稿費不高，千字三十元。」同時，又說他將調到編譯館，準備各級學校的教科書改編工作。一旦進入工作，希望魯金土能去幫忙。

這本《國文教學淺說》，原是爲了申請審定高中國文教員資格而寫，與規定不合，退了回來。陳詒先生拿去送給出版者，都認爲字數太少，希望再加補充，能加到近十萬字，印成一本書，才看著像個樣兒。五、六萬字太少了，印出來像個小冊子，不好看。金土卻一直沒有情緒來作這件事。

無管怎樣，能發表出來，稿費一千五百元，倒也正是「雪中送炭」。若真的像陳詒先生所希望的，能去幫他的忙。不但有了一份合意的工作，收入或多或少，都是一大福音。剛才與梅蘭商定的貸款付息的困境，陳詒先生帶來這番說話，不管未來能否像陳詒先生所期的實現。對金土與梅蘭兩位來說，未嘗不是一粒定心丸。

然而，還有一件不曾被這兩人設想到的一個，當前就要發生的生活問題。那就是改建開始，一家家全得搬出，在建築期間，得在外賃屋居住。最少八個月呢！八個月的租賃付出，金土六口之家，可也不是一筆小數目。

「弩」這個字，還得繼續在金土與梅蘭的生活環境中緊起弦，綳起弓，上上箭呢！

六、一張伍仟元本票的幽怨

凡是眾人的事，都不能預定時間的。就拿踩三輪的這一眷村的改建來說，一切條件談妥之後，到完成簽約，還糾糾葛葛地拖了半年。由大家正式搬出，動工在鞭炮聲中開始的這天算起，約上雖然寫明了完工之期，若是脫期，罰款幾成。結果，延後兩個多月。大家忙著遷入，也就不去斤斤計較其他。反正，房屋蓋好，搬進來了。當大家領到房屋的鑰匙，無不笑逐顏開。早一天搬入，早一天省下房租。何況，新屋總是誘人的，住新屋，是發財的兆頭。

交屋那天，是牛年十一月初二，這天星期六。這日子可真是選得好，無風無雨好個冬。雖是大雪氣節，還有人穿單。

上午，八點不到，改建委員會的辦事人員，就已經到齊。門外，來領鑰匙的人，也到了幾位。時間訂的是八點半到十二點。一共祇有二十五戶人家，又不必驗證什麼憑據，在一起住了十年的親鄰，沒有不認識的。誰住在那一號，早已抽過了籤，今天來，祇是領各家房屋門上的鑰匙。這日子是大家選定的吉日。所以都一家家極其興奮的到來。只爲了在點燃那一長串爆竹，在爆竹聲中領那串鑰匙。還有人，用紅紙寫上「吉星高照」四字，一到門口，先將這張紅紙字條，張貼在大門上。然後再開門進去。也有人家，一進門就燒香拜四方。總之，各有各家的民俗風尙。

「魯老師，這一兩年來，可辛苦你了！」

每一位領鑰匙的人家，都向魯金土說這麼一句謝詞。

實際上，這約莫兩年的歲月，可真的多虧魯老師，跑工務局、跑地政處，跑律師事務所，跑代書辦事處，還有兩家承辦貸款的銀行，全是魯老師跑裡跑外。在建築期間，還住在工地擔任監工呢！

起先，大家決定拆了改建，沒有想到會有那麼多的困阻，需要一一克服，不但是內部的，外在的牽涉，更多。

這裡雖祇二十幾戶，搭蓋竹棚木屋的土地，先是占來的，繼著是租來的，也有是借來的。雙方面都以爲住不幾年，就會走的。誰也不會想到，十年過了，新生的子女都上了學。今又遭受這次大風雨，這竹棚木屋不但不能遮風蔽雨，且有倒塌的危險。住者要改建磚屋瓦房，地主不同意了。不到百元一坪的地價，抬高了一倍。地主又不是一家，談判起來，費了不少口舌。好在台灣海峽上空的空戰，總是台灣勝利。美國供應給空軍的響尾蛇飛彈，百發百中。金門的砲戰，對岸也沒有更進一步的舉動，逐漸停了下來。美國的艦隊，日夜在海上巡防，第三航空隊也駐在台灣清泉崗機場。蔣總統的廣播，以及向國際記者的談話，說是不出五年，準能完成反攻大陸的任務。終於，在這種有利的政治環境中，完成了建地的購得。那時，願意出售土地的人家日多。無不認爲大陸的流浪者，在台灣住不久了。

一直到了要與建築商簽約的階段，律師先生才提起了一件重要的事，說：「你們必須成立改建委員會，來負責處理未來有關營建方面的許許多多事。」建築商也說：「今天談妥的這些，雙方應一一履行的條款，祇是草約，正式簽約的那一天，第一期工款，就得付了。」又說：「動工之後，材料的驗收，監工的會同，隨時發生問題的處理，甲方都得有人負責。」村自治會這才被提醒到，還得組織一個建築委員會呢！並不是簽了約，把收來的錢，存入銀行帳戶，按照契約付款就算了事。

「房屋不能全拆，」營造商說：「要留一戶，必須不妨礙建築的藍圖，作爲雙方的工地辦公室。省得再搭兩間新的。」至於改建委員會，應由五人組成，也是營造商提出的意見。「一位主委，一位副主委，三位委員，必須有三人經常住在工地，一位擔任監工，負責驗收材料，負責督導工程進度，另一位隨時陪同營建方面，與政府營建工務等單位，擔任協調，另一位是主委或副主委，應輪流在工地監督，並處理一切隨時發生的雜事。必須有一位委員擔任會計以及出納工作。」可以說五位委員，個個都得擔當工作任務。

這一改建委員，遂成立了起來。除了原有的村自治會會長及兩位副會長之一，擔任正副主委，魯金土也被推選為委員，擔任與營造商作公關方面的內內外外。由於李振乾家在建築藍圖以外，遂不列在第一批拆除之列，作為改建委員會與營造商工地辦公之用。

魯金土至今還沒有職業，自從大家決定拆了舊屋改建新房這天起，就被網羅去，擔當義工。他得突然把原來設想的一些工作，都停了擺。更為了籌措這一筆不小的建築費用，費了不少心神，方始有了籌款的眉目。沒有想到還有一筆可觀的賃屋居住的費用，一年的付出，每月兩百元，也得兩仟餘元。馬上就得付現的押租金伍百元，也付不出。

「工程款是分期的，」梅蘭說：「借來了台糖蔗農會合作社的一萬五仟元，未用完的部分，移到租賃項下濟急。」

梅蘭的這意見，改變了金土的「買油的錢不能用來買醋」的觀念。可是王泰山卻已為金土他們安排了。租一家可住兩家的房院，獨門獨戶，正房三間，還有東廂兩間，夠住的啦！房租五百，押租兩仟。向金土說：「輔導員，押租金我付，你甭管啦！租金均攤。」湊巧，梅蘭回來說，幼稚園已騰出了一間房，可以帶三個孩子住過去。兩個大孩子，每晚在教室打舖，金土可以住在工地。「耷這一年，比較好些。我們怎能繼續牽累你們！」

王泰山也不敢強人所難。他知道他的輔導員，這已七八年了，還生活在這一時代的因果困苦中。他知道為了這房屋的改建，已拉了一萬五千元的債，不知幾年才能還清呢！遂打銷了這一想法。他呢！也與另幾位，到了公館的山腳下，又搭蓋了兩間竹棚，暫時住了下來。算一算，比一年的房租，多不了多少，不住時，還可以賣回本錢。

大家知道金土的生活情況，遂在會議上決定，改建委員會的五位委員，有兩位月支車馬費，一位是金土，一位是擔任監工的汪啓中，每人月支七百五十元。

教科書決定要重編了。陳詒原說聘金土去作他的助理，卻也是爲了金土的五年徒刑，受到了阻礙。把已在師大國文系畢業的周清波聘了進去。聘魯金土爲館外審校委員，不掛名也不支薪，審校費一本一千元。不必上班，將稿件寄給審校人，審校後，一一提出審訂意見就可以了。

於是，金土在工地，還兼作陳詒編審給他的新編國文課本審校工作。一年兩本，這一收益，倒也減輕了金土的生活困境。

開始的那段日子，工地中的事務，雜七夾八，紛去沓來，就是主委在，也找金土來商議。梅蘭又恢復了金土坐牢時的那段日子，而且在生活上，相比起來，還要繁重。第一，日間有固定的必須做的教學工作，對象全是三幾歲的幼兒，年紀雖小，可都腳手靈活，能拿會跑，小兒的好奇心，促使他們樣樣都想去摸去觸，隨時隨刻，不能離開眼的視線。這些，都是梅蘭在學校學過的了。第二，晚上，伙食雖可在園中搭伙，三個孩子的功課，以及生活起居，全得梅蘭一人去照顧。小四在何奶奶家，每星期六還得接回來。有時，金土星期六還因事回不來。只能每周日一家人聚會一次。

又是這種聚少離多的日子，兩人又努了一年多。

房門鑰匙的領取，不到十點就全部取去。有些人家的新家具，已運送到門外，還有一些鄰近住戶，走來看新房的人。

金土拿著門鑰，一一打開了房門，粉墻明窗，花式點點的粉白天花板，以及薰鼻的油漆香味，覺乎著比十年前住入濟南路那幢新屋時，心情還要歡樂得多。床舖、桌椅，都換了新的。連孩子的雙人小床，也換了一張大人的。兩個大孩子，雖只六年級，個頭兒也是大人了。跟著，梅蘭帶著三個孩子與幾件箱籠到來，看到這三房一廳的新屋，比先前住的，真可以說是有天壤之別。在梅蘭心裡想：「終於像個家了。」再一想到這十多年來的日子，她是怎樣的弩下來的？卻又忍不住淚水溢滿了眼眶。但心情還是歡暢的。四個孩子在空蕩蕩的房中，追逐著跑過來又跑過去，也給她帶來一份快樂。不久，家具送來了，新的木床桌椅，搬進後一一放妥。突然，有一套沙發，一長、兩方，還有一副大小兩個茶几，共六件，也送來了。

「爸爸，沙發送來了。」魯聲遠見到，進來說。

金土一聽，出門一看，送沙發的車，停在門口，一位年約二十上下的男孩子，手上拿著一張送貨單，說是送給梅老師的。「梅蘭沒有說買沙發呀？也沒有錢買呀？」金土接過送貨單一看，上面寫得清清楚楚的住址，及「梅老師收」等字。「咦？」正疑惑著，以為是幼稚園的同事們送的。這時，梅蘭在房裡整理東西，聽到孩子說，門外來了送沙發的，也一時不解的走出房來，看到客廳的兩張木把藤編的坐椅，中夾一張茶几，還有其他四張飯桌用的坐椅，都已擺好在客廳。她想：「沒有聽說金土要買沙發呀？」

這時，金土已拿著那張送貨單進來。說：「我問過，說是一位姓沈的經理買了送給梅老師的。」梅蘭一聽是沈經理，臉就頓時紅到脖子，說：「退回去。」略一鎮定後，遂又向金土說：「你忘了那一張伍仟元本票的事啦？」金土這才記起了一年前的那件栽誣梅蘭作盜的事件。但還想不通為什麼要送套沙發，這麼重的禮？老實說，這時的梅蘭也想不通。但卻走出門去。向送貨的那個孩子說：「你拉回去吧！我們不能收。沈經理那裡，我會致謝！」說著從手上的小皮包中，取出了伍元鈔票一張，又說：「我貼你五塊錢腳力錢。」

這孩子愣了一下，回答說：「好，我回去跟老闆說。」沒有去接那張鈔票。當梅蘭再伸手給他時，答說：「不要」。便又把送貨車調了頭，騎上車踩著腳蹬，吱吱呀呀地走了。

金土終於想到了，說：「代他太太那件事，作補償！」

「纔不那麼簡單呢！」梅蘭說著向金土嫣然一笑。這件事的前前後後，梅蘭早都在心裡盤查過了。

這位家長，是一家銀行分行的經理，年齡跟金土差不多，看去比金土老氣。兩個孩子，大的是男孩，二的是女孩，相差兩歲多。一個中班，一個小班。沈太太很年輕，不到三十吧。個子倒高高大大，乍看，個頭兒比先生高大，同行在一起，還是先生略高一些，只是先生的身材，看去沒有太太壯實。沈先生是上海人，沈太太是寧波人。但沈太太也一口上海話，說是光華大學畢業。沈先生則是大廈大學經濟系。每天下午來接孩子的人，起先是家中的女傭趙嫂，有時沈氏夫婦一齊來。開家長會的時候，往往是先生來。後來，一周六天，最少有五天是先生來接。自從梅蘭爲房屋改建，帶著三個孩子住到幼稚園來，沈先生每次來接孩子，總要與梅蘭問些兒女的事。家長麼！又是一位銀行的經理，連園長見了，都以另眼視之。就在梅蘭與其他的老師，在收拾桌椅、打掃清潔的時候，帶著孩子與梅老師談談說說，無非是些家常。漸漸地，說起了家庭、孩子。談起了自己的太太。

祇要一談起了自己的太太，就唉聲長氣，說：「俗話說得是：『田裡沒長好莊稼，祇是一季子，漢子沒娶好老婆，可是一輩子。』唉！我這一輩子，倒運得來！」還說是他太太好賭，十有八天在牌桌子上。

梅蘭祇有藉詞把話頭岔開去。漸漸地，不時偷偷兒的送些小禮物，美國香皀，日本花菇，韓國蔘茶，漸漸地，手錶、珊瑚鍊子，也伺機塞給梅蘭。起先，日用品吃食什麼的，不便拒絕，也就收了下來。首飾，梅蘭也伺機退還給他。有一次還附了一張字條，寫了這麼九個字：「我是有夫之婦，請莊重。」連同禮物退給他。從此，也就躲著他。這位沈先生纔似乎知難而退。

俗說：「事要人不知，除非己莫爲。」沈先生的這種鍾情於梅老師的行爲，早已看在同事們的眼裡，背後卻也說在同事的嘴裡。這事，梅蘭也告訴了她的同學孫園長。

「妳不來說起這位沈先生，」孫寶珍說：「我也準備去提醒妳！」

遂說到沈經理這對夫婦，可以用《紅樓夢》中的賈璉與王熙鳳來作比。這位沈太太並不愛打牌，倒是蔣府官邸的常客。偶爾家中有客，拉開牌桌子應酬是有的。也許這位太太在家庭中，占有的氣勢，高過先生，方使得這位先生的情慾，發洩到外面。這位太太的酸勁，可不亞於王熙鳳。她的姐妹淘，給她的外號，也是「鳳辣子」。說：「沈太太也姓孫，名字中也有個鳳字，叫孫靈鳳。」遂鄭鄭重重地告誡梅蘭，「遠著點兒。」

已經有兩月光景，沈先生不是那麼常來接孩子了。大多時候都是趙嫂來，有時，孫太太也來。放寒假了。家長來接學生，還要領取一學期的成績單。家長們也就便的與老師們談談孩子們學習的興趣與日常行爲。

突然，這位沈太太竟然大吼著說：「她掉了一張銀行本票，票面是新台幣伍仟元。」於是一時間鬧嚷起來。還有不少家長沒有離開，聽到了這麼的一件遺失金錢的事，都不敢動步了。

「搜查所有人的皮包。」沈太太叫喊著。

有好幾位老師的皮包，都不是拿在手上，掛在身上的。都是放在抽屜或掛在椅背上的。正想著要去把自己掛在椅背上，或放在辦公桌上的皮包拿到。一聽到說要「搜查皮包」，都又不敢動了。

「請大家不要動，」沈太太說：「把手上的包包都放在近前的桌案上。」遂向孫園長說：「請孫園長陪著我一個個去搜查。」

孫園長只有陪著沈太太去搜查那些放在桌上的各類包包。搜到梅蘭的那個布袋，一打開袋口，沈太太就大聲叫著說：「這就是，」又用手指著說：「這個信封就是。」一時之間，全部在場的七八位家長，都錯愕起來。一時間，大家的眼光都射向梅老師。

梅蘭也一時錯愕得張口結舌，直瞪著孫園長從她那個布袋中取出了那個信封。

「這個信封裡，就有我那張本票。」沈太太肯定地說。

孫園長拿著那張信封，望著站在面前的梅蘭，與沈太太三個人，正好站成一個鼎角。這時，梅蘭已猜到這是沈太太栽贓，她這隻布袋，是金土用來裝隨時劄記紙片的，由於可以用它裝零星用物，遂也取來應用，裝金錢證物的錢包，也裝在袋中。近來，金土忙著大家夥的房屋改建事務，沒有工夫用這個袋子。梅蘭看上了這個袋子不起眼，才拿來用的。在發成績單時，就掛在坐椅上。發成績時，與沈太太聊到她大班那個孩子。她這時想到了，便向孫園長說：「我不知道我袋子裡有這個信封。裡面裝了什麼？我更加不知道。」當孫園長伸手剛剛取那張支票，沈太太就興高采烈地說「就是這張本票」，說著便伸手從孫園長手上拿了過去，說：「我找到了。」馬上便把信封與本票夾在一起疊疊折折，打開手中的皮包，放了進去。便打算帶孩子走。大家被沈太太的這一行動，給攪和得越發地錯愕。在場的人連交頭接耳的情緒都反應不出。

「沈太太妳不能走！」梅蘭說。「妳得弄清楚，這信封妳丟在那裡？什麼時候丟的？自從妳來之後，我一直坐在這個位置上，從來沒有移動過。我的這個袋子，從我坐在這裡，就掛在椅背子上沒有動過。沈太太你還坐在這裡，」說著指著腳前的椅子「跟我說了一陣子話！……」

沈太太沒有等到梅蘭說完，就連忙插入話頭說：「也許是你當作裝好的成績單，檢起來放到袋裡去的。」說著連忙說：「我可沒有賴上妳，說妳梅老師檢了去，就裝到袋中去了。」遂又馬上向在場的人說：「沒有事啦！只怪我大意。也不是梅老師有意的。沒事啦！沒事啦！」說著便領著孩子走了。於是又恢復了熙嚷，成績還沒有發完呢！

「算了！就這樣結束吧。」孫寶珍向梅蘭小聲說。說過，就忙著趕去送沈太太。梅蘭的臉，蹩的青紫。

「梅老師！算了。」一位同事走過來說：「大家都知道這個女人，惹不得的。算了吧！」

下學期，孫園長把沈家的這個大班的孩子，調整到另一班。一上學，這位沈先生了拿一封長達千言的信，偷偷兒塞給梅蘭。這事，梅蘭當天放學回家，便把這信交給了金土。所以，當金土知道這沙發是那位沈先生送的，推想這位沈先生是替他太太補償那次事件的愧疚！梅蘭則認爲不是那麼簡單。她認爲像賈璉那種男人，王熙鳳不也管不住嗎！

「尤二姐的悲劇，怪得了賈璉？恨得到王熙鳳麼？」

梅蘭與金土兩人讀《紅樓夢》也曾討論過這一回。當梅蘭嫣然一笑，回答了一句：「纔不那麼簡單呢！」也就心會意明，不必閒磕牙了。

陸津

梅蘭

一、《量守日記》的啓示

高中國文課本的重編，第一、二兩冊，業已定稿，這學年便開始實施。這兩年來，私人辦學的風氣，形成了鼎盛春秋。誠可以「雨後春筍」四字，來形容各級學校的產生。從幼稚園到專科，級級都有。

對於魯金土的國學造詣深厚，最爲欣賞的陳詒先生，一直想幫他得到教學職位，數年以來，卻失望地一次又一次，都未能推薦成功，一直遺憾到今天。然而，陳詒放在心坎間，可始終沒有忘記這件事。甚至認爲未能把此人送到學校的講台上去，不但是青年學子的損失，也是社會的不公。在科學時代，認真讀了七年塾屋的人，起碼可以參加縣考，中上秀才的。

自從金土那本《國文教學淺說》，改以《國文教學》四字，在國立編譯館館刊一期刊完，就獲得不少贊賞的反應。一位集股創辦了一所高級中學的代議士江校長，有事到了編譯館。順便問起這位寫《國文教學》的魯金土，是那個學校的教授。這纔有人帶他去認識陳詒編審。陳詒這纔伺機推薦了魯金土。這位江校長滿口答應下來。只是這學期已開學，最快也得到下學期。陳詒遂抓住這個機會，願意約同魯金土訂個日子去見個面，談了之後，就作決定。

事實上，這位江校長創辦的這所高級中學，正缺教員。雖然國文一科不缺，但最少有一半都是人事上的八行書推薦來的。開學兩年以來，學生的反應不佳者，有一大半得更換。還有一年半就要參加大專聯考，若無考上大學的好成績，招生就有影響。也曾函請市教育局推薦，甚至請教育局派來。但推薦來的，不理想的占多數。又不好意思解聘，反而形成了人情上的包袱。

江校長與魯金土見面之後，雖應允下學期發聘。他知道有的人能寫不能教。見面時，覺得這人口齒遲鈍，器度雖秀致，態度則羞怯。能在講台上講書嗎？

魯金土給與江校長留下的印象，可以說並不滿意。

湊巧，臨期末還有一個月光景，國文科二年級有一位老師喪假。教務處原已商由另兩班的顧老師與陳老師分別兼代。江校長突然靈機一動，建議請這位寫《國文教學》的魯金土先生來上課。

「錢老師有三班課，高一一班，高二兩班。」教務主任施勉有憂慮，而且，代課的老師已說妥，課的時間，爲了配合兩位兼課老師，已經調配妥當，今天是星期一，好在錢老師的課是周二、三、五三天。「已調配好了。」

「不。」校長在教學會議上，堅持請這位魯老師代。說：「去通知這位魯老師來上課。」

江校長之所以如此下決定，意在借此機會，要這位魯老師來試教，若是不善於教學，便有辭謝陳編審的理由了。教務主任不能蠡知校長的心意，見到校長的意志非常堅決，也就不便再說什麼？顧、陳兩位老師都在會議桌上，便宣布原訂的課程時間不變。遂通知魯金土先生於星期二上午八時前，到達教務處。通知上只說：「有要事懇談，請於明（廿四）星期二上午八時前，到教務處，面會施主任。」於是，魯金土準時到達，見到施主任。

二人見面，寒暄之後，便把校長的意思道出。跟著就把兩冊國文課本，送到金土手中。說：「頭兩節就是錢老師的課。下午是最後兩節。」遂又說：「待會兒鈴響，我陪魯老師到教室去。」

魯金土應了一聲：「噢！」翻閱課本的目錄，問：「進度怎樣？教學法，有沒有特殊的指示？」

「進度已畫上了記號，」施主任說著，就去翻到目錄，說：「凡是打上紅筆『ⅴ』的，是講過的。其餘畫上紅『○』的，就是應該講下去的。」

「噢！」金土又看了看目錄，課程時間表也在目錄的第二頁。頭兩堂是二年級。這學校纔創辦，開學尚未足兩年，在學的學生，祇有高一、二兩個班級，高二祇有六班，高一八班，一共七百多個學生。看到第四冊應講未講的，有黃侃的「量守日記」、「漢樂府」、「爸爸的看護者」、鍾嶸的「詩品序」，還有梁啓超的「論小說與群治之關係」等。遂問：「照目錄秩序的先後講嗎？」

「是的」施主任答說：「照目錄的秩序講下去，統一命題考試。」

上課的鈴聲響了。是電鈴，聲音響得刺耳。

「上課了，」施主任說：「我陪魯老師到教室去。」

走在操場上，施主任告訴魯金土說：「我到講台上，先作一個介紹，魯老師今天可以不必講課，向學生談談如何學習國文，敘敘家常，也就可以了。」

施主任介紹過魯老師，還特別說到魯老師寫過一本《國文教學》，很受教育界欣賞。錢老師的課，由魯老師來代。施主任在學生熱烈掌聲中離開教室，魯金土站在講台上，望著教室坐得滿滿堂堂的半大小子、半大姑娘，一個個圓睜著大眼，他如夢似的想起當年在衢州貞文中學，第一次站上中學教室的講台，這一教室中的學生，可比當年多多了。

「我們是不是從『量守日記』往下講？」回答的聲音渾雜，有的說：「是」。有的說：「不是」。說不是的人，則認為「檀弓」還沒有講完。有人則指責說這話的人，是「胡說」。吱吱喳喳，吵嚷起來。魯老師以手式安靜了吵嚷。指手點出一個人站起來，問：「你說，從那裡講起？」答說從「量守日記」接著講下去。再大聲問：「對不對」？幾乎是全體答說「對」。

「請大家把書放到桌上，翻到一四四面，」話未說完，有好幾位發出笑聲。魯老師遂問：「笑什麼？」馬上就有人回答：「老師太客氣啦！還說『請大家』！」跟著又有人笑起來。

「不要笑，」魯老師說：「老師與學生是同等的。孔夫子不是說過嗎？『三人行必有我師焉！』孔老夫子曾自愧自己的聰明才智，比不上他的學生顏回。」又問：「課文翻到了吧？」

「翻到了。」幾乎是全體學生大聲回答，學生很興奮，聲音整齊。惹得隔壁班的老師，走出教室來看。魯老師吩咐大家，聲小些。

這一課的文章，作者黃侃先生是湖北蘄春人，樸學家章太炎的弟子，魯老師先介紹作者。「民國二十四年過世時，只享壽五十歲。」又問：「我說的對不對？」

大家又齊聲答：「對」。魯老師又以手式，要大家歛聲。

「翻到一百五十面，」拿起課本，昭示著大家，用手指著書上的作者介紹。問：「翻到了吧？」

大家又一體大聲作答。

於是魯老師向大家唸了第一段。說：「大家也唸一遍。」大家遂嗡嗡鏗鏗唸了一遍。剛停聲，魯老師就背身在黑板上寫了「讀其書，不知其人可乎？」寫完之後，返身向學生說：「這是孟夫子的話。」又說：「記著，我們讀過的文章，應去認知那文章的作者是誰？以後，我們纔會去注意某人某人的文章。」跟著說：「現在我們看課文，以下是作者介紹，講完了這課書，我們再來瞭解作者。請翻回到一四四面。」

魯老師的眼睛望著全體學生，聽著那窸窸窣窣聲翻書，靜止後，他唸：「量守日記」遂又說：「跟著我唸」，等學生此起彼落地唸完了。便轉身在黑板上已寫過的一句左邊，再寫：「『量守』二字，似是黃先生的『日記』名稱。轉身來，向學生說：「介紹作者的文中，沒有寫。以後我查清楚了，再告訴大家。」遂說：「這篇文章倒是寫在日記中的一篇游記，游廬山五老峰的寫實記事。」又說：「由於這篇文章是日記，所以一下筆，就寫上年月日時，」於是唸：「戊辰六月六日，晴，早御袷，午熱甚。」再命令似地說：「來，跟著我唸。」又唸了一遍，學生無不精神貫注地跟著鏗鏗鏘鏘唸一遍。

隔壁班的老師又走出教室來了。這時，魯老師不曾注意到。

「戊辰是民國十七年，古人習慣以干支紀年，」又問：「知道干支是什麼嗎？」學生齊聲的答：「不知道」。魯老師背轉身寫黑板。「天干十位，甲乙丙丁戊己庚辛壬癸，地支十二位，子丑寅卯辰巳午未申酉戌亥。天干在上，地支在下，相和配成一組，由甲子到癸亥是六十年。六十年爲一甲子。循環不已的組合下去。」

黑板的書寫，一行行像書本一樣的整齊。

「記明白這天是六月六日。還記上陽曆是七月二十二日禮拜日。早御袷，把時辰也寫出。是這天早晨。古人黎明即起。以今天來說，大概是早晨六七點鐘。連氣候也記下了，晴。」遂問：「懂了吧？

這寫法，就是所謂的『日記』體。今天的人，寫小說也可以用這種文體。」

「游記算不算是一種文體？」有學生發問。

「當然算，」魯老師說：「『徐霞客游記』就很有名。柳宗元的永州八記等，也是遊記。」又說：「東西方的國家，都有人寫有著名的遊記，馬可孛羅的遊記，不也很出名嗎！」遂又背身寫黑板：「御袷，穿夾衣，御字是動詞。記山上涼爽，早起須穿夾衣。袷，讀ㄐㄧㄚ，也可以寫作裌。下寫『午熱甚』。記述山上的氣候，早午分別很大。」寫完後，說：「書上的注解，已經有了。往後，我不再寫到黑板上，我這是告訴同學們，應如何去作筆記。」又說：「跟我唸：『晨起，議登五老峰，四人同行。』講：「『議登』的意思，是指他們四個人，先作個商量，大家決定登五老峰。五老峰是廬山的勝處。」再領著唸：「陟女兒城，吳王柴，升降數番，良久，乃達五老之麓。」唸完之後，又轉身寫黑板：「陟，登也。登高的意思。柴，寨的本字。古人豎立小形散木，圍成區落，名叫「柴」。今寫作「寨」，讀第四聲。」於是譯成語體，說：「登上女兒城、吳王寨，爬高降低好幾次，好大會子，方始到達五老峰的山腰。」又往下唸，說：「下一句長些，要用心聽我唸，大家聲音要齊一，」遂唸：「先隮西頭一峰，所謂頭峰。炎曦當空，正苦煩喝，俄而雲氣從山下起，挾風而度，始猶如風緼，如釜蒸，繼則天地山川，悉藏雲內。」同學們唸不齊一了。

魯老師一聽，笑了。說：「不通文義，就唸不成句。」說著又轉身寫黑板：「隮，與躋同，兩字可以通用，音級。」、「炎曦，曦，日色，太陽的光暉，炎曦，意指紅辣辣地的大太陽，俗說的「赤日」。」、「煩喝，意思是炎熱薰人。喝字文義待查。」寫到這裡，又轉過身來說：「我上課前十分鐘，纔拿到課本。沒有工夫準備。這句中的『煩喝』一辭，很特別。按語法，『苦』字是動詞，『煩喝」兩字，是一個辭組。得查查看，有無出處。下一次上課，我會再講這兩個字的。」遂又說：「還有一個字，是大家常常唸錯音的。」說著又轉身在黑板上寫了一個「挾」字。反過身來說：「你們聽我唸音了吧！應唸「攜』，不可唸「夾』。孟子上有一句「挾泰山以超北海』，怎能唸成『夾泰山以超北海』……」

鈴聲響，下課了。魯老師還沒有離開講台，就有不少學生蜂擁走向講台來。有人說：「老師，你教得好好。」

已有同學替魯老師送上一大杯茶水。也有別班的同學擁進門來。他們在上課時，聽到了這邊班上的同學，又是唸，又是鼓掌。而且，也聽到老師的講課聲。所以一下課，有些同學好奇地走過來了。一個個站在魯老師面前，有男生也有女生，大多人只是望著魯老師，像看新娘子似的，大多數人不說話。

「老師，你是那個大學畢業？」其中有人問。

魯老師有些兒臉紅，笑笑地回答：「我沒有讀大學，……」話還沒有說完，就有另一位男生說：「老師，你講得太慢了。這樣講，會趕不上進度的。」魯老師還未領悟到什麼叫「進度」，因而遲疑著未作答。另兩位女生，也在附和著說：「講得太慢了。」這一來，越發使得魯金土臉紅。「噢！」卻不知怎樣回答。

「老師，是這樣的，」一位女生上前一步，說：「我們過去的國文老師，是唸一句用語體翻譯一句，從頭到尾翻譯完了，再講注釋，一條條的連唸帶講。不是老師這樣講法。」站在魯老師面前的男女學生子，你一言我一語，都說起了話。

「魯老師你這樣講，容易懂。」有位女生持相反意見。

鈴聲響了。教室外的小小操場上，馬上揚起了雜沓的腳步聲，吵嚷聲，霎時寂靜。站在魯老師面前的學生，也馬上各歸各位。

魯老師聽了學生這一番談話，非常高興！他感受到學生的意見，是實際的。所以他站到講台上，等學生坐定，便說：「剛纔同學們提出的意見，非常寶貴。」又說：「我的這種教法，是老式的。老式的教學法，只有一個目標，那就是要求教給學生一個『懂』字。必須教到學生懂得。天賦差，資質低的學生，只好落後，跟不上聰明的學生向前。仲尼先生說過這麼一句話：「舉一隅不以三隅反，則不復也。』說到這裡，他感受到學生在喁喁私語，知道這番話，學生聽不進。遂改口問：「有同學向我說，這樣教太慢了，趕不上進度，是嗎？」這時魯金土已悟到教務主任說的那句：「統一命題」這四個字，自是依據大家教學上的齊一。有兩秒鐘無人回答，但課室已寂靜下來。遂指著那個女生問：「你說！」這女生剛要說話，魯老師以手示要她站起來，說：「學生應站起來回答。」

「我們過去的國文老師，只是唸一句，翻譯一句，然後再講注解。」這女生說了。魯老師以手示意，要他坐下。

「全是這樣嗎？」魯老師問。

「是。」大多數人如此回答。另有一位女生站起身來說：「我認爲老師你的這種教法好，容易記得，也容易懂得。」

也有幾個男生插嘴說：「對對對！」聽來，似乎在反諷。

「好！我知道了。」魯老師拿起了課本，說：「上課。」

遂唸一句譯一句：「先隮西頭一峰，先從五老峰西邊的第一個山頭開始，所謂頭峰，這裡就是五老峰的第一個山峰。炎曦當空，頭頂上掛著火紅的大太陽，正苦煩喝，正在苦惱太陽狠毒熱得令人喘不過氣來，俄而雲氣從山下起，忽然間有霧似的雲從山下升起，挾風而度，還領著風姨輕移蓮步而來，始如亂縕、如釜蒸，開始的時候，像一團團紛亂的棉絮，像熱鍋子蒸出的熱氣，繼則天地山川悉藏雲內。跟著，這裡的天呀、地呀、山呀、水呀，全部都被雲掩藏著了。乘輿而行，坐著轎子在山中行進，如司馬長卿大人賦中升天情狀，就像司馬相如寫的那篇『大人賦』中描寫的仙人升天的情景一樣，蓋由升山悟升天之情狀耳。這都是坐在轎中登山，在心情上的感應像仙人駕雲登天一樣。」……就這樣，唸一句譯一句。這教法，對魯金土來說，真是太輕鬆了。

「老師，慢一點講，」還有學生大聲要求，說：「我們來不及抄。」

學生一字字把譯句抄在書上。魯老師，只得每譯一句，唸上兩遍。

下課後，騎車到了梅蘭工作的幼稚園。很近，就在這學校近處的另一條巷弄中。

金土告訴梅蘭，他已上了兩堂課，是代課。下午還有兩節。當梅蘭獲知金土已經站到講堂上去了，非常愜意。在金土，則在忐忑著，他學到的教學方法，已不適合今天的教育，還得去適應現實，去學習新教學法呢！

「我回家，」魯金土告訴梅蘭。「下午還有兩節，得回家翻翻書。」遂騎車回家，雖有不短一段路，梅蘭要他在幼稚園這邊的辦公室休息，中午一起到外面吃飯，金土則決定：「我還是回去。」

一路上，他思維著黃季剛先生的日記，名之為「量守」，這兩個字的內涵，實在太好了。他想：「今後，我就得照著『量守』這兩個字的內涵去作人、處世。第一件事，就是量守今後步上教育界的現實教學適應。下午兩節是一年級，程度又低些了。那麼，這兩節課，更得準備。」

到了家，坐下來，就拿第二冊國文課本，看了目錄上的記錄，六節諸子選，還有三節沒有講，下面有一連三篇小說，《水滸傳》的「武松打虎」，是印上「◎」的必讀課，金土遂興興然想：「這小說是我榮光祖的拿手，聽過他老人家說過這節書，真是精采，連老虎的叫聲，飛翻撲跌聲，都在口齒鼻腔間，形容出來。我可以回溯回溯，模擬模擬！」

金土便決定講這一課，先學他榮光祖的說書腔調講這段故事。然後，再從文句中挑出小說語言的不同於一般文章的不同文辭，如俚語方言，寫上黑板。最後，再講文學的文體，小說類在我國文學中的地位，以及小說之被稱爲「小說」的特色在那裡？都需要略作構思。

他獨自一人坐在家中，一遍又一遍來閱讀這篇「武松打虎」，他要學他榮光祖的說書，不看課本，只憑一張嘴巴說，居然在家手舞而足蹈。然後，他突然想到「量守」二字，在課堂上講課，終究不是在書場上說書，應有所「量守」啊！

二、教室内外篇（上）

得力於這六周的試教，魯金土接到了聘書，而且是專任。江校長還附了一封信，一方面謝謝魯老師的幫忙，一方面告訴魯老師，說是學生反應很好。最後告訴魯老師說，課表到開學時，在教學研究會上發。但卻說明原來教的那兩班升高三的學生，仍請魯老師帶下去。

下學年，國文又換了新課本，但高二、三還是省教育廳編的那兩本（第二、四兩冊）。

「得謝謝陳先生，」梅蘭說：「沒有陳詒先生這樣的熱心，竟然挺起了自己的腰桿來，搭起這座長橋，你可真的沒有本領通過這條河呢。」

請陳詒與周清波兩人來吃便飯。近數年來，這兩人一直是魯金土家中的常客。新編的國文課本，這學年開始實施，魯金土還是館外審校委員呢。

在假期中，有兩個學生來。說到期中考的填充題，有一題出到《曼守日記》的「煩喝」一詞，說：「我們填的是老師寫在黑板上的：『熱得喘不過氣來』，被打×，說是錯的。答案是『暑熱』。」他們還說：「煩喝這兩字，老師是特別提出來講的，」他們還拿出了筆記簿唸著，說：「煩字形容天氣太熱，喝字形容熱得吞下去吐不出來，噎住了。」又說：「老師的翻譯也這樣說。」學生很不服氣，還說：「老師還找出了後漢書上的竇憲傳呢！」又說：「同學們說，教科書是標準本，答案應以課本上的注釋為對。」金土這纔知道，老師講課得照本宣科。

魯金土與陳詒他們談話時，提到了這個問題。

「『煩喝』一辭，課本訓為『暑熱也。』未免籠筒。」魯金土說。「從章句上看，『煩喝』二字應是一個形容辭組。煩字主，喝字從。換句話說，『煩』字形容天氣熱甚，『喝』字修飾『煩』字天氣熱甚的情況。用『喝』字與『煩』字組成一個形容辭組，形容天氣熱得喘不過氣來，辭章非常別致，狀情也極其貼切。若是把『喝』訓作『暑熱』也。在我看來，未能訓釋出黃季剛先生的此一形容辭組的狀情。」說到這裡，又說到那天他講到這一章句的時候，就感受到『喝』字的放在『煩』字之下，此一用語，可能有出處。所以當天沒有講，告訴學生，『煩喝』一辭，等查查書，再向學生講。」

「我查了辭書，」魯金土繼續說：「循線查到了《後漢書》的『竇憲傳』，記到建初二年，女弟立為皇后，拜憲為郎，遷虎賁中郎將，弟篤為黃門侍郎，兄弟寵貴日盛。……憲恃宮掖聲執，遂以賤直奪沁水公主園田。主逼畏，不敢計。「後肅宗駕出，過園指以問憲。憲陰喝不得對。後發覺，帝大怒，召憲切責！……」，李賢注『陰喝』二字是『陰喝，猶噎塞也。陰，於禁反（去聲）喝，一介反，音噎。或作嗚，烏故反。』。從此處看來，當可想知黃先生的『煩喝』一辭，源自范曄的《後漢書》『竇憲傳』的『陰喝』一詞。那麼，訓『煩』爲熱甚，訓『喝』字爲『氣塞』，釋『煩喝』二字爲『天氣熱得令人喘不過氣來。』應該是對的啊！」

魯金土說話，一旦抓住至理，往往聲大氣壯。又說：「課本上的訓音，是『喝，音ㄏㄜ』，也是錯的。這字用在此類狀辭上，怎能讀ㄏㄜ？在我看來，『喝』字不像假借字。總之，此字訓音ㄏㄜ，似乎有些問題。」

「好，我已記下來了。」陳詒說。「好像新編課本，沒有再選這一篇。」又特別向金土關照了一句：「老弟，校對時，請費心注意一下類似這樣的訓詁問題。」

魯金土仍擔任這新編國文課本的館外審校委員。學校的教學研究會，通常一學期舉行三次。開學時一次，期中、期末前各一次。開學時的一次，討論應講授的重點課文。新編的高一課本改了，由廿八課減爲十八課，預定每周的進度是一課。其他兩次會，也都是爲了統一命題，在會議上取得共識。至於命題的老師，個個一份。最後送出的考試試題，則是教務處綜合成的。爲了減少學生考過後，在背後說閒話。

今年的招生，仍舊八班，在校的學生已超過千人。

國文科的老師卻增多起來。編班時，仍將一些學生成績較好的，另編兩班，一班是數理科分數高的，一班是文史科分數高的。各科的教師，也是挑選過的。魯金土是其一，又加上原來他代課的一班升高三的，共教三班。私立中學的教員薪資，一律按上課鐘點多少計算。但是，課未排滿到十六小時，只算兼任，每學期支領五個月鐘點費，超過十六小時的，按所教鐘點計算，支領全年十二個月鐘點費。魯金土一進來，就接下兩班高三，一班高一實驗班，全校只有兩位，魯金土是其一。所以魯金土一到校，在教學研究會上介紹時，就受到了全體老師的注目。已有同行在交頭接耳的輕聲問：「何路神仙？」也有略知來歷的人，說：「教育部的官老爺推薦來的。」

魯金土第一次參加教學研究會，新課本已改爲十八課，每周一課，不必再加挑選，二、三年級的課本，照往日選定的教，最後一屆，不必動了。其他，也都照老規定。沒有什麼討論的。

只是上課時，這兩班高三的學生，都提到了「煩喝」一辭的考試答案，錯與不錯的問題。作老師的魯金土，不能不作答，卻也不敢像在家與陳詒、周清波談論時，那麼的理直氣壯，怕的學生說出去，於己於人，都有損害。遂委委婉婉地解釋說：你們在學讀書，走的是兩條道路，第一條道路是升學，普通科的高級中學，都是爲了你們考大學設立的，與其他職業性的高級職業學校不同。所以，讀書求學的目的，是考大學。既然考大學的試題，用的『標準教科書』，對不對的答案，都應以課本上的『注釋』爲準。第二條路是治學，做學問。那就得『擇善固執』，對的就是對的，錯的就是錯的。絕不應模棱兩可。做學問的態度，是求真求是。」又改換口氣說：「你們如今還祇是高中的學生，目的在升學，考試的答案，自應以『標準教科書』上的『注釋』爲對。我們不能去爭對不對的真理。但我們也應該懂得怎樣去認真、去求學問。那麼，大家就知道這『煩喝』一辭的真正文義，就是我寫到黑板上的那些話，『喝』應讀作『噎』，這『煩喝』一辭的意思，是熱得喘不過氣兒來。『喝』字絕不能讀作『ㄕㄜ』。」原想，再從字形學上，把「喝」的讀音，說上幾句，一想未免多餘，遂又結論說：「好了。我們把這一問題結束了吧！新的學年又開始了。請大家拿出第五冊課本。」一課課指出應講的各課。便開始講「心理建設自序」。

由於一下課，總有學生問問題，魯金土很少到教員休息室去休息。他不知教員休息室中，還有同事在議論到《量守日記》中的「煩喝」一辭的注釋問題，當然說到了這位新來的魯老師。據導師說是學生反應非常好。說：「口齒清楚，聲音洪亮，正楷板書，尤其寫得整齊漂亮。」因為他不到教員休息室來，有些人猜想魯老師這人太傲氣。一直到期中考前的教學研究會上，纔聽到魯老師發言。

這天，一位新來的老師，一到會就向在座的同仁致上名片，銜頭是什麼《校勘》月報發行人，姓尤，另外還致贈四開型報紙一張，上面印有一篇篇指出各書各報刊，經常刊誤的字辭。

大家接到這張小型報紙，都很高興，可以糾正我們這些國文老師，讀錯字音，解錯字義之病。會一開始，這位尤老師便首先發言。先報告他出版這張《校勘》月報的起因，是見到商店招牌上，把「家具」加人旁，寫作「傢俱」，聽到電台廣播，也唸錯字。看到電視播報員或電視演員，也常常唸錯字音，寫了別字。如今，他又見到《國立編譯館》編的教課書，也有錯字。遂舉例說：「姜子牙，明明是姓姜名尙字子牙，偏偏注字『牙』。寫信去要求更正，也不理睬。還有文天祥的『正氣歌』，其中的文句『正氣所磅礴，凜烈萬古存。』經我研究，認為其中的『凜』字，改為豎心旁的『懍』字，意義就更好。因為上句說的是『正氣的磅礴偉大，全是在文天祥的心胸中烈火樣燃起來的，所以纔能萬古長存。』」這位尤老師慷慨激昂地演說，竟然說到《國立編譯館》的『館」字，不寫作房舍的『舍』旁，卻寫作了飯館的『食』字旁的『館』，真的名符其實的飯桶館也。」尤老師一口四川話，說得口沫四迸，滿頭大汗。話因一住，便響起熱烈掌聲。

坐在尤老師對面的溫老師舉手，向主席表示發言。

溫老師是位年輕人，廿來歲，淡江中文系畢業。得到主席允許，遂起立說：「姜太公姓姜名尙字子牙，是一般辭書上的注釋，若按《史記》『齊太公世家』文中的『索隱』注，是『姓姜名牙』。又有說法是『文王訪賢，在謂水河濱，遇到姜尙。文王曾興奮地說：『吾先君望公久矣！』故號太公望。」又說：「《辭海》等書稱：『子牙』，乃加『子』以尊之的俗稱。教科書的編者，捨俗而從雅。注上稱姜尙字子牙，是正確的。再說『館』字，雖與『舘』字通用，用『食』字旁，似乎是正書，不是俗寫。」又謙虛地說：「我這是隨時想起，提出來給尤老師參考，也許我說錯了。還得查查書看呢！」

錢老師竟然提名魯老師，說：「請魯老師說說看。」

又有另兩位老師也附議，要求魯金土老師發言。作主席的老師，也在以手式請魯老師發言。魯金土打量一眼尤老師，面上並無尷尬之情，遂起立說：「關於姜太公名尙字牙，我同意溫老師之說。至於《正氣歌》的『凜烈萬古存』，按『凜』與『懍』二字，可以通用。不過，這個『凜』字既與『烈』字疊用，故無論用『凜』或用『懍』，都應作『寒』字的意思解釋，所謂『凜烈』，指的是嚴寒、酷暑；以寒暑代歲月的意思。」遂又拿著手上的那張《校勘》月報說：「這張報上刊出的這篇談論『凜烈萬古存』一語的文章，指出『懍』字有『敬也。畏也。危懼也。』。都與正氣歌的辭義牽連不上義理的關係。」又說：「再說，《正氣歌》乃文文山傳世不朽的作品。若認爲文辭有誤，得從版本上去找證據，我們讀書，最可怕的是『師心自用』，」遂向尤老師說：「尤老師，恕我言重了。見諒！見諒！」

這種教學會議，每次召開，不是在周一早上上課前一小時，就是在周三下午下課後一小時舉行。

這天是周三的下課時間，討論至此，時間已到。主席，便宣布散會，散會就各自返家。

當魯老師到停車處，取回腳踏車，就見到尤老師在路口等他。笑嘻嘻地叫了一聲：「魯老師！」他見到這位尤老師，一分同情心緒，便從心底抽出絲來，想：「尤老師一定為了教學研究會上的言論問題。」遂也回應了一聲：「尤老師！」

「魯老師你說，像《辭海》呀！《辭源》呀！都是錯的嗎？」

魯金土一聽這位尤老師的聲調及所問，就猜想尤老師還不服氣。自也不便答說什麼？只回答：「會議麼！總難免要各抒己見。」

「我不是這個意思，」尤老師說：「我要請教魯老師的是，以後，我們教書遇到問題，《辭海》《辭源》都不能用了嗎？」

「當然可以用。參考書嗎！都有用。」魯金土說：「我們還得多查查其他參考書。相互比對，纔會尋到正確的解說。」

「那我怎能知道其他有什麼什麼參考書啊！」

魯金土知道無法再談下去了，遂說：「我們改天再聊吧！我得趕回去改作文。」說著便擺出了要上車的姿式，一邊又說：「我還有期中考的試題得作。」想不到這位尤老師，居然伸手抓住了魯金土腳踏車的車把，說：「我替你改作文好不好？」

「這可不好，」魯金土馬上回答：「作國文老師，最要緊處是在作文上，去認知學生的品性。」

「我代人改過作文嘍！」尤老師又堅定地說。

「那是別人，我可不敢，也不願這樣作。」說著遂伸出手去，與尤老師握別。推著車，談著話，已到八德路上，這纔告別了這位尤老師。

老實說，魯金土自從接聘教書以來，最感苦惱的就是學生的作文。每班最少五十五人，有一班竟然五十七人。規定每學期的學生作文，不得少於十四次。平均每月三次。作文簿是統一的，十六開本，毛邊紙，規定用毛筆書寫。三班學生的作文，每次一百六十餘本，每月三次也有五百本。別說學生的文辭不通，十句有五句要修，錯別字，行行都有，字字要改。再加上學生不會使用毛筆，寫得不成字形，認知都難。比他十幾年前教國文的時代，大不相同。那時，各班學生人數少，最多也不過二十餘人，十之八九的課業，都使用毛筆。在作業的批改上，不會產生今日如此多的苦惱。在今天，代國文老師改作文的人，幾乎形成了一種「企業」。魯金土知道社會上，有此一門行業，當他改作文改得頭昏腦脹，心煩意亂的時際，也曾想到：「應該送給專門改作文的這門行業去改。」有一次，梅蘭看到書桌腳旁那一綑作文簿，曾經主動的拆開，用蘸紅墨水的毛筆去改了七、八本，被金土發現，竟氣憤地責備梅蘭不該這麼作，說：「妳的筆跡與我不一樣。萬一學生問我：『我的這篇作文不是老師改的吧？』我的臉向那裡放？」梅蘭雖然挨了罵，還是贊賞她先生的這分敬業精神，是值得她尊敬的。

魯金土騎在腳踏車上，想呀想的，想到這位尤老師，他之所以敢在教學研究會上，提出這麼一些大話，還不是由於他缺少國文這門學問的專業訓練。比尤老師年輕一倍的溫老師都能道出他對文學常識的缺乏，正因爲他是淡江學院中文系畢業的，他受過國文這門課程的專業訓練。會後，這位尤老師不但去請教比他年少的溫老師，又追蹤著我來尋求同道。「我在會議上，沒有正面否定他的意見，所以他趕來與我聊上幾句，企圖平息他在會議中招惹出的不安心情。」金土想到這裡，卻又突然生出不安的心情，認爲剛纔實在應該多多安撫尤老師幾句纔對。再想想，也沒有什麼好安撫的，還是直說好些。

到家之後，兩個上小學的孩子，都已放學回家。兩個上中學的大孩子，總是回來晚些。每天，都加了兩堂輔導課，升學的壓力，對學校來說，幾乎比家長還要承受得重。

原說晚飯後，先寫試題，再改作文。卻發現第五冊課本，被顧老師借去了。說是他的課本丟了，臨上課時纔發現。上午就借了去，忘了還他。只有全心全意去改作文。

正改作文，顧老師騎著腳踏車到來。他特地來送還借書的。

「對不起，」顧老師一來就雙手送上借書。「下午開會竟把這件事忘了。會後到教務處去，出來你已離校。我明天沒有課，你有。所以特地把書還來。」

坐下之後，顧老師拿起他還來的那課本，翻閱著問：「魯老師另外還有一本上課用的課本吧！」

魯金土一聽，愣了。不知如何回答顧老師的此一問題。更可以說不知顧老師問的什麼問題？當顧老師再重複了一次。魯金土方始聽懂。

「這一本就是教務處發的。」又說：「我祇這一本。」

顧老師聽了魯老師這樣回答，用手翻檢這課本，竟像是新買到手的書一樣的乾淨，其中只有一兩處，在注釋中的某些文句上，畫上了紅色直槓，其他未寫一言半語。

「那你這課本上沒有寫上參考，」顧老師說到這裡，已是滿臉的狐疑，又說：「那你上課怎麼講？」

魯金土聽了，更加不能明白顧老師的問話，是何意思？

正在這時，梅蘭放學回來了。一陣寒暄，遂中斷了此一問話。

跟著，顧老師告辭，他不肯留下吃晚飯。

三、教室內外篇（下）

以今日的教育環境來說，凡是教中學國文的教師，對於改作文一事，不感厭煩者，可能沒有。對於魯金土這位中學國文教師來說，也不例外。

魯金土曾在大陸三十年代，教過近兩年時間的初級中學國文，那時他教了兩班，每班不過二十人上下。作文簿雖跟現在的類似，也用毛筆寫作。可是，學生的作文程度，今天的高中學生也比不上。無論題旨以及遣辭造句，尤其毛筆字，都差距太大。今天，居然有不少學生，不會用毛筆。上作文課時，魯金土見到，竟有大部分人把毛筆拿在手上，不是用手豎起筆桿握筆，像使用灌水的鋼筆那樣，斜起筆桿，揑在大、食、中三個指頭上。作國文老師的，還得從頭教學生如何握筆。還有的學生不打草稿，或者是抄妥了第一段草稿，又畫了去重寫。有的一頁又一頁的撕去，一學期未完作文簿已換上第二本。每班人數又多，比起他當年教書時代，一班的人數，幾乎是多兩倍。更有些人改用簽字筆代替毛筆寫作，不合規定，得一本本打回去，著令使用毛筆重寫。這些麻煩，都是魯金土以前想都不曾想到過的事。

正由於這些原因，金土在改作文的時候，不耐煩的情緒，不時流露在臉上、手上以及全身，還時時打從嘴上說出來。

「這孩子寫些什麼？前言不搭後語。」一氣憤地說了恁麼一句，便氣火火地狠狠把這本作文簿合起，扔到左手的那一疊上。

梅蘭她們家的住房，雖已改建為磚牆瓦頂，在格局上，叫作三房一廳，可以用作寫字的桌子，只有兩張。因為其中的一間，可以說只是半間，擺了一張床，便無法再擺下一張寫字桌。通常，三個男孩子睡兩張雙人床，房裡放了一張寫字桌，還有一張茶几。老三睡上舖，下舖便當作桌子使用。女兒住的那半間，因為房間小，擺不下一張桌子，她便慣於占有客廳中那張寫子桌。小的時候，坐在桌頭邊，大了一些，便坐到中間。直到九點以後，孩子都上了床，這時候，魯金土夫婦二人纔有使用這張桌子的機會。

大多時候，魯金土的工作，都利用不去上課的日子，家中祇有他一人，安安靜靜地改作業。但有時還記得跑圖書館查書，抄資料。三班國文課，每一周都有一百六十幾本作文簿。一旦日間多跑了幾次圖書館，就得連夜加工，把作文簿還有其他小考的作業，全部改出來。不然，作文簿不能按時送教務處檢查，也不能按時送還學生，按時再寫下一篇。就怎麼的，梅蘭不時見到丈夫改作文時生氣，總想代勞，金土不肯。

「那些不成器的，」梅蘭建議說：「以我的脾氣，不必花精神去改，發回去要他重寫。」

金土一聽，頭都沒扭，就笑意濃濃地說：「妳這辦法，所有的國文老師都作過。如今的問題是有一大半都需要發回去重寫。重寫回來，問題更多。東抄西拼，令你啼笑皆非。」

「我已決定，發回去，要他們用毛筆抄書，」金土又說：「既練習寫毛筆字，又溫習了國文。比改作文省事些。」

說著順手打右邊一疊中，尋出一本來，伸手遞給梅蘭，說：「也有寫得好的，你看這一本。」

梅蘭接過去，翻到第一篇，題目是：「我的母親」。

魯金土的課，第一篇作文，就以「我的……」爲題，要求學生寫各人自己最熟知的家人。借此瞭解學生的家庭環境以及學生的性格與才情。作爲他認知學生的教育參考。像這一類題目的作文，頗有一些可以給八十分的篇章。給梅蘭看的這一篇，就是這一類。

「這篇寫得很感人，」梅蘭讀後說：「這個孩子的母親太偉大。他作的我作不到。」

「你是指她那個酗酒的丈夫，」金土停下筆來說：「吃醉了回家，還要打老婆。第二天醒後出門，問她要錢還照給。」

「是的」，梅蘭說：「這一點我可作不到。」

金土要梅蘭再往後看，還有一篇寫「我的父親」。敘述她的父親在外有了女人，不但十多年沒有回家，聽母親說已經死了。有一天，他們的那位死去的父親，突然回來了。母親開門一見是他，馬上把門關上不理他，一家人打從後門出入。他父親在大門外，跪了一天一夜，鄰居們打門也不開，從後門告訴他一家人，說是那人還跪在門外，他們也不理。第三天，他父親死在門外。梅蘭看完了這一篇說：「前後兩篇，讀起來不像是同一家人的故事。」金土放下筆來，正要回答，梅蘭想了起來，說：「噢！我想起來了。是不是那個被檢舉，說她寫作文撒謊的那個孩子？」

魯金土笑了。說「就是那個孩子。」

對於作文一課，每次發作文本的時候，魯金土總要講評，告訴學生寫作文，就是說話。像平常日子的談話一樣，把你平常日子的所見所聞，前前後後，有頭有尾，秩序分明的擇要寫了出來，就是一篇好文章。寫得好的，一定當眾朗誦給全班同學聽。寫得不好的，就用紅筆批上許多話，勉勵學生下次如何寫？太不成器的，就要他用毛筆抄書。

那天，魯老師朗誦「我的母親」這篇作文。當全體同學鼓掌聲剛停，就有一位同學站起氣火火地說：「老師，劉新美的作文撒謊，她纔沒有那麼好的母親呢！她媽是有名的母老虎。」這位學生一說，頓時引起全班同學的鬨堂笑聲。

「胡說，妳母親纔是母老虎呢！」姓劉的同學反罵。

全班的同學咭咭喳喳地蜂子出籠似的唏嚷起來。魯老師連忙制止，等學生靜下聲來，問那位檢舉的同學：「李宜男，妳怎麼知道劉新美的這篇作文撒謊？」

「我們住在同一棟房子。」她說：「正對門。都是二樓。」

這一說，全班同學的目光，都射向劉新美。劉新美赤紅著臉低下頭，沒有說話。魯老師卻鄭鄭重重地說：「請大家靜下來聽我說。」這一句命令口氣的話，把全教室五十幾雙眼神，全收斂了去。魯老師的這句話，語氣雖重，臉上掛著他們熟稔的微笑，還是那麼慈祥可親。說：「我不是早就向同學們說了嗎！寫作文就是練習寫文章。寫文章就是用文字說話，用文字發表意見。像你們開班會，你們在班會上，站起來發表意見，是同樣的一會子事。怎麼到了作文課，給了你們兩堂課的時間，怎的就沒的說了呢？」

大家一聽，老師的話，在有意的岔出了本題，不去評論劉新美的作文是「撒謊」的事件上去，顯然在衛護劉新美。一時間又蜂鳴起來。魯老師也感受到了，但這幾句話，只是引語，想不到學生誤會了。遂又開門見山地說：「譬如劉新美這篇作文『我的母親』，寫的雖然不是她的母親，可是她作文中這個『我』的『母親』，寫得非常生動，像真人真事一樣。文句也流暢活潑。所以我唸給大家聽，可以給大家作個範本。」遂又話頭一轉，說：「李宜男提出來的『撒謊』問題，更是值得我們注意的一個問題。」這樣一說，不但李宜男陰沈下去的臉色，露出了陽光，全教室的學生，也都呈現出了期待一說的神情。於是魯老師又說：「撒謊是騙人的行爲，可是我們，」說著用右手食指反指著他自己的鼻子，「我們都撒過謊，」遂又指著全教室的同學，說：「你們有誰沒有撒過謊？」微笑著期待大家回答。教室的同學們面面相覷，大多數笑著，沒有人回答。魯老師說：「撒謊並不是人生的最大惡德，如果用撒謊當作欺詐的手段，那就是犯法的行爲。寫作文，可以編造個虛假的故事。小說家寫出的小說，故事情節，必須是虛構的，若是實人實事，實實在在的寫入文章，那是『傳記』。可是『傳記』也不真實，司馬遷作《史記》，其中的『帝紀』、『世家』、『列傳』，所寫的人物事件等等，就有不少論者，說司馬遷寫的歷史人物，大多小說化了，不完全是史學，已竟是文學了。」說到這裡，他見到學生情緒散了。略停了停，又說：「現在向你們說這些，還嫌太早。我們再書歸正傳。」遂說：「就拿劉新美這篇作文來說，大家同學如果把『我的母親』中的『我』字，與文中的『母親』聯成了一體，讀了她這篇作文，就會想到這位母親真是一位可羨可敬可憐的母親。」說到這裡，見到李宜男的面容已經開朗，情緒已經正常。卻也見到教室中的同學們，睜著大眼的臉，也都像無雲的天空，開朗起來。

後來，劉新美又寫了一篇「我的父親」，文中的「父親」，也不是劉新美的父親，所以梅蘭讀到了這本作文簿中的兩篇（「我的母親」與「我的父親」），便感受到這一雙父母，不像一家人。過了一霎，方始回想到寫作文「我的母親」，曾被檢舉撒謊的那段故事。金土已向她述說過了。

自從金土去教書，梅蘭所感受到的，就是作文簿給與丈夫的壓力太大，隔不了幾天，就拎回一網袋作文簿。大多數的晚上加班，都是爲了改作文。聽到他唉聲歎氣，聽到他自言自語地罵：「你這是寫的什麼？」覷見他把那本作文簿合起，放在左邊的一堆。有時候，卻也聽到他輕聲吟誦。

梅蘭遇到這種情形，總是心情恬適而舒暢地放下手上的活計，來諦聽金土的讀書聲。他知道先生的心情爽朗起來了。自從學校按學生的成績編班，選了組擅於教學的教師，擔任優班，這種情形，從一年級下學期開始，作文的寫作便導向了軌道。可是，魯金土投下精力最多的事項，還是改作文。他曾向學生說：「高中畢業，考不考得上大學，對你們並不是太重要的事。要是連一封普通的信都寫不通，當了主管連一張字條都不會寫，那纔重要呢！」

魯金土雖然沒有把他教學生寫作文的意見，在教學會議上，當衆提出，但教務處的作業檢查，無論批改的認不認真？批語的適不適當？學生作業的整不整潔？毛筆的書寫成績優劣？每次的成績公布，都是魯金土的班級第一。而且，每學期的作業，包括平時小考的卷子，學期終了的那一周，必定公開展覽，被邀請參觀的對象，除了家長，還有教育局及友校。

學校的這種表現行為，在表面上，自是展現他們學校教學的認真，在實質上，卻也推動了教師的敬業精神。同時呢，推動了教師的兢兢業業，自也帶起了學生的用功唸書。普通高中以升學為目的，在教學上，從策勵教師做起，用來帶動學生用功，自然會促進了升學率提高。可也因此引發了部分教師，在背地裡話三道四，遷罪於部分老師。第一位就是魯金土。

「這一套教學計畫，是魯老師提議，校長纔責由教務處推選了國、史、英、數、理五位老師，會同教務處擬訂的。」遂有人說：「我們沒有本領跟他們有學問的老師競爭，乾脆由他們這幾位能人包了去，不就結了！」

這一番煩言碎語，傳到了江校長耳邊，遂在這學期最後一次週會上，向全部師生說明了學校年來頒布實施的教學計畫，緣起於魯金土老師的作業批改，教務處的施勉主任，纔擬訂了這個改進教學方案。實施了這兩學期下來，從學生的作業方面看，學生的學業展現在作業上，人人都能見到了進步得很多很多。當然，最顯眼的成績，還得在聯考的升學情況上，來作結論。不過，這次的學生成績展覽，此一改進教學計畫的實施，凡是來參觀的人，沒有不贊賞我們學校的老師教學認真的。希望本校的教職同仁，繼續努力，來提高我們學校的聲譽。

學期雖然結束了。高三的學生只放假一週，在聯考前，還要上四周的聯考輔導課，學校而且規定，凡是各班的主科老師，在應考的當天，都得陪同學生到考場陪考。隨時應付學生在考試時，突然發生或突然想到的問題。

魯金土去取腳踏車時，遇見教務處教學組李組長，二人推車走出停車場時，這位李組長向魯金土說：「你知道今天校長講話的目的嗎？」魯金土自然一無所知那些煩言碎語的事。而他則頗爲忐忑於校長說到學校改進教學方案的緣起，是基於他的作業批改，今經李組長這麼一問，不禁一愣，不但答不出話來，而且停止了腳步，惘惘然望著李組長，沒有言語。這時還有其他取了車，在騎著經過，還在打招呼。李組長一邊騎上車，一邊說：「我們騎車聊。」魯金土這纔騎上了車。

騎出停車場，李組長說：「有人在背後說，學校的這些教學改革，作業檢查，都是魯老師你的建議。」魯金土馬上說：「那有閒空多管這些事，我光幹自己的活兒，還幹不了呢！」李組長說：「我們教務處都知道。從魯老師你批改的作業上，就看到你的認真與用心良苦。凡是看到你批改的作業，沒有人不受到感動的。所以劉主任拿著你批改的作業，送給校長看。提出了他的改進教學方案。」魯金土說他對這件事的作業，一無所知，李組長這纔說：「原案本來準備交給教學研究會討論。或者約幾位主科的老師參預擬定。經過校長的考慮，全都否定。校長的看法是，人多意見多，主科老師若不全部約到，更有問題，認為在付諸實施時，發現到缺失，再來修改。」又說：「說閒話的只有兩位，校長知道。很期待他們有書面意見表，結果沒有。」

兩人一路談到大安路口，方始分手。若不是李組長今天向他談到了這些，魯金土可真是想不到這方面去。也不曾有人向他提起。可是這些閒話，只是偶興與情緒的幾句牢騷話而已。不想數天後，一位叫林世雄的學生來了。

這學生是這一學期的最後一個多月，纔轉到他班上的。他聽說他那一班的國文老師，對這學生有成見。遂要求轉班。他那一班的導師不肯，認為這個學生的成績好，很有在聯考中上榜的希望。所以不同意他轉班。他居然在期中考試，國文不及格，國文老師狠狠地罵了他一頓。這纔准許他轉班。林世雄這一天到來，是為了佈告欄公布了他記小過一次，處罰的文辭是「行為不檢」四字。一問，原來是上學期取走他國文老師的上課課本一案。說起來，這事又牽連到魯老師。所以這個學生憤憤不平的跑到魯老師家裡來訴冤。

上學期十月間。有一天，下課的時候，在騎車回家的途中，一個學生騎車追來，在身後喊他。停下車一看，不是他班上的學生。

「老師，我是高三六班的，我叫林世雄，」滿臉的汗，說話時還氣喘噓噓。「我有件事請教老師。」

「什麼事？你說。」

這個學生，囁囁嚅嚅地說：「我把國文老師放在講台上的課本，藏起來了。這算不算偷書？」

「你為什麼要藏起老師的課本?」

「我……」沒有說下去，便低頭去打開書包，取出一本用牛皮紙包了外皮的書，一邊遞給魯老師，一邊說：「我想，要是藏起了顧老師用來講課的課本，他就不會上課！」一邊遞書，還一邊翻飛著書頁。又說：「老師你看麼！書上都抄滿了。」

魯金土癡癡呆呆地接過書去一翻，見到課文的行路之間，可不是蠅頭小字，一句句寫得滿滿的，天地的空白處，也寫上了字辭的音義注釋。相反的，注釋及題解等處，倒挺潔淨的。

「顧老師是照著國文指導教材上抄的，上課時，就一句句唸給我們聽，要我們抄下來。」這個學生繼續說。「所以我猜想，要是藏起了他這課本，他可能不會講書。我一時高興就偷偷兒取來藏起，果果然然，顧老師下一堂課，不見了課本，就沒有講課。我們要借課本給他，他都不要。」說著興奮地笑了起來，說：「顧老師回到休息室去找，沒有找到，回來便陪著我們聊了一堂課的閒天。」遂又說：「上一堂課講的是孟子。他以為忘了帶國文課本來呢！」

經過這位同學道出了「偷書」的原因，遂告誡這個學生說：「說起來，你這是開老師的玩笑，論起來，你這是存心促狹老師，不可以的。明天說幾句圓謊的理由，把課本還給老師。或悄悄地歸還。」想不到這學生聽了魯老師的告誡，並不以為然，居然把那課本作個紀念。遂又鄭鄭重重地說：「老師！你可別說出去啊！」

這學期，當這個學生半途轉到他這一班來，聽說是與國文老師兩人，在情誼上有過節，他就猜想到，可能是從這個學生偷藏課本事件上引起的。魯老師也就很注意這個學生的行為。兩個月來，竟發現這位學生的智慧，幾乎是全班第一，反應極為敏捷，特別是在文史方面，更為特出，學習的興趣，也最爲濃厚。可是這個學生，自從轉班過來，一直像隻驚弓的鳥兒，可以從眼神上看出來，與那次騎車追上他，向他說起偷去顧老師的課本，打算收藏起來，測驗顧老師會不會上課的言談情態，看去已判若兩人。幾乎使魯老師消失了是爲偷藏那課本，引發出的轉班猜想。魯金土自也沒有去主動問起他何以轉班的原因。「與國文老師有些兒過節」這句話，是導師告訴魯老師的。別的，導師沒有詳細說起。這個學生這次來，方始說明了一切因果。

林正雄這學生帶著一臉的苦楚到來，一見了魯老師就說：「我被記了一個小過。」魯老師還沒有問，這學生便說：「就爲了顧老師那本課本。」魯金土聽到這句話，方始回想到去年這學生騎腳踏車追上他，說到他藏下了顧老師課本的事，怎的會惹出了記過的處分？魯金土可就一無所知。他遂回想到當天的一段情形。怎的會弄到訓導處記過呢？

「那天，老師要我編個理由或尋個機會送還他。」林正雄說。「當時我是不想還給他的。後來想到老師向我說的那些話，越想越覺得老師的話對。過了一個星期，我把課本還給顧老師了。」停了一霎纔委委婉婉地說：「我編了一個理由，說是想借老師的課本，抄補一些沒有抄完整的句子，當時沒有來得及還。老師一說課本不見了，我就心慌，不敢承認我拿了。如今我想我還是向老師坦白⋯⋯」遂把課本還給了他。想不到他當時就說：『我早就猜到是你！』又狠狠地瞪了我一眼說：『你是全班最刁鑽的一個』，說完就走了。我以爲挨了他這一頓罵就算了。三天後，訓導處就把我叫去問話。後來，校長又把我叫了去，我還是說我只是從講台上拿了那本課本抄譯句。當時顧老師找課本，我一時膽小，沒有敢承認，過了兩天顧老師來上課，我纔親自還他，還誠誠實實報告了他。」又說：「校長很客氣，還拿著我還給顧老師的那本課本，翻閱著問我顧老師的課教得好不好？我不敢說不好，答說『很好』！

校長說了一句：『好了。用功讀書就是啦！』沒想到這麼久了，還記了我一個小過。」說著，眼眶都溢著淚水，聽得出心頭積滿了哀怨！

「你問過訓導處，記過的原因是爲了課本這件事嚒？」

林正雄答說問過了。魯金土這纔想到訓導處之所以把這件案子，延後到畢業典禮過了，聯考報名辦妥了，再來公布記小過一次，絲毫不影響這個學生的前途學業。遂想到這是學校方面兩全其美的處事原則。在中學記了一個小過，不會帶到大學中去，也不會帶到社會工作單位中去。除了犯重大刑案，會追查到在學的成績與操守。

魯金土便把他可能體會到的情況，向林正雄這個學生解說。這個學生聽了，纔一掃滿臉的烏雲，滿腦、滿心胸的霧濛，歡歡喜喜的辭去。

四、人父、人母、人師

學校雖已放假，還有輔導課四周，比平常日子的課程，還要沈重嚴謹。高三的課，五月底就結束，離開考試的這一月之間，還排了四週的輔導課程。而且每週都要舉行一次聯考的模擬試。四家私立中學聯合起來，輪流交換試題考試，考卷也輪流交換評閱。每次評閱之後，再由四校的主科教師，會合討論試題得失，評卷參差，作出結論。到考前三日，此一輔導課，始行結束。跟著高二的輔導課四週，又要從七月中旬開始。

魯聲遠、魯聲揚弟兄倆，老大去年高中聯考，錄取的學校在北投，老二因爲生病，留了一級。魯聲遠不願意去讀，弟兄倆從小到大，雙進雙出慣了，乍一分開，突感生活孤單。同時，也不滿意考試的名次低落。以父親的意見，應該去讀，他以爲學校的意義，嚴格的說，只是一張文憑。有了高中的畢業文憑，纔能取得升考大學的資格。有了一張大專的畢業文憑，始能升考研究所或出國深造。與學校的等次，關係不大。魯金土常說：「師傅領進門，修行在個人。」他告訴梅蘭說：「這話雖是古時候，對醫藥百工的學徒說的，在今天看來，倒也適用於一般學校的學生。我們都知道最有名的學校，也有只混到一張文憑的混混兒學生。名次最低的學校，也有揚名國際的馳名人物。」魯金土在說這番話的時候，見到妻子面有不豫之色，遂忙把話頭兒一轉，說：「雙喜兒爲了遷就弟弟，再給他花上一年的補習費，明年一塊兒考，我願意。」

「這件事，我大可不必徵求你的同意，」梅蘭語氣沈重的說：「孩子大了，不能讓他事事都得依著父母。就拿你來說，不是十幾歲就離家在外，一邊唸書，一邊混生活嗎……已經是唸高中的孩子啦！得培養他們有獨立自主的性格。你呀！」說到這裡忍不住嚥了一口湧上口腔的唾液，又說：「你成天把全部身心都投到你的教學工作上。近年來，你連孩子的功課也不問了。幾乎全部把孩子學業督導，都交給了我。前兩年，我們爲了要還清台糖蔗農合作社那筆債貸，不得不多多付出精神時間，多賺些錢來，早些日子把債還清。今年春節間，已經還清。而你，還是這樣全身心的投入，可以說，在你那教學的工作上，付出的時間與精神，比過去還要多。」梅蘭越說越氣，遂站了起來，幾乎是質問的語氣，說：「我問你，下周六就是高中聯招，你想到沒有？」老實說，若不是梅蘭這一問，金土可真是忘了兩個孩子考高中的事，他是一天到晚把心放在他的教學上。而且，魯金土還有一個想法，萬一考不取公立高中，就帶到他這所私校，編在自己帶的班上。有什麼值得擔心的！所以經梅蘭這一問，金土不禁一愣，本想答說：「沒有忘記，我會去陪考。」可是，梅蘭一見到丈夫的愕然神情，馬上就說：

「我就知道你沒有放在心上。」金土馬上搭腔了，也站起身來說：「嗨！妳怎麼會這樣想？前兩天我還問雙慶呢！不信妳問雙慶去，」遂又憤然說：「我還說爸爸會陪你們到考場。」

「你的話，孩子相信嗎？」

梅蘭頂上了這句話，是有根據的。老三去年考高中，魯金土原說陪一天，結果，又被陳詒先生的編審會議拉了去。魯金土一聽，馬上氣餒，連忙嘻皮涎臉地猛不妨抱來梅蘭的頭，唇對唇，來了一個輕吻。梅蘭順手輕輕一推，嬌嗔地說：「當心孩子看到，死討厭！」馬上用手擦嘴。又說：「我覺得給孩子心情上的充實與定力，很重要噢！」

從小學起，魯金土都沒有機會去照顧孩子的學業問題，孩子在學校中遇到的一切事故，只有找媽媽無從找爸爸。自從魯金土有了這一份教書工作，三班課的收入，開始時每月還不到兩千元，還有房屋的銀行貸款，朋友擔保的借款，只靠兩口子的微薄薪給，來維持一家六口人的生活，不努力多兼些差，多賺幾文錢，就還不上債欠。如今，債務已清，魯金土的教書，反而愈來愈忙。竟然連自己孩子的功課，也都不去關心。尤其，梅蘭看到先生在學生的作文批改上，耗去了那麼多又那麼浪費精力的工作，總覺得付出的多，收穫的少。爲什麼作這麼傻的事？更使梅蘭感到遺憾的一件事，站到講台上，已教了這幾年了，連個教師資格審定證書，也未取得。如今辦法又改了，沒有大學本科畢業證書，修完教育學分者，都得參加資格審定考試，或修完教育學分。學校代魯金土報了名，由於魯金土沒有時間準備，譬如有關教育方面的教育概論、教育心理學、教育原理等等，都沒有學過，必須去認真閱讀，布乎心，形乎四體，方能去參加考試。魯金土的功課負擔，已無時間也無心緒，可以準備考試。所以，魯金土報名兩次，都沒有敢去參加應試。這件事，在梅蘭想來，認爲她這位先生不祇是利他觀念，已被儒家的鐵釘釘死。另一方面，也認為魯金土不敢面對現實，怕的是填寫年籍履歷時，學歷竟是一格空白。梅蘭還有一個想法：總認為金土之所以在任何工作單位，都是傾其全身心投入，無論工作多麼忙碌、多麼辛苦，他都甘之如飴。推想他這人總是在刻苦與辛勤上，去填補他學歷上的空曠。因而她時常付出憐憫的心情，去沖淡她對金土的那種工作狂熱的反感。有時想想，金土的這種忠於職責、精勤本業的工作態度，何嘗不是為人應有的本分呢！但一想到他這位作父親的，竟然連妻子兒女都攞到一邊，近日，他心裡就有氣向上衝，一次次都忍壓住了。陪學生去考場，大熱天，自己帶著吃的喝的，考兩天陪兩天，自己的兩個兒子考高中，卻不放在心上。去年，老大考取北投中學，不想去讀，想再補習一年重考，金土不但反對，而且質問孩子：「你有把握補習一年後，一準可以考得比今年好嗎？已經考取了公立學校，還嫌路遠，嫌這嫌那，我不管，你媽同意，由你媽負責。我們剛還清了債。」這問題，梅蘭也想到了，萬一明年考的成績還不如今年，或者落榜？她如何擔負這個責任？遂暗中籌足了一年的學費，向醫院辦了一件病情證明書，到學校申請保留學籍一年。這纔大膽的向丈夫說：「我決定讓雙喜補習一年重考，要是考垮了，沒有學校進，由我一人負責。」金土見到梅蘭生了氣，說了重話，遂又嘻皮涎臉地說：「就這樣辦！大不了跟著我進私立。補習課的輔導教學鐘點費，足夠了。」

「用不著你煩神，我願意負責到底，」梅蘭真是生氣了，竟然補了一句狠話：「別以為你死了，我們母子就不能活啦。」

金土一見梅蘭氣得這副樣子，頓時有一股絞痛捲起胸口，略一鎮定，便消失了。還是那一絕招，伸出雙手把梅蘭擁抱在懷，一邊說：「我的小親親！我又惹你生氣了。」剛要貼唇去吻，被梅蘭雙手使勁推開，說：「你少來這一套！」站定後，便又心平氣和地笑著說；「不是補習費的問題，你應該去給孩子選一個好的補習班。」

一眨眼兒，一年過去了。去年的這一場口角，若不是梅蘭用話來衝激他，魯金土可真的沒有想到應去陪兩個大孩子去考場。這幾天，他天天注意報紙上的試題論斷文章，手中記下了學生考過後，自己計算出的可能得分數字，究竟有多大出入？估計他教的這兩班，可以錄取多少位？在這個重視文憑爲選材標準的時代裡，幾乎雷同於過去的科舉及第之被社會注目。所以，今天介於大學與小學之間的中學教師，承受的社會給與的學生升學壓力，要大於以往的教學先生。如今的學校林立，教師如蟻，升學率幾乎是學校與學校之間，競爭的重要指標。這升學的擔子，便一根根落在各科教師肩上。梅蘭是一位明理的妻子，很能體會到丈夫在中學教師職位上的責任，遠超過對於子女之私。事後，卻又向金土說：「你要是學校的事，抽不出空來，你不去陪我們上考場，也無所謂。」金土也知道妻子的脾氣，這話，可依從不得。

入伏的天氣，最熱的夏，一家人六點不到就起床，東拉拉西檢檢，吃了早飯，已到七點。考場在新生南路的市女中，路不遠，有公車到。他們七點半到了考場，已是熙熙攘攘，川流四歸，校園中的蔭涼處，已無舖展席毯的隙地。陪考的家長，比考生多兩倍，就拿魯家來說，兩個考生就到來六位。也許其他人家，還有更多的人。有的母親懷中，還抱著吮乳的嬰兒呢！

賣小吃的攤販，不准進入考場，但在考場以外的巷道裡，大路邊，還是擺得一攤又一攤。場內的操場上，卻有一長列布蓬，安置了一些冷飲餐點，各處教室窗外的空場上，有各學校設置的同學服務處，也有警察先生在各處巡護。

到處坐的都是陪考的家人，老老少少，男男女女，像名勝地處的遊客在休憩。只要下課的鈴聲一響，坐著的人們，便像受驚鳥群一樣的展翅飛起，他們要迎接出場的子弟。可以見到作父親的向出場的子女，送上冷飲，作母親的忙去爲孩子擦汗，另一位姊弟，會爲兄妹打扇。口中總是不住的問：「題目難不難？」有的孩子都會老老實實把考試的成績告訴爹娘。可是走出考場來的雙喜，見到了娘，就擦眼淚，說：「我又考壞了。數學題好難！」梅蘭一邊爲他擦汗，一邊小聲說：「安心去考，別擔心沒有學校進。」雙慶在另一處，爸爸在他那邊接，還沒走到呢！小妹魯聲雅就一跳一蹦的先跑來了，說：「二哥說他只錯了一題。」梅蘭知道老二長於理科。去年，雙喜的成績，就虧欠在數理兩科上。梅蘭之所以放心，因爲她已爲老大繳足了一年的學費，大不了重去北投中學。

一向，魯金土陪梅蘭去逛街什麼的，連一同去看電影都算上，往往梅蘭跟他講話，十有八次他都沒有聽清楚，不是呆呆然不能作答，就是答也非所問。漸漸地，梅蘭纔知道魯金土這人，頭腦裡總是裝著他書本子上的許多問題。那些問題，都時時在他腦海裡激盪。有時，他偶然發現到一件事，引燃了他腦中的某個問題，也會失神忘我的去思而想之。這也是梅蘭不願與他一起帶孩子出門的原因。這次不同，孩子有志氣重考，老二因爲又留級了一年，在年齡上說，這兩人都在學業上，耽誤了歲月。所以梅蘭極其希望做父親的能一起去爲孩子壯膽。最怕的是他往往靈魂出竅，又忽略了孩子的關顧。所以，直到出門時，梅蘭還一再嘀咕，說：「今天，我求你先把腦子清洗清洗，到考場之後，要全心全意地把心腦放到孩子身上。你陪老二，我陪老大。」這天，可真是作到了慈父。小四魯聲雅跑來告訴媽媽說：「爸爸沒有靈魂出竅！我試過啦！」

第二天只考半天，梅蘭說：「我一個人帶小雅去陪，你在家問老三的功課。」魯金土則答說：「凡事要有始有終，」說著還拽了一句文：「物有本末，事有先後，知所先後，則近道矣！」梅蘭罵他：

「別拽啦！只盼你今後多想到孩子就可以了。都已經高中啦！」

想不到第二天上午，陳詒與周清波找到考場來了，特別來告知魯金土說：「我已向文化學院的教務長推薦你，去兼兩節訓詁的課。我已把你那篇《國文教學》給了他。想約個時間，我陪你去看他。下周一如何？不能遲了。」魯金土一聽到去見大人，心裡先行萎縮，已經有過一次奚落了。但又不好推卻，這位陳先生，真是對他太好了。今天的這一教書職位，就是陳先生的大力促成的，遲疑了一霎那，說：「我沒有資格啊！陳兄你知道的。」可是梅蘭卻代答說：「等我們商量一下再說。」金土也不敢再說什麼。遂陪著陳、周二人，走出考場。周清波說他考研究所沒有取，學科差三分。說是訓詁方面的斷句，以及聲韻學上的反切，都考壞了。希望能向魯老師補習。時間還有近一年，也不便推卻。關於文化學院，經過兩夫妻一番研商，認爲縱然去得成，在時間上也負擔不了。下學期，光是現教的學校，三班升學班，還是不能減少的。到陽明山路途遙遠，每週兼兩小時課，得再耗去兩倍時間在路程上。在時間上，應付不了啊！

魯金土特別在這幾日裡，親自去看陳詒先生，說明這裡的三班課，爲了加強升學，已無時間外鶩。遂謝謝陳兄的熱心與青睞，只得取銷此議。

補習課又開始了。一到了教員休息室，就聽到大家在說今年參加聯考的成績。若是根據學生自己報告出來的分數，今年最少上榜二十五至三十名，少估也在二十名以上。去年只上榜了五人，專科占去三名。無論如何，今年是一次豐收。

在上課時，講解近三年來的聯招試題，也是課程之一。當然，臨近放榜的那幾天，連補習中升高三的學生，都在期待著放榜的日子。若是錄取的人數正如大家老師說的那麼多，在上補習課的十班學生，也都有了已被錄取的感受。

到了放榜那天，第一堂課，學生的情緒，就有如戰場上後備隊的兵將，個個都在期待著探馬回報戰況，已無凝結的心神聽課。魯老師見此情景，便講課外的讀書故事。說：「一位童生，參加秀才考試。考題是『日攘一雞』，童生作文說：『今夫斯雞，乃天下未有之雞焉！』學台閱卷，批曰：『大雞也。』文又說：『古今罕見之雞焉！』又批曰：『怪雞。』再下之文說：『吾與子言雞，夫雞之不同，有雄雞焉！有雌雞焉！有不雄不雌之雞焉！是之謂騙雞。雞亦各異，有黑雞焉！有白雞焉！有不黑不白之雞焉！是謂之痲雞。』學台閱卷至此，遂加一總批曰：『好一個不要臉的雜毛雞。』講完了這一則《笑林廣記》上的笑話，學生沒有笑聲，大都傻呵呵地望著老師。

魯金土又加講解說：「這考題是孟子上的，文在『滕文公下』，孟夫子在宋國，宋大夫戴盈之向孟夫子解釋，他們宋國如今還不能接受孟夫子的建議，來把關市的稅收，改為十分之一。遂向孟夫子說：『目前暫時減輕一些些，等到明年，再照孟夫子的建議去作。可不可以？』孟夫子聽了，打了個比方，說：「今有人日攘其鄰之雞者。或告之曰：『是非君子之道。』曰：『請損之。月攘一雞，以待來年，然後已。』如知其非義，斯速而矣，何待來年？』遂又說：「這段孟子課文，我們不是講過了嗎！這笑話是嘲笑考生的這篇文章，寫得文不對題。閱卷的學台，批的也文不對題。《笑林廣記》中的笑話，雖然寫了不少淫言褻語，大多引笑的喻意很深。這裡不說它吧。不過，」遂又想到另一近世考題的笑話。說：「在大陸的大學考試，目標放在測驗學子的國文程度深淺，以及識見廣不廣，智慧與才能的利鈍。所以試題的範圍，非常廣泛。有一年，某大學的試題，譯文中有一句：『行不得也哥哥！』此乃某一傳奇或雜劇本中的句子。語乃鳥聲的形容辭。這位考生，譯成：『我實在走不動了，哥哥。』這位閱卷老師，批了一句：『妹妹，妳錯了！』這纔引起了鬨堂的笑聲。

魯老師又講了些章句上的斷句，易生錯誤的句子。還未下課，校門外的大盤鞭炮聲就響起如同轟雷。學生們個個都警覺地站起身來，跟著，窗外就有人在興奮的喊著：「放榜了。」學生一聽，誰也不管老師准沒准！便像出籠地蜜蜂，鬨鬨然爭前恐後，奔出教室，跟著人群擁向校門間的布告欄。哇！用大紅灑金宣紙書寫的榜文，已把錄取的學生姓名，以及分數及錄取學校，清清楚楚寫了一大張。張貼在布告欄內。全校錄取二十四人。魯金土的那兩班，就占去過半，取十五人。

今年，是中原高中創辦以來的第四屆畢業生，升學率從零到百分之二・八。在私立中學已算得佼佼者了。

江校長說：「若不是校地不夠廣闊，爭取十五班的招生名額，教育局都會核准，惜乎校地擴大的空間沒有。」遂說：「我們還是採精兵制，希望班班都是升學班。」這也只是口頭上說說而已。江校長知道，私立中學都是第二次招生，成績好的，已考取了公立，餘下的學生，要想在升學上與公立學校競爭，得有另一套辦學高招。不然，那是做不到的。已有新創立的兩家中學，在獨家招生，報名的日期，都訂在公立聯招的前面呢。

當晚，那位被記一小過的學生林世雄，拎了兩隻老母雞來了。他考取了師範大學國文系，這次考取公立大學的，只有五位，最高分的就是林世雄。他見到魯老師就興奮地叫了一聲：「老師」，就頓時低下頭去，抽咽得半響說不出話來，急得魯金土直問：「哭什麼？哭什麼？」林世雄這纔擦了擦眼淚，破涕為笑地說：「虧了老師那天規勸了我，否則……」

柒　滑

一、大學問不在書本上

教書是一種相當機械的行業。按時作息，不能遲到，不能早退，還有多種作業，強迫你非去及時作完它不可。當然嘍，作老師的要想躲懶、耍滑頭、矇騙學生，方法自然有的是。可是，「教書」，終究是一份「良心職業」啊！

魯金土雖然沒有想到「良心職業」這個問題，但在其本性上，就是一位忠於職守的人。儘管每週都有廿小時的教學課，一百六十幾本作文，都必須去講解、去批改。還有一月一次的小考，一學期一次期中考與期末考，另外，還有四家私立中學聯合起來，舉行的模擬考。像這樣沈重的工作，放在一位忠於職守的魯金土身上，縱有如神才力，也得刻刻板板，兢兢業業，扼守時間，方能應付過來。

正由於工作的壓力如此，魯金土的生活，幾乎是學校與家庭兩個點線的往還，有時，梅蘭已經約好的週日帶孩子去郊遊，也往往被有關教學上的雜亂事務，掠奪了去。

梅蘭對於金土的這種刻板的教學生活，已經習慣也就不去勉強。

「我們要早一點吃飯；帶孩子去看晚間第一場電影。」梅蘭也祇是向金土交代了這麼一句，臨走時，也會再說一句：「早一點把桌子讓給你，我們看電影去了。」

有時，金土也會一時興來，說：「我也去。」

小雅聽了，就會興高彩烈地喊：「媽！爸爸也要去。」

遇見這種情形，三個大小子都會相對作鬼臉，會心地交融，都在心裡說：「爸爸去，我們又不能自由地暢所欲為了。」

好在，這種情形很少。

說好的，孩子到了高中，文史由爸爸問卷，數理由媽媽問卷。首先，兩個大孩子建議，說是他們的功課，若是都在七十五分以上，就不必勞累爹娘。金土不答應，要求必須達到八十分，他們才不過問。

兩個大孩子，都考入了附中，離家近，不必坐公車，也可以。

梅蘭為老大多繳了一年的學費，瞞著沒有告訴丈夫。連孩子也不知道。這事她只告訴了小筠，說：「萬一雙喜又考壞了，甚或落了榜，你姐夫非嚷嚷我不可。如今，這筆錢雖然丟了，我倒不後悔！買來一年的心安。」

「輪到我，也會這樣做。」小筠說：「穆容之比我姐夫在金錢上，還要看得重。」

小筠也三個孩子，兩男一女。她的老大，比魯聲清還要小一歲。穆容之已從軍中退下，上了商船。在經濟上，更活便了。梅蘭夫妻倆，雖祇兩碗死水，這幾年，還了債欠，也開始在儲蓄，梅蘭說：「孩子多，一天天大起來，用錢的項目，越來越多了。不省錢存儲，怎成！」有兩家補習班來商請魯金土去任教，待遇比學校高兩倍，魯金土不去。告訴梅蘭說：「我知道補習班，那不是教育，那是填鴨子，代學生作試題答案，要學生死背，我教不上來。」

周清波來，魯金土總是放棄禮拜天的休憩，願意效勞朋友。他已考上研究所，在趙敏老師旗下探究《文心雕龍》，關於反切，他還想弄清楚它。在說反切的一天，他要兩個大孩子也來聽，說：「我學反切的時候，才十一歲。」兩個孩子不願意放棄學校的正常作業，向媽媽求情，代向爸爸說項，取銷他這想法。說：「我們不會考國文系，就是考國文系，學文字學，考上國文系再學也不遲。」梅蘭同情孩子的想法。遂另外編了幾句託辭，免去了這件事。

金土聽周清波說到他學過的「反切」講授，知道他已經瞭解反切的原則，上切字是聲母，下切字是韻母，上字聲，下字韻，所謂「聲韻學」一辭，就是從反切的上下字，引申來的。

至於何以瞭解去選上字的聲母字彙？又何以去選下字的韻母字彙。周清波說，他還不能深入瞭解。

「我也是一知半解。」魯金土答說：「說起來，反切是一種注音方法，與今天的注音字母，是一類的。在注音字母沒有發明之前，用反切字的上聲下韻兩字，來切出音來。在反切沒有發明以前，用另一個同音字注音。如『烺』音朗。『庶』音恕。若是不易找到大眾都認識的同音字，便又注爲『讀如（若）某字』。或注『罡，音剛。』或『摃，音剛（去聲）』等。更早期的注音，用譬喻，像高誘注《淮南子》的『其地宜黍，多旄犀』的『旄』字，註：『旄，讀綢繆之繆，急氣言而得之。』有了『反切』注音，自是方便多了。」

周清波說這一部分，他已約略知道，老師已經講過。只是感到照字典上的反切，拼不出正確的讀音來。說：「我是江西人，用我那兒時的鄉音來拼讀，字音怎能是反切的音？」

「這個問題，我老師倒說過。」魯金土說：「反切用上聲下韻的聲母字，韻母字，各鄉用各鄉的讀音去讀，切出的字音，自也是你的鄉音。不像注音字母編出來的《國語字典》，拼出的字音全是北京區域的方言。反切，由於字音，切出音聲，是順應各省各鄉的方言的。」

「不過，反切的切音方法，與注音字母的拼法，看來類似，說來，則大不相同。」又問：「你老師，教過《切韻指掌圖》嗎？」

周清波答說，老師只是說到，沒有教。

「《切韻指掌圖》，就是反切取音的方程式，」魯金土說：「還有一套口訣歌。只要一見反切上下字，掐指一唱，可以馬上唸出字音來。」遂又唉歎一聲說：「遺憾的是，我已忘記，求之夢寐，也未能得。不過，《五方元音》的取音法，我在舊書肆，倒買到一本光緒年間的刊本。這本書上的反切方法，李汝珍的《鏡花緣》，曾採用過。實際上，也是從明人邵光祖的《切韻指掌圖》演化而來。」說過，便去書架上取出這兩本書來，拿給周清波看。

周清波起身接到手上，翻閱了一下，說：「《切韻指掌圖》我見過，其中在指節上注的宮商角徵羽，我一竅不通，老師沒有講，祇告訴我們說，沒有用了。不必學它啦！」又說：「這本《五方元音》，我聽都沒有聽說過。」遂問：「可以從這部書，理解反切嗎？」

「別把反切兩個字，看得很神秘。」魯金土說。「我的先生說過，『反切』是兩個口語合而為一的。上切字與下切字兩個字音合起來，像『合同』上的『切結』一樣，切合出來的字音，就是我們要認知到的那個字的讀音。譬如『東，德紅切』德紅二字切出來的字音，就是『東』字音。早期的切韻，寫作『德紅翻』或『德紅反』，與『德紅切』的意指是一樣的。」遂又解釋說：「何以稱翻？」我先生的說法是，上下兩個切音字，切出的字音，是它們頭上的那個字的字音，所以稱『翻』。也寫作

『反』，那是同聲假借。『反』與『翻』同音。所以字書上的切韻，有著『翻、反、切』三種寫法。」

「我老師還說，『反』字是『反語』的意思。」周清波說。

「有此說法。」魯金土說：「說是這種反切取音的方法，來自民間一般人的俗語。譬如北方鄉人，口中有一句『積靈鬼』，指某人太精明。『積靈』二字，切出的字音，就是『精』字。所以人們常說：『這個孩子可積靈著呢！』意思就是說那個孩子『精』，精字的口語，就是意爲聰明。還有一句更文雅的口語，說：「你怎麼讓你那孩子，跟那個『教不嚴』、『學不厭』的東西去鬼混，當心變成個下三爛。」按這兩句古語，也可以單用，都是暗指某人是個『騙』子。遂有人把『反切』一事，也給了個『反語』的名號。」

「有人說，反切可以上下切音。」周清波又問。

「反切的上切字是聲母，下切字是韻母，只能下切，不能上切。」魯金土說：「原則就是這樣的。上聲屬陽，下韻屬陰，陰陽和合，才能生子孳息。」

「怎的知道某字可作聲母，某字可作韻母？」又問。

「這一問題，可不是三言兩語，可以說清楚的。」魯金土說。「我也不是治聲韻學的行家。」說著遂又拿起桌上的《切韻指掌圖》，說「邵光祖在這本書上，已經一一說到。你認真去讀讀，準能瞭解。」遂又說：「不過，釋守溫的三十六字母，所涉及的五音、清濁，得先弄清楚。」

「這本《五方元音》有幫助嗎？」周清波拿著書問。

「《五方元音》是清朝人根據《切韻指掌圖》的反切原則，又另外設計了一套拼音方法。」魯金土說。「他創意的取音方法，看起來，比《切韻指掌圖》要簡便一些，取音的原則，還是一樣的。《注音字母》的拼音方法，發明之後，這些字書，都用不到了。」又說：「不過，這位作者分出的十二韻目，二十字母，再以五音通貫，編以平上去入五音條貫的字母歌訣，如「邊○貶便別」、「班○板半薄」、「奔○本笨不。」等歌訣，可以使童子歌唱，來幫助初學聲韻的童生，在口唇齒牙上，練習四聲的陰陽頓挫，以及口型的變換，大有裨益。」又說：「我小時候讀這本《五方元音》，先生教我們朗誦這一部分，就是要我們練習平上去入的音聲，能界域清楚、五音、四呼的口型變換，也在這一朗讀上，考驗我們學童的唇齒型態，來糾正我們四聲的準確與否？」

「《鏡花緣》是部小說，怎能用得上聲韻學？」

魯金土一聽笑了。說：「小說是人生萬象的總匯，任何人世間的五花八門，都是小說家運抒在他小說中的題材。李汝珍的《鏡花緣》，不但寫了一大章來談反切，運用了《五方元音》的條貫字母歌訣：『方房倣放佛』等文來反切『方』字。還運用了『五音條貫』的字母歌訣，來演說『反切』的奧妙。我們知道李汝珍還有一部關於音韻學的著作《音鑑》留傳了下來。圖書館還典藏這部書。」

魯金土越說越起興，周清波聽得直眉瞪眼，心裡一直在想：「魯老師怎麼連小說也注意到了？」他知道魯老師坐了整整五年牢，在獄中作校對，讀了許多門類的書。不知道在小說上也有他的見解。遂問：「魯老師也研究過小說嗎？」

「左傳、史記，都是小說啊！」魯金土說。望了望周清波，又說：「人生事事皆學問，大學問不在書本上，在你我生活的周遭，目之所見，耳之所聞，膚之所觸，只要用心去看、用心去聽、用心去感受，無一事不是大學問，雖一草一木都有大學問。西方哲人有言：『一沙一世界，一花一天國。』李老君不是給人一句傳說嗎！有人問他：『道是什麼？』他答說：『道在屋瓦，道在溺。』換言之，道無所不在，求者得之。」

魯金土正談得起勁，梅蘭走來，向先生耳語：「留周先生吃晚飯吧！」周清波理會到了，連忙說：「不啦！師母，我晚上有應酬。」便起身作別，說：「魯老師今天給了我無限的寶藏，我會用心的。」魯太太在真心真意的留客，說：「難得阿土今天有了他的聽眾，我都聽得連飯也燒焦了。聞到了吧！再聊會吧，家常便飯，周先生您又不是外人。」

可是周清波真的有應酬，遂告別。

日月如電光石火，又到了第二次升學班，要考大學了。魯家的雙喜雙慶也是今年應試。今年，魯金土帶的還是三個班，從高一帶到高三。三年來，真格是煞費苦心。由於十班高三的編組，按入學成績分兩個層次，數理一組，文史一組。這一年次，數理組只編三班，其餘七班文史組。各組的編班，前兩年按入學考試成績高低，編定班次。所以考入大學的學生，總在前三班。教學的老師反對，不希望有升學班存在，編班時，由各班導師抽簽，來決定各班新生姓名。各班的科目教師，也儘情維持固定，都從高一教到高三，作一次全校的教學競爭。至於教學上的措施，全部通過教學研究會，以免有個人主觀上的決定，偏袒了某些人。今年的大學聯招，是中原中學的第一次競爭試驗。各班教師都有些兒緊張。相反的，魯金土則處之如常，雖然應先考國文這一堂，陪學生入場，可是兩班學生，排了三個考場，有南有北還有東，無從適應。也只有隨同一家人，陪兒子進入考場。兩個兒子，考場也分作兩地。一家人，自也分成兩隊。母親帶老三陪老大，父親帶老四陪老二。

陪考的大人，除了去伺候他那應試的孩子，別無事事。老實說，年已十八歲的孩子，已算得是大人，一切生活上的事件，都會自理，委實用不著家人去陪。不過呢！也有些心情緊張的孩子，丟三忘四的會遺漏了准考證，事到臨頭進不了場。如今，幾乎家家有人陪考，十家有八家都是老老少少一大家。陪考，業已蔚成一幅時代風情畫圖。

金土帶著女兒小雅陪考，卻也不忘他教書的本行，尋了個僻處，墊張報紙坐下，教女兒朗誦詩文。反正下課有鈴聲，不會忘了下課時去接哥哥。朗誦詩文，是魯聲雅最喜愛的，在學校，朗誦《關雎》詩，曾得獎狀呢。

教育部部長來視察考場，前護後擁，十來個人。其中居然有陳詒先生在內，是小雅發現的，看到之後，就說：「爸爸，還有陳伯伯呢！」

陳詒見到魯金土父女，就走過來打招呼，輕聲告訴魯金土說：「國文課本又要改編了。師大建議的，注釋改用白話。」說了這句，便揚手告辭，追向部長的隨從那一隊去了。「國文課本改用白話文注釋？」這問題又進入魯金土的腦海中翻騰起來！「如何以大白話解說古文文義呢？」一時怔然起來。魯聲雅見到了爸爸突然發呆起來，遂警告著說：「爸！你又靈魂出竅啦！」魯金土笑了，伸手扭了一下小雅的腮幫子，說：「你這個鬼靈精！」

鈴聲響了。一時間這考場又鬨動起來。

這一堂考的是數學，雙慶說：「我可以及格。」

從這天，金土聽到國文課本將改為以白話文注釋課文，他就思考此一問題。直到這兩天陪考兒子考完，他的頭腦裡，便翻騰著：「這等於是用白話文翻譯。」遂又想到：「文中的典故呢？也用白話文解說嗎？」

這些天來，魯金土不但在腦中想呀想，還不時拿出課本來，一條條地的實驗。連熟睡中都會說夢話，說「這樣作，文辭太累贅了。」

「媽！爸爸又靈魂出竅了！」兩個大孩子說。「媽妳上班去了，不知道。我們可看清楚了，他在這幾天假日裡，幾乎天天在自言自語的說話。」要求媽媽問問，兩個孩子說：「怕的是爸爸會變成神經病。」

梅蘭留心觀察了幾次，果然發現到孩子的看法是。一問，才知道是聽說國文課本又要改編了，注解改成白話。他認為這樣不妥。梅蘭問明白之後，便生氣地說：「這種事你也要管，你管得了嗎？」兩個大孩子知道了，也向爸爸說：「爸！你不是向周叔叔說過這麼一句話嗎？『大學問不在書本上。』你怎的又為了國文課本，將改作白話文注解，來躭的什麼憂呢？」

雙喜這幾句話一說出口，爹娘二人聽了，一時興致益然地笑了起來。兩下裡面面相覷了一霎那，作了個鬼臉，金土好奇而興然地向梅蘭說：「呵！我們的兒子長大了。」梅蘭接過話頭來說：「可不？這兩個大小子都叫二十啦！」金土一聽這話，馬上想起了兩人結婚已過二十年了。忍不住歉然地面向梅蘭說：「又一個滿字，溢出了我們的生活歲月。」

「瞧你那酸勁兒。」梅蘭也打了個俏皮話說：「還要文藝腔呢！」遂又書歸正傳地說：「孩子躭心你用腦過度，會神經錯亂。」

「會嘛？」金土想回頭跟雙喜說話，這孩子見爹娘在閒情偶寄地說起俏皮話來，已溜到後院去了。

二、品德、才能、學問與權勢

從學生出了考場，向老師報告的成績來說，未發榜前，已知今年的升學率，還不如去年。去年就不如前年。發榜之後，錄取人數居然比去年多兩名。仍舊趕不上前年。前年二十五，今年十二人。江校長說：「我早知道不按成績優劣編班，會降低升學率，又怎的敢否定全體老師的會議決定。三年下來，已證明了像我們這種檢碴子的學校，如不採成績編班，魚龍雜處，三年下來，蛟龍也變成了泥鰍、蝦米。」遂召開特別會議，還是恢復升學班的編班辦法。

今年考取的十二人，魯金土的那三班，便占去七人。另外五人，有一班占二人，其餘三人，一班一人。有三個班掛零。一向被看好的幾位，反而落了榜。魯金土的那三班，考取的比例是一、二、四。其中的導師，在一年級升上二年級的時期，又按成績優劣重新編了一次。

這學校的導師，全是專任。每一導師帶四班，再按各人才具兼四節課。兩班教室相連，闢一特別小房，只能擺下一桌一椅，間壁鑿孔，可以隨時監視兩班學生在上課時的情況。這些導師十九都是退伍軍人。他不但監管學生在校的生活，連學生的家庭環境，都查得一清二楚。每個學生的週記，都由導師批閱。舉行班會，一週一次。每次都邀請一位執教的老師參加。

導師的桌子上，體罰的戒尺，常發利市。學生犯了過錯，無論男女，重者必定體罰。過犯不到遮掩不住時，不會送訓導處公布申誡或記過。執教的老師，專負學業的優劣責任。

就基於這一特殊的事實，中原中學的升學班，重新開始實施。

升學班也分文理兩組。文史組在七十八分以上的，編一班都嫌勉強，連同七十五分以上的編入，編兩班還得在分數上下降。數理組只湊了一班。十班學生五百五十人，由於奉准只能招十班，多招的還得插班，有的班往往多兩三位。最後一班超過六十人，準備半途淘汰。魯金土教的，自然是成績最好的文史兩班。另外再加兩堂歷史共四節，這樣，才能教夠十六小時以上，支領專任鐘點費。今年在作文批改上，減輕多了。另兩位專任國文，十四節課鐘點費屬於兼任，每學期只領五個月。兼任者，半年一聘，專任者一年一聘。這制度，都是私立學校不成文的私法，連私立大專院校，也是如此。

從這學期起。金土的教學工作，真可以說減輕多了。兩個大孩子，雖都上了榜，全是私立學校。雙慶考入東海，雙喜考入淡江，一個在台中，一個在淡水。這一來，不但需要籌措學費；還有食宿費，老二讀的是化學系，還得繳實驗費呢！，累算起來，又要負債了。

「我看，衹有到補習班去，」魯金土說。「別無求財之道。」

「你不是說你不適合教補習班嗎？」梅蘭說：「以我看，代人捉刀寫論文，比教補習班好些。不必奔波。」

這條路，已多年沒有走了。不但那位田守成先生，已斷絕往還，連朱信立也很少連繫。魯金土一想到此一工作，便沈默下來。他想到今非昔比，每周如此多的課，改作文、出考題，都得花費心力，那裡還有時間與情緒寫論文？教補習班，不需要耗去太多的精力，問題是，時間調配也是問題。

「別擔心，」梅蘭見到丈夫沈默著，知道金土心頭有爲難之處，遂吐出這三個字，安慰丈夫說：「我們的積蓄，摒當摒當，還夠應付一學期的。雙喜可以走讀，雙慶非住校不可。住宿費拮据些。」

「陳詒說國文課本又要改編了。」金土說：「若是再擔任館外校訂委員，每本一千元，也不無小補，可能會增加。」

「不是可以工讀嗎？」梅蘭突然想到了這個辦法。前年的一個女生，考上文化學院，還是魯金土帶著這個女生去辦工讀手續的呢！金土一聽，心情豁然開朗，說：「我到忘了這一著。能辦妥工讀，咱們的孩子入學問題，就解決了。」

在註冊之前，夫妻兩人便分頭奔波。小筠帶了兩個孩子來了。她的大孩子已讀初中，穆容之還在海上。知道兩個大外甥都考取了大學，一來探親，二來賀喜，三來協助姊姊解決學費問題。她一到就塞給姐姐伍佰美金，說：「我知道兩個大外甥考上大學要用錢，我貼補你一些。」

「問題就要解決了，」梅蘭說。「我們正在進行工讀生的申請。」

小筠堅持要姐姐收下這筆錢，說：「將來再還我就是了。我知道私立大學的學費重。」

聽說工讀生還是有名額的，學生的家庭狀況，也得里鄰長證明。魯金土還去找了陳詒先生，這位熱心的朋友，不但幫忙，而且還親自跑到淡江去找創辦人呢。

這次陳詒來，卻告訴金土說：「國文課本的改編，已決定交由師大主辦，編譯館只掛個『主編者』與『出版者』的名義，編輯委員也由師大的『總訂正』負責組成，連校對，都不需要編譯館去介入。編譯館收到編妥的稿本，逕行送台灣書店付印就是了。」遂又感歎著說：「我有時間寫論文了。改天，我再來，向你請教選那些題材？」臨走，拍了拍金土的肩頭，說：「老弟，等著教新課本吧！」。

魯金土也沒有情緒，去想那些用白話寫注解的事了。只想到今後應如何去渡過這鑽竹節的日子，孩子的學費，半年就是一次。至於目前的情景，還是安於本分，以不變應萬變最好。遂向梅蘭表示：「我還是本本分分在這裡教下去。」又告訴梅蘭說：「這學期少教了一班國文，那是校長希望這兩班升學班，三年後能夠考出好的成績來。這種按成績編班的辦法，是校長堅持的。十個班有五個班的主科老師，只教十六節或十八節課，支專任薪，還暗中加兩個鐘點作研究費。目標在看好這幾班的成績，在升學上能創造佳績。」遂又向梅蘭說：「我再分心去作別的事，勢必影響教學。人只有一個頭腦，一雙耳朵，一雙眼睛。荀子有言：『目不能兩視而明，耳不能兩聽而聰。』這是至理明言。」

如今，魯金土與梅蘭兩人的工作收入，雖是低級的公教人員待遇，合起來也有四千多元新台幣。已算過，每月可撙節千元。可是，積蓄一年，還是不敷繳納兩個大孩子的大學一年用度。小筠的伍佰美金，也祇能貼補一年。

這學期，少了一班國文，在作業上，委實可以騰出些時間。魯金土想到早年讀過魯迅的故事新編，遂一時興起，去改寫國文課本中的「荊軻傳」還有『觸讋說趙太后」，以及《孟子》上的齊人有一妻一妾這些小故事，用小說的筆法，編出了一篇篇小故事，投稿出去，千字五十元，三百、五百的稿費收入，月月都能刊出一篇兩篇，這麼一筆收入，對於生活上的補助，確是增益不少。夫婦二人都在說：「這根竹竿的節隔，鑽得過了。」

這天，梅蘭下班回家，一見到金土就說：「我被降級了。」金土一聽這話，不禁愕然。作了好幾年了，去年改組時升任保育組長，雖然薪給沒有多多少，名義上總是比保育員好聽些。事實上，也是梅蘭工作辛勤努力的代價換來的。怎的忽然說：「我被降級了呢？」還沒有問，梅蘭就又繼續說了下去。

「今天的公佈欄上，已貼出了新院長到任後的第一次人事命令，文上說：『保育組組長梅蘭，不適任現職，奉上峰命令降爲保育員。』第二項就是『派葉枝生爲本院保育組組長。』第三項便寫的是『即日交接生效。』」又說：「我已把工作交了。」

「這個人不是才到差嗎？」金土疑疑糊糊地說：「前幾天才聽妳說，換了新院長。也是新贛南的，妳認識的。怎的會突然發生這種事？」

「可能是那天在第一次院務會議席上，她說她在什麼地方見過我？」我老老實實答說在贛州，還說：『我家住在文清路，是城北鎮的轄區』我的話還沒有說完，她就連忙打斷了我的話，說：『好好好，我記起來了。』當時，我就發覺她不願意我再說出她那時是贛州城北鎮的女鎮長。一時頗爲惘然！可是，她在會議上，竟然滔滔不絕的談她在中正大學師範專修科讀書，學過的兒童保育工作。洋洋灑灑說了大半個小時。怎想到今天才到差第三天，就貼出了這張佈告。」說過便哀傷地進內房去了。一邊走，一邊還在說：「第一刀就向我劈來。」

金土聽到妻子回家這一說，知道梅蘭的工作不能再繼續下去了。但一聽這人是贛州城北鎮的女鎮長，金土也有印象。在贛州，也時常在街頭遇見，被大眾之口稱之爲「李鳳姐」的名女人。居然遇到了這位人物，那梅蘭是非得離開不可。這時，也引發金土記起十多年前的一件傳說，說是某大人物的生父，在變亂中，由家鄉逃到南京，又由南京來到台灣，年已八十餘歲。由於老父是個種田人，不識文字，渾身土氣，遂被置之另處贍養，對外絕口不提有老父在此。直到去世安葬完畢，也不曾以人子之禮，訃告發喪。何以？掩飾他出身微賤。那麼，像梅蘭的這次事件，這位素曾相識的新院長，之所以採用她如此惡毒的手段，要趕梅蘭離職，也只有一個心理，絕不希望有一位知道她底細的人在身旁。這心理，往往是人類的通病。明史學家，曾經這樣論斷朱元璋。大人物、小人物，都是人。人，就有各等各樣。

金土跟著梅蘭進房，就說：「別生氣，辭職就算了。」

梅蘭正在換衣裳，頭也不回的馬上答說：「我才不辭呢！保育員就保育員，我正難爲著組長這職務太煩人呢。」

金土瞭解梅蘭的性格，她如一旦堅持起來，是不會改變的。

這個幼兒園本是梅蘭的同學創辦，由於土地的糾紛，敗訴之後，市府方始接收過來，重新組織，改名爲育幼院，保育組長是改組後，才有的職務。第一任院長，是市府一位專員兼任，原已報請的院長候選人，梅蘭也是其中之一，不想空降來這麼一位，說是青年救國團方面推薦的。事先院方沒有人知情。當佈告貼出的這天下午，新組長已經到來，梅蘭毫無異議的把工作交出，還一樣又一樣的將有關工作程序，都交代得清清楚楚。保育組長也只是在同一間的辦公室，所不同的是，辦公桌放在主位就是了。

這突來的告示，事先沒有任何人知曉，這位院長確是從青年救國團方面推薦來的。這位程院長在第一次院務會議上，她自己說出來的。當時，祇有梅蘭知道她是怎麼個來歷，怎麼個出身。因爲當年她被派任鎮長的時候，報上有新聞報導，年籍學歷都寫得一清二楚，小學畢業。蔣專員實施的新政，只講才能，不論出身。這事幾乎是新贛南大家都知道的。那天在會議上，當梅蘭感受到這位新院長並沒有想認同她是新贛南的故知，只聽她在語言中，不時說到「主任」二字，也就自警著自己，今後莫再提及往日新贛南的什麼？可沒有想到才到任第三天，就貼出了這張佈告，接任的人，也同時到來，等著即刻接任。連回圜的時間都沒有。其他的同事，見此情事，誠有殺雞駭猴的作用。

梅蘭交代了工作之後，才想到佈告上說的「不適任現職」四字，指的是什麼？同事們也有人打抱不平，走來悄悄向梅蘭說：「去問，什麼地方不適任現職？」可是，這位院長已不在院中。有人指示梅蘭，要她向市政府社會局去問問。

梅蘭則認為不必去問，說：「她的目的是讓我自動離開。我瞭解她不希望我在這裡再作下去。我留在這裡，彼此都不好。我回家跟我先生商量一下，不作算了。」

這時，作會計的葉小姐從福利課回來了。說是這位院長正在福利課與黃課長在理論，就為了這張佈告的事。說是這張佈告上的事，社會局任何單位都不知道。她拿著這張佈告公文，向社會局報備，承辦課說是公文程序不合，不接受她這樣作。葉小姐說：「我來的時候，還在吵。」說是新院長的聲音很大。

梅蘭聽到了這一番話，心頭便有些氣惱，此時，也有人慫恿梅蘭，說：「到社會局去問問看。」梅蘭一向不衝動，很會忍耐，實在忍不住了，也祇有回家後，向先生訴苦。她那位先生也只會說：「咱們還是忍為上計。」

當梅蘭一五一十的把這件事，說將出來，金土聽了，卻沒有說：「忍為上計。」卻也相當生氣，反而說：「這事得問個明白，怎能任人宰割！」

金土說了這句話之後，突然想到自己坐過的那五年監牢，遂又在心裡洩了怒氣，想：「可能是基於這個原因，不然，用不上『不適任現職』這五個字作降級理由。」看了一眼梅蘭，已換好衣衫，準備到廚房去作晚飯，臉上已經沒有憤慨的氣象。也就沒有再說什麼，卻忍不住一陣心傷，頓時鼻樑骨一酸，淚水便湧上了眼眶。好在梅蘭已走出房去，到廚房去了，要不然，看到他又流了淚，準罵出那三個字：「沒出息！只會哭。」正在這時，門鈴響了。馬上擦擦眼淚，準備走出房去應門，三個男孩子正在後院裡玩籃球。他們自己在院子裡，豎立了一個球籃，不時在練習投籃。聽見有人按門鈴，便從後院打繞東窗外的走道，去應門。等金土從房內走出門來，大門已經開了。來人是老長官羅旅長的座車司機老盧，說是太太先差他來看看，問問魯太太什麼日子有空，太太有事要找魯太太。

把老盧接應到家來，沏茶尚未擺上茶几，梅蘭就出來了。

老盧還沒有坐，站著就說是太太要他來看看，問過魯太太什麼時間有空，她有事要來請教魯太太。

「羅太太今晚如在家，我今晚就過去。」梅蘭說。

「好！我回去告訴太太。」老盧說。又加了一句，「太太已經接任了中華幼稚園園長，她說魯太太是行家，遂想到要來請教您！」

留老盧吃晚飯也不肯。走時還說了一句：「你們家有電話，就方便了。」

「是啊！」金土回答了這兩個字，便沒有再說什麼？只說：「兩下裡距離不遠，來去花不了多少時間。」

但心裡卻想著，快裝電話了。等兩個大孩子畢業，就不需要天天發愁錢不夠用了。裝電話，要繳近兩萬，怎麼裝得起。到如今，連電視機還沒有錢買咧！但這次老盧來通報的消息，對金土夫婦兩人的當前處境，未嘗不是上帝降賜的一個福音。

「今晚見了羅太太，說不說起育幼院佈告上的這件事呢？」

兩人相商了一番，還是決定：「照實說吧！」他們認為，在台灣的親友們，只有這一家長官夫婦，是最熟知他們一切的人。

三、生死禍福一無常

原來，羅太太已經知道了梅蘭在北市育幼院，發生的這件事。湊巧這天羅太太爲了中華幼稚園一些制度上的事，到社會局去，正遇上這位院長程鳴鳳女士在與黃課長辯論，說是她奉到上峰的口諭，才有膽子這樣辦的。黃課長則堅持行政的學理，說是院中的人事，都是市府社會局下聘的。任免調降的發佈，都是市政府社會局的職權，院長沒有這個權柄。當這位院長一生氣，說：「好！我去找局長去。」

這人走後，才輪到羅太太來洽辦公事。一看那佈告稿上受處分的人是梅蘭。她這才附帶問詢了一番。遂得知此人是救國團方面推薦來的。是蔣主任在新贛南時代的部屬。

「這個女人蠻不講理，」黃課長說：「根本不懂得公事，居然下佈告降職員的級，我們當然不能同意。」

羅太太離開市政府後，就想到梅蘭的職務，可能有問題了。回來與先生一說，就想到不如把梅蘭安排到中華幼稚園裡，勸梅蘭離開，不必再去爭議什麼公不公？理不理？馬上遣司機去提個由頭，意思就是希望梅蘭到她家去一趟。

梅蘭想不到她的此一事件，羅太太已經在意外地機會中，獲知了詳情。她認爲這位不講情理的女人，既然是頂頭上司，唯一不生閒氣的辦法，就是避開。作部屬的，若是與上司對敵，鬧到最後，還是自己吃虧。勸梅蘭忍下這口氣，寫張辭呈，離開了事，到社會局去辦離職。

「在我看來，社會局會同情你的。」羅太太說。

梅蘭自然接受了這個勸告，不再去講論什麼道理。離開算了。

「從妳知道的這個女人的來頭來說。」羅太太又說：「任誰都得讓她三分。」

羅太太家的老傭陳嫂聽了，也插嘴說：「凡是這種不要臉的女人，別說人，連鬼見到都會讓出路來。」

「天作孽猶可違，自作孽不可活。」羅旅長引了這兩句古語，來安慰梅蘭。梅蘭謙讓一切，辭職離開。對於市府社會局來說，也是求之不得的一個好辦法。老實說，社會局還生怕梅蘭會據理力爭鬧下去呢！梅蘭辭職，反而給教育局解決了這個難題。在社會局來說，只是梅蘭這個人，另有他就，自動辭職，不牽涉其他人事上的任何問題。還依據了梅蘭這幾年來的服務成績，簽准發放了三個月的薪俸，作爲數年來的工作獎金。這樣處理，不但平息了一場極易鬧出問題來的爭執，也補償了一位連年考績都是甲等的工作人員一個獎勵範式。同時，也給這位不通情理不諳公事的主管官，來一個當頭棒喝。

這麼一來，對於梅蘭，反而是塞翁失馬，不但到中華幼稚園膺任主任之職，還獲得了三個月薪俸的離職工作獎金。

「阿土，我們可以給孩子們買台電視機了。」梅蘭說：「天祥電器行的老闆說，有一台半新的日立牌，十八吋，讓價只要三千元。便宜一倍，他還包修一年。」又說：「你如同意，我們就去看看。」

「上帝給妳的這份酬勞，由妳支配。」金土回答。

這台幾乎有九成新的日本原裝日立牌十八吋電視機，安裝在家中了。電視進入這眷村，已經好幾年了啊！

電視機是有了。幾個孩子忍耐了數年，總不敢在牙縫間，透出那分希冀的心絲，但已結成了繭掛在眼角上。一個個小聲切切地向母親耳畔說：「我們終於有了電視。」

「別興奮！」梅蘭警告著。「你爹說了話，大家還是以功課為重。每天看什麼節目，一家六口開會決定。再好的節目，不在我們的工作時間以外，都不能看。」

「不管。」小雅撅起了嘴反對，說：「英文教學我得看。」

「別任性，媽會給你們安排的。」梅蘭用柔中有剛的語氣回答。她早已料到，有了電視，一定會產生選看節目的爭執。「電視的發明，雖有益於社會文化，像它這種闖入家庭的行為，作父母的若是不能有效的掌握子女們的適應性，它會變成一頭有害的寵物。」梅蘭夫婦二人之所以遲遲數年，沒有想到要買電視，一是在經濟上省不出來這筆錢，卻也想到有了電視，會影響孩子的功課。如今因禍得福竟換來三個月的獎金，高高興興買來這台二手貨，剛插上電流，孩子們就爭節目了。反而招來了苦惱。

還好，英文教學的節目時間，排在晚間十時後，一次只有半小時。想起來王泰山家買來了電視機，邀他們幾個孩子去看。村自治會為了全村福利，顧及了某些人家沒有餘錢購買電視機，在自治會的閱報室裝了一台，天天晚上聚了不少老老少少去看。梅蘭夫婦為了孩子的功課，嚴格禁止他們涉足，連王泰山家也不准去。王汀生連高中也沒有讀畢業，二十多歲了。繼承了老爸那份職業，開計程車，車子是自己買的，收入比一個中級公務員還好。王南娜已在商職讀高三，留了一次級。為了這個女孩子貪玩，不好好讀書，陳秋妹曾向梅蘭哭訴了多次。老是說：「找個頭家早點兒嫁出去。省得留在家裡惹氣。」卻又談何容易，如今已不是父母之命媒妁之言的時代了。

上了年紀的王泰山，有了血壓上的毛病。自從房子改建之後，在巷口又搭了一間棚屋，擺了個雜貨舖看著，經營那一塊、五角的油鹽醬醋。夫妻倆變成夫掌裡妻掌外，在外跑腿的事，全由陳秋妹去。

每天所盼望的，已不是油鹽柴米，一見面就愁歎兒子還沒娶、女兒還沒嫁。王泰山還留了鬍子，六十幾歲，看去總有七十開外；頭髮鬍子，全白了。陳秋妹也五十出頭，髮也頒白。自難怪兩人都希望兒娶女嫁。

「山東的兒女，都過卅十啦！」近年王泰山時時念叨著山東的妻子。自從金土為了與家中通信，竟然連累了他坐了五年監牢，諕得他幾乎不敢提家中的妻子。三年前，中了風，只是嘴巴歪斜了一些日子，說話不利落。雖然沒有大礙，還是住了幾天醫院。醫生囑咐他不能再踩三輪，也正好政府決定取銷三輪車，可以改業開計程車。兒子王汀生又不是讀書的料兒，遂把這份職業，讓給兒子去學開車。這孩子遺傳有他爹那分誠實忠厚，這幾年來，倒也有些積蓄。王泰山夫婦二人又開了一家小小雜貨鋪，在生活上比他老長官魯金土一家，過得要富有些。

說起電視機，王泰山也停了兩年再買。雖然王南娜吵著要買，王泰山就用這話拒絕：「妳給我好好念書，妳看魯聲遠他們都沒有買。」後來，還是王汀生沒問過爹娘就買回來的。

起先，魯家的四個孩子，倒也在王家去看過一些日子，特別是魯聲雅，比王南娜小一些，兩女孩也挺玩得來。要考高中了，功課一天天退步，這才把小雅關到家中，母親為她安排了一系列的功課，必須補習。也跟哥哥一樣，留了一班，「明年又是考大學的關口。如今，雖然買了電視機，也不得不約束著。作父親的，總是時時勗勉著說：「業精於勤荒於嬉，不要把心放在樂子上，放在功課上。」可是魯金土與梅蘭，每天都在兢兢業業於工作上，一句話，還不是為了一家六口人的衣食飽暖。

有時，這兩人也會感慨萬端地相互怨艾！金土說：「俗話說：『文藝不如手藝，手藝不如口藝。』又說：『只要一藝在手，不愁飯不到口。』像我們這倆人，可以說是『手無長技，口無捷才』。所不同的是，比一般人多認識幾個中國字。」遂又自怨說：「像我，肩無力擔擔，手無力提提；腿不能奔，腳不能踩。像妳，既無五指之巧，自無針黹之能。我們倆都是平凡中的平凡人。比起來，我兩人還不如王泰山與陳秋妹有用。咱們光是養育這四個孩子，已經是節節得鑽節節得爬。」

說到這裡，忍不住一陣心酸，低下頭來，淚水像大雨從屋簷流下，說不下去了。

「瞧你！瞧你！」梅蘭倩倩然笑著以嘲諷地語氣說：「還是老毛病作祟！我們本來就是平凡人，有什麼值得傷心的。」又說：「『人比人氣死人。』這話是你說過的。幹麼又比張比李？」說著，生起氣來，語氣沈重地說：「你一向像根鋼柱子似的，想不到你還有這麼軟弱的一面。」說到這裡，見到金土的臉赤紅起來，遂又馬上轉個語氣、改個話頭，換個笑臉，伸出手去，掐了一下金土的腮幫子，學唱金土說到他兒時好哭，同學們編的那支歌兒：「好哭精，栽大蔥！大蔥不開花．．．」剛唱到這裡，小雅從房內，大聲接唱下句：「扛起鋤頭回老家。」

惹得魯金土也破涕為笑，馬上罵了一句：「這個丫頭片子在偷聽！」

突然，村上的一個半大小孩，匆匆忙忙在大門外喊：「魯老師，王泰山伯伯心痛，倒下去了。」說過便聽到這小子的急奔腳步聲又跑走了。

魯金土夫婦二人聽到；知道王泰山又發了病，兩人便一言未發，急忙出門去一看究竟。

兩人到了王泰山的小舖，王泰山已被村中人，把病人抱上計程車，陪同他太太送到台大醫院去了。

魯金土夫婦再去喊車，趕到台大醫院急診處，醫生業已宣告無救。人還躺在急診處的病床上，陳秋妹已哭昏過去一次了。已安排在病房中。醫生說是心肌梗塞，送到醫院時，已經無有脈息。

壁上的自鳴鐘，在敲八點。這時，魯金土方始嗅到醫院中的藥物氣味撲鼻。望著病床上用白被單把頭臉都蓋上的王泰山，就回想到他第一次在諸暨軍營，認識王泰山的情景，算來已三十年矣！那麼多！那麼多的往事，都排著長隊奔來。

兩位身穿白衣的男士走來，一前一後把躺著王泰山的那張病床，推出了急診處。魯金土下意識跟著走去，到了太平間。一直看到那兩個白衣男士，像抬一切事物似的，撲通一聲便放在那水泥床上。回身見到魯金土，問：「你是這個人的家屬？」魯金土答說是朋友。這兩人便說這門是要關起來的，還要加鎖。魯金土這才離開，到病房去看王泰山太太。知道梅蘭在那裡。

他見到變成死人的王泰山，像睡著的人一樣。只是被放到那水泥床上的時候，像放行李似的撲通一聲，他沒有喊痛，這一點，是與活人不同的。

問到陳秋妹的病房，見到梅蘭還坐病床上，一邊在小聲勸解，一邊在用手巾替陳秋妹擦汗。正是三伏天氣，病房中的電扇，吹出的風，都是熱的。魯金土說，人已送到太平間去了。還說著，眷村有兩位太太到來，一問說是人已無救，送到停屍間去啦！也都忍不住掏手巾擦淚。梅蘭沒有起身招待，見到兩位太太聽到人已故世，便忍不住淚流，遂伸手搖搖，阻止她們不要哭出聲來。這時，躺在病床上的陳秋妹，已經不哭也不說，只是呆瞪著兩隻大眼，癡癡地望著天花板。

這兩位太太走近床邊，見到王太太陳秋妹這種悲痛到發呆的樣子，怎能不流淚呢！可以清晰的聽到這兩位鄰家太太，在抽搐鼻子的顫巍聲息。

「這兩個孩子還不知道他爹已經沒有了呢！」魯金土嗚咽著近乎自語地說。跟著其中一位太太說：「陳會長派人去找去啦！」另一位太太說：「不好找，王汀生開車做生意，怎麼找法？」這時，梅蘭忍不住問：「小娜呢？」想不到陳秋妹神志已清，居然回答：「小娜到台中去啦！今兒格晚上會回來。」

兩位太太聽王太太已說話，便走近去，說：「王嫂子你可得打起精神撐起來。別難過。」這一說，陳秋妹又哇地一聲哭了出來。大家偎向前去，你一言我一語的，勸了一會兒，這才又停住了哭聲。

梅蘭要金土回家，到王家看看，店呀！家呀！都沒有人。「我得在這裡陪王大嫂，得等到王汀生來，一同回去。」

魯金土回到村裡，王家的小舖已經關上門加了鎖。村子上的人說，王汀生已經找到，到醫院去了。家裡的裡外門戶，也都關上了。只得回家，一看電視沒有關，小雅手中拿著一本書，斜著身子躺在媽媽床上，已經睡著。走到後院，就聽到老大在房裡說：「爸爸回來了。」跟著便是三個人一起走出房來，見到打算走向他們房中去的爸爸，幾乎是異口同聲的問：「爸！王伯伯怎麼樣啦？」魯金土見到三個孩子已走出房來，也就停止了腳步，哀傷地說：「你們王伯伯過世了！」

「啊！」三個人一同啊了一聲，彼此面面相覷了一眼。都沒有說話，遂又馬上轉過臉來，望著相距約有十尺遠的爸爸，在昏暗的燈光下，也能見到攤在父親臉上的哀悽。孩子們知道王伯伯是父親青年時代的公務兵，父親卻把他當作一位長輩看待。這兩個大孩子都知道，更可以說四個孩子全知道，在父親坐了五年監牢的這段日子裡，虧了王伯伯一家人照顧他們。所以他們見到父親臉上的濃厚哀悽，都能體會到父親的沈重心情。當他們知道王伯伯被醫院沒有救活，除了一聲驚呼，別的也委實沒有什麼話好說。

「你們睡吧！」魯金土說。剛一轉身，見到小雅站在臥房的後門諦聽。一看到爸爸轉過身來，就擦眼淚，顫巍著口唇說：「王伯伯待我們好好噢！」

小雅這一聲哭哀哀地說詞，頓時又觸發了金土的哀痛之情，鼻酸眼熱地說不出話來。走近去便伸手箍著小雅的腰，一同走進房來，這才一邊走一邊說：「死了！死了！身後事，管不著。」遂又說了一句：「王泰山遺憾的事，只有女兒太野，又任性。唷！」沒有再說下去。小雅本來要問她媽怎的沒回來？一聽老爸責備王南娜姐姐，心裡便不是滋味兒，認爲爸爸在指桑罵槐，藉故說她呢！走到房中，便檢起床上的書本，撅起了嘴，走回自己的小房去。

魯金土全心志都在王泰山的後事上。小娜的問題，是金土最重視的一個環節，怕的是今後陳秋妹，會被這女兒氣死。他只顧想王南娜的問題，卻沒有顧到這句話，會使自己的女兒多心。小雅，明年也要考高中了，不是小姑娘啦！

「人死後，要處理的就是死體。」金土想。「這死體，有不少稱呼，通俗的說法是『屍體』、『屍身』，典雅些的稱呼是『靈體』、皇上則稱『聖靈』。實際上，人死了與『死馬』、『死豬』、『死狗』、『死鳥』、『死螞蟻』、『死蚯蚓』、『死蟑螂』……都是同等意義。」

「若以禮論之。」金土又想：『生，事之以禮；死，葬之以禮，祭之以禮。』這是人子在孝字上，應該作到的起碼條件。」但又一推想：「在這個亂鬨鬨地時代裡，爲人子者，沒有能力養活爹娘的，有的是。爹娘死了，沒有能力以禮安葬爹娘的兒女，也有的是。」他又想到他教過：「樹欲靜而風不止，子欲養而親不待」的句子。他們夫妻二人，漂泊在外，一眨巴眼二十年過了。他家鄉的爹梅蘭家鄉的娘，還活不活著？都無從得知。若是像王泰山這樣，一倒下來就沒了命，作兒女的也不在身邊，孔老夫子告訴學生的那種子女之孝，也等於白說。至於「葬之以禮，祭之以禮。」也只是人生形式上的行爲哲學而已。

儒家安葬之禮，除了衣衾陪葬之物，還內有棺、外有廓。所以墨子提出「薄葬」的道理。佛家火葬。回族土葬，既無衣裳，也無棺木。藏族更其簡略，舉行「天葬」。喪家把屍身用騾馬馱到葬地（山上），交給執行葬禮的專業人士，解去了屍身上的穿著，赤裸裸地被磔去皮肉，碎了骨骼，用來餵飼飛來的一群群禿鷹。換一句話說，葬禮就是將死後屍身處理掉。「入土爲安」也好，「火化」也好，「餵鷹」也好，也都是爲了把死後的那個「臭皮囊」處理掉。

「我們的生命從無中來，結果也回到無中去。」早些天金土還向梅蘭說：「生命是個活的存有，死後任何生命體，都已不是活的存有。縱然埋在土裡或岩石中，已變成了化石，也不再是活的存有。對於『生命』二字來說，還是個『無』，不是個『有』。」

那天，金土與梅蘭二人，談到死後，都同意火化，把骨灰灑到空中，任其隨風而逝。從無中來，回無中去。但一想到王泰山的葬禮，他不但有兒有女，還有妻子活著。雖然老家還有後人，已無法聯繫，安葬的事，也不能依照他們的意見去作。想了這麼一會兒，便到陳會長家去。

陳會長到醫院去了。他知道王泰山已故世，帶著太太到醫院去看陳秋妹。聽說王南娜到台中去了，王汀生開車在街頭作生意，不知找到沒有？所以想到必須去醫院看看王泰山的太太。魯金土回到家來，梅蘭已經返家，說是王汀生已到了醫院，陳秋妹精神已正常，湊巧陳會長夫婦來，便勸慰著陪同陳秋妹回家。有兩輛車，她也一起回來。

魯金土又去了陳會長家，去談安葬事。

「這一切得聽他們一家人的意見。」陳會長說。「老王這突然的走了，什麼都沒有安排。」又說：

「老王生前倒說，死了就一把火燒啦！骨灰裝入骨灰罈，能回大陸，帶回家葬到老林（祖墳）。」

「有了這句話，我們辦事也有了個則模。」魯金土說。

「明天再說吧！」陳會長說：「土葬、火葬，咱們還是聽他們家人決定。」

魯金土再回到家，見到四個孩子都在陪著媽媽說話。

「別談了吧！十一點多啦！」魯金土敦促孩子們去睡。

「孩子們問起王伯伯怎麼一倒下就死了？」梅蘭說：「我告訴他們這是心臟病，心臟不跳動了，人就死掉。」

梅蘭又述說了她與陳會長陪同王汀生，到太平間去看王泰山的遺體，那停屍間停放了三具，都像熟睡的人那樣，只是沒有了生命而已。

王汀生一見到他爸的遺體，就哇地一聲「爸」！便暈倒在地。好在有陳會長陪著，先就有了防備，不然，若是倒牆似的摔下去，也會受傷的。遂不敢讓陳秋妹則這地方來。

「到了這地方一看，人與人還計較個什麼？」梅蘭說：「真個是古語說得好：『生死禍福一無常！』」

「好了！好了！別說了！該去睡啦！」金土不願意再向孩子們談論生死。

四、算得是教育的兩大議題

王泰山的葬禮，採用火化後，遺骨裝罈，在家屋的後院，依院牆挖一深坑葬入。然後再用石板作蓋，依牆作一小小龕庵，有爐台可置香爐祭品。平時把門關起加鎖。這是魯金土的建議。村上人都說這樣安葬好，今今後後，都省去許多事。

人生就是這樣的結局。古語有言：「生，難保百年身，死，難保百年墳。」這樣安排先人的後事，不受外界的約束。一個小小的骨灰罐子，可以隨著子女的家室動變，所以村上人都贊稱：「省事多了。」

金土一到了學校，就有同事告訴他，新課本到了，課文更換了不少。一同到了教員休息室，已到的人，正在咕咕喳喳地談新編的國文課本。第一課選的是蔣總統：「中山樓中華文化堂落成紀念文」，其中引禮記「選賢與能」，把「與能」二字，注爲：「交付任務給有能力的人。」就有人在說：「胡說，把與字訓作交付給，上面的『選賢』二字，怎麼解說？」第二課是蘇軾的「李氏山房藏書記」，就有人在說：「這篇文言文，選在高一課本首篇，極不適合。」說是東坡的這篇文章，在文辭上，不但有詰屈聱牙之病，而且內容說到的讀書、藏書，與今天高一學生的知識，相距頗遠。」也有人說其中的注釋，文白夾雜，讀來非常撇扭。更有人說：該注的未注，不該注的偏要注。」魯金土執教高三，手上沒有這一課本。從別人手上傳來，也只是看了看目錄，翻了翻內文的形式。只偶爾見到的其中的注釋，確有語體文詞。突然看到「游談無根」四字的注釋文句是：「游談，空泛的言論；無根，謂沒有根由。」遂想到年前陳詒先生告訴他：「國文課本又要改編了。由師大主其事。注釋改爲白話文。」金土曾爲此縝思了老半天，認爲文言文的故典，如用語體文解說，勢必累贅，訓詁一字一辭的義蘊，用語體之的了呀嗎，不但造成文句拖沓，也會有辭不達義之病。像「游談無根」四字，如有故典可引，似乎犯不著注它。這樣注解，反而使教師爲難，採也不是，不採也不是。聯考，以課本爲正解啊！「不在其位，不謀其政。」魯金土想到這句話，沒有表示意見。心裡想：「反正在明年，就要又從高一教起了。」

事實則不是如此。當天的教學研究會上，教務處就給了魯金土一本。說：「魯老師你拿一本參考。今天的會議，就有老師會提意見。」果然！會議上就有人指出新編國文課本的注解不好教！」但結論是請大家在講授時，一一挑出討論。

「這課本，改編得實在糟糕。」會後還有人在作這樣語氣的批評。有人指出執行編務的人，是新科博士，遂有人說：「難怪！才編出第一冊，就博得咱們直眉瞪眼，三年六冊，有得瞧咧！」

一到高三，各科的課程，都一天比一天緊張。不但學生緊張，老師更緊張。所以金土也沒有把心放在新編的課本上。在開學後這些日子裡，梅蘭到了新單位，雖同是幼兒教育機構，性質雖同，教育環境與目標，都大異其趣。先前的那個育幼院，目標只是「養育」，而且重心放在養上。兒童也不多，育養的對象，在中下級貧戶上。不像一般幼稚園，除了為在職的父母們，解決托兒的問題，還兼代培養兒童在入小學之前，先有了識字與養成家庭以外的大衆生活適應。同時，幼稚教育，還有一套教育的學理，這些，在台灣的師範教育上，還沒有此類專科人才的培育。所以梅蘭到任之後，發現教師泰半不是出身幼稚師範科的。且有的只是初中畢業生。既不懂教育原理，更不知幼兒心態，大多數都是古老式的，婆婆嬤嬤那種威赫與哄騙。

這個幼兒園，規模不小，占地五千餘坪。雖是竹搭的棚屋，設備到也完善。一橫列四間的教室計有三排，另外還有辦公室四間，廚房三間。不但教室的橫排之間。有著頗爲寬廣的活動空間，另外，還有一塊千餘坪大的集合場。各種供應幼兒玩樂的設施，如滑梯、翹翹板、轉馬、跳躍狗、迷宮，各種幼兒玩的球類也多，比原來梅蘭服務的育幼院，還要周全。只是每班人數太多，小班每班四十人出頭，大中班每班五十人出頭，相距幼稚教育的編班人數，幾乎超出一倍。

爲了此一問題，梅蘭曾與擔任園長的羅太太商談過。但礙於經費不敷，沒有辦法照教育學理，減少編班的人數。這個幼兒園又是私立性質的，實際上雖屬於軍方，但軍方只提供了土地，以及建設的經費，開學招生之後，便希望能收支相抵，不再支援。軍方子女入園就讀，收費還訂有優待辦法。照目前的在學兒童，人數五百人的情況來說，是有盈餘的。若照規定的人數編班，算一算最少也得加出三分之一。經費就不敷了。

「天啊！這那裡是辦幼稚教育！」梅蘭到任不久，就回家發牢騷，說：「簡直是王嬤嬤養雞，李大爺養鴨。」小班的孩子四十來個，大中班近六十個，兩個老師在看管一班，在教室裡，已經夠鬧鬨鬨地啦！不是甲哭，就是乙嚎，要不就是丙丁相打。教師只有一小部分是師範畢業的，十來個教師只有兩位是幼稚科的。助教大多是普通中學的，不但初中生多，只有小學學歷的也有。梅蘭說：「在教學上、管理上，簡直是八仙過海，各顯神通。」

「下午的班次少，可以安排討論課程，藉個機會教育她們嗎！」

金土給梅蘭這麼一個建議。他不知道，有些教師的聘書是半日制啊！中午放了學，下午她就不必來了。

「過去的主任不上課。」梅蘭說。「自從改組後，有了園長，主任只管教學，不兼行政，我輪流到各班，帶動教學，每一班，一個月可以輪流兩次。只有這樣去改善她們的教學方式。」又說：「過去，也訂有大、中、小各班級的不同教學單元，只是教師不太瞭解兒童的天真好動心理，每班的孩子又多，又不用心去想出有秩有序的教學方法，譬如『小市場』這一單元的市場買賣活動，教師若是沒有秩序分明的教學辦法，指導學生去活動，會使教室變成比實際上的菜市場，還要嘈雜鬨亂。那就不成教學了。」

俗話說：「隔行如隔山」，梅蘭的這段話，金土聽來，如在霧中，連回答的話都萌不出芽來。只有瞪著大眼望著說話的人。

「別說『小市場』這類複雜的社會活動單元，就是『我的家庭』這樣的單元，要大班的孩子扮演祖孫三代，表演家庭的日常生活，要教育孩子去重視家庭生活的長幼秩序，以及人來客往的尊卑稱呼，也得教學的老師，替孩子們理出個故事情節來。決不可以任憑孩子們像平常一樣，去扮『家家酒』來應付這單元教學。」

魯金土這才聽出道理來，瞭解到幼稚教育，之所以有專科學校的設立，中國也有了兒童教育家陳鶴琴、陶知行、張雪門，聽妻子梅蘭這麼一說，方始體會到幼兒教育，在情理上說，比小學到大學這一長長的階段，還要來得重要呢！可是，梅蘭去了才一個多月，卻已倦勤，說：「我再努力一年，若是在師資上，教學上，改善不了，沒有進步，像這種王嬤嬤養雞、李大爺養鴨似的，把孩子趕進趕出，我寧可在家抱窩，也不去誤人子弟。」

梅蘭說到這裡，便意興闌珊地走進房去。她要換衣服進廚房了。金土卻想：「不曾想到在教育上，還有幼稚教育這一個小小環節。」遂又使他想到了近來學校的休息室，國文老師們，天天在議論新編的課本。已有商榷問題的文章，刊登在報端了。陳詒先生爲了此一新編課本，曾到金土家來過。感慨地說：「所謂《標準教科書》，自民國四十一年十二月，部頒修訂高級中學國文課程標準，開始編輯實施的。五十一年七月又重新修訂一次，重新釐訂內容，改編一次。這一次是民國六十年六月，部頒修訂標準編輯的。九月就實施了。這次則稱：『編輯者某某，總校訂某某。』掛名的編審委員，達二十四人之多。」又說：「由於《國立編譯館》是掛名『主編者』，所以各方的教學反應，信件像雪片樣飛來，電話像流星樣打來。編譯館只有原件登記後，送給師大編注者。要求繫鈴人解鈴。怎想信件越來越多，答不勝答。」說著，還把裝在手提箱中的一疊新收到的信件拿出來，像洗牌似的一件件由左手洗到右手。

魯金土這時，還沒有進入這一問題，他仍教高三，升學的壓力，比其他任何一件事都重要。今經陳詒先生來，這麼一嘀咕，也就引起了魯金土的興趣，想：「一定是不妥處太多，要不然，不會被教學的老師，反應得如此熱烈，這才第一冊啊！」魯金土只記得有人說到「選賢與能」的「與」字，不可作連詞解。他同意「選賢與能」是兩個辭組的組合語，不同意是四字連成一組的文義。他知道鄭玄注「鄉大夫」中的這賢能兩字，就說：「賢者，有德性者；能者，能道藝者。」孟子也有句說：「賢者在位，能者在職。」把「選賢與能」的「與」字，採作「舉」字義，比作連詞義，意理要通暢些。但魯金土仍不認爲是大錯。今再取出第一冊課本隨手一翻見到第二課「李氏山房藏書記」注五，把「不肖」一辭，注爲「才德不夠之人。」便說：「這詮釋實在不妥貼。」遂說：「按『不肖』一辭語出《孟子》（離婁上）『中也養不中，才也養不才，故人樂有賢父兄也。如中也棄不中，才也棄不才，則賢不肖之相去，其間不能以寸。』按孟夫子的這話，業已說明『不肖』二字的意思，指的是子弟不如父兄之賢，所謂『不肖』，就是『不像』或『不似』他父兄那樣賢德。」又說：「按義理說，『不肖』一辭，乃專用形容詞，它只形容子弟的才不如父兄者，似乎不可以用來概指所有『才德不夠的人』。再按原文：『賢不肖之所得，各因其才。』原文中的『賢不肖』，顯然從孟子語引出。」跟著又見到注十四，竟把詩之『風雅頌』說是『詩經的三種不同體裁。』」遂一氣把書向案上一放，說：「這簡直連詩譜序都沒有讀過，更可以說連詩三百都沒有碰過，才會有這類望文而生義的師心自用，寫出這種注解。」

「編者怎麼會如此無知？」魯金士望著陳詒先生說：「古人口中的『四詩』之說，指的就是『風雅頌』。雅分大小，體裁有別。」說著站起身去取來詩經，翻到孔穎達的疏，指著疏文念：「述大政為大雅之體，述小政為小雅之體；體以政興，各以體定。體既不同，雅有大小，大師審其所述，察其異體，然後分而別之。』天哪！怎麼會說『風、雅、頌，是詩經的三種不同體裁？』」遂把書交給陳詒先生看，又疑疑惑惑地說：「寫這種注解的人，不可能是念國文出身的吧？」

陳詒先生把他聽來的話，轉述一遍。說是這位新科博士，自視甚高，又從師輩手上，接下了系主任兼所長，一坐上系主任兼所長的寶座，便鰲頭獨占，有君臨四海的架勢。一到任安排課程，就把他視為敵手的老師，遣戍到分部及板橋專修科去。安插了新科碩士抵補，這次執筆注解國文教科書的文手，便是這一層次的人物。大家為了減輕一己的負荷，再輪向下一層次，要來一批高材生，分別查考資料。寫注釋的寫注釋，寫題解的寫題解，寫作者介紹的寫作者介紹，輕而易舉的便一年不到，第一二兩冊編成，這學年開始實施時，第三、四兩冊已經編成。遂又論斷地說：「這一次的國文課本，之所以錯誤如此之多，惡劣反應如此之大，一句話，主編人把編寫國文課本，看得太容易了。」話說到這裡，不禁長歎一聲，朗誦了一句成語：「不登高山不知天之高也！」

「還有總校訂，還有編審委員，都不過目嗎？」魯金士不解的問。

「都是掛名的，誰有工夫去看。」陳詒感慨萬千地答。

這時，魯金土卻想到了，課本上選來的文章，若是不曾接觸過，就是粗略地看上一遍，也未必能看出漏洞來。今天的國學家，還有多少通人？

陳詒先生說是晚上有應酬，告辭去了。奇怪，梅蘭還沒有回來。六點過了。小雅回來，已把飯煮好。如今有了電鍋，煮飯方便。只是魯金土連青菜也不會炒，只會作蛋炒飯、攪麵絮子。小雅卻逞能地說：「爸，我來炒菜。」

「你別逞能。」金土阻止著。「你媽可能有事。」看看錶，六點半過了。又說：「就會回來。你要是餓了，吃幾塊餅乾墊墊。」金土手上仍舊拿著那本第一冊新課本。

「爸！別擔心，你來看，我會。」小雅逞強地說著便走向廚房。正在這時，聽到大門響，梅蘭回來了。

「可不，你媽回來了。」金土說著轉身去迎接走進門來的梅蘭，見到她臉上堆著厚厚一層苦澀，掩蓋去她平時回家的那分快樂情韻，她見到金土就說：「我早料到會惹麻煩的，今兒個有位家長找來了。」一邊說著一邊扔下手上的袋子，忙去換衣裳。金土跟進房去，還沒問呢！梅蘭一邊換衣裳，一邊說：「師資真差，居然把一位犯了錯的學生，叫出來站在眾同學前面審判！真糟糕！」突然聽到廚房中，傳出菜蔬傾入油鍋的炸鳴聲，這才警覺起有人在廚房炒菜。金土說：「小雅去學炒菜，她說她會。」

「要不得。」梅蘭說了這句，便急急進入廚房。一邊走一邊心理還在想著：「廚房裡的事，怎能輕易允許一個小孩子去獨自攪和的？」

魯金土的心還在這本新編教科書上，他要看看，究竟錯了那些？何以一發到教師手上，就惹起了如此多的反響？

這次的國文課本改編，金土聽了陳詒先生告知，是教部爲了配合九年國民教育的國中課程，與高中三年，在學業上有其聯貫性，遂從今年開始，有部分課程中的教材，決定重新編訂，由教部印發，統一施教。在國文課程中，還加入了《論語》、《孟子》作中國文化基本教材，也是今年國文課本改編策略之一。

晚飯時，梅蘭說出她工作單位發生的事件。中班一位不到五歲的男孩，不見了他心愛的一輛電動汽車，哭著說被人偷去了。老師集合起來，問是誰檢去了，還給人家。半晌沒有人答話。這位失車的小男孩，竟然指著另一位小女孩，說是被她拿去了。這小女孩馬上站起，哭哀哀地說：「不是我拿的，是陳台生送我的。」遂又指著陳台生說：「你騙人，你是個拆白黨！」陳台生也站起來了，大聲向老師說：「才不是呢！她說我把汽車給她玩，她說她大了可以嫁給我作新娘。」這話剛說出口，全體小朋友都笑開了。還有小朋友在罵：「不要臉呀！不害羞啊！」這位名叫李靈鳳的女孩，便羞愧得號啕大哭！這男孩反而抓住了理似的，居然說他大了才不會娶李靈鳳作新娘呢！

這位班級上的老師，居然大聲壓制住孩子們不要吵，把孩子們的嘈雜安住，竟問起案來了。梅蘭聽到這一班的孩子哭鬧嘈雜，趕忙跑去察看。方始把委曲著號哭的孩子摟抱在懷，安慰一番，帶到了另一班。想不到下午，這女孩的父母聽了孩子訴出的委曲，認爲老師唆使全班的孩子羞辱她。作父母的甚而說，老師要全班的孩子都向他的ㄡ兒吐口水，罵不要臉。還認爲老師偏心向著那個飛行員的兒子。

下午，就爲了這麼一件事，糾纏了大半天。

「還不知道這場戲，有沒有續本呢？」梅蘭感慨著說。

金土聽了這個關於孩子們的小故事，委實是執教的老師，處理失當。四歲多的孩子，懂得什麼有理無理？誰是誰非？居然坐堂審起案來，這才扯出了孩子以外的大人相對的心理糾紛。難怪梅蘭要出面和絡了老半天。想來，這又何嘗不是有關乎教育上的問題呢！

「老實說，改編國文課本的不良反應，以及梅蘭這個幼兒園由孩子的玩具衍生出的這些大人心胸間的問題，不是具有其相同的因子嗎？」金土想到這裡，遂告訴梅蘭說：「聽你這麼一說，可以寫一篇相對論。」說著指著放在茶几上的那冊課本，又說：「我那一本才是大戲呢！連台六本，剛上戲就全省國文界沸騰了起來。」

「那我們的幼兒教育就不重要了？」梅蘭有點生氣。

「別多心！我指的是課堂上的事件。」金土解釋說：「你那發生在課堂上的事件，只屬於突發的單一事件，雖也牽連到師資，但比起國文課本的編寫不當，可不能相提並論。課本影響到全部國文教學以及大專聯考許許多多的教育的環節，是個全面。這新編的課本一經編出，付諸實施，影響到所有執教的老師教不下去，問題不是比你那幼兒園中的事大得多嗎？」

梅蘭這一聽，方始消下心頭頓生的不平之氣。

飯後，魯金土已凝聚了全心神，去閱讀這第一冊國文課本。決定明天的頭兩堂要這一班作文。偷出了這兩小時的時間，寫一篇「索解」，響應一番。

五、未能精其專業焉能臧其職事

魯金土的課業，終究太忙了。讀完了第一冊，只挑了八條注釋，寫了兩千字，寄出之後，不到十天就刊出報端。

文章刊出後，周清波來了。對文中說到「選賢與能」的「與」字，有所疑問。他說：「如據孔穎達說：『選賢與能者，㬎明不私傳天位，此明不世諸候也。』又說：『國不傳世，唯選賢與能也。』從疏文上看，課本上的注：『與能，交付任務給有能力的人。』似乎沒有錯。」魯金土一聽笑了。說：「文章講究的是章句，換言之，就是講究辭意的義理組合。按『禮運』上的話，是『大道之行也，天下爲公。選賢與能，講信修睦。……』如果把『選賢與能』的『與』字，作『給與』解，不但與下文『講信修睦』的章句不合，在文義上，也不合義理。試想，如把『與能』二字詮釋爲『交付給有能力的人』，豈不把『選賢』二字，連串到『能』者身上去了。前賢詮釋此一文句，是這樣的。」魯金土說著遂拿起了筆來，一邊說，一邊寫。「若把『與』字作『舉』字解，意爲：『選舉有賢德的人爲國君，也選舉有道藝的人爲臣士。』，若是把『與』字作連繫詞解，意爲『選舉有賢德的人爲國君，與有道藝的人爲臣士。』文義還是一樣的。如今的編注者，把『與能』二字中的『與』字，詮釋爲『交付給』，可真是失之毫厘謬之千里矣！」又向周清波鄭重地補充一句說：「如按章句論，『選賢與能，講信修睦』八個字，是兩字一組的片語句子，上口時的語氣，如是兩字一組，這是天籟，古人之所以有將『與』字看作『舉』字者，就是從章句著眼的。你不是在研究《文心雕龍》嗎？應該去注意劉彥和的章句說。」

這天，還討論到魯金土文中說到的，把孔子的「毋意、毋必、毋固、毋我」的「毋」字，註釋爲「毋是禁止不許的意思。」竟不知孔子這句話中的「毋」字，作「無」字用。也不去翻閱《論語》上的這句話，是孔子的學生說的「子絕四」。還有釋「太守」一辭，竟說：「漢代郡官曰太守，歷代相同。」這注釋怎能符合歷史？注劉鍔的《老殘遊記》「明湖居聽書」的句子：「衹是兩片頑鐵，到他手裡，便有五音十二律似的。」竟把「五音十二律」注爲「各種不同的聲音。」前些錯誤，周清波都懂，只是這「五音六律」，周清波不能理會其中奧義。魯金土的文中說：「這明明指的是音樂上的五音六律（六律有陰陽之分，陰六稱呂，陽六稱律，又稱十二律）。此乃贊美那位唱大鼓的女歌手，能把手上的兩片鐵，擊奏出音律變化萬千的和諧音樂出來，怎麼可以用『各種不同的聲音』粗略意之。」周清波遂向魯老師請教這個問題。他的碩士論文寫的是《文心雕龍》研究，其中「聲律」一篇，就說到律呂。對於這一部分，他還很迷惘，弄不清楚。還有孟子那一句：「師曠之聰，不以六律，不能正五音。」他在注疏間，推來敲去，也無法弄清楚。讀到金土這篇文章談到這個問題，才知道魯老師懂得這些，遂又跑來請教。

當周清波問到這裡，一時之間，金土不知從何說起。

他瞇縫著眼睛，用手輕輕拍了拍額頭，想了想，認爲這問題不是三言兩語可以說清楚的。而且認爲自己也不內行，只是當年松三爺在講孟子說「師曠之聰，不以六律，不能正五音。」以及講到孔子集大成那章書，也說到音樂的奏鳴問題，也只瞭解到五音、六律怎樣和合的一些道理。其中的聲律變化，還是說不出奧義來的。想到這理，遂說：咱們先談談孟夫子說的『不以六律，不能正五音』這個問題吧！」說著，便走進房去，拿出一疊卡片，翻尋出來，說：「音樂就是宮、商、角、徵、羽五個音聲，與十二律（六陰六陽、陰曰呂、陽曰律）和諧在樂器上奏鳴出來的旋律。」又說：「至於五音、六律是怎麼來的？又是怎麼樣和諧起來的？說起來，可就不是三言兩語可以說得清楚的。」金土翻了翻他手中的那厚厚一疊卡片，不知怎樣再說下去？在遲疑著。

周清波見此情形，遂說：「光是說一說『不以六律，不能正五音』這個問題吧！」

「也不是三言兩語可以說得清的。」魯金土說。他凝神思索了一下，遂去取出一張六裁白紙來，鋪在桌上，與周清波相對坐，說：「先看五音的五行方位。」遂在白紙上寫了這五行：

宮，居中，屬土。

商，居西，屬金。

角，居東，屬木。

徵，居南，屬火。

羽，居北，屬水。

「宮商角徵羽這五個音聲，在天地五行方位中，所據地位，就是這樣。」魯金土說：「至於十二律（六陰六陽），他代表十二個月份，如按《禮記》（月令）所記的音律相關，如同這張表。」遂把另一張《禮記》（月令）五音十二律五行方位陰陽律位表展示在這張白紙上。（如附圖一）

「那麼，五音六律（六律六呂）是怎樣和諧組合成音樂的呢？」魯金土說著又展示出另一張：五音十二律呂旋相爲宮音位及干支在宮律中的音律組合表，說：「看了這張表，就能明白五音與六律組成十二個宮調的情況。懂得五音與十二律呂的和諧組合，就會豁然貫通了孟夫子說的『不以六律不能正五音』的奧義所在。」（如附圖二）

可是周清波聽來，意念還迷惘在茫茫大霧之中，思維無法進入。

於是，魯金土又把他自製的五音十二律呂旋相爲呂圖說，展示了出來。說：「這十二張圖，就是五音與十二律呂『旋相爲宮』的音律和諧組合。」又說：古弦琴以及編鐘的音樂聲律，就是這十二旋宮。」又說：「不過，自姬周統一天下，把五弦琴增爲七弦，遂有了前五音後五音的兩個五聲音階並行在音樂旋律中。前五音是『徵羽宮商角』，後五音是『宮商角徵羽』。」遂又補充說：「這問題很複雜，我也沒有本領說清楚它。你一看這十二張『旋相爲宮』圖，就會明白孟夫子說的『不以六律不能正五音。』是個什麼道理了。」

魯金土遂指著展示的十二個圖形圖（如附圖三）

「六律的十二個律呂，都有輪流擔任主旋律（宮調）的權利與義務，換言之，宮（君）位是輪流擔任的。凡是擔任宮位的「律」，就必須居於中間的宮位，來統馭四方的商、角、徵、羽，再換一句話說，十二個律呂（由黃鍾至中呂）都得輪流作宮，與商角徵羽，和諧奏鳴一次。五音聲（宮商角徵羽）的音聲任務，合不合樂？自然在十二旋宮奏鳴時，獲得正否的考驗。這就是孟夫子口中的『師曠之聰，不以六律不能正五音。』」又說：「師曠是有名的樂師，至於宮商角徵羽的五音聲的正確與否？不是用耳朵可以辨別得了的，必須一律付諸實際演奏，始能證出五音聲的調弦正否？」遂問周清波，「瞭解了吧？」

周清波這才有了眉目，說：「我懂了。」

可是周清波又想到了《文心雕龍》中的「聲律」篇，其中「夫商徵響高，宮羽聲下。」前人認爲這文句有訛誤，應當是「宮商響高，徵羽聲下。」看來這句子怎麼會訛誤這麼多呢？

魯金土說他被拘留在看守所的時際，讀了劉舍人的這部大書，對於這八個字，不認爲有訛誤。說著，遂又拿起筆來，在紙上畫了七根線，寫了兩排，如左：

宮 ——— 徵（一〇八絲）
商 ——— 羽（九十六絲）
角 ——— 宮（八十一絲）
徵 ——— 商（七十二絲）
羽 ——— 角（六十四絲）
少宮 ——— 徵（五十四絲）
少商 ——— 羽（四十八絲）

「古琴在姬周以前，是五根弦，即下寫的後五根宮、商、角、徵、羽。周武王滅商得天下，在五弦琴之上，再加文武二弦，由宮弦的八十一綸絲，仍按三分損益法上生一弦，弦粗一〇八綸絲，倍原有的徵弦一倍，再下生商，商再上生羽。弦粗九十六綸絲，倍原有的羽弦一倍，再下生角。五位而終。所以後世的樂家，稱七弦琴的第一、二兩根弦，有了兩種名稱，一種是上排寫的宮商角徵羽少宮少商，另一種是下排寫的徵羽宮商角徵羽。劉彥和在『聲律』篇中寫的『商徵響高、宮羽聲下』，應是以七弦琴為準則來遷就兩組名詞，渾而合之一來說的。所謂『商徵』，指的是七弦琴的第一、二兩弦，稱『商』，是從『宮商角徵羽少宮少商』的第二根弦說的，稱『徵』是從『徵羽宮商角徵羽』的第一根弦說的。下面的『宮羽聲下』，指的是七弦琴的後五根弦說的。」魯金土把話說到這裡，周清波明白了。遂馬上答說：「這問題我懂了。劉舍人沒有錯。也不是版本有誤，是後人不懂得音樂。」說著遂問：「魯老師，你怎麼懂得音樂的？」

「音樂是文學的一環。」魯金土說。「不但孔老夫子知樂，先儒也無不知樂。古代的文學家，沒有不懂音樂的。否則他們怎麼寫詞曲啊！寫戲劇啊。」又補一句說：「我可知道的少。」

魯金土告訴周清波，朱熹就是一位精通音樂的大儒，他的《詩經集傳》，叶韻改讀的音注，就是從音樂學理來的。

周清波看了看展示在紙上的那些圖，遂問：「這七根線上寫的一〇八綸絲等等，還有這『三分損益法』等等，我都一無所知。」魯金土聽了則說：「這一部分，從學理上說，非常簡單，一指點你就會懂得。」又說：「若是把話頭轉到這個問題上，就偏離了我們今天要談論的國文課本。我們還是談論這一冊國文課本吧。」

於是周清波想了想，遂問：「魯老師你怎麼一看，就能發現到對錯的問題呢？」

「你這一問，我們就得談到專業這個問題上來。」魯金土說：「我們中國人有一句俗語：『隔行如隔山』。這俗語的意思，就是指出世上的各行各業，都有他們專業上的專門學識，沒有學過的，不可能懂得。」又說：「我們中國人還有一句俗語：『一竅不通』。這話也就是說，凡是沒有學過的行業，行家向你說出了其中的奧妙，你也不會懂得。我們中國各行各業，在語言上，都有各行各業的行話，這行業中的人，一聽『行話』，就會懂得。若是沒有學過這一行業的人，聽到『行話』也會聾啞似的，說不出應答的話來。」遂又說：「咱們念國文的，也是一門專業。所謂『文字』、『聲韻』，所謂『訓詁』、『義理』，以及『專人』、『專題』等治學研究，還有所謂的『通史』、『斷代』、『編年』、『紀傳』，都是咱們國文這一行的『行話』。不是讀文、史、哲的人，就不會瞭解到這些名詞。」說著，魯金土又附帶說了個笑話。

他說在學校的教學研究會上，有位老師在會議上提案，說是新編《中國文化基本教材》的《論語》

課本，其中寫了不少『王註』、『馬註』、『皇註』、『何註』等等，應請國立編譯館再版時，加以寫明。一聽，大家就知道這位老師不是念國文出身的人物。遂又把話轉到主題。

「譬如，把『五音十二律』，解說是『各種不同的聲音』，就是用我們普通的常識來體會，也會覺得這注解不妥。」魯金土說到這裡，便發問：「清波，你想想看?」

周清波凝神想了想，回答說：「這解釋，太籠統了。沒有指明是那些不同的聲音?」

「五音十二律是什麼？」魯金土又問：「清波你能說出來嗎?」

「我只能說出五音是宮商角徵羽。」周清波說：「別的我全不知道。」又說：「魯老師剛才說到的不以六律，不能正五音，我已經懂得了如何去正五音，那是由十二律作主調，配合五音演奏。其中的學理，我還不能明白。」

「祇要你讀了他這條注釋，覺得他這樣注太籠統了。準會想到應該告訴學生，『五音六律』是什麼吧?」魯金土說著又問：「會不會想到去查查書，來明白『五音六律』是什麼?」

周清波點頭說：「會」。

於是魯金土仍從此一注解問題問：「你有沒有想到這位編寫國文注解的人，何以沒有想到應去查查五音十二律是些什麼?就下筆大膽的寫上：『五音十一律，各種不同的聲音。』是基於那些情理?」

周清波想了想，說：「我想他沒有想到去查查五音十二律是什麼?」又說：「他之所以敢大著膽子寫上『五音十二律』是『各種不同的聲音。』只是出於他的無知，才會有這種懵懂的心理，望文生義。」

「你從那一方面匯聚成這樣的看法?」金土又問。

「從他注釋『風雅頌』是詩經的三種不同體裁，以及他注『太守』是漢代郡官曰太守，歷代相同。推想出來的。」周清波說：「從這些注解上看，可以推論到這位編注者，對於國文的基本常識，還相當貧乏。」

「清波你說對了。」魯金土說：「任何行業，若是未能精其專業，必不能臧其職事。」又說：「希望我們指出了這些誤解，能糾正以下各冊，不再蹈前車覆轍。」

魯金土的話，剛說到這裡，梅蘭帶著孩子回來了。他帶孩子去看午後第一場電影。

「爸爸！電影好好看噢！你不去。」小雅一走進門就這樣高興地大叫著說。爸爸責備她怎不叫人，小雅這才從內房伸出頭來，喊了一聲：「周叔叔！」

梅蘭進門來打了招呼，兩個男孩子從院子旁側，走到後院去了。梅蘭告訴金土，雙慶已回台中。周清波說是晚上有應酬，藉機告辭。剛送周清波出門，郵差騎著摩托車，嗚嗚嘟嘟到了門口，送來一封限時信件，是一家雜誌社寄來的，打開一看，邀請魯金土給他們寫一篇高中國文課本第四冊的編註問題。如同意，可以馬上送來第四冊印本。要魯金土給他們回電話。要趕在二月一日這一期刊出呢。

（附圖一）

《禮記·月令》五音十二律呂五行方位陰陽律位表

五行	方位	季節	音位	月位	律位	宮位	地位	陰陽
木	東	春	角	孟春	太簇	戊寅	寅	陽
				仲春	夾鍾	癸酉	卯	陰
				季春	姑洗	戊辰	辰	陽
火	南	夏	徵	孟夏	仲呂	癸亥	巳	陰
				仲夏	蕤賓	戊午	午	陽
				季夏	林鍾	癸丑	未	陰
土	中		宮	宮屬土，居中央，總四方，君之象也。然十二律呂旋相為宮，每一律呂旋相為宮一次，為宮時，居此宮位。				
金	西	秋	商	孟秋	夷則	戊申	申	陽
				仲秋	南呂	癸卯	酉	陰
				季秋	無射	戊戌	戌	陽
水	北	冬	羽	孟冬	應鍾	癸巳	亥	陰
				仲冬	黃鍾	戊子	子	陽
				季冬	大呂	癸未	丑	陰

一、從《月令》所列之五音律位，角函太簇、夾鍾、姑洗三律，二陽挾一陰；徵函仲呂、蕤賓、林鍾三律，二陰挾一陽；商函夷則、南呂、無射三律，又是二陽挾一陰；羽函應鍾、黃鍾、大呂三律，又是二陰挾一陽；宮居中，明示「中土」非黃鍾一宮之位。故不明示其他。

二、按黃鍾一律，雖為律之本，宮音更為生音之根，然黃鍾律位，則與他律同等，旋相為宮，各為君一次而已。「居中央，總四方」，方伯之制也。

㈡五音十二律呂旋相爲宮音位及干支在宮律中的音律組合表

（附圖二）

五音十二律呂旋相爲宮音位及干支在宮律中的音律組合表

宮位	干支	商	干支	角	干支	徵	干支	羽	干支
黃鐘	戊子	太簇	庚寅	姑洗	壬辰	林鐘	己丑	南呂	辛卯
林鐘	癸丑	南呂	乙卯	應鐘	丁巳	太簇	甲寅	姑洗	丙辰
太簇	戊寅	姑洗	庚辰	蕤賓	壬午	南呂	己卯	應鐘	辛巳
南呂	癸卯	應鐘	己巳	大呂	丁未	姑洗	甲辰	蕤賓	丙午
姑洗	戊辰	蕤賓	庚午	夷則	壬申	應鐘	己巳	大呂	辛未
應鐘	癸巳	大呂	乙未	夾鐘	丁酉	蕤賓	甲午	夷則	丙申
蕤賓	戊午	夷則	庚申	無射	壬戌	大呂	己未	夾鐘	辛酉
大呂	癸未	夾鐘	乙酉	中呂	丁亥	夷則	甲申	無射	丙戌
夷則	戊申	無射	庚戌	黃鐘	壬子	夾鐘	己酉	中呂	辛亥
夾鐘	癸酉	中呂	乙亥	林鐘	丁丑	無射	甲戌	黃鐘	丙子
無射	戊戌	黃鐘	庚子	太簇	壬寅	中呂	己亥	林鐘	辛丑
中呂	癸亥	林鐘	乙丑	南呂	丁卯	黃鐘	甲子	太簇	丙寅

一、凡十二律當宮，所依據的十母乃戊、癸二母。

二、凡各宮律的五音組合干支，悉爲前後相聯的豎組。

三、凡各律所據有的干支，在宮旋中換調移音亦不變。

四、凡在上一宮據當「徵」音者，必是下一宮的宮律。商必是下一宮的徵，角必是下一宮的羽，羽必是下一宮的商，逐次輪旋下去。宮旋的音律組合，乃家族式的，相互間具有血統的淵源。

五、原則全由三分損益法而來。三分損益法的上下衍生，只適用於五位數，所謂「數不踰五」，宮生徵、徵生商、商生羽，羽生角。至角而終。宮音生於留一而九三，四調以合九九之程式。

十二律呂「旋相為宮」圖說（附圖三）

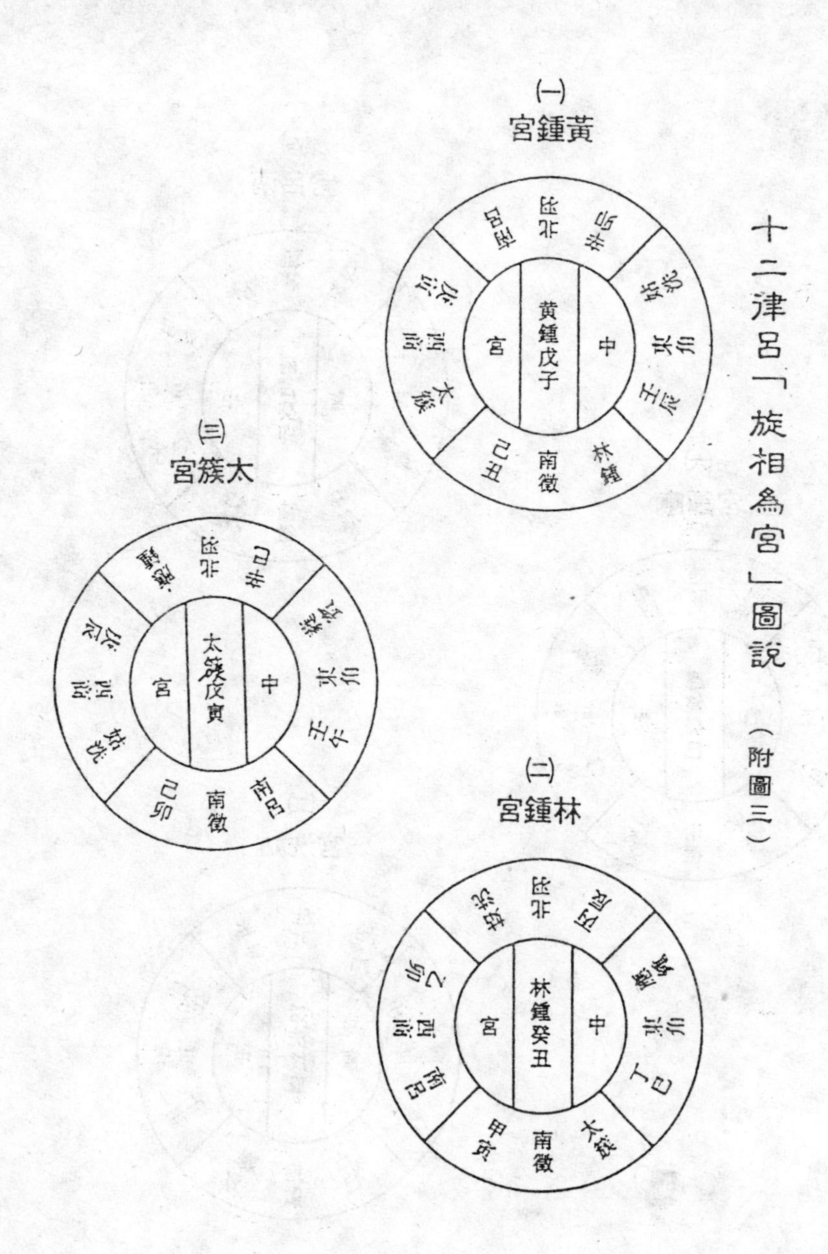

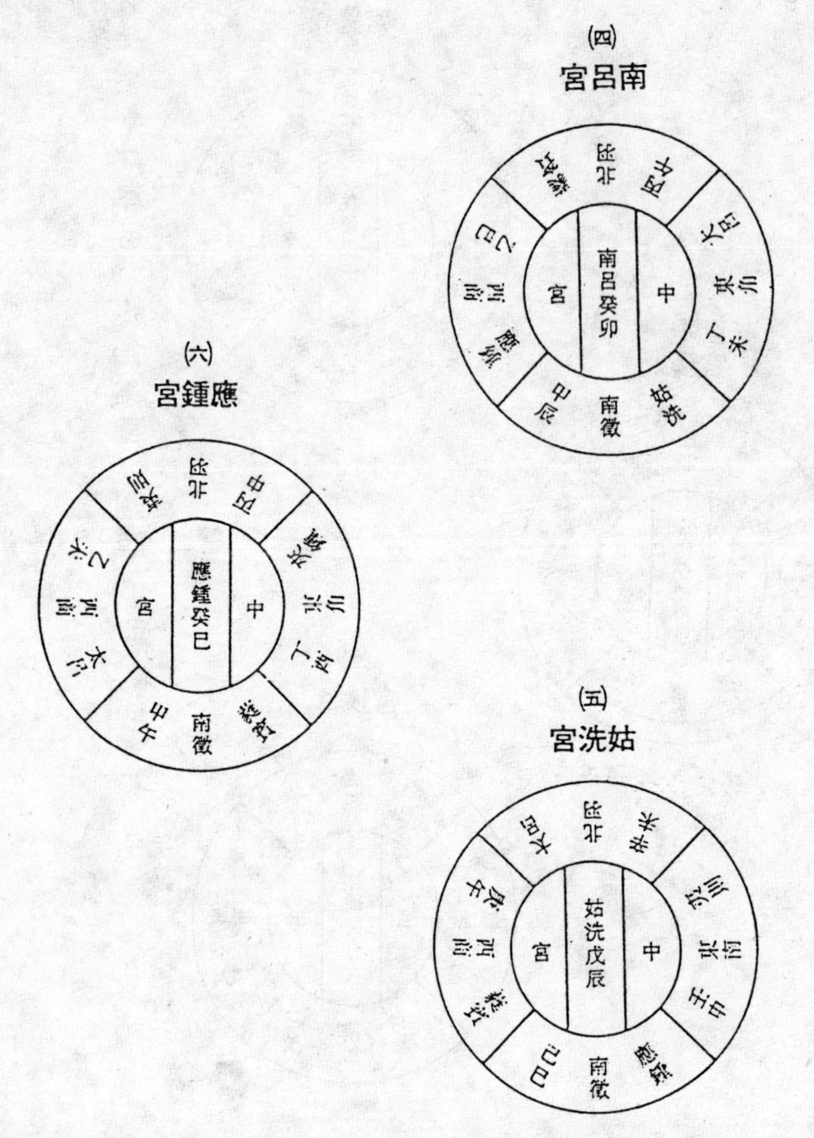
(四)
南呂宮
南呂癸卯
宮
中
南徵
(六)
應鍾宮
應鍾癸巳
宮
中
南徵
(五)
姑洗宮
姑洗戊辰
宮
中
南徵

(七) 蕤賓宮

蕤賓戊午
宮
中

(八) 太呂宮

太呂癸未
宮
中

(九) 夷則宮

夷則戊申
宮
中

(壬子夷則之角)

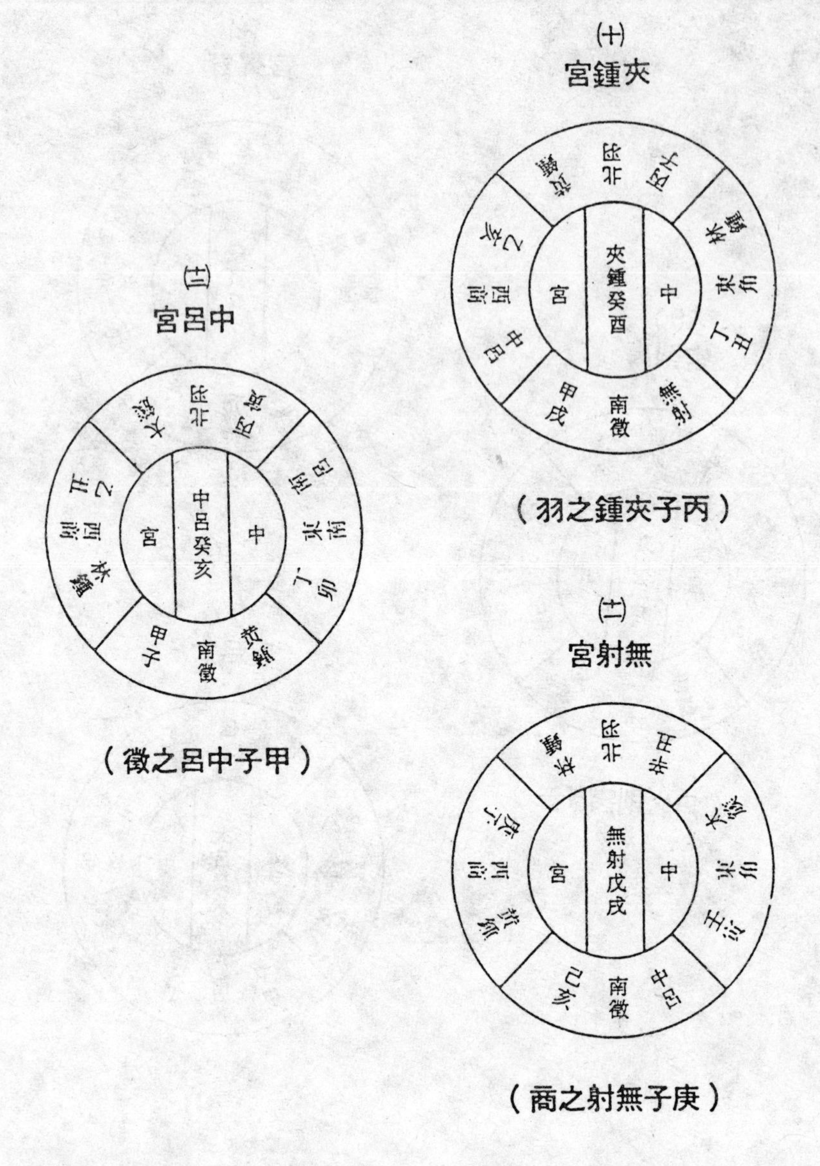

(丙子夾鍾之羽)

(庚子無射之商)

(甲子中呂之徵)

六、未登高山未臨深谿也

觚不觚，觚哉！觚哉！

——擷高中國文課本第四冊之誤

讀完了高中國文課本第四冊，原以為編註先生會從眾人之指擷與經驗，越編越好，錯誤自也應當越來越少。誰想他在第四冊上犯的錯誤，比前三冊還多。我們知道編者先生是禮學博士，他是由研究古禮的成就榮獲中國文學博士的。但在第四課馮諼客孟嘗君一文的第七十條注釋上，對於「祭器」一詞，卻這樣注釋：「祭器，古人祭祀時所用的禮器。古代以祭器為廟堂的重器，必須得自天子或諸侯的賞賜才能使用，所以非常重視。」但所謂「必須得自天子或諸侯的賞賜才能使用」一說，不知所本何自？如照曲禮所記，謂「凡家造，祭器為先，犧賦為次，養器為後。」孔疏稱「凡家造，謂大夫始造家事也，大夫為家祭器為先者，崇敬祖禰故在先。」這裡業已說明，官職由士升到大夫之職時，就要創設大夫之家的「家」事了。大夫創設家事，首先要創設的就是祭器，為什麼要先創設祭器，是為了崇敬祖先。又說：「無田祿者不設祭器，有田祿者，先為祭服。君子雖貧，不粥祭器，雖寒不衣祭服。．．．」關於大夫與士之能否設祭器，也有明確規定。孔謂：「若大夫及士有田祿者，乃得造器，猶不具。（不可全造）。唯天子大夫四命以上者，得備具。若諸侯大夫非四命無田祿，則不得造。故禮運云：『大夫聲樂皆具，祭器不假，非禮也。』據諸侯大夫言之也。」從這一點，我們知道凡是有田祿的大夫與士，都可以設有祭器，而是自造使用。不同的是，如享爵未達四命以上，所造祭器不可全具，全具就是僭禮了。到了祭祀之期，不敷用的祭器。向上請借應用，用畢再歸還。就是再窮，也不可售賣祭器；再冷，也不可穿著祭服。這都訂明了祭器之應如何被尊重。

曲禮還有明訂，「祭服敝則焚之，祭器敝則埋之。」鄭注：「此皆不人褻之也。焚之必已不用，埋之不知鬼神之所為。」又說：「大夫去國，祭器不踰境；大夫寓於大夫，士寓於士。」孔謂「祭器是君祿所造，今既放出，故不得自隨越境也。若無德而出，猶濫用其器，是辱親也。」

所以我們如從禮記上的這些記載來看，可以明確的知道，「祭器」是由那些有田祿的大夫自己照禮法規定造設的，不是非經天子諸侯賞賜才能使用的「名」器。再說，天子諸侯可以拿祭器當作賞賜品嗎？「祭器，人器也。」禮有明文規定。天子諸侯可賞賜臣屬以金玉絲與名器，不知「祭器」尚可作賞賜臣屬之需。編者乃禮學博士也，既敢如此作注，必有所本乎哉？望明以見告以解吾惑焉。

今所編課本已成四冊，總而論之，不僅所訓字義，每與訓詁之旨有違，兼有不諳語法，不通義理與不知修辭之事者。如第三課「范滂傳」注四之「舉孝廉光祿四行」，注謂「古代有推舉制度」，以及同課注二七之「府掾屬」，亦注謂「古代屬官的通稱。」所謂之「古」代二字，就是修辭學上最忌避的籠統之辭。究竟是「尚古」、「中古」、「近古」耶？再同課注六二之「中人以下」，注謂「指中下之人」，也同樣犯了修辭釋義的籠統之病。所謂「中下之人」，究竟指的是「資質」呢？「德行」呢？還是「地位」呢？怎可囫圇書之。

第十四課「歸去來辭」注七五之「或命巾車」，注謂「巾，拂拭。車，指柴車。此句原為『或巾柴車』。見昭明文選江淹擬陶徵君詩李善注引。」按昭明文選江淹擬陶徵君詩之此句注釋，是這樣的：

「歸去來曰，或巾柴車。鄭玄周禮注曰，巾猶衣也。」可見李善所注的「巾柴車」，也是指的把車子的篷幔撐起來，不是把「巾」字作「拂拭」解。再說，「或命巾車」四字，動詞是「命」字，下句是「或棹孤舟」，意思是說，或著人駕著有篷的車，或者划著小船。如把「巾」字作「拂拭」解，則下句的「孤舟」之「孤」字，如何相屬呢？不惟不合晉人文體，質之單語的語法，也是不合的。實則，「巾車」一辭，乃周代官名。見《周禮》「春官」，掌公車之政令。按玉、金、象、革等車悉以衣裝飾其車。靖節先生文「或命巾車」，應是命掌車人備車。下言「或棹孤舟」，乃自搖小船也。上下語對稱平實。同課注六八，「委心任去留」，把「委」字訓為「拋棄」，也與此句語義不合。「委」字雖可訓為「棄」，但在此語中，「委」則不可「棄」；試想，「心」可「棄」乎？有人注謂「委，隨也，音ㄨㄟˊ，見廣韻。委心，隨著自己的心意。」這樣解釋，方合語法文義。

第十六課「詩境淺說」所說的白居易的「草」一詩，對「離離原上草」之「離離」一辭，注謂「很長的樣子。」不知所謂「很長的樣子」，形容的是「草」還是「原」？按「離離原上草」五字的主詞是「草」不是「原」。如照這樣解釋，此句文義就是「（平）原上的草長得很長的樣子。」試問，所謂「很長」，究有多少長？筆者認為「離離」一辭是形容「原上草」的紛披繁盛，意思是說「平原上的草已長得很繁茂了」，下接「一歲一枯榮」，在義理上，語法上，方始上下相屬。

李後主的「虞美人」，其中「雕欄玉砌應猶在，只是朱顏改，」有關「朱顏」一詞，多數注者，單純的解為，指的是李後主以前的紅潤容貌。課本也這樣注釋。竊以為此句之「朱顏」一辭，似是指的故國。上一句業已明說「雕欄玉砌應猶在」，自是指他曾住居的宮殿吧？所謂「朱顏改」，豈不是指的故國江山易主，不唯國號換了，宮殿的顏額也都一一更改了啊！這樣的感慨，自比容貌的衰老愁人更深長吧？「恰似一江春水向東流」，才更能聯上李煜的失國心情。趙匡胤之所以不讓李煜再活下去，殆原乎此也。

第十三課「慕賢」之「千載一聖，猶旦暮也，五百年一賢，猶比髆也。」二語注「千載一聖，猶旦暮也」謂：「孟子外書性善辯：『千年一聖，猶旦暮也。』旦暮，比喻時間的短暫。是說聖人千年才得一見，而聖人在世也不過如從早到晚那樣的短暫。」下句「五百年一賢，猶比髆也」的注謂：「髆，音ㄅㄛˊ，肩胛。比髆，即比肩。鬻子第四：『賢士千里而一人，則猶比肩也。』是說賢士千里才得一人，而賢士在世，往往就如並肩而過那樣地容易失之交臂。」這兩句話的意思，如照所引孟子外書與鬻子的話來看，是上指：千年出現一位聖人，在時間上說，還算是短的呢？下指：五百年出現一位賢人，在空間上說，都像是並著肩到來的那樣密。這兩句話的意思，在「慕賢」一文的義理中，祇是在向人說明聖賢之不易遇到，要是一旦「所值」呢？當然嘍！「未嘗不心醉魂迷向慕之也。」問題是「世人多蔽貴耳賤目，重遙輕近，」每把周圍的賢友，視為敝履，所以魯人謂孔子為東家丘也。並不是指聖人在世的長短，或匆匆然比肩而過，交臂失之。孔子死去已二千餘年，你我到如今不還在「心醉魂迷向慕之」嗎？與其在世時間之長短，或曾交臂而失，又有多大分別呢？按「慕賢」引《論語》「學而篇」之「毋友不如己者」這句話，只要指出「語見論語學而篇」就夠了。高二的學生，早就讀過這句子。可是編者偏要注出他的創意說：「是說所交的朋友，不會有樣樣都不如自己的。」不知是依據何人的注疏演變成如此錯誤的解說。好在此語的文義，人人皆知，我也不必在此費辭了。

「天子」、「諸侯」、「卿大夫」是封建時代的職稱，迨秦廢封建之後，仍習稱各地郡守為諸侯。第十四課「歸來去辭」序言中之「會四方有事，諸侯以惠愛為德；家叔以余貧苦，遂見用於小邑。」

課本竟注為「諸侯以惠愛為德」說是「義熙元年，安帝大赦天下，不究既往，又下詔減省供奉，提倡節約，禁用絹扇等奢侈用品，州郡遵行，惠愛百姓，安撫人心。」若依編者此一注釋看，則晉時「天子」亦可稱之為「諸侯」矣！不知編注者有所本否？愚意靖節先生的此謂「諸侯以惠愛為德」，此「諸侯」一詞，顯然指的是劉裕。「遂見用於小邑」自亦是指的當時劉裕的擅政，他之得到彭澤之令，殆獲於劉裕的「惠愛」之「德」也。

同樣的，第十五課「琵琶行」之注七七「秋娘」一辭，注者說：本是美女名，舊有金陵女子杜秋娘和李太尉妾謝秋娘，後來用作美女的泛稱。」按「秋娘」一辭，在「琵琶行」中，是「妝成每被秋娘妒」。那麼「秋娘」在此若是「用作美女的泛稱」，則天下所有的美女，都會妒嫉這位「妝成」的歌女。歌女雖甚普遍，能使「五陵少年爭纏頭」，也未必會高貴到使天下美女都會去妒嫉歌女的時裝新式與打扮入時吧！

關於故典的出處，不注便罷，如注就得注明淵源。像「詩境淺說」中的「南浦春來」句，其中「南浦」一辭，引出江淹別賦之「春草碧色，春水綠波，送君南浦，傷如之何？」註者謂「本文取其同是『送君』的意義。」兼且還注上了「南浦，地名，在今福建省浦城縣南門外。」連「南浦」的地理位置都尋出來了，可謂「費神」之至。但據筆者所知，「南浦」一辭，源出屈原「九歌」之「河伯」，原辭是「送美人兮南浦」，洪興祖補注說：江淹別賦云：『送君南浦，傷如之何？』蓋用此語。」姜白石有「念奴嬌」詞的詠荷，寫有「祇恐舞衣寒易落，愁入西風南浦。」所謂「南浦」一詞，歷來悉被詩人引為送別之地的專用名詞，其地究在何處？很難考證。今編本課之註，說是此地在福建浦城南門外，不知有何根據？我家那個小村莊的南方二百公尺之處的大池塘，我們也叫他「南浦」呢？我一向總為此一南浦就是我家村南那個大池塘，我們也叫他「南浦」呢？

「報任安書」中的「宦豎」一詞，說：在注五四條中解說是「宦官及小史」。竟一詞演而為二。「豎，宮庭供使役之小臣，皆宦官為之。宦豎即宦官。」這樣說，方不致使學生誤解「宦豎」是兩種人役。同課「出入周衛之中。」注稱是「周密的侍衛」。雖錄自「文選」，但經註者加以語譯，居然不是「文選」原注的文義了。按「文選」的原注是，「周衛言宿衛周密也。」韋昭曰：天子有宿衛之官。」所謂「宿衛周密」即天子周圍的衛士眾多之意。司馬遷出身侍中，「侍中」即宿衛之屬。他說「出入周衛之中」，其意乃是謙說他本身並無薄伎，只是托庇先人的蔭護，得在宮庭之中，補上了一個小小的宿衛。即所謂「出入周衛之中」，只是謙稱自己之所以能在宮禁中出入，只由於自己是宿衛中的一員而已。如照「周密的侍衛」一詞來譯說這一句文義，就是司馬遷能夠「出入於宮庭中周密的侍衛之中」，這麼以來，我們就會把司馬遷看得官高爵顯或深受恩寵。實則，司馬遷的這句話，是謙稱自己的渺小。

第八課「先母鄒孺人靈表」之注二三，「不治生」一詞，注謂「不從事生產」。那麼，游手好閒的人也是「不從事生產」；吃喝嫖賭的人，也是「不從事生產」。汪中的父親是這類人嗎？文中業已說明「先君子羸病，不治生。」所以我們一看就明白「不治生」的意思，是「不能從事生產」，或「沒有體力從事生產」。決不是「不從事生產。」標準課本編者竟用「不從事生產」來譯釋「不治生」一語，豈不是犯上了修辭學上的「辭不達義」的毛病？

其他把讀音注錯的地方，前三冊每冊都有。第四冊仍舊未免。「范滂傳」之「復為太尉黃瓊所辟」，「辟」應同「闢」，讀ㄆㄧ（入聲），課本注二六，則「音ㄅㄧ」。「報任安書」的題解，寫到「任安字少卿，滎陽人。」把「滎」字注為「ㄒㄨㄥˊ」。按此字一般人讀如「邢」（邢）。再「范滂傳」之「若臣言有貳」的「貳」字，乃「忒」的通假字，例應讀「ㄊㄜˋ」此字應予注音，竟未予加注。得非不知其讀音乎？

從業已印出使用的四冊國文課本來看，無知與輕率的錯誤太多了。委實不能令人相信這些課本，是出自一位中國文學博士之手寫出的。課本的編寫，誠然無知與輕率，得非荀夫子文中之未登高山未臨深谿邪？荀況有言：「故木受繩則直，金就礪則利，君子博學而日參省乎己，則知明而行無過矣！故不登高山，不知天之高也。不臨深谿，不知地之厚也。不聞先生之道，不知學問之大也。」意及荀夫子斯言，揆之斯編，仲尼有歎！曰：「觚不觚，觚哉！觚哉．．．」

（六十一年十二月作）

魯金土見到這本雜誌，正是農年初三，又是快信掛號寄來的。還附了一封邀請函，訂於二月十七日（星期六）下午二時卅分，在羅斯福路耕莘文教院召開高中國文課本研討會。除了北市幾所高級中學的國文教師代表，還請了師大國文系的五位教授，課本編注人，也在邀請之列。

第一位發言的是建國中學老師姓楊，她準備好了書面資料，千言以上。她講話有半小時之久。魯金土歸納了一下，不過三點。一是介紹作者，不該一味抄錄本傳，應該融會貫通後重寫。二是注釋瑣碎，例出第四冊顏之推的「慕賢」一文，原文千字左右，注釋卻多達一〇四條，在五千字以上。三是引用古書、古語，不註明出處。第二位也是建中的老師姓惠，指出課本選文不當。說第一冊的「李氏山房藏書記」，第二冊的「船山記」，第三冊的「答人求文章書」，第四冊的「報任安書」，不但文義太深，也不適合高中一二年級學生讀。注釋的繁瑣，且又支離破碎，意見與楊老師一樣。第三位發言的是金甌高商的駱老師，他不但附議前兩位的意見，竟手持雜誌，高揚到頭頂，說：「今天到會的老師，人人手中都有這本雜誌。」遂又降下高擧的手，捧起手中的雜誌翻了翻，又說：「其中刊出了三篇有關國文課本的討論文章，我約略過目一看，篇篇都是挑不是的，似乎沒有贊頌者。尤其今天在座的魯金土老師這篇，不但一條條挑出了毛病，還在望聞問切上開了藥方。」說著面向課本編註人說：「我倒期望魯老師文中，向編註先生請教的問題，能在此聽到主編先作答。」說過便坐下了。

主席也就請編註這一系列國文課本的先生發言。

「我不是來說話的，是來聽話的。」他說。並未站起。又說：「這本雜誌，到會場之後才見到，其中大文，必須閱讀之後，才能回答。」另幾位教授，則說課本中的文章，包括了古今中外，不但經史子集俱全，連翻譯小說都有。博士學位的研究，只局限於某一點，涉及不了文學的全面，任何人的知識，都不能遍及那麼多。編注有久缺，自是難免的。你一言我一語，像擺龍門陣似的，兩個多小時就過了。主席雖曾指請魯金土發言，他說他的意見都寫在文章上啦，用不著再來費辭。遂表示意見說：「寫文章只是以文會友，以友輔仁，可別當作批評看。同業們應相互切磋，聖人不是說麼：『三人行必有吾師焉！擇其善者而從之，其不善者而改之。』治學，不也意當如此嗎？」

魯金土對於這一類的會，素來不感興趣，像這種國文課本的編注不妥，影響了國文教學的重大問題，那裡是召開個研討會，就能把問題解決的？但對於一本雜誌來說，應是有益的。「如此前所未有的教育問題，教育部能等閒視之乎？」這是魯金土放在心裡，爲此會議作的結論。

捌　漭

一、一個人就是一個我

終於安裝了電話。

一萬六千元的裝設費，對於魯金土與梅蘭這個六口之家的收入來說，可真是個大數目。一家六口，三個月不吃不喝，把收入全節省下來，也不夠繳付。

幸好兩個大孩子畢業，又都考上了軍官役，入了營，接受三個月的軍事訓練，就是少尉官階。「還是早一天把電話裝上吧！」兩個大孩子要求，說：「我們每月可以省下一些來，幫助媽繳會錢。」

就這樣，東湊湊西拼拼，又邀了二十人五百元一會的會，纔把這筆裝設電話的費用，張羅出來。最高興的是小雅，眉飛色舞，好像家中裝了電話，把大門的門楣，都升高了似的。可是魯金土最憂心裝上電話之後，魯聲雅的功課，也就別期望她會好轉起來。

已經叫十七歲了，不但公立高中沒有考上，名譽差些的私中，她還不願意去考。她媽建議再補習一年，還是沒有上榜。一向寵愛女兒的母親，也感於女孩子沒有個學歷，又無一技之長，連嫁出去，都不容易。

說起來，小雅身材貌相，都像媽媽，只是氣質沒有媽媽那分淑女情韻。但眉眼的秋波盪漾，膚色的粉嫩，則又美過媽媽。鄰舍們讚美小雅，總是說：「小雅的丰采，比她媽還要惹火人。」在功課上，從小學五年級到初中畢業，數理兩科，十有八次是紅字。最好的課程是音樂、體育，國文、歷史也只是七十五分上下。每次運動會，百公尺短跑，總跑第一，同樂會，她上台唱兩首歌曲，吟誦幾首古詩，無論音聲、調子，聽來都非常出色。小時候，她不但是媽媽的寵兒，也是爸爸的天才。媽教兒歌，爸教吟詩。到了小學五六年級，發現這孩子在功課上，不大用心，凡是能在表演上，贏來掌聲的事，她都會投入心力。

有好幾次，金土建議：「小雅很喜歡表演，不如送她去學戲。」梅蘭不答應。還頂撞先生說；「你不是參予過唱戲這一行嗎？親身體驗過這一行嗎？怎的又會想著把自己的女兒，送去學戲！」如今，縱然想送小雅去學戲，也過了年齡。

後來，周清波的碩士學位通過，聘到護理專科學校教書，遂想到能去上護理學校，有個護士資格，也是一種高尚的職業。

梅蘭同意問問周清波再說。金土則認為應先問問小雅。

做父母的怎能想到女兒另有主張。母親一問，小雅馬上就說：「我纔不當護士咧！成天端著藥盤子，在病房裡聽病人呻吟，看病人皺起眉頭。」又說：「到了開刀房，像到了屠宰場，我纔不去呢！」

兩人一聽，知道這事問也不要問了。

「那妳打算怎樣？」金土沒好氣的問。

還想再說一句：「難道再補習一年？」沒有說出口來。

「我已報了名。」小雅理直氣壯地說：「我要考中華電影公司演員訓練班。」

小雅的話一出口，金土與梅蘭都愣怔著了。

爹娘二人還沒有說話，電話鈴聲響起。小雅趕快跑去接聽。小雅拿起話筒，一聲喂字之後，就興奮地說：「噢！是阿龍，我已經告訴了我爸爸媽媽，……我想他們會讓我去，…好，我知道。…我再打電話告訴你…」小雅掛上電話走過來了。一臉的陽光普照！說：「我的朋友陳小龍，他也去報考。」

「那裡的？」媽媽問。「那裡的？是我同學。」小雅不高興的回答。把嘴撅起來了。

「瞧妳！對爹娘說話，實興你這種口氣，」金土責備女兒。

梅蘭用手搖搖，要爸爸不要插嘴。又問：「初中的學歷也能報名嗎？」

已經走到房門口的小雅，又站住回過頭來，笑迷迷地說：「人家要的是演員，不要學問。只要長相夠條件，口齒伶俐，會演戲，那就成。」說完，轉過身去就想走。

爸爸的一雙眼睛已經迸火星，媽媽又忙著搖手，忙者問：「妳又要出去嗎？」小雅剛走出門，一聽媽這麼問她，就又站住，轉過身來，伸出右手扶著門框，氣火火地喊了一聲：「媽！我到後面上廁所，可以吧？」說著，便移身打從房邊的走道，回後院去了。這時的爸爸，氣反而消了。說：「古語說得是：女大不中留，留來留去留成仇。」遂又長歎了一口氣，「唁！既然有了男朋友，人家要，嫁出去算了。」站起來去洗臉，口中還在喃喃著：「反正女兒是別家的人。」梅蘭沒有理會先生的話，也許她心不在焉，一句也沒有聽進心去，已起身跟到後院去了。看得到母親的心在滴血。這時，電話鈴又響了。

這時，電話鈴響，金土以爲又是小雅的電話，懶洋洋地去拿起話筒，一聽是陳詒先生打來的，告訴金土又要召開國文課本討論會了。由省教育廳發起，全省高中都派代表性的教師參加。討論如何修改？主要的目的，是如何平息這一場國文課本風波，第五冊快教完了。

魯金土問是什麼日子？陳詒答說就在下星期，說：「他們要在這學期決定，如何修編？重編牽涉到預算，不大容易。」魯金土想到已印出的五本課文，無論辭句的注釋，作者介紹及題解，泰半都錯得離譜，不重編，如何著手修？這意見，卻沒有說出來。反正他寫的第五冊的評文，已經見諸報端。別人的文章，也讀了好幾篇。而且，去年就有人建議停止使用，仍教舊本。遂在電話上答說：「教育單位重視這個問題，應是國文老師興奮的事，看大家的意見吧！」魯金土推想教育廳召開這個會議，也許有安排。這時，魯金土惦記的是女兒的讀書問題，他們夫妻倆都不同意女兒去走演藝那條路。尤其是母親。

放下電話，也不敢走去介入她們的談話。又想到新編的國文課本問題，既已引發了國文老師這麼大的反彈，教育單位何以還會如此的顢頇，企圖遮遮掩掩敷衍了事。上次陳詒先生來，已經說到，課本改編，十年一次。這一課本既已印出五冊，第六冊也在印刷中，業已三年，逐步將所提意見，認爲不合今日學子需要的某篇課文，予以抽換，某些注解不妥的文辭，加以修改。過不了幾年，照規定也要改編。說是教育當局，採取的是這種政策，不希望廢了重編。當時，魯金土就想到，牽涉到課本改編，在行政上，固有不少困難，若從國文教育上著眼，像這麼在中國文學教育上，會出現如此錯得離譜的國文教學課本，教育單位還爲了行政上的困難，來企求因循過去。似乎不是從事教育者應有的教育觀。遂頓時想到，小雅既然沒有讀書的興趣，想去演藝界，去闖她想作的演藝事業。憑著她那眉清目秀、嬌小玲瓏而伶牙利齒的條件，未嘗不是她職業的選擇。何苦非要勒逼她步上大學的路？

魯金土想到這裡，便又心情恬適起來。便坐下來一本本改作文去了。

過了一會兒，梅蘭從後門穿房走出來了。見到先生居然靜下心來改作文，遂以堅定的語氣，故意的提高了嗓門，說：「我同意小雅去考電影演員訓練班。」

「我也同意。」魯金土頭也沒有扭，就大聲回答。

這一來，反把梅蘭諕呆住了。竟站在內房門口，詫然地想，他在說氣話。但語氣，聽來不像有氣。魯金土仍舊悶著頭在改作文，沒有看到梅蘭的任何表情。梅蘭遂又問：「你不是說氣話吧？」

魯金土一聽，這纔停下筆來，在椅子上扭轉身軀，望了一眼詫異地梅蘭，笑吟吟地說：「怎麼會是氣話！起先，我氣的是這孩子的態度，對爹娘沒禮貌，她想去當電影明星，我還有什麼好氣的。」

梅蘭一聽，臉色變了。略帶疑問卻又歇斯地里地說：「你竟然同意！」

「怎麼？妳！」金土想說：「妳言不由衷！」話未說出，梅蘭卻轉身回房去了。金土沒有說出後面的四個字，便吞嚥下喉，連忙跟了進去。梅蘭一進房，就一頭倒向床，抽搐地哭了起來。

「怎麼啦？」連忙坐到床邊，把梅蘭側著的身子，扳轉過來，說：「妳是怎麼個想法？」

梅蘭坐起身來，擦了擦眼淚，喉頭還在抽搐著，說：「問題出在這一年的補習上，她交了男朋友。」她的話撇開了報考電影演員訓練班的事。

金土聽了，不敢表示意見，他認爲十六七歲的女孩子，交男朋友是自然而且正常的事，任誰都管不了。做父母的也祇能從中導向，不能作梗。

「我已經要求小雅把那男孩子帶來我們看，」梅蘭說。

「考電影訓練班的事呢？」金土問。

「等我們見了那個男孩子再說。」梅蘭說。

「好吧！我聽妳的。」金土答說。他知道梅蘭的脾氣，不敢把他要說的那句：「怎麼又把交男朋友的事，拉到一起？」很想問一句：「那男孩子也去考電影演員訓練班嗎？」卻也不敢問。就這樣，這一家庭間的小小風波平息了下來。

如今，家中很寧靜，兩個大孩子已去軍中服役。老三還有一年畢業，如不考研究所，就得去服役，只剩下這個小丫頭，若是非去作電影演員？家中只餘下兩個老人。想來，這就是人生啊！

「女孩子的歸宿是夫家，」金土想。「早晚都是別人家的人。怎的梅蘭恁麼想不開？」

一連幾天，小雅都沒有把那男孩子帶回家來。

梅蘭天天下課回來，就唶聲嘆氣地說：「由她去吧！」

真格是「女大不由娘」，不「由她去吧」也得「由她去吧！」

梅蘭每天都得到幼稚園去，金土也一周有四天得到校，平常日子，還有應酬。家，幾乎是小雅一個人的天地。從電話收費單上，知道小雅的電話不少。

過去，王南娜是她的玩伴兒。如今，南娜嫁了，汀生娶了。陳秋妹作了祖母，兩家的生活兩個樣式，一住村頭，一住村尾。已不像從前，那麼往還的密切。

有一天，陳秋妹在菜場遇見了梅蘭，無心的說了一句：「小雅的男朋友好帥噢！」梅蘭還是從陳秋妹這句話，纔開始去注意小雅的，一直到今年，小雅又沒有上榜，梅蘭纔向女兒攤牌，問她打算走人生那條路，遂問出了她已報名要考電影演員訓練班。問她是不是有了男朋友？小雅也老實說有。梅蘭這纔要小雅把那男孩子帶到家裡來，公開給父母看看。

過了好幾天，當梅蘭正要抓個機會問：「怎的還沒有把那男孩子大大方方帶到家中來？」小雅卻告訴了爸媽，明天星期天，下午四點鐘來。可是這天，爸爸要去北投，參加國文課本教學研討會，最快要五點以後，方能回到家。告訴梅蘭，留那孩子吃晚飯。

本來，像這種「相親」式的行爲，金土非常反對，很想說出那麼一句：「當初我們交往，你家中有誰見過我？」只是心裡想到了這句話，可沒有膽子說出口來。走時，只向梅蘭拽了那一句文：「女子之嫁也。母命之，必敬必戒，勿違夫子。」遂又情致極爲輕快地，揚手打了一聲響指，說：「嫁女兒，本來就是母親作主。」

魯金土離開家，一路之上，老是想著「人」這種動物，就是一家之中的父母妻子兒女，也是各人有各人的念頭，難得一致。若要一致，那就必須相互遷就。孔子講「仁」，孟子講「義」，以及荀子的「性惡」說，老、莊的「無爲」說，還不全是爲了「人文」來苦心孤詣設想的爲人之道。那麼，堯舜時代，就開始倡議的「禮樂」之教，不也全是爲了「人文」。

魯金土想到這裡，就想到了《論語》中，有子說的那段話：「禮之用，和爲貴，先王之道斯爲美。小大由之，有所不行，知和而和；不以禮節之，亦不可行也。」他在心中朗誦著。遂又想到五音六律的音樂和諧，在於「此呼而彼應」。五音六律的組合成樂曲，仰仗的就是彼此間的血統關係，所謂「律娶妻、呂生子」的夫妻父母間的血緣。陰陽之合，而衍衍相生，方能在血緣上產生了「此呼而彼應」的和諧組合。真可以說是「小大由之」。那麼，文章上的章句義理，不也正是從血統上，一脈相承而來的嗎？

魯金土想到這裡，就想到課本上「正氣歌」序文中的「塗泥半朝，蒸漚歷瀾」八個字，課本注解前四字是「朝，同潮。是說牢房裡地上的泥土是半濕的。」註解後四字是「漚，水泡。蒸漚，半濕的泥土，受熱後蒸發為小泡。歷瀾，地上有水流動。」這種注解，就是「不通義理」。不知道文章的義理，都是從事理上組合成的。這八個字是文文山描寫他住居的那間牢房的情況。寫注解的人，也不想想牢房裡地上的泥土，既是「半濕的」，會「蒸發為小泡」嗎？還會「地上有水流動」嗎？這情形，正因為編注的人，不通義理，不認識字，纔會造成這樣的錯誤。他認錯了「塗泥半朝」的「朝」字，應讀ㄓㄠ，意為早半天，此指上午。所謂「塗泥半朝」，是泛指牢房內外地上的泥水，只要經過了半個上午的太陽蒸曬，就會被蒸發出水泡出來，如一經風吹流動，水泡就會炸破。水泡炸了，就會揮發出泥土氣。所以下文是「時則為土氣。」這片語中的「土氣」，就是從「塗泥半朝，蒸漚歷瀾」八個字的文義而來。上下文相通，就是音樂上的「和諧」，就是文學上的義理。

上了火車，魯金土還在想，世上的人，就像字典上的一個個單字，必須一個一個組合起來，方能成文。成文之後，纔能傳達各自的心意。也纔能達成字的意義。人，一個人就是一個自我。像單字一樣，必須組合起來，纔能達成人的意義。作為一個讀書人，若是連章句組成的義理都不懂，這人也未必是一位能具有大我人格的人。因為他讀書只是在一字一辭上打轉悠，頭腦裡沒有上下文的整體概念啊！

「訓有未安，義理求之。」松三爺又站在魯金土的面前說話了。「治小學者，以識字為主，識字則以知義為本。若是只知一字之義，竟不知義之所由趨，豈不等於未能識字。」松三爺又唱起來了：「夫設情有宅，置言有位；宅情曰章，位言曰句。故章者，明也；句者，局也。局言者，聯字以分疆，明情者，總義以包體，區畛相異，而衢路交通矣！」於是，魯金土也跟著松三爺背誦：「夫文之立言，因字而生句，積句而成章，積章而成篇。篇之彪炳，章無疵也。章之明靡，句無玷也。句之精英，字不妄也。振本而末從，知一而萬畢矣。」身旁有人推他一下，說：「到站了。」

魯金土在這次會議上，更加深理會到人的自我世界。那位執筆編寫這六冊高中國文課本的博士先生，雖然一站上講台，就以謙遜的語氣，向大家致謝，謝大家給他那麼多的指正。然而，他卻說，那些錯誤，不能放在他一人頭上。因爲是編輯委員制，由他把寫出來的初稿本送出，到了印出送到學生與老師手上，已經過不少人參予，修過、刪過、補過、改過。但他承認「報任安書」與「范滂傳」兩文太深了些，選得不當。聽來，一再尊稱在座的聽眾，都是他的老師輩，經驗學識都比他好。但他卻說了那麼多的諉過推責的話，反而使在座的教師，產生極大反感。金土想，聽了這人說他寫出的稿本，送出之後，又經過不少編輯委員們，修刪過、又增添過，其中的錯誤，怎能派到他一人頭上？只這簡略的幾句話，已洗刷去他應負的「錯誤」責任。至於台下聽眾的反感，又那是這種人物能夠體會到的呢！

湊巧，在分組座談會上，一位列名在編輯委員內的建中王亞春老師說了話：「主編人說他送出的稿本，經過編輯委員改過、修過、刪過、添過，可是我這個編輯委員，卻一概不知。是那些人參予修改的呢？我還想問哪！」緊跟著又有一位老師站立起來，說：「我這裡有一本《太平洋》月刊，有一篇訪問記，我唸給大家聽。於是他唸：「所以新舊教科書有很大的不同，新教科書採取白話注釋，目的是希望學生看了注釋之後，能自已看課文，不必去外頭買參考書。另外，作者生平介紹，則儘量縮短，因它和課文，並無多大關係。」這人再繼續唸下去：「我的本意是：註釋是給學生看的，較淺顯；作者、題解、說明部分，是給老師介紹學生看的，則較難。我希望高中國文老師以此為準，廣泛攝取資料，達到教學相長的目的。但是，許多的批評卻由此而來。他們抱怨作者介紹欄的文字太難了。』唸到這裡，便聽到「胡說八道」一語，從許多人口中說出。更有人罵出「狂妄」二字。又有人喊：「靜！靜！」遂說：「我這裡還有他自己寫的，答覆楊慧傑老師的一篇呢！請聽我唸這幾句：『所以我希望把課本如此一變後，不但要能提高國文老師的水準，同時也間接提高學生的水準。大專聯考的命題方式，也要跟著改變。』話未落音，便隨著就有人說：「這個人物，簡直是不知天高地厚。」遂又有人接著誦：「不聞先王之言，不知學問之大也。」

「課本之所以編注得這麼糟糕，」坐在魯金土身旁的一位老師，竊竊私語說：「一言以蔽之，學無根也。」

金土點點頭。他一直在思索著我們一個人就是一個「我」的人生問題。感受到這裡的每一個人，所要表現的，都是那個「我」。人人要表現出來的那個「我」，都是超越過別的許許多多「我」的那個「我」。英國文字中的那個「我」字（I），在文辭中出現時，全是大寫啊！

說來，魯金土這一天，心裡老是惦記著家中的那個小丫頭與他那個老婆婆，她們心中的兩個「大我」（I），是否能合而為一（I）呢？可倒沒有想到，回家一看老婆子的歡快面容，竟然吐出一句反問：「你知道小雅帶來的那個男孩子，是誰家的子弟？」金土一聽愣了，回答不出。

梅蘭回答了：「是陳詒家的大小子。」

二、尋求人生變易的因子

小雅已如願以償，考取了那個電影演員訓練班。

對於女孩子的事情，魯金土還是一位守禮人物，只要母親點了頭，他縱有意見，也不便表示出來。他從小兒就聽慣了「相親」、「選婿」這件事的風尙。

「槽頭買馬先看母」。這俗語，就是指的爹娘爲兒選媳婦，無論品貌，都要先從她的母親身上著眼。

「丈母娘看女婿，越看越有趣。」這話，不也透露著女婿是丈母娘選中的嗎！何況，自古以來，女子之嫁的事都是由母親作主的。那天，一進門來，看到梅蘭的那副神情，以及語言問答中的情致，就猜到作母親的已看上那個男孩子了。至於說，那孩子是陳詒家的大小子。魯金土可是不曾想到。

算起來，魯金土與陳詒，已有了十七八年的往還，魯金土出獄後，就有了工作，便是陳詒的一紙公評。至於今天的這麼一段教學工作，也是陳詒大力推薦的。可以說，陳詒不但是魯金土學問上的知己，而且是生活上的恩人。可是，兩人始終沒有作通家之好。陳太太是台灣大學醫學院附設醫院的護理長，在外科手術房方面，工作也很忙。有兩男一女，大女兒名叫陳旻，台大醫學院畢業，已經是牙科醫生了。大兒子陳昱，也是台大畢業，讀生物的，已出國留學，小兒子陳晃，高中畢業，考了兩年了，未上榜。喜歡打球、唱歌、演戲。曾經聽到陳詒說過他家有個不愛讀書的孩子，他則是抱著中國人那句古話：「兒孫自有兒孫福，莫與兒孫作馬牛」的觀念，來處理子女家務。這一點，也像魯金土一樣，子女的事務，全權交給了太太去決定。陳詒家住中和鄉，兩家相距頗遠。再說，兩家的太太，除了有家庭子女們的家務，家庭以外，還有繁忙的工作。也無閒暇時間，作無謂的應酬。因而這多年來，兩家人並無來往。所以小雅在補習班認識了小龍陳晃，雖也相互傾訴了家中情況，誰也沒有想到他們的父親是相識的，而且兩者之間，還蘊藏著那麼一分厚重的情誼。等到小雅把陳晃帶到家來，一經敘問起家常，梅蘭這纔得知，這位雄糾糾氣昂昂地男孩子，原來是金土的好友陳詒之子。遂在梅蘭心理上，有著古老的「門當戶對、天作之合」的那種自適其意的想法。

當金土獲知此情，他從夫妻之間的感情，聯想到人與人之間，雖是父母子女以及夫婦的親密關係，由於每人各有一顆心，各有一個頭腦，其他體肢等器官，也全是各自的一體，自也各聽各自的意念運作。天體不也是這樣麼？天上那麼多的星星，天文學家說：「星星在天空運轉，各循各的軌道。」於是金土想：「人，不也是各有各的想法麼！」又想起松三爺那天，講起《易》上的「太極圖」，說：「太極，是指那個大到無邊無際，大到無辭可以形容的老天，所以用『太極』稱之。等於老子說的：『道生一』。由『太極』生『兩儀』，意爲由一盤混元，分出了天地。何以不言『天地』？偏說：『兩儀』？按『兩儀』是物體的容儀，與以下的『四象』相對。「四象」，指金木水火，東南西北，春夏秋冬。所以繫辭說：『兩儀生四象，四象生八卦，八卦定吉凶，吉凶定大業。』兩儀，也等於老子說，一生二，二生三，三生萬物，……只要一分爲二，就是兩個。再繼續分下去，所謂『三生萬物』，便千千萬萬個了。這千千萬萬個生物，遂在天地間，死死生生，生生死死，循環不已。但那活著的千千萬萬個，便是一個個千千萬萬的個體。宇宙間的風風雨雨，人世間的熙熙攘攘，全是一個個的個體，在相對相剋，相對相生中發生著千變萬化。」直到今天，魯金土始行體會到當年松三爺講的這些話。

這時的金土，忽然想到「四象」既是金木水火、東南西北、春夏秋冬，稟天地而有，那麼，「土」

呢？不是象嗎？再讀注疏，疏者說：「土居地的中央，統馭四方，掌管四季的運轉。」按五行的方位是，東方春季，屬木；南方夏季，屬火；西方秋季；屬金；北方冬季，屬水；中央是王宮，土在地之中。「四象生八卦」，八卦分布四面八方。震卦在東、離卦在南、兌卦在西、坎卦在北。巽卦東南、坤卦西南、艮卦東北、乾卦西北。「繫辭」說：「八卦各成其列位，萬物的形象，都在卦象裡面。」可是，魯金土還想到松三爺口中的「東方甲乙木，南方丙丁火，中央戊己土，西方庚辛金，北方壬癸水。」因而說到，戊己居中，是宮位。如同堯舜時代的太嶽，居中掌四方之伯。十位天干中的「己」字，就居於王位。遂以嘲諷的語氣說：「可見天生萬物，無一不是以個己爲王。植物，各長各的枝葉，各開各的花朵；動物，也各取各己所嗜的吃，也各唱各己的調。我們自封爲萬物之靈的人，更是人人以己爲王。」又說：「古聖先王，早就看到了我們人類的這一大缺點。不但苦口婆心的說，還苦心孤詣的寫。說的、寫的，都有一部部大書。像《易》這部書，就是以天、地、人這三部分的人生契合，來引導著人向正路上走的一部通天地、動鬼神、定吉凶的大書。最可惜的，還有一部《樂》書，只餘下了一篇『樂記』，其他的樂譜與其他什麼演奏上的枝枝節節，都在歷代戰亂兵燹中被燬。」說到這裡，那句老話又出了口：「現在你們還小，要等幾年，你們大了些，纔能向你們說《易》，這時候，向你們說說《河圖》、《洛書》這兩個圖上的點數生剋變化，你們都懂不得。」魯金土追想到當年跟松三爺讀書的時候，聽了許多，但今天他只能記得十二律呂，旋宮的輪流作宮（帝）那套圖說。遂又想到去找《河圖》、《洛書》兩份圖來看看。松三爺說這兩個圖，是演算人生命運，相生相剋的學說。他想尋來這兩個圖，看看懂不懂？

一查《辭源》，就有這兩個圖。

《河圖》的點數排列：

一六居下，二七居上，三八居左，四九居右，五十居中。

《洛書》的點數排列：

戴九履一。左三右七，二四爲肩，六八爲足，而五居中。

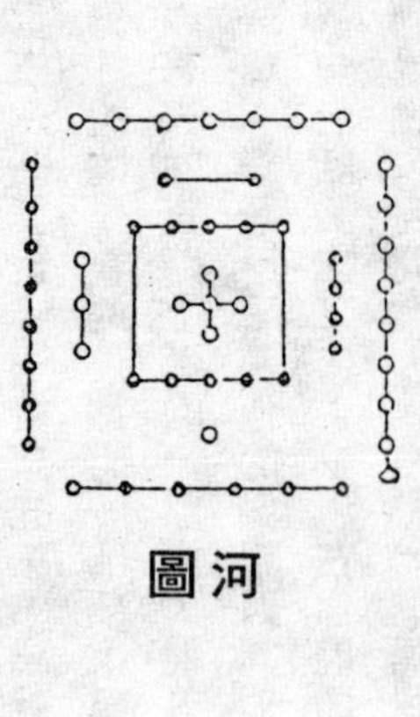

河圖

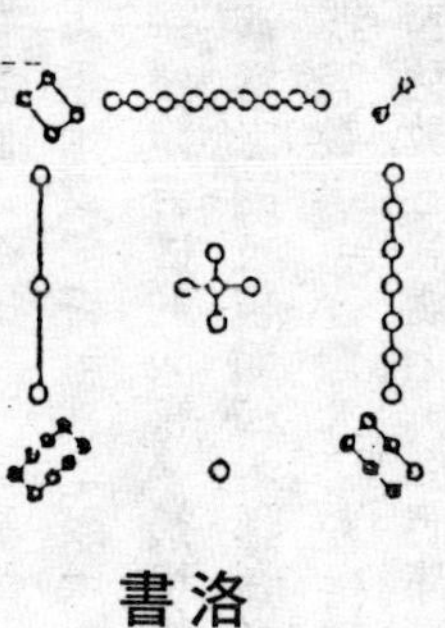

洛書

古書上說，《河圖》是河裡的龍馬，從水裡背負出來的，就謂之《河圖》。伏羲氏得到這一列文字，依圖畫成八卦。《洛書》是大禹時代，一隻神龜從洛水背負出的，謂之洛書。《易》說：「河出圖，洛出書，聖人則之。」此一「聖人則之」的治國大法，就是《洪範》九疇。於是，魯金土遂又溯想到松三爺講過《尙書》中「周書」的「洪範」，便去取來《尙書》，翻出了「洪範」。魯金土依依稀稀還記得先生講九疇的時候，說到卜筮用的灼龜與蓍草。如今，在記憶中，都是星星點點地了。

「洪範」上說，大禹王治水功成，上天賜給他這部「洪範」九疇，還說神龜背上的文字，就是：「初一曰五行，次二曰敬用五事，次三曰農用八政，次四曰協用五紀，次五曰建用皇極，次六曰乂用三德，次七曰明用稽疑，次八曰念用庶徵，次九曰嚮用五福、威用六極。」金土讀到「次七曰明用稽疑」，就迴想到松三爺在此處文句，說到在卜筮時，用灼龜與蓍草的卜筮方法。「灼龜」，也就是禮上說的「攻龜」。

這些，如今想來，也都無法與金土在意念上，要想一把「戊己土」的人之「自我」學理，絲絲縷縷、枝枝節節扣上，距離一己的知識程度，還差得遠呢？

「世間沒有無師自通的學問。」魯金土又記起了松三爺不時向他們說的這句話。遂在心裡說：「這門學問，非投師不可。」想到這裡，突又想起《易》繫辭上有一句「天生神物，聖人則之。」的「神物」一辭，註疏者說，這「神物」就是指「河出圖」的神龍，「洛出書」的神龜，他們給聖王啓示了「卜筮」的法則。所謂：「天地變化，聖人效之，天變象，見吉凶，聖人象之。」魯金土這纔自歎無知，不去投師，是弄不清楚的了。

「什麼時候啦？你還不睡？」梅蘭從內房走出來了。說：「明天一早，不是還要去開會嗎？」

「我這就要歇下來了。」金土說著還打了個哈欠，又說：「知也無涯，我九牛一毛也沒有啊！」

魯金土想到自己還讀不懂「洪範」九疇，感慨於自己的知識太淺薄，連個「戊己土」的「己」字，與人生的「自我」，想尋求一些可以融會貫通的學理，都沒有這個本領，禁不住想起先生當年說的「九牛一毛」的形容詞。

「你準備明天開會的發言稿嗎？」梅蘭有了這個體會。她知道金土的性格認真，在開會時發言，也不敢隨便亂說的。

「不是，」金土漫然回應，說：「我尋求一個問題的結論。」

天是晚了。鄰家的自鳴鐘，已噹噹噹地在敲十二點，嗚聲清泠而悠揚；還有金屬的餘音在飄盪。

這時魯金土的聽覺，纔聽到竹籬內墻根下，那幾盆花草間的蟾蜍，也在唱ㄇㄨㄇㄨ，聲像小牛，它是夏夜伴著魯金土一起作夜課的低音歌手，只是不到魯老師放下工作，夜深休歇時，是沒有聽覺欣賞它的歌聲的。

這一次，是有關高中國文課本的第三次研討會。

由於上次，北投那一場會議，反應的意見，異常雜亂，不易整理出一根統一意見的頭緒。基於課本的改編政策，以及預算問題，有重新改編上的困難。遂責由編譯館再召開一次研討會，說明重新改編的困難，還是從事修編爲宜。而且，經各方提出的訓釋不當等問題，再版時，都已修正。這會，便在這學年行將結束的前夕，再行召開一次。就在編譯館舉行。

邀請參加會議的人，十之七八還是出席上一次會議的原班人馬。這次會議的程式，稍有改變，不再分組，也不再演講，祇由編譯館館長說明重新改編的困難，擬採取修編爲準，希望大家從這一層次，提供意見。與會的人，以及部分編輯委員，還有執筆人暨總校訂，也出席聆聽教師們的教學意見。濟濟一堂，全部由到會的國文教師發言。

第一位搶著起立發言的老師，一開口就以哀惋地聲調說：「當這新編的標準本高中國文教科書，付諸實施的日子，正好是我們中華民國被迫退出聯合國的時期，緊跟著去年，我們以德報怨的日本，首先與我們絕交，撤銷了在台北的大使館。請看新編的六冊高中國文課本，第一冊，竟然丟棄了「四維」、「四維的意義」，只留下顧炎武的「廉恥」一篇，沒有了前兩篇，只留這一篇，「廉恥」的文義，就太孤了。還有胡適的「論短篇小說」，以及莫泊桑的愛國小說「二漁夫」，也都不要。第二冊，

「黃花崗烈士事略序」、「國殤」、「魯仲連義不帝秦」，第三冊，「民生主義建設的最高理想」、「肥水之戰」，第四冊，「時代考驗青年，青年考驗時代」、「張中丞傳後序」，第五冊，「心理建設自序」、「知行學說綜合研究之結論」、「蘇武傳」、「越語上」、「藺相如列傳」，第六冊，「諫逐客書」、「去私」、「過秦論」、「荊軻傳」，這些足以激勵民心士氣，鼓舞青年立身修德的好文章，全都不要。新課本新選的，是否比他丟棄的更好呢？已經有人指出過，像「報任安書」、「范滂傳」、「白馬篇」，不適合高中學生讀。這且不說，在第六冊的最後一課，竟然選了《桃花扇》中的「餘韻哀江南」，這時候，讓我們國文老師在課堂上向學生唱：「行到那舊院門，何用輕敲？也不怕小犬牢牢。無非是枯井頹巢，不過些磚苔砌草。手種的花條柳梢，儘意兒採瞧；呀！這黑灰是誰家的竈？」遂又放大聲說：「真的是與這個時代配合得很好」，說著，又唱：「不信這輿圖換稾，謅一套哀江南，放悲聲……」最後三字「唱到老。」已歌不成聲。遂在炸堂的掌聲中坐下，低著頭飲泣去了。

魯金土感於這位一口湖南長沙口音的老師，唱出的這幾句「哀江南」，給與會場充塞了哀痛的氣氛，怕的是引發來類似的發言，易於把會議的問題，帶到另一境界去，遂起身要求發言。同時起立的五位，被主席指定魯金土先說。

「謝謝主席！我的意見，已經寫成文字，一篇篇發表過了。原可不必占有大家的時間。可是，當我評議第六冊的那篇文字，發表之後，建中的王亞春老師給我寫了一封信，指出第八課曹丕寫的「與吳質書」，在「題解」的文字中，介紹吳質的一段文字，大有問題。他抄漏了史傳上的文字。正好是我沒有注意到的一個地方。經過一番查證，方始發現，不是抄漏，是沒有讀懂史傳上的這段話。我提供給王老師，王老師要我代他說。好，我們言歸正傳。」

「我先唸『題解』上的這段文字。『質字季重，漢末濟陰人。才學通博，爲五官將，出爲朝歌長，遷元城令，官至振威將軍，封列侯。以文才爲丕所重，情誼最篤。按丕與質書，文選所載，凡二通：一是質爲朝歌長時，大軍西征，丕南在孟津小城，追想南皮之遊，觸緒感慨，遂與質書。其二即是篇也。』王老師說：「在文辭上，會使人認爲吳季重由『五官將』放朝歌長。就是後面的『大將軍』一語，也無法從文辭上，去瞭解是誰『大軍西征』？」我查過《三國志》魏志卷二十一，傳文這樣寫的：『吳質濟陰人，以文才爲文帝所善，官至振威將軍，假節都督河北諸軍事。封列侯。』文辭簡單明瞭。那麼，課本上的『題解』何以會衍出這麼多的文字？因爲他又抄了注者裴松之引錄的《魏略》一書上寫到吳質的一段文字。文說『質字季重，以才學通博，爲五官將及諸侯所禮愛。質亦善處其兄弟之間，……。河北平定，大將軍爲世子，質與劉楨等並在座席。楨坐譴之際，質出爲朝歌長，遷元城令。其後，大將軍西征，太子南在孟津小城，與吳質書。第三年，太子又與質書，即此書也。』我們讀了這段《魏略》，就知道課本上的這段『題解』，是抄自《魏略》。可惜編注課本的先生，沒有讀通《魏略》上的這段文字，他們居然不知道這文中的「五官將」，就是曹丕。按《魏書》紀建安十三年春正月，天子命公（曹操）世子爲五官中郎將，置官屬丞相副。那麼，『大將軍』是誰呢？是曹操。建安十八年天子聘曹相三女爲貴人。廿年春正月，又納曹相中女爲皇后。所以史家稱曹操爲『大將軍』，文說『河北平定』，指的是敗袁紹，『大將軍西征』，指的是建安十九年西平馬超。這時，太子曹丕在孟津。再者，文中說『大將軍爲世子，質與劉楨等並在座席。』這話指曹操爲了扶持太子丕，網羅天下名士，如吳質、劉楨等七子，都是曹丞相座中客。遺憾的是課本的編注者，沒有讀懂《魏略》上的這段話。宋儒張横渠先生有幾句有關讀書的名言，說：『讀書先要會疑。於不疑處有疑，方是進矣！

在可疑而不疑者，不曾學。』……

魯金土說完尚未坐下，如雷的掌聲，便轟鳴起來。

跟著，就有記者趨向前來，索取魯金土發言的底稿。他便隨手給了他們。還沒有到休息的時間，陳詒就走來，把金土調出了會場，到了他的辦公室，座中已有了三位了。

經過陳詒介紹，一位是師大的魯教授，一位是教育部的楊督學，一位是師專的教務主任。其中魯教授最爲親切，一再問詢金土的出身？業師是那些人？魯金土都是以汗顏作答。說：「我高中都沒有畢業，小學時代讀了幾年私塾。十三經除了周易，大都學了一些。」魯教授告訴魯金土，他也沒有學歷。當時非常鄭重地向魯金土說：「讀書到了會疑，纔有能力去作學問。」遂又感慨地說：「編高中國文課本，談何容易，非博學之士的通人，怎能擔當得起來？」說著便嘆了一口氣！又說：「連義理都不懂，還談得到會疑？」說著，又突然把話峰一轉，看著師專的洪主任說：「我想，我這位本家到你們師專去教國文，應是上上人選！你們談，」說著站了起來，說：「我到會場再去聽聽。」便走出門去。

魯教授走後，陳詒說：「魯教授極力推薦你去師專。」

在魯金土這方面來說，那裡還有辭謝的道理？這時，魯金土心裡想的，卻是想問陳詒，能向誰去問學「兩儀生四象、四象生八卦、八卦定凶吉，」以及「河出圖、洛出書」的相生相剋問題？

三、人與衆人的這一課

當魯金土站到台北師專的講台，面對著也是三年級的學生，手上拿的也是雷同於高中的國文課本，課椅上坐的男女生徒，髮型也與高中學生一樣，男生小平頭，女生短髮不過耳垂。然而魯金土知道，這些生徒們的上課心情，與高中三年級的學生，可就大不相同。他們不用耽心去擠聯考那道窄門。他們只要成績及格，就可以升上四年級，到了四年級，就是大學生的資格了。那麼，相對的問題，放在教學的教師身上，省去了學生在學業上，必須達成升學的壓力，在講課時，雖有各年級統一學習的進度，終究毋須遷就聯考，去戳衡章句上的輕重。可以在辭章、義理上去揮灑了。也有時間教學生朗誦。

課本用的還是五十一年間編的高中國文老課本，但教者可以選著教，不必依照一般高中的教法。還可以加入文藝寫作方面的講授。作文一月一次，但必須是新文藝門類的創作。這一教學的方式，對於魯金土來說，真可以說是正中下懷。

第一天上課，講的還是課本上的第一課：「心理建設自序」。金土非常崇拜國父孫先生，他知道國父的文章都是出自己手己口，絕少倩人代筆。他向學生說：「國父的這篇『心理建設自序』，雖屬文言文體，卻不是唐宋八大家的那種摹古文章，屬於近代的敘述文體，高三的學生，可以流暢的讀下去的。」遂問：「能不能流暢的讀下去？」

有的學生低下頭去試讀，有的學生，昂起臉來向老師苦笑，不敢作答。教室中悉悉嗦嗦一陣，魯金土纔說：「大家靜下來，聽我朗誦。」說著，遂以抑揚頓挫的聲調，不扯長腔，從頭至尾，朗誦了一遍。一路朗誦下去，連個哏都沒有，有如高山流水似的那麼流洩自然。

一經煞聲，學生們便湧起像驚濤裂岸似的掌聲。

「這篇文章，其中的艱澀文辭，已注出了三十條在課本上，同學們對照一看就懂。」魯金土說。

「我這裡要向同學們補充講的，有兩部分，一部分是屬於文的，一部分是屬於史的。」又說：「希望大家能拿出筆記簿來，我寫黑版，大家抄。」說著，便背轉身去寫黑板。

心理建設　是國父所寫《建國方略》之一。內分八章

第一章　以飲食為證　第二章　以用錢為證

第三章　以作文為證　第四章　以七事為證

第五章　知行總論　第六章　能知必能行

第七章　不知亦能行　第八章　有志竟成

（此書寫成於民國七年間，國父此序作於上海，時間是七年十二月卅日。）

（建國方略共有三編，其二是實業計畫，物質建設，其三是民權初步社會建設）

「我們國父的《建國方略》，第二編中的實業計畫，還繪有計畫中的建設港灣，精細圖表十幾張。」金土說：「第三編的社會建設，對於民權初步的章節製訂，尤其周詳。」又說：「我不是在教《三民主義》，但我們既然讀了國父這篇『心理建設自敘』，我們讀書就應該溯源。所以我把有關國父所作《建國方略》的三大編，寫的是些什麼？我覺得應該告訴同學們，使同學們知道「心理建設」是一部怎樣的書？」遂指著黑板說：「我這裡只是提出一個大要，告訴同學們別忘了我們的國父孫先生，除了《三民主義》之外，還有一部更其重要的書：《建國方略》。」

「題解已說到這篇文章的四個段落所寫的意旨是什麼？業已說得很清楚了。大家一看就知道。」魯金土說。「我所要補充的是，指出這篇文章中的語法，更可以說是古人口中的『章句』。我們朗讀起來，就知道了。」於是他朗讀：「文奔走國事三十餘年，畢生學力，盡萃於斯。精誠無間，百折不

回。滿清之威力所不能屈，窮途之困苦所不能撓。吾志所向，一往無前，愈挫愈奮，再接再厲，用於鼓動風潮，造成時勢，卒賴全國人心之傾向，仁人志士之贊襄，乃得推翻專制，創建共和。」請看這一串文句的氣勢，像不像大海中的波濤，一波波風湧著一往直前，到了海岸，纔洶湧地飛躍而起，飛起一圈圈浪花。明清時代，講究的「八股文」，寫作的程式是破題、承題、然後起講。起講後再分前中後末四股，作爲抒發議論的層次，每一股的議論，都用比偶的文辭。我們國父先生當其時，儘管這時的八股文體已經廢止，可是我們國父的這篇文章，還是受到了八股文寫作程式的影響。開頭第一句「文奔走國事三十餘年」，顯然雷同於八股文的「破題」，再如「滿清之威力所不能屈，窮途之困苦所不能撓。」這是駢驪體的偶句。再下述說他的革命之所以成功，全賴「志」之「一往無前，愈挫愈奮，再接再厲，」所以纔能因此「鼓動風潮，造成勝勢，」引發了「全國人心的傾向、仁人志士的贊襄。」這纔，「推翻了專制政體，創建了五族共和的中華民國。」下面，便把語氣一轉，說：「本可從此繼進，實行革命黨所抱持之三民主義、五權憲法與夫革命方略，所規定之種種建設宏模，則必能乘時一躍而登於富強之域，躋斯民於安樂之天也。」可是，事實不然，遂又再把語氣一轉，老老實實指出了何以革命成功、民國建立，竟未能步上當初他「奔走國事卅餘年」的理想？指出了關鍵，說：「不圖革命初成，黨人即起異議，謂予所主張者，理想太高，不適中國之用。衆口鑠金，一時風靡，同志之士，亦悉惑焉！」遂又感慨地說：「是以予爲民國總統之主張，反不若爲革命領袖之有效而見之施行矣！此革命建設之所以無成，而破壞之後，國事更因之以日非也。」

「我們讀完了第一段，」魯金士說：「不知道大家能不能理會到我說的文章氣勢這一問題？」

「能。」其中有一位女同學回答，一時引起了全班同學的眼睛投射著她。這位同學居然站起身來，慢條絲理地說：「聽了老師的朗讀，我就體會到了。就像老師剛纔形容的，像海裡的浪，前浪帶著後浪，一波波一往直前，起起落落，推到海岸，湧起一陣浪花。」話剛說到這裡，便贏得全班同學的掌聲。

又有一位站起，說：「老師能不能像唸古文一樣，扯長腔朗誦一遍？」

「可以。」魯金土應允之後，便馬上拿起書本，交代了一句：「不要鼓掌。」遂扯起腔調，朗誦了第二段。朗誦的時候，或快或慢、或高或低，無不句句適應文句的情義。所以聽來，不但起伏有致，而且氣勢也委實像海中的浪、江中的濤，一波波起伏著向前向前，不到句點，不會休止。而且可以清楚的聽到文句的句點畫成圈圈的意味。

「老師，我們可以學嗎？」另一位同學問。

魯金土一聽，笑了。說：「讀古書的學生，個個都會朗讀。那時候叫『唸』，唸書。凡是唸過的書，都得會背。這種唸法，是自由的，人人都會的。我的老師祇要一聽我們朗讀（唸），就知道我們對於這一課文的文義，瞭解多少。若是對文義瞭解得不透澈，朗誦出來的聲調，縱然課文背得滾瓜爛熟，聽起來也只是數字，絲毫也不能傳出文章的情義。只要對於一篇文章的文義，已經十分透澈，不用人教，不用去學，也會自自然然地朗誦出文章的氣勢情致來的。」剛講到這裡，鈴聲響起，下課了。

魯金土第一天到校上課，兩堂課室聯起來的，講堂上有把椅子，當鈴響起，他宣布下課，並沒有打算去教師休息室，緊跟著已有學生走到他跟前來。有個學生已倒了一杯茶水，遞給了他。還說：「老師你就坐在這裡休息好了」。有的學生說：「老師，你的國語很標準，唸書的聲音很好聽。」這時，面前卻有另一個學生說：「隔壁班說是聲音太大了。」魯老師已見到教室門口，站了一堆隔壁班的學生，有的在打量這位聲音宏亮，又唸又講的老師，是個怎樣的人物？同時，也把他們的老師說的那句：「這是學校，不是賣藝場。」也傳播過來。這話雖然沒有傳送給魯老師，但魯老師一聽隔壁班說聲音太大，他就知道自己的這種教學方式，以及聲音響亮的感奮情景，都不是今天的教育制度，所能實施的。魯金土自己也知道，他是凡事一經進入工作，就會專心於職志，傾全心於其間。說起話來，總是從丹田中發出，改不了呢！

「我的朗讀，聲音太大嗎？」上第二堂課時，魯金土問。

「不，很好聽，國語又標準。」有的同學答。但有的說：「不是聲大，是響亮。」

「這是我上課時容易犯的毛病。」魯老師說。「我要是一旦把感情投入了課文，講課時，聲音就會大起來。」

說著轉身在黑板上寫了「仁義」兩個字。又寫：「仁者，二人。義者，宜也。」

我們在今天，還在常常講到「仁義」兩個字。可是，我們有誰能作到「仁義」這兩個字的意義呢？

「仁」，就是二人以上的眾人。「仁」字的形體，就是二人。漢儒鄭玄，說著又回身在黑板上寫，鄭玄，字康成，官到「司農」的職務，在文學史上，習稱他為「鄭司農」。跟著便說：他詮釋「仁」字是「相人偶」。意思是人與人相處，就稱之為「仁」。換言之，人生活在眾人之間，就得去從「仁」字的意義上去作人。那麼「義」呢？何以「義」字是「宜也」？蓋凡是大家都認為對的事，都能同意的事，就是義。譬如我朗讀，我大聲講課，在我們班上，是「宜也」。在隔壁班聽來，則「非宜也」。因為隔壁上別的課，我在這一班朗聲的讀，朗聲的講，對隔壁班，自然「不宜」。不宜也就是「不義」。

今天，我們處身的這個教室，是師專的教室，隔壁的老師與同學，所處身的那個教室，也是師專的教室。這時，我向你們講授的是國文，隔壁班縱然講的也是同一課國文，也是各講各的，互不相干。可是，我的朗誦聲音太響，講課的聲音太大，吵嚷了隔壁班的老師教學，那麼，我的教學方式，在這個教學環境中，便可說是「不宜」。你們說是不是呢？

學生們雖都聽懂了老師的話，卻沒有人回答。因爲學生們還聽不出老師說的這番話，是正面的意思，還是反面的意思。

凡是動物，都生來具有表演自身特長的本能。魯老師又把話鋒轉了向，我們人類則又是最愛表現自我的動物。譬如說，我們家裡有兩個三幾歲的孩子，大的四歲多，小的近三歲，大的會唱歌，也會吟上兩首古詩，小的一支歌也唱不完整。若是來了客人，要大的表演唱歌吟詩，贏得了客人的贊美。當時那個在場的小的，可能不甘示弱地會站出來說：「我也會唱」。遂問大家：「你們有誰經驗過這種情事沒有？」

馬上就有不少同學紛紛雜雜地回答：「有」。「經驗過」。

我們上一堂講的這篇「心理建設自序」，國父不是說：「黨人，即黨內同志。」寫到黑板上。「人都是自大的。老師剛纔已經說過了。」又是那位女同學發言。

「好。你回答了我的問題，請坐下。」魯老師又說：「不過，國父這篇文章，還夾雜了一些其他的問題。認爲有些黨員根本不瞭解三民主義。後來國父在民生主義第二講中，曾經說到這些。」說著，從書袋中取出了一疊卡片，翻到那些筆記，說：「國父這樣說：『譬如當時參加同盟會的同志，各人的目的，都是排滿。在進會的時候，我要他們宣誓，本是贊成三民主義，但是他們本人的心理，許多都祇注意在民族主義，要推翻清朝。以爲只要推翻滿清之後，就是中國人來做皇帝，他們也是歡迎的。……就是極有思想的同志，贊成三民主義，明白三民主義是三個不同的東西，在那個時候，他們既未過細研究，所以對民權主義固然不明白，對於民生主義更是莫明其妙。革命成功以後，成立了民國，采用共和制度。此時大家的思想，對於何以要成立民國，都是不求甚解。就是現在，真是心悅誠服實現民權、贊成共和的同志，還是很少。』」唸到這裡，便抬起頭來向大家說：「國父在民生義第二講，說的這番話，是民國十三年間講的，已是寫「心理建設自序」一文之後的第六年了。這時候，國父先生還在感歎黨內的同志，尙有很多人不懂得三民主義是什麼？而且是眾口鑠金、一時風靡，連黨內同志也懷疑三民主義不適中國之用。」遂又說：「『我們今天來讀國父這篇『心理建設自序』，非常值得我們去推想的，應是這篇文章啓示給我們，去探討的人與眾人的問題。」

於是魯老師說：「這段歷史，你們得知道。」遂又背轉身去寫黑板。

國父於民國元年（一九一一）元月一日在南京就任臨時大總統。當年二月十二日清帝宣統退位。次日，國父辭臨時大總統職。讓政權給袁世凱。（國父時年四十七歲）

民國二年，袁世凱當選大總統，黎元洪為副總統。

民國五年，袁世凱宣布恢復帝制，改元洪憲。旋病死。

民國六年，國父由日本返國，在廣州組織軍政府，被選為大元帥。張勳挾黎元洪擁已廢清帝宣統恢復帝位。

民國七年，國父辭大元帥職。北京政府召開非法會議，選舉徐世昌為非法總統（時稱北洋政府）

這時，擁有兵權者，割據四方，占地為王。

「我們中國的歷史，自從堯禪、舜讓，到了夏禹，把帝位傳給了兒子，這『大道之行也』的『選賢與能』之民主制度，遂變成了家天下的封建制度。無論是湯放桀，武王伐紂，世代交替了數千年，到了國父從事革命，推翻專制，纔創立了民國。只當了二十幾天的臨時大總統，便讓位給了別人。說起來，滿清王朝，雖然是我們國父領導革命黨人推翻的，可不是靠槍桿子打下來的，而是革命黨人鼓動起的風潮，造成的時勢，引導著人心的傾向，方始把腐敗的滿清帝制推翻了的。所以，一位赤手空拳的革命領袖，縱然可以順理成章的被推為臨時大總統，但由於他麾下沒有百萬雄兵，作為他政治的後盾，雖有理國的寶貴法典，也莫可如何？老實說，凡是參予打天下的人，打下來的天下，竟然得不到治理天下的實權，又怎能不懷疑領導者的治國大法是空談呢！」說到這裡遂拿起課本說：「請大家翻開課本，我把聲音壓小來朗讀。」

「還是大聲些唸。」有學生這樣提議。

「不可。」魯金土展開了笑靨說：「我們都應知道，除了我們自己，應想到還有別人。」說著遂以清朗而低沈的聲調，輕重起伏有致的唸了一遍。

「夫去一滿清之專制，轉生出無數強盜之專制，」指的就是當時割據的軍閥。國父遂指出了推翻滿清建立民國之後，革命黨人之所以懈志，且有思想前進的同志，竟也跟著一般人說三民主義不適中國之用。國父遂想到了我們中國人有句口頭禪：「說得容易，做起來難。」他找出了這話的根源，是商朝武庚時代，一位大臣傅說（ㄩㄝ）說的：「知之非艱，行之惟艱。」認為這句話，就是數千年來，影響中國人，凡事不肯求進步、求發明的語根。國父說傅說的這八個字，是他生平的大敵。

「說起來容易，做起來難。」魯老師一邊說，一邊背身把這一句成語，寫到黑板上，轉過身來就問：「你們聽過這句話沒有？」

許多人答說聽過。魯老師遂要大家翻看課文第三段。朗讀之後，說：「這裡，便指出了人與眾人的關係，建設在人的心器上。所以國父指出了「國者，人之積，人者，心之器。而國事者，一人群之心理現象也。」又說：「心也者，萬事之本源也。」就是指的人與眾人之事，必須先收服人心。何以推翻滿清，那麼容易，建設民國，怎的恁麼難？成敗二字，便決定在人心之信其可行，與不信其能行的這個人心的信不信字上。所以國父說：「政治之隆污，係乎人心之振靡。」說著又背轉身去寫黑板：「隆污，隆，高也。污，低也。污，音ㄨㄚ、，同窪。振靡，振，蓬勃起來，靡，萎靡下去。（與隆污是兩組文義相對的形容辭。）背過身來，又講國父已在文中指出，「國事者，一人群心理之現象也。」人，各有一顆心，一個人是一個個體，一萬萬人就有一萬萬顆心，這一人群心理現象，必須聯成了一個整體，共赴國事，若不能萬眾一心，國事則難爲。談國家的建設，委實需要先從心理建設上作起，所以國父提出了「攻心爲上」的建國計畫，說：「吾心信其可行，則移山、填海之難，終有成功之日。」用來破除我們中國人的那句成語：「說得容做起來難」。

第二課是蔣總統對王陽明「知行合一」的學說研究，來闡發國父這篇「心理建設」自序提出的「知難行易」問題，又進一步發明了「知行哲學」。認真說起來，這課本上的第一、二兩課，涉及的內涵，還是相當深也相當闊的。

將要下課的時候，工課生送來一張字條，教務處約魯老師下課後，到教務處去一趟。

四、學以致用的教學理想

這老長一段日子，梅蘭總是格應著金土這個人，過於書呆子氣。爲了師專的聘書問題，原已應允以專任副教授下聘。結果，給了他一紙專任講師聘書，他也簽收應聘。

還說：「不要給人家人事單位添麻煩！」

那天，魯金土到了人事處，人事處主任說：「魯老師你如有一張高中教師審定及格證書，配上你十年的高中教學經驗與兩部著作，以專任副教授報聘，就不會有問題了。」說著，又攤出人事評議的會議紀錄說：「人評會決議以專任講師禮聘。」

「我遵從法令，」魯金土說：「不計較這些。」

就這樣，魯金土當時就同意，簽字膺聘，高高興興地帶回那張專任講師聘書。見了梅蘭還心情適意地說：「我居然站到大專的講台上去了。」他認爲自己連高中教師的資格，都需要去參加檢定考試，十年以來，還沒有時間去檢定呢，如今已升到專科學校的專任講師，怎能不以爲是幸運者！

他自從膺聘了師專的課，中原高中還情意難捨的，接了高三一班。師專的兩班課，一週十節，除了考試、作業，每週最少講課八節。他教的是三年級，到了四年級，就是大學學業。因爲師專的學生，不受升學的壓力，而且畢業後的職務，由省市教育單位，分發到各地小學任教。小學的課程，國語中沒有文言文。魯金土體會到小學教師的教學方式，與兩級中學不同。師專在學五年的前三年，使用的國文課本是一般高中的，後兩年，使用的則是一般大專院校的共同科目用書。魯金土認爲培養小學各年級的級任教師，不應同於一般高中。文史兩科的課本，應從「學以致用」上去著眼，應去專意編訂合乎培育小學課程教師的課本纔對。好在各班的教學進度，並不像一般高中，必須爲了適應大專聯合招生，不得不把教學進度，依據課本編排，師專的國文課，則交由教師自行選擇與設計。

當魯金土考量到這裡，在高中祇需一週講完的「心理建設自序」一文，上學期竟然配合了第二課「知行學說綜合研究」，連續講了六週，連同《五權憲法》以及《建國方略》的三大編，都一一的融會貫通進去。爲了要向學生講解國父的治國理念，不但一本本讀完了國父的學說，還參放了《禮記》中的「禮運」，以及《史記》中的「五帝本紀」以及夏、殷、周三代的封建之制。每天，都讀書到子夜。平日無課，還跑圖書館。

說起來，師專的課，論鐘點是比高中少多了。但在梅蘭看起來，他先生卻比教中學的日子，工作還要忙。她記得陳詒來說起聘書的事。說是魯教授已與校長講好了的，以專任副教授下聘。學校的審查會，看了附呈的兩部著作，並未提出異議。想不到人事主任向魯老師說了幾句人事上的困惑，魯老師居然說他不計較這些，人家當場寫了專任講師聘書，他就當場簽字應聘。陳詒先生還說：「魯教授知道後，深表遺憾的說，這一來，升副教授還得三年，論文也得重寫。」梅蘭向魯金土說到魯教授深表遺憾這件事，魯金土竟說：「我的證件欠缺太多，送上去要是以資格不符，打了回票，豈不是更丟人。」還安慰妻子說：「這樣好，按部就班，一步步一梯梯向上爬，得來不感到僥倖，那纔好。」如今，他又爲了要教學生能『學以致用』，竟然不眠不休的投入。還不時興奮的吟唱《詩魯頌》的「駉」，「駉駉牡馬，在坰之野。薄言駉者，有驈有騜，有驪有魚，以車祛祛；思無邪！思馬斯徂。」說：「我教的這兩班學生，已經是『思馬斯才』，上了路啦！」

魯金土認爲教小學的老師，不需要是有學問的人來擔任，只要受完三年師範科教育，足夠了。我們家鄉不是有「簡易師範」這種學校嗎？高等小學畢業，保送進去，三年畢業。初中畢業進去，只要兩年。畢業後，派任鄉村小學初年級，擔任教師。「俺那鄉村小學，大多是初等小學，在學祇要四年畢業，要升高等，還得到近處大市鎮的完全小學去，再讀兩年，纔是高等小學畢業。」魯金土回想他兒時的初等小學，執教的老師都是十七八歲的大哥哥或大姐姐。（大姐姐少）。要教三年之後，纔能升任三四年級的級任。如今的師範專科學校，由初中畢業考進來，再讀五年，畢業時，年齡都過了二十啦。若是教初年級，這樣大年歲的大哥哥大姐姐，已經沒有十七八歲的人天真活潑了。

尤其，當魯金土手拿國文課本，面對其中那麼多的文言文，總覺得不是畢業後去教小學的老師，必須去研讀的課文。魯金土遂想到上小學的孩子們，年齡纔七八歲，在文的方面，最易於使他們聽得進去，感到興趣的，應是一篇篇故事。他遂據此想到，在學校中學習到小學去教國語或歷史的教師，最重要的應是會說故事。不是教他們去一字一辭的學習訓詁。

「這是師範專科學校，」魯老師想。「這些學生畢了業出去，是到各小學作教師的。不需要去講文言文啊！」

於是，從這學期起，魯金土便全神著眼到課本中的文章，可以當作故事講的有那些？不管它是經、史、子、集，只要文章有故事性可以抽離出來，詩詞也不排斥在外。都一一予以採納，作成故事講述。

「我要教會學生說故事。」魯金土這樣想。「作小學老師，必須會說故事。」

經過他此一主張的設想、研讀，魯金土肯定的認爲際今之世，「學以致用」的教育目標是正確的。他回想他上學期的那種「心理建設自序」的教學，對於師專的學生來說，是浪費的。如果有收穫的話，也只限於告訴他們一些有關國父學說的章目而已。他發現學生反應最好的，是「觸讋說趙太后」那篇故事。

在寒假中，他讀了詩選、詞選，遂想到許多家庭中的父母或祖父母，總愛教孩子們吟誦古詩詞。吟誦的孩子們，只是背誦文辭，歌誦文辭，至於他們吟誦的文辭，是些什麽文義，卻一無所知。甚而可以說，連他們的老人家，也說不清楚。魯金土想到此一情事，應該去教師專的學生，會講說詩詞文義間的故事。

當他回想到小時候，背誦的柳宗元五言絕句「江雪」以及王建的「新娘」，還有稍長些的，蘇東坡的「水調歌頭」（懷子由）等。他便在卡片上，一字字把故事寫了出來。

江雪 柳宗元

千山鳥飛絕　萬里人蹤滅　孤舟簑笠翁　獨釣寒江雪

大雪飄飛的天氣，好冷好冷啊！

所有這一帶上千巒嶺的山，休想見到一隻飛鳥，所有這一帶上萬條多的路，也休想見到一個行人。只能見到鵝毛似的雪片，飛飄！飛飄！

這空寂的大江上，有一條孤獨的小船，只坐了一個身穿簑衣頭戴斗笠的漁人，一個人在大雪紛飛的江上釣魚，怎的不怕冷啊！

要孩子們，先說完這個故事，然後再吟誦這首詩。

新娘 王建

三日入廚下　洗手作羹湯　未諳姑食性　先遣小姑嘗

結婚纔三天的新娘，第一次下廚房，烹調吃的喝的食物。

公婆的口味，她一些兒也不清楚。怎麼辦呢？想一想，還是先請小姑子來嘗嘗，鹹啦！淡啦！滋味好壞！聽聽小姑子的意見。

這新娘子好聰明啊！

水調歌頭（丙辰中秋，歡飲達旦，大醉。作此篇，兼懷子由。）

明月幾時有？把酒問青天，不知天上宮闕，今夕是何年？

我欲乘風歸去，唯恐瓊樓玉宇高處不勝寒。起舞弄清影，何似在人間。

轉朱閣，低綺户，照無眠。不應有恨，何事長向別時圓？

人有悲歡離合，月有陰晴圓缺，此事古難全。但願人長久，千里共嬋娟。

宋神宗熙寧九年中秋節，這時，蘇東坡在山東密州，他弟弟子由在濟南，雖同在山東，受到各人的公務牽制，無法相聚。

這天，月亮被雲遮住了，久久不露面。蘇東坡在寂寞中飲酒，一面喝酒，一面舉起杯來問天？天哪！月亮什麼時候，纔會露臉啊？難道天上的皇曆，今天的晚上也是八月中秋嗎？若是這樣，老天爺就不會放月亮出來給我們看了！

一陣秋風吹來。蘇東坡馬上想：不如搭乘這陣秋風飛上天去，就能看到月亮啦！又一陣秋風吹來，蘇東坡禁不住打了一個寒顫。啊！他突然想到，縱然能乘秋風飛向天去，怕的是天上的「瓊樓玉宇」，在那麼高的地方，我也忍受不了那種寒冷啊！於是，蘇東坡便狂飲起來。不久，就醉得不省人事。他酣酣地睡著了。一覺醒來，圓圓地月亮，已高掛天空。哇！好美的月兒啊！快樂地跳起舞來。雖然，陪伴他的只有他自已的那個身影，但在圓圓亮亮地月光下，還是舞得快快樂樂，快樂得忘了自己也弄不清，這時的他，是在天上？還是在人間？

月亮扭頭了。已經轉到紅樓西邊，已經落到花窗下面。光還是那麼亮堂，照著我這沒有睡意的人。

月亮啊！你不應該有什麼愁恨呢？幹啥長時期向人們的離別時日，圓起來？圓起來？！人生難免有悲歡離合的，月兒不也有她的陰晴圓缺嗎？這等事，自古以來就難以周全。但願人還活在人間，雖然相隔千里，我們能共看同一個月亮，也就夠安慰的了！

若是照著這個方式，去敘說詩詞的故事，然後再去學起詩詞的吟誦、或是吟唱，小學生會很容易去領會，也就很容易會背誦。會背誦，就會吟唱。魯金土這樣設想。

就是論說文，也可以抽離出其中的人物對話，作爲小說塑造人物的範式。像韓愈的「張中丞傳後序」一文中的這一段：「愈嘗從事於汴、徐二府，屢道於兩州間，親察於所謂雙廟者。其老人往往說巡遠時事云：『南霽雲之乞救於賀蘭也。賀蘭嫉巡、遠聲威功績，出於己上，不肯出師救。愛霽雲勇且壯，不聽其語，彊留之。且食與粟，延霽雲坐。霽雲慷慨語曰：『雲來時，睢陽之人不食月餘矣！雲雖欲獨食，義不忍。雖食，且不下咽。』因拔刀斷一指，血淋淋以示賀蘭。一座大驚，皆感激，爲雲泣下。雲知賀蘭終無爲雲出師意，即馳去。將出城，抽矢射佛寺浮屠，矢著其上瓦半箭，曰：『吾歸破賊，必滅賀蘭，此矢所以志也。』愈貞元中過泗州，船上人猶指以相語。曰：『城陷，賊以刃脅降巡，巡不屈，即牽去。將斬之，又降霽雲，雲未應，巡呼雲曰：「南八，男兒死耳！不可爲不義屈。」雲笑曰：『欲將以有爲也。公有言，雲敢不死。』即不屈。」若學著用說書人的口齒，來說這一段小故事，勢必會使聽者動容。至於經書中的史傳，禮傳，譬如《檀弓》中的小故事，都可以取來，當作小說處理。比真正被稱爲「小說」的小說，演說起來，還要容易，也能收到教學上更大的效果。

「能將此一設想，提到教學研究會，付諸討論，普遍作師專文史兩科教學的改進嗎？」但又一想：「還是不要標新立異吧！凡事不要在眾人之前凸顯一己。」當魯金土一想到當年松三爺口中的那些話，他就退縮，遂告誡自己：「還是不要離開課本。」

課本中的詩經、公羊傳、卜居、荊軻傳、孔雀東南飛，都有濃郁的故事。就打這些篇章開始。逐漸引發到其他詩、詞以及論文中的小說材料，費些心思，加以處理，當作故事講說。作文、試題，也採用這些類題材，來訓練學生發揮說故事的才能。教書先生憑恃的也是一張能言會道的嘴啊！

從此，魯金土便在各門各類的文學作品中，去注意那些有趣味的小說題材，一篇篇寫成小故事，在課堂上講說。作文、考試，也以這類題材，作為學生的學業練習。雖說，在上課時，仍以課上的課文，作為選材對象，但魯金土教的這兩班學生，學習文史的興趣，便蓬勃起來。

這時，藍墨的複印機，已經出現，魯老師寫出的那一篇篇小故事，同學們已人手一篇。不久便傳到別的班上，教國文的老師看了，大都在心裡說：「雕蟲小技」。或說：「邪魔外道，非儒家作為。」一份學生社團編印的《師生們》，每學期期中，出版四開一張。內容偏重於學生習作，校園花絮，以及老師們的教學心得等。魯老師教學時，講說的那一篇篇小故事，也出現在這張小報上。上學期登的第一篇，就是課文上的「觸讋說趙太后」，全文用小說體式的語體翻譯。

到了這一學期，這份《師生們》再出版時，竟然刊出了兩篇魯老師這類講學的小故事，一是孟子的「齊人有一妻一妾」，一是蘇東坡的詞「水調歌頭」（懷子由），遂引發了好幾位國文老師的批評。

蘇東坡的這首「水調歌頭」，是魯老師講的這麼 個故事嗎？「起舞弄清影、何似在人間。」是魯老師說的那種詩情嗎？更有人說：「不應有恨，何事長向別時圓？」也似乎不是魯老師的那種詮釋。

最荒謬不過的，就是孟子的「齊人」這一篇。說著便朗讀這張報紙上的這篇小說：

自從魯國歸來，他就無所事事。這是大娘子近來時常掛在口唇間的話，說得也是，他從魯國回來有一年多了，總是說將要接任一個什麼一命以上的職位，又說已在一個什麼規模頗大的公司，擔任了一名顧問。他是在魯國留學過的。據他自己說，在魯國學的是語言，如今，又說曾跟端木賜的弟子，學了些經商理財的學問。誰知道呢？俺們這女人家，那裏知道他們男人外面的事。「請聽，居然有了『公司』、『顧問』，後面還有總經理呢？」遂又繼續念下去：

最近這三兩個月來——自去年臘月到今年過了這個大正月，他的交往比過去更多了些，幾乎是三天兩頭的在外面有應酬，晚上，總是吃得醉醺醺而酒氣薰天的回家。

燕姬，來！拿去。

十有八次回來，他都帶著一些酒席的殘餘，扯高了嗓子門兒喊著，給我接過去，交給大娘子。在他來說，那是他對我們姊妹的體恤情意。起先，我家大娘子也滿感興頭地接他帶回的膹餚殘饌，再重新炮製了一番，三人再相對坐飲一會兒，這樣的家庭樂趣，還滿愜意的呢！可是以後，大娘子就認為他一次次都把酒席上的膹餮帶回，未免有失身分。勸他以後不要再帶回那些了。他則答說那是因為酒菜太豐富，吃不了留下來給館子店餵豬，甚為可惜。所以吃不完的便分別包起，分給客人帶回。這已是當前吃館子的習慣了。不過有一點，卻被俺家大娘子疑心到了。那就是他既然在外面的應酬如此之多，問起來他那些參加飲宴人士，不是什麼有名的高官顯要，就是什麼有名的豪富大賈。奇怪的是，居然沒有一個什麼高貴的官員或有錢的大老闆到家中來。但也漸漸地感覺到他的言談舉止，也似乎都是飄飄浮浮的呢！

『咱那一口子究竟在外邊奔波些什麼呀？』

「好文章！」有人喝采，且說：「可以去開補習班。」

數日之間，一片討伐魯老師的聲浪，便在師專的校園裡洶湧起來。連班上的學生們，大多數人都在惶惑迷惘著。這時，魯老師正在講說「荊軻傳」，司馬遷的文筆，越發的是小說體式了。

魯老師已聽到這些討伐他、問罪他的言論。

當他發現學生聽課的情緒，突然降落下來，便停下了課文的講說，改個話頭說：「詩詞是文學中，最精簡的語言題式。我們欣賞詩詞的語言精簡，萬不可忽視了所有的語言藝術，都是抒發人生的。懂得這些，就會從那精簡的語言中，去體會作者寫這篇作品的心境。尤其是作者寫作這篇作品時的生活情景，更是依仗著去體會作者心境的重要史料。詩詞，是文學作品中最難詮釋的一門學問。三千年前的《詩三百篇》，至今，還有許多句子，人言人殊，莫衷一是。只得各說各話，犯不著爭辯。

至於小說，西方人就稱之爲「虛構」，像我們中國人一樣，稱之爲「道聽塗說、街談巷議」的閒談，作不了真的。孟子時代，當然沒有「公司」、「顧問」、「總經理」這類現代社會上的名詞，可是，古事可以新編，只要把孟子的這一段描寫「齊人」在妻妾之間，冒充闊老、不求上進的卑劣行爲表現出來，就是小說的文學行爲，用不著非要推向孟子那個時代不可。不過，別人的看法，作者都不必去多作解釋。就像咱們講的這一篇「荊軻傳」，司馬遷的文筆，幾乎十之九都是小說的藝術體式。

「老師，聽說還要開教學會議討論。」一位學生起立說。

魯老師笑了。說：「開會時，我要說的，也是剛纔這幾句話。」

當這波浪洶湧的議論，傳到校長那裡。校長還沒有讀到文章，就告訴教務主任說：「小說是虛構的文學，英文就叫小說爲「FICTION」，不是歷史，要講根據。」而且要教務主任轉告那幾位說閒話的老師，別給學校製造笑話。」

這檔子事，遂頓時煙消雲散，風波平息下來。

幸虧這位校長是留美獲得教育學的博士，有學問、有見識的。但此事對魯金土來說，又是一次人生的歷驗。

五、這一年的春假最長

今年的春假，牽連上兒童節與星期假日，所以比往年長些。從三月二十九日開始，要到四月七日纔上課。

魯家四個孩子，大的二的都在軍中服役，除了三月廿九日青年節，放假一天，並沒春假假日。小雅跟著她們的電影公司到韓國拍片去了。老三魯聲清卻也跟著畢業班的同學，去環島旅行。只餘下老夫婦兩人，其中有一天，梅蘭還得帶著幼兒園的孩子春遊。

兩人結婚二十幾個年頭了。梅蘭對於丈夫金土，已非常瞭解，認爲他是一位百分之百又百的書呆子，對於職業，他是盡忠職守，毫厘不爽，工作忙了，自動去加班。自從換了這份教書工作，與他自小愛讀書的情性，更是結成了一體，其他，任何事物，都奪不去他在書本上的興趣。到了師專，用到書本上的心神，梅蘭見得到他比往日更加凝滯。最使梅蘭不解的一點是，魯金土怎的會沒有山水之樂的興趣？見了山，見了水，也照樣目無所見的，發他的書呆。陽明山，一家人去過了。那時，連不到十歲的小雅，都會向媽媽說：「媽，妳看爸爸又靈魂出竅了！」金山、野柳也去過了，使梅蘭最感興奮的是，他居然還能時時關心到孩子的安全，一直跟在孩子身後吼：「不要跳，掉下去會淹死的。」至於賞景，他認爲野柳只不過有一些在歲月中，被海水的波濤，雕刻成的一處處奇形怪狀的岩石，有什麼好玩的。怎麼比得了那一望無際的大海，多麼令人舉目爲之神往！怎能比得了那萬峰聳翠，巒嶺無盡的大山，多麼令人舉目爲之傾倒！就這麼幾處嵯峨的怪石，未必是仁者、知者的目中佳境。還說：「這些，怎能上得了遊家的筆墨。」

每次出遊，梅蘭總是覺乎著不能與金土歡洽到一體。按情理說，既然出來遊山玩水，就應該在山與水的環境中，去領會山水中的樂趣。既然帶著孩子出來，就應該陪著孩子們歡歡樂樂的玩賞。可是金土除了坐到他的工作崗位上，會全心全神的移在工作上，其他任何時候，他都在思考中。所以時時會見到他的兩眼失神。往往在與客人交談時，也會突然產生這種情形，連孩子們都會竊竊向媽媽說：「爸爸又靈魂出竅了。」這情事，梅蘭已向他說過無數次，說：「你怎麼會在與朋友們談話時，也會靈魂出竅？這是在作人上最不禮貌的風度。」金土自己也知道，可就是改不了。這情事，往往是突發的，當他突然聽到一個聲音，或突然見到一閃亮光，甚至一隻蒼蠅打眼簾飛過，只要觸發了他當時的某一問題，就會馬上被聯想上，使他的思緒頓時出竅。在一家人出遊時，自也會時時出神，心不在焉。老實說，每逢春秋假日，梅蘭都想到郊外走走。但一想到丈夫缺乏山水之樂的情趣，也就不在生活上作此要求。

有一天，他向孩子講解唐人柳宗元的「袁家渴記」，明人袁宏道的「西湖最盛，爲春爲月，一日之盛，爲朝煙、爲夕嵐。今歲春雨甚盛，梅花爲寒雨所勒，與杏桃相次開發，尤爲奇觀。……湖上由斷橋至蘇堤一帶，綠煙紅霧，彌漫二十餘里。歌吹爲風，粉汗爲雨，羅紈之盛，多於堤畔之草，艷冶極矣！」講起來，他能把每一句的文辭，解說得就像在當場一樣樣指出實景，聽起來，在心裡也會被引導著你，見到顯現在文辭中寫的那些當場美景。事後，梅蘭曾經問金土：「你把前人的遊記，解說得這樣真切，這樣美好，怎的一到了有山有水的地方，就會發呆呢？」

金土竟然毫不猶豫地答說：「看景不如聞景，聞景不如讀景。」遂反問：「你沒有聽說過這兩句話嗎？」

梅蘭經金土這麼一問，意識到曾經聽過這麼兩句話。但卻解不透金土說的這兩句話，有什麼用意？還沒有作答，金土又說：「說書人的舌頭·賣藝人的拳頭，翰林老爺的筆頭。」

魯金土這一說，梅蘭更加迷糊起來，遂不好氣地說：「以後你少給我拽文，我書讀得少，聽不懂。」

「這話還不懂啊？」金土說：「說書人的舌頭，翻騰起來，能把聽書的人，領入他說的書本中去，跟著書中的故事人物，悲歡離合，哭之笑之。賣藝人的拳頭都是鋼打的，一拳下去，可以擘石兩半，一疊磚頭打得碎斷，『翰林』爺的筆頭，能使皇帝老子的過錯變成功勳。那麼，」又說：「文人筆下的遊記，能把死水寫成聖泉，濯濯土山也能變成怪石嵯峨。所以世間有：『看景不如聞景，聞景不如讀景。』這兩句成語。」

「你的嘴真會辯，」梅蘭聽了，馬上批駁說：「我倒認為你從小就生在那個既沒有青山，也沒有綠水的窮鄉僻壤，成天是黃土漫天，下了三天雨就成澤國，雨退後，又是一片荒原，從小兒就沒有受到山水美景的薰沐，學你拽句文來說：你欠缺樂山樂水的那分靈性。」遂又把話頭一轉，說：「我倒愛聽你說故事，你呀！你到生了一根說書人的舌頭。我近來常想，你萬一失了業，我真的願意陪著你去開書場。西門町的中華商場，有些茶座，到是好地方。」

「那你可就看錯了。」金土說：「若是真的去下場說書，我可就撐不起場子來。教書的只是說文解字，照本宣科，文字，聲韻，還有義理之學，都得有規有則，不是憑聰明憑口才，可以信口開河打溜溜的。」說到這裡，魯金土近來在教學上，受到一些批評，遂感慨出了一個意念，打從心底浮泛出來，馬上感慨地說：「認真說起來，教書先生這份職業，《笑林廣記》上，有一妙喻，可真是比喻得妙。說是東家有一長工，也略識文字，還會作詩。一天，下雨。長工打傘送教書先生回家。兩人一邊走，一邊閒聊。這教書先生聽長工說他會作詩，教書先生遂要這位長工，以雨天爲題，吟詩一首。這位長工偶一思索；遂吟詩：『山前山後雨濛濛，長工持傘送先生；酒席筵前分上下，兩筆工資一般同。』教書先生不高興，一個在田中耕地的長工，怎的能與我教書的先生相比？很生氣。見了媬母訴說這件事。媬母說：「長工阿土怎能與先生比？若是比起來，咱們倆倒一樣。教書先生不解，遂問怎的一樣？媬母說：『我們兩人都在這裡替東家哄孩子，豈不是一樣。』教書先生更加生氣，又不好爭吵起來。心中一時煩悶，便到妓家去尋樂，希望消下這口悶氣。忍不住又向妓女說起這事，妓女一聽，說：『你是教書先生，說起來倒跟我一樣。』教書先生一聽，馬上不解地問：『笑話，妳怎麼能跟教書先生比？』妓女笑了，說：『我們還不都是仗著一張嘴在賺錢，怎的不一樣？』教書先生聽了，越發地生氣，當時很想給她一巴掌……」

這時，梅蘭已悟出妓女說的以嘴相比的喻義，沒有等到金土說完，便起身嬌嗔地賞了丈夫一拳，說：「下流。」說著，便走出房去。

金土對於他近來教學生，學著用故事講解課文，學著用小說手段，寫作小故事，用來代替課文的宣講，竟然得到同事們的惡言惡語。遂想到教書這門工作，若是把它當作教育門類上的神聖職業來看，委實有幾分高估。北方人有句歇後語：「馬杓上的蒼蠅，混飯吃。」只要當作一份換取工資，可以養家活口的職業，奉公守法、盡忠職守，照著一般人的工作樣式去教，就可以了。怎能把理想在職業崗位上，去謀求一展鴻圖！

若是有錢，自己創辦一所合乎一己教育理想的學校，也許可以辦得到。再一想，還是尾隨著大家，在那條老路上走吧！「我可以把這理想，一篇篇寫成小故事，另外換取些微的稿費，作爲故事新編的小說處理它，不要再作爲教學試驗了吧！」

關於這些事，金土還沒有向梅蘭提過呢！

「電話！」梅蘭在房內大聲的叫。金土這纔聽到桌案上的電話鈴在響。他站起來走到桌案邊接電話，是周清波打來的。他說想到他家來，他的博士論文已經排成了書，要求魯老師替他寫篇序。

很長一段日子沒有見到周清波了。自從他進了師大文學研究所，碩士階段還常常來。碩士論文的題目，定的是《古文的章句說》。這題目的啓示，他在獄所擔任文書時，認識了當年在獄中服刑的魯金土，問到「章句」一辭，何以在古文學中，用得那麼普遍？不但五經，經經有章句專書，譬如《孟子章句》、《楚辭章句》，還有以人爲名的梁丘章句，大小夏侯章句，公羊章句，穀梁章句，有如民國以來的某某ＡＢＣ。當時的魯金土曾告訴他：簡單的說，章句的意思。就是是校點文句，別出古書章節句讀。便於後人閱讀。後來，「章句」兩個字，便成了研究文體以及文章辭藻上的一門大學問。當時在獄中服刑的魯金土，便提示周清波去讀劉彥和的《文心雕龍》，其中就有一篇「章句」。後來，魯金土獄外服役，晚間雖然與魯金土同房一些日子，卻沒有機會，與周清波討論學問，只是支離破碎的說到一些。在研究所時，定下了這篇論文的研究題目之後，曾向魯金土請教。偏巧遇上魯金土已在教書，工作非常忙碌。更由於那天周清波來，把劉舍人的這篇「章句」，從頭到尾，一句句向周清波譯釋一遍大義，以及章句上的辭章問題，曾讀到文中的「若乃改韵從調，所以節文辭氣」的「從」字，應讀「徙」，從，是形近相段的假借字。還有下面「昔魏武論賦，嫌於積韵，而善於貿代」的「資」字，應讀「貿」，資，也是形近相假的假借字。可是周清波下次來，竟老老實實向魯老師說：「我的老師說：『改韵』是從『字』起的，若是又改韵又徙調，不但文理不通，也不合樂理。」又『我老師說『資』字作貿字解可通，作資字解也通，資，取也。取代之也。』從此之後，魯金土知道自己錯了。周清波是研究生，有其業師，外人怎應嘵舌。」

可能周清波也體會到了。以後再來，也就避開去談及與其論文有關的問題。此後，考取博士班的這幾年，一面工作，一面兼課，一面研究，也沒有時間常到魯家來。這次，周清波要帶著他的博士論文來，請魯老師為他寫篇敘文，這時的魯金土連他博士論文的題目都不記得了。只聽到周清波在電話上說：「這篇敘文，非請魯老師寫不可。」也就只有讀到論文之後，再作決定了。

周清波到來之後，方始見到他論文的題目是「《文心雕龍》的文體論」，題目不小，翻翻篇幅，在二十萬言以上。他的業師已經寫妥了敘文，文中提到周清波的論文，多年前就受到魯老師的啓示，而且講受過不少有關文體的篇章。

魯金土這麼一看，越法的不敢作敘，只應允題幾個字，或者題寫書名，但卻同意留下書稿校閱一遍。可是，周清波坐下之後，竟然提起了「章句」篇中的「改韵從調」的那個問題。他說：「我在《開明書局》印行的《文心雕龍注》這個版本上，見到這一句中的「從」字，日本學人鈴木虎雄疑此『從』

字是『徙』字。」遂要求魯老師能向他談一談，這個句子若在義理上看，究竟『從』字正確？還是『徙』字正確？」這時魯金土想到周清波已取得博士學位，等於古時的學徒已出師，可以憑一己意念去創作了。遂說：「日久天長，我已經不記得了。這些年來，只在課本的課文上著眼，《文心雕龍》這部書，很久沒有摸過啦！」但記得曾要求周清波把他研究這部書的心得，用到這一章句上來。說：「也許我的理解是錯的。既有別人也早就疑到這個『從』字，應是『徙』字，也許那位日本人的看法不正確。我倒要聽聽你的看法呢？這幾年來，你應有非常深入『文心』的心得。」

「照一般人的解釋，都說換韵是爲了調子，」周清波說：「有一本語體譯文，也是這樣說：『按照調子的緩急，在篇中換韵』這譯句，譯義就是『從調』不是『徙調』。」

「那麼下一片語呢？」魯金土問。

周清波又唸下一句：「乃是爲的調節文章中的語氣。」

魯金土把周清波手上的書取了過來。仔仔細細看了一遍，交還周清波。說：「文章的章句，最講究的是文辭的組合。」遂向周清波說：「你唸一遍原文中，這兩個片語我聽聽。」

魯金土一時之間，便扳起了老師對學生的臉孔，還加了一句命令似的字：「唸。」

「若乃改韵從調，所以節文辭氣。」

周清波唸完這個句子，臉還沒有仰起，魯老師的問話又出口了。

「這語句的文辭組合，是四個字的辭組？」

周清波低頭看了看，仰面答說：「除了助語，應說是四字組成的辭組。」

「那麼你再唸一遍。」魯老師繼續命令著。

周清波疑怔怔地又唸了一遍。在語氣上，不得不唸成「若乃，改韵、從調，所以，節文、辭氣。」

魯金士笑了。說：「你感受到了吧！是幾個字一個辭組？」

「兩個字一個辭組。」周清波回答。

「關關雎鳩，在河之洲，窈窕淑女，君子好逑。」

魯老師吟誦了四句詩關雎，問：「這四句的片語，是幾個字一個辭組？」

周清波輕輕背了一遍，答說：「四個字。」

「像關雎這樣的句子，是四個字組成一個辭組的文句，沒有辦法把這一文句上下拆開來，作兩個字一個辭組來獨立其文義的。」喘了口氣又說：「改韵．徙調（或從調），節文、辭氣。本就是兩個獨立的辭組。上辭說『改韵』，下辭說『徙調』，這辭意指的是音樂上的調弦層次。在音樂上說，就是換另一宮調，在文學上說，就是換另一層詩情。在音樂上，既已換了另一宮調，那些和合奏鳴的樂器，都得重新調整，方能使樂器的奏鳴聲音，全都配合改換的宮調。在文學上，也是一樣的。文辭的音聲既已換了韵，下面的文辭，就得跟從上句的韵聲來協和。這種情形，從詩三百以降，楚辭，漢賦、駢驪，都有改韵徙調的辭章。文學方面，不但有韵的詩篇、辭賦、駢驪，講究音聲格律，散文也同樣的講究格律聲色。魏文帝在典論文中，就以音樂作比況，以『曲度』、『節奏』擬之文學。所以劉舍人也以『聲律』來比況文學。這裡劉氏舉出的『賈誼枚乘，兩韵輒易，劉歆桓譚，百句不遷。』都是文學藝術在章句上的缺點。」

「再說，」魯老師又換個問題向下說：「『節文辭氣』四字，也是兩字一個辭組，『節文』是一個辭組，『辭氣』是另一個辭組。由於『文辭』兩個字，在平時太親密了，總被視爲這兩字應是一組，然而『辭氣』，本來就是一個專用的辭組，遂被視爲是一組名辭。實則，它與上面的『節文』兩字，是同等類的辭組，『節』字作動辭用，『辭』字也同樣作動辭用。上語的『改』與『徙』兩字，是動辭，下語的『節』與『辭』兩字，當然也是動辭。不是這樣，又怎的能稱之爲『章句』藝術？」略一停頓，喘了一口氣，又說：「越是熟識的字辭，越是容易被忽略。像『辭』這個字，作動辭的時候，也相當多。但在這裡，它與『文』連在一起，遂被一般不諳章句藝術的人，便當作了名辭看。居然把『節文辭氣』譯成了『調節文章中的語氣。』實際上，『改韵徙調，節文辭氣。』是一個完整子句。分開來看，上下語共四個辭組，四組文辭要表達的是一件事。從文法上說，後語修飾前語，劉氏在兩個片語上，加上兩個助語『若乃』起而『所以』結。『若乃改韵徙調，所以節文辭氣。』如用語體譯述，文句似乎是這樣的：『至於詩文的換韵，步入了另一旋律，之所以如此，還不是爲了調節文情、理絡文氣嗎！』應知道『辭』這個字的動辭字義，是『辭，理也。』所以下面的語句是：『賈誼枚乘這兩人，在章句中用了兩次韵，就開始更換，劉歆、桓譚這兩人呢！寫上百句，也不打算換韵。只能說他們各有各自的章句觀，不能臧否誰是誰非的。……』」竟一口氣講了半個多小時，口沫都流溢到口角上了。

「魯老師，聽了你今天的訓教，我纔懂得了章句。」周清波跟著又問：「關於改韵徙調就是音樂上的換另一宮調，」他唸著手中的筆記說：「我不能明白。」

「古時音樂，由五音與六律，兩相和諧奏鳴。」魯金土說：「五音是宮、商、角、徵、羽。宮居中，土位，商居西，金位，角居東，木位，徵居南，火位，羽居北，水位。另有六律，六陰曰呂，六陽曰律，六陰六陽，合稱十二律（呂），換言之，十二律呂，依所生的月份，分佈四方（一季布三）。這十二律呂，不分陰陽（清濁—陰聲清陽聲濁），都有作主調入宮作君，統馭四方的機會。」又說：「譬如黃鍾律，論音聲之壯偉，它是十二律呂中的首位，可是，它也有不作君主，反而在另一律呂作宮主的時候，它就得作到臣民的地位。像夷則律作宮主，黃鍾在角位服役。夾鍾呂作宮主，黃鍾在羽位服役。無射律作宮主，黃鍾在商位服役。中呂呂作宮主，黃鍾在徵位服役。」魯金土看得到周清波的臉上，盪漾著一片雲霧。遂停下來，凝神又想了一下，說：「當樂曲的演奏，必須更換另組宮調的時候，所有應參予奏鳴的樂器，都得改變另一個可以符合樂曲音聲的需要，來調整樂器的音聲。文學上的聲律，也是如此。譬如《詩鄘風》的「桑中」，說著遂吟唱起來：「爰采唐矣！沫之鄉矣。云誰之思，美孟姜矣！」加以解說：『唐、鄉、姜』是同韻字，又吟唱下句：『期我乎桑中，要我乎上宮，送我乎淇之上矣！』」說：「句中的『中』叶諸良反，音ㄔㄤ，『宮』叶居王反，音ㄏㄨㄤ，『上』叶辰羊反，音ㄕㄤ。這詩的上段與下段，由於下段的改韵，吟唱起來，調子自然變了。使聽的人，可以感受到詩情的上下段，是兩種不同的情致。句尾『矣』字是語助辭，隋韻音變聲，吟作ㄏㄤ，下段吟作ㄤ。」遂又說：「我們應知道，文學上的『改韵徙調，』並不祇是爲了『節文辭氣』，首要的目的，還是爲了文（詩也是文）的情致需要轉折。因爲詩文的體氣有了文的轉折，自也像音樂的改換宮調，必須在樂器上入手調整，是一樣的道理。」

電話鈴聲響了。周清波跑去接電話，一聽是魯師母在外面打來的。魯金土這纔發現梅蘭出去了。一聽電話，說是她在陳家，晚上不回家吃飯，交代他如何在家中泡製飲食。近月來，她常向陳家跑，小雅與陳晃在韓國拍片呀！

周清波不肯留下吃晚飯，帶著一大堆音樂上的律呀呂呀的問題，以及「學不可以已」的鼓舞辭去。

他今年四十二歲了。家中在他讀初中時就給他訂了親，是小他三歲的表妹，這多年來音訊全無。也不曾想到另謀一位，只是全心投在求學上。他如今已獲得博士學位，朋友仍勸他成親，可也動不了心。雖然個頭兒小些，書呆子氣也重，但卻人人贊譽他是個老實人。聽說已有了女友，只是女家嫌他年紀大，又貌不驚人，積蓄又少。還在糾葛著呢！

金土獨自一人在家，廚房有電鍋，有煤氣，冰箱中有未吃完的殘餚剩羹，飯呀菜呀，放到鍋中一攪乎，有得吃，填飽肚子，真是太容易了。近年來，他在古詩文中尋到的小說故事，幾乎是俯拾即是。一篇篇可是寫了不少，也發表了不少。儘管在教學實驗上，受了挫折，可沒有阻礙他繼續地寫下去。可是一樣，小雅不是到韓國拍片，是懷了孕，讀了不到一年的藝專，也辦了休學，只是瞞著他，怕的影響他教學，去年，纔到師專啊！

到了晚上十一點鐘，金土放下手上的工作，這纔發現，梅蘭還沒有回來。這情事，可從來沒有過。搖電話給陳詒，家中無人接。一時著急起來，再撥一次電話，還是無人接。一時之間，金土急得渾身冒汗。

正準備騎車到台大醫院去，看看陳太太有沒有在醫院當班？剛穿好衣服，大門吱呀一聲，梅蘭回來了。

「哎呀天哪！妳到那裡去啦？」

梅蘭還是往常返家一樣，笑嘻嘻地，回答了一句：「我陪陳太太到金山，聽一位美國牧師講道去啦！」

「怎麼不在電話上交代一聲。」金土埋怨著說。「把我急死了。打算到台大醫院去找陳太太。」這一說，頓時使梅蘭震驚了一下，心想：「幸虧手術沒有費多大事，否則，金土一到，事情就瞞不了啦。」

小雅吃了藥，她要把腹中的胎兒打下來，險些兒送了命。虧了陳太太是外科病房的護理長，馬上送醫院動手術，沒有事啦！

「天晚了，快睡吧你，」梅蘭溫柔地要求金土先睡。說：「我得去冲個澡。」

等金土在雷雨中醒來，身邊沒有梅蘭。

房外雷聲，隆隆震天，狂風狹著暴雨，像是天裂了似的。這纔見到梅蘭從後面披著雨衣追來，說：「我去關孩子房間的窗子。雨太大了。」

雷聲像在追殺鬼怪，大雨像在委曲嚎啕。不大會兒工夫，便雷止雨停。等再醒來，天已大明，而且有朝陽的光暈，從窗外映射房來。金土正在懶洋洋地感到雙眼發澀，深怪昨晚的雷雨，吵得睡眠不夠，梅蘭從門外進來悄悄地向金土說：「外面的人說總統過世了。」金土一聽，馬上從床上坐起來，卻已聽到村中已有人在大放悲聲，嚎啕起來了！

梅蘭

玖 潤

一、歷史鏡鑑古今乎

整個暑假，魯金土全身心都投入《詩文中的小故事》這本書上，閱讀、查考、編寫、一篇又一篇的工作下去。他師專的校長葉博士，希望他能寫出這本書，由學校出版，作爲文史兩科教學的參考用書。

魯金土的觀點是，中國文學的體式，除了韻文、散文，還有駢驪一體。比其他各國的文學，祇有韻文、散文兩個體式，還要多出了一種。但在這三種體式的文學門類中，全都蘊涵著屬於「小說」藝術的故事形態。而且全具小說藝術的精神，既塑人，又述事。

還有一點，魯金土認爲「小說」與「戲劇」，他們的藝術手段，都是塑造人物性行（內外形像）的文學，兩者的不同，只是在各自運用的文學體式上。尤其歷史上的「帝紀」與「列傳」，更是小說藝術之祖。所以，《史記》更是魯金土寫作這類小故事的材料。

當他在帝紀上讀到楚霸王項羽，在十里山突圍到陰陵這個地方，所率大軍只餘下一百餘騎，劉邦的追兵數千人，還緊緊追在後面，又迷了退路的方向。問錯了人，被騙到大澤中，進退失據。好不容易走出大澤，到了東城，身邊只剩下二十八騎隨從。在此時際，司馬遷的史筆，還爲項羽寫了一段英勇蓋世的英雄史蹟。可是，他記得他的松三爺曾說：

項羽只是一位勇於衝鋒陷陣的常勝武夫。

司馬遷把項羽列入「帝紀」，而且放在劉邦的前面，這一安排，引起了後人的推論。

推論起來，在《史記》的目次上，除了「項羽本紀」，還有「呂后本紀」與「孔子世家」、「陳涉世家」等篇。按項羽伐秦稱霸，卻沒有帝臨天下。滅秦後，返都彭城，也祇是繼楚稱王。列入帝紀，自應是司馬遷的史觀。像呂后，只是高祖的皇后，怎能專文列入帝紀？可是呂后有專權之實，像項羽一樣，滅秦後，雖未稱帝，當時天下大政，確由項氏發。儼然帝王，曾大封諸侯，劉邦的漢王，都是項羽封的。他自立為西楚霸王。照史實說，項羽雖無稱帝之名，倒有君臨天下之實。惜乎被人稱之為：「沐猴而冠耳。」

司馬遷是史家，遂以春秋書法，用「項羽」的名號作「本紀」，列在漢高祖的本紀前面。又為「呂后」寫了一篇「本紀」，放在「高祖本紀」後面。楚漢滅秦有天下，漢劉邦反而坐了皇帝，在位時，呂后又專權一時。《史記》的目次，看來，確是有其深長的涵意。卻也不無春秋之筆的褒貶？

陳涉是起義滅秦的首要人物，司馬遷把他列入「世家」表彰，也是用的名號。在《史記》的十二篇「本紀」，祇有「項羽」一位，是用名號列入「紀」的，卅篇「世家」，也祇有「陳涉」一位，是用名號列入「世家」的。論起來，雖是史家的認眞考量，若把孔子也列入「世家」，併而論之，那麼，「項羽本紀」與「陳涉世家」的祇用「名號」（項籍字羽，陳勝字涉），書於史冊，不能說這書法不是司馬遷的春秋之筆。「褒」，列之與帝王竝肩；『貶』，與鄉人同類。

金土記得，松三爺一再說，項羽在司馬遷筆下，只是一位歷史上的魯莽將軍，只會衝鋒陷陣。寫他走出大澤，到了東城，身邊只賸下二十八騎隨從。爲了要向身邊的二十八騎隨從，證明他的失敗，不是因爲他不會打仗，是老天爺要滅亡他。還爲項羽寫了這麼一段英勇無敵的故事。

項羽向身邊的隨從說：「我起兵伐秦，已經八年了。經歷了大小戰陣七十幾次，所當者破，所擊者服，從來沒有敗過。我是西楚的霸王，想不到今天會落到這步田地。這是上天要滅亡我，不是我在戰爭上失敗了。」遂又勇氣十足的向身邊二十餘騎說：「我來為你們斬將砍旗，決一死戰，向諸位證明我失敗，不是因為我不會打仗，是上天要滅亡我。」說過，便下令布陣，二十幾騎分成四隊，四路衝向漢軍。這時的漢軍，已圍上好幾層了。說：「看我去斬殺漢將一員，你們在山的東方等我。」說著就大吼一聲，驅馬馳入漢陣。項王驅馬到處，漢軍陳式，無不被項王的威勢，衝得四奔潰散。一時之間，就斬殺了漢將一員。另一員漢將追趕過來，項王返馬勒繮瞪大雙眼，大吼一聲：「你有胆？」這員漢將連馬都一時勒起，高豎前蹄，駭得吼叫，不敢交戰。項王這纔會同了手下的二十餘騎，分作三處突圍。項王在突圍時，又斬殺了漢軍一員都尉，殺兵卒數百人。然後，再聚其隨從東奔。這一戰，只損失兩騎。隨從各人，無不懾服。

後來，項羽雖然衝出漢軍的重圍，到了烏江。江邊有船可渡，烏江亭長還勸項王渡江回到江東，重整旗鼓，再圖大事。項羽竟然感到當年由江東率領了八千子弟兵，西出滅秦，如今嬴秦雖亡，而自己卻敗在自己人手下。八千子弟兵一位也沒有帶回來，自愧羞見江東父老。回到江東，縱然父老們憐念他，願意協助他重整旗鼓，再圖恢復，自己也覺得沒有臉面，去見江東父老。遂自刎在烏江。

司馬遷為項羽寫了這麼一個結尾，項羽遂有了這麼一個英雄形像，永垂不朽。細細讀來，深深想來，項羽，也只是徒有勇武之力而已。

魯金土還記得當時王貞一同學提出了問題，問：「那時的項羽若是回到江東，重整旗鼓，能不能再與劉邦逐鹿中原？」

「你問的是歷史上沒有發生的事。」松三爺那時回答說：「人生的事態，隨時跟著機會運轉。我們中國的先賢大儒，按宇宙人生的無常變化，繪製了兩個代數性質的圖，一個叫『河圖』，一個叫『洛書』。這兩個圖上的布數，都是從一到九。但『河圖』的布數圖象，代數是相對、相尅，『洛書』的布數圖象，其代數又是相對、相生。同一類的數字，由於布位不同，生尅遂也易位。宇宙人生的事態變化，相尅相生的易數產生，是無常的，突變的；不是永常的，不變的。別說人不能預先測知，就是付諸演算、卜筮，問鬼求神，也不見得能得到正確無誤的答案。所以我們人生中的輿論，有『蓋棺論定』這四個字。說起來，楚霸王項羽是一位可以『蓋棺論定』的人物，可是歷代以來，論斷項羽的人，確是屈指難數。不但有史家論斷，還有小說家戲劇家來塑造他。歸結起來，對於項王的論斷與塑造等詮釋，無論人品、功過，大多以《史記》爲依歸。」又說：「至於《史記》所書，半屬文學、半屬歷史。若以人物來說，則又半是史傳、半是說部。我們若是認真去讀讀《史記》中的本傳、世家與列傳，可以感受到，史遷筆下的人物，在人生世態上，有不少地方是出乎情理的。我們若是認真去讀，必然會有所發現。像唐人司馬貞的索隱，就詬病項羽並未踐天子之位，不應列入本紀，只能列入世家。後則又有人指摘司馬貞的說法不對。寫史，稱天子史爲『本紀』，是司馬遷創始的，此一史書，前無古人。司馬遷之所以把項羽史傳列爲『本紀』，與秦皇、漢高並肩，是從歷史的傳繼統續上著眼的。史氏在自序文中，已經表明，說：『秦失其道，豪傑並擾。項梁業之，子羽接之。殺慶（宋義）救趙，諸侯立之。誅（子）嬰背懷（王），天下非之。作項羽本紀七。子羽暴虐，漢行功德，憤發蜀漢，還定三秦。誅籍（羽）業帝，天下惟寧，改制易俗，作高祖本紀八。』至於呂后，說：「惠（帝）之早霣（殞），諸侯不台（怡）。崇彊祿產，諸侯謀之，殺隱（王）幽友，大臣洞疑，遂及宗禍。作呂太后本紀第九。』再者陳涉（勝），說：『桀紂失其道，而湯武作；周失其道，而春秋作；秦失其政，而陳涉發跡；諸侯作難，風起雲蒸，卒亡秦族。天下之端，自涉發難，作陳涉世家第十八。』可以說，史記之所以列項羽、呂后入於帝王『本紀』，已經序說明白，是基於歷史的事實。『周有天下，秦滅之，而統在秦；秦有天下，楚項羽滅之，而統在楚項；楚項滅而天下之統歸漢。』再說：『羽入咸陽，殺子嬰（秦後），燔秦宮室，於是分裂秦疆，令天下五年。此五年的統繼，非項羽誰屬？項羽理應登上本紀，列在漢高之前。呂后雖未篡漢，專朝政，令天下，則是事實。司馬遷也把呂后列入本紀。認真說起來，司馬遷之所以把項羽與呂后也列入帝王本紀，應說是史家的史筆。」遂又說：「值得推究的是，史遷以『項羽』、『陳涉』兩人的名號書之史冊，這一筆，纔是我們要去推論的呢！」遂瞪大了眼睛，等著我們回答。

半晌，都沒有人回答。松三爺這纔說：「你們不是讀過公羊傳的『宋人及楚人平』這一篇史傳嗎？」魯金土這纔想到松三爺一開頭就說：「項羽只是一位勇於衝鋒陷陣的常勝武夫。」意思就是說司馬遷筆下的項羽、陳涉這兩個人，在史跡上，可以列入帝紀及世家，但這兩人在這段歷史上的作爲，只能算得是一個普通人。像楚莊王圍宋，楚大夫司馬子反與宋大夫華元，兩人竟私下達成和議。雖然免去了一場戰爭的災難，可是身爲臣子的人，沒有在外與敵方私自簽訂和議的權利。所以孔子作春秋，祇以『宋人』及『楚人』貶稱宋大夫華元與楚大夫司馬了反。那麼，司馬遷據史實，把項羽寫入帝王本紀，把陳涉寫入王侯世家，可是這兩人在作爲方面，並不足以成帝業、封王侯。遂也援用了春秋書法，書其名號，不書其王位。經過松三爺說出「宋人及楚人年」這一春秋經句，方使學生子領悟到，《史記》上的「項羽」本紀與「陳涉」世家是春秋書法。魯金土這時還記得松三爺告誡他們說：「讀書若是不能觸類旁通，休想寫出好文章。」跟著又琅琅誦讀了孟子的這一段話：「君子深造之以道，欲其自得之也。自得之，則居之安，居之安，則資之深；資之深則左右逢其源。故君子欲其自得之也。」

在臺灣這二十幾年來，人們往往把國共的這段鬪爭，與楚漢之爭的歷史，兩相比擬。尤其以蔣與項比，更是不能相倫。但世人把史遷筆下的項羽，看作歷史上的英雄人物，也似乎大有距離。特別是戲劇，連臉的圖案，不但爲他創意了一張獨一無二臉譜，所謂「無雙臉」，他的臉譜特色，也祇有黑白分明的兩色，臉上的黑色條紋，也用壽字來表達項羽的不壽。（項羽死時年方三十三歲，正當青春壯年也。）實際上，項羽在司馬遷筆下，貶語多，褒辭少。

項羽是將門後裔，可是史遷寫項羽兒時，只是一位紈絝子弟。學書不成，學劍又不成。他叔父氣他不成才，他居然能說出「書，足以記姓名，劍，只能一人敵。都不值得學，要學學萬人敵。」他叔叔雖然教他學習兵法，可是司馬遷筆下的項羽，只有衝鋒陷陣的勇猛長才，而且性好殺人。每次戰勝，占了城池，總是殺人盈城，動輒坑人萬計。又喜歡放火焚城，咸陽宮的一把火，燒了三月不熄。雖然起兵八年，打了大小戰役七十幾場，總是所向無敵。那只是敵對亂軍敗將，一經面對兵家布陣，他就一敗再敗。我們能不問他學的「萬人敵」學到那裡去了？像這些，在司馬遷筆下，都顯得前後矛盾，更覺得史遷筆下的項羽，不像一位歷史上實有的人物。若說：「這是司馬遷的史筆。」豈不也是「創造。」

「歷史上當然有這個人物。」松三爺曾經這樣答說：「至於項羽這個人物，是不是司馬遷筆下所寫的那麼樣的一個人物？」在字裡行間，我們後人可以尋到不少問題。像結尾的這一段，寫項羽向隨從的二十八騎，來證明他的失敗不是他在戰爭上的失敗，『乃天亡我』。若以史筆論，馬遷的這種寫法，很顯然地，只是在以史筆指出項羽這個人物，只是一位『力能扛鼎』的力士，他個人提刀上馬，衝鋒陷陣，所向披靡，這些戰場上的勝利勳功，全是個人的，還算不得是『將軍』的。將軍的勝仗，並不仰賴一己的『刀槍棍棒』有無敵的長技，仰賴的還是戰場上的布陣，更重要的還是能知己知彼。在大戰場，取勝的不是蠻力而是智慧。關於這一點，司馬遷的史筆，已寫得非常清楚。他自封自己是『霸王』，除了自己，其他任誰都不如他。氣得助他出點子的范亞父氣死。我們在筆墨上讀來，雖然覺得他的史筆，對項羽未免太刻薄了些。但司馬遷對於項羽這個人物的哀惋，無不字字隱藴著他的同情與悲歎！在項羽的兵力四十萬，劉邦只有十萬之眾的實力懸殊之日，而且有人建議他：「關中阻山河四塞，土地肥饒，王天下之地。」他心裡所想的，竟是：『富貴不歸故鄉，如衣繡夜行。』遂大封一番，自立爲西楚霸王，把關中交給漢王劉邦，他搬兵還鄉，以彭城作爲西楚的國都。早已忘了他小時候說的，將來他要取代秦始皇的豪語。到了真的可取代秦始皇作皇帝的時候，竟被『西楚霸王』的那一點點兒富貴，便填滿了他的此一理想。何以要返都彭城，彭城是他的家鄉。」

又語：「我們在項羽的『本紀』中，讀到了這些史筆，當可想知司馬遷筆下的楚霸王項羽，是個多麼渺小的人物！」

想來，人世間的那句俗話：「蓋棺論定」這四字真言，也算不得定論。那麼多的古之聖賢豪傑，不也跟著變易的時間與空間，被變易著他們不同的論定嗎！

魯金土回想起那天，梅蘭告訴他：「蔣總統過世啦！」還說：「村子裡有好些人在大哭！」他當時聽了，自己也一時悲上心來，頓時淚流滿面。顫巍巍地口唇，一句話也說不出來。連沈靜著進房來的梅蘭，也受到感染，坐下來擦淚，跟著，竟嗚嗚吃吃地哭起來了。

終於，金土與梅蘭兩人，相擁著哭！哭！哭！任何語言都沒有出口，只是哭！哭！哭！哭得從來沒有那麼傷心！而且是兩人都有悲從衷來。

哭了一陣子，停下聲來，梅蘭說：「不知道我媽還活著不？」一邊說還一邊抽咽。金土也說：「在那麼多三反，五反的鬪爭大會上，俺爹還能活著嗎？」

房外巷道中，也有嚎啕的哭聲！

在書上說，皇帝崩逝，萬民如喪考妣。金土體驗到了。他小時候，曾被派到縣城，去火車站送孫總理的靈櫬，靈車在車站停了三分鐘。月台上雖擺有香案桌，焚香燃爆行鞠躬祭奠禮，並沒有見到有人哭。但蔣總統的葬禮，一路上夾道百萬人，自動自發，身穿重孝的男夫女婦，真格是如喪考妣那樣哀哭！

項羽當年，失去了他的八千子弟兵，到了烏江，身邊可能連二十騎也沒有了，祇有以死作結。蔣總統還有六十萬大軍，以及兵艦運來的黃金噸計。臺灣的土地，雖然沒有江東區域大，倒有海洋的險要，還有四通八達的通商環境。二十多年來，卻也經營出另一氣象。遺憾的是，在大環境上，應驗了《自由中國》的反攻無望論，六十萬子弟兵，除了落地生根，何年何月纔能重返家園？連下一代也未必能替父祖完成此一心願。

「總統，你老人家撒手走啦！誰帶我們回大陸啊？」

在路邊跪祭哭靈的人，可以聽到他們在嚎啕中，說出這些話來。

這幾年來，當局已絕口不談反攻大陸，海峽上的空戰，也不再發生。海峽有美國的艦隊巡弋，不祇是防阻大陸的共軍攻打臺灣，也不准臺灣的軍隊突擊大陸；飛機都不准越界。美國人只希望臺灣屹立在海上，鰲頭獨仰，永遠永遠看守東方太平洋。

「一年準備，兩年反攻，三年掃蕩，五年建國」的響亮口號，二十五年來，已如水樣流逝！八千子弟兵的第二代，不但長大成人，有的已孳生了第三代。也有不少人在期待著凱旋榮歸，與那一別二十餘年的春閨夢中人，重圓家室之樂。雖明知彼此都已年近半百，齒搖髮斑，還不忍相違。烏衣巷的王謝人家，何嘗是建康土著？這島上的居民，無論操漳泉語言、或操潮汕語言者，徙居於此，最早隨同鄭氏來的，也不過四百年，繼之者，晚的清末民初而已。但在這四百年歲月史蹟上，島上的土著，所謂「山地」各民族的「原住民」，竟被囿於山區，反而成了這海島上的化外之民。像這樣的歷史現實，推想起來，不是還殘餘著原始社會的優勝劣敗史蹟嗎！

實際上，世界上的每一處有人居住的地方，居戶人民，十九都不是當地的土著，如果以自有那塊土地時候起，他們就是那塊土地上的生民，可能少之又少。都是各隨各自的生存環境需要，由東西遷來，或是從南北徙來。今天的美國之所以強大，正因為他的國策不講民族主義，來者不拒，古諺：「海洋不擇細流所以成其大，山巒不讓粒土所以成其高。」遺憾的是，美國人竟不能化解他們白色人種的膚色歧視。勢將因此減弱國力。

人類最重視的是家族。雖已徙家居於此處千年，已一代二十代，還不忘他的原籍是何省何郡？連曾任菲律濱總統的柯拉蓉，訪問中國時，還不忘到福建去尋覓她的家族根源。她知道她本姓許，祖上在未徙居菲律濱以前，叫何名字？都追尋到了。報上刊載一則琉球居民，必須歸化日本，放棄本來的中國姓名，改爲日本人的姓氏名號。一位姓陳的人家，在不得已之下，改爲日本姓氏「東鄉」，爲的東鄉二字，還有他家「陳」姓的左右兩個偏旁。竟是如此用心良苦的來保存他們中國家族的這一點點根源。說來，這不也是近世來的悲劇！

魯金土也是在這次國共爭國的戰爭失敗後，隨著蔣總統的殘軍敗將，東渡到台灣這個島嶼上來的，卻也在艱苦的克難生活中，渡過了二十餘年歲月。早就知道「反攻大陸」、「凱旋返家」是無望的，蔣老頭兒這一死，八千子弟兵的家族們，之所以一家家如此的傷心悲痛！魯金土深深體會到了，他們的悲痛嚎啕，如喪考妣，並不是悲痛蔣總統的死，大都傷感於各自在背井離鄉這麼多年，已苦無返回家園的機會，他們也將會跟著歲月老死在這裡，下一代個個都沒有大陸家園的意念。他們不但終生是一位漂泊異鄉的人，死後還是一位漂泊異鄉的鬼。下一代，也像早於他們來到這島上的人一樣，菟絲似的攀附著環境下的任何東西，都會落地生根，孳衍下去。生生死死，雨露風霜，都不是他這老一代能代他們設想到的。所以，當蔣總統過世，他們無不百感交集，兔死而狐悲地哭！哭！哭！

轉瞬間，暑假過去了。魯金土傾其全力來編寫詩文中的小故事，由於時代的感觸，在這炎炎長夏的時日裡，著力於楚漢之爭的兩個人物身上，耗去的精力最多。在一般人的唇齒間，流傳出的輿論，總是認為項羽的失敗，敗在他為人誠實，受了劉邦的欺騙。項羽若不是臉皮薄，藏不進他兵敗後的羞慚，怕見江東父老。他若覥起大臉返回江東，憑他那驍勇善戰的刀馬，年紀還只是三十三歲的精壯漢子，怎能說項羽不會再有復興之日？一位清道光年間的史論家江陰沙定峰，曾將項羽與李密（隋唐時人）並論。說：「項羽李密，皆有統天下之才。能亂之不能弭之也。斯人不生，無以亡秦隋，斯人不死，無以興漢唐。」魯金土讀到這幾句史論，認為恰可引來論斷蔣、毛二氏。蔣，有統天下之能，無治天下之才也。毛，不但有亂天下之能，更有弭亂之才。紅衛兵的文化大革命，毛是釁亂禍首，以血弭亂，毛是懸令之皇。蔣氏戡亂，毛氏釁亂，目的都是相同的，一句話：「為了皇帝之位。」天下之人民，眾如地上草，踐之不死，只要根下有一撮土，芽上有一滴露，就能卑賤的活下去。所以天下的人民眾多。正因人眾，「人民」二字，遂成了他們皇位大纛上的「保皇」圖騰。

學期開始的第一堂課，魯金土怕的講說項羽的故事，會引發學生提出問題，不容易作答。課本上有一篇柳宗元的「封建論」，這篇文章，與今天的治國者，掛在口唇上的「民主」，或多或少還牽連著一些理論上的關係。給學生灌輸一些有關「封建」問題的知識，或可幫助學生對「民主」一辭的認知。

「天地果無初乎？吾不得而知之也。生人果無初乎？吾不得而知之也。然則孰為近？曰：有初為近。孰明之？由封建而明之也。……」魯金土口沫四飛地講完第一段，便發現學生的聽課興趣，索索然！木木然！第二段講了一個開頭，講到「必將假物以為用者也。」這一段的「假物」一辭，雖反反覆覆講之再三，遍視學生的神情，大半都是迷惘的，遂暫歇下來，改說武王伐紂，紂王自焚的故事。

也有人要求：「老師！我們教小學的師範生，還是照著老師教學的方式，一面教我們唸古詩唸古文，一面教我們學著講故事有用。」

當魯老師笑嘻嘻地在第二堂課，改講武王伐紂的故事，還沒有講到一半，魯老師突然間，口唇顫動，舌頭也在跳動，只是講不出字音來了。

魯老師自己也覺乎著口唇有些異樣，怎的上嘴唇張不開了？軟沓沓地下搨，下嘴唇也在向下掉。半個臉都有些兒痲痲木木地。起先，學生見到老師伸手去摸他的口唇，這時，學生纔驚異到，老師的臉型怎麼變了？嘴唇怎麼張不開了？怎麼說不出話來了？遂有不少學生大喊：

「老師！快去看醫生，你的嘴不對！」

二、領悟人生的代價

魯金土這一突發的病症，醫生說是面神經痲痺。

病因是控制面部左側肌肉的神經發炎，遂導致了左面部癱瘓。只知道它是來自腦部的神經，穿過耳根後的腦骨小孔，到達面部肌肉。由於這條神經系統病人，原本可以通過這條神經，可以傳遞到面部的信息，突然被阻礙在耳根，面部的肌肉，失去了神經的運作，就不能達成收縮的功能，便形成了一側面部的鬆弛，眼皮也無力開合。沒有病症的另一側眼臉，肌肉還在神經樞鈕上運作著，因而便把嘴拉向他那一側，臉的型狀，也就歪斜起來。

醫生說：「這不是大病，威脅不到生命，不必使用針藥，休息幾天，用手在頭部、面部、耳根，輕輕地按摩，自己會恢復正常。」又一再關照說：「得多多休息，病雖不重，眼斜、嘴歪、說話、吃喝，都感到不方便。特別是不便出門應酬，到辦公室處理公事，也有妨礙。」當醫生知道魯金土是位教學的老師，更是警告著說：「你這情形，可是不能再去上課，得好好休息。」又說：「這病沒有藥醫治，因爲這病是神經方面，怎麼會產生這神經系統的病因，到如今，醫學方面還弄不清楚，自也沒有醫治它的藥物出現。就怕三幾個月都不能恢復正常，會影響人的生活情緒，再惹出了別的病症。最要緊的還是稍安勿躁，也許三五天就恢復了正常。」

醫生倒很認真，又爲魯金土檢查了心臟，又要病人借著這個機會，作一次健康檢查。五十七八歲的人，老人病會逐步出現。原來可以不必住院的，卻也藉此機會，收下了魯金土這位住院的病人。

這病的乍一出現，可是有點兒諕人。不但病人本身，突然在講課中，說不清要說的話，覺乎著有半個臉在麻木，眼皮也睜不開，一時不知這是怎麼會子事？教室中在聽課的學生，也突然見到在講課中的老師，說不出話，臉形突然歪斜下來。自然會有人驚訝的喊：「老師你怎麼啦？你的嘴……」當時的魯金土，無論怎麼鎮靜，心神也會有面臨著死亡的心理威脅。有人喊：「趕快送醫院！」就有人趕快跑出教室，去到校外去叫計程車。

一時之間，教室的學生咭咭喳喳，像蜂籠似的，連隔壁教室也聞聲驚異，跑出教室來看看是怎麼會子事。魯老師坐在椅子上，支起一隻左手捂著左臉，舌頭老是伸出縮進地去舐那麻痺的口唇。一直等學生們還有其他的老師們，走來七手八腳的把魯老師攙到計程車上，由三個學生護送到醫院，經過醫生說出了病情，大家這纔放下一顆疑神疑鬼的心。有人說，這是心臟中的血脈流暢不正常造成的。數年前，一位黃老師就是在講課的時候，心臟病突發，死在講台上的。講著講著，只說了一句：「我得停一下，」說著便癱倒在地，從此便沒有醒過來。

另外，還有學生到魯老師家報凶訊呢！

年來，魯老師家中，經常無人在家。大小子在桃園國際機場上班，二小子派到香港去了。這兩人都在中華航空公司站櫃臺。老三服役去了。老四小雅的那件故事，到如今還瞞著老爸一個人。

當時的現象，從外在看起來，相當嚴重。一個人正在神情飛揚時，站在講臺上講課，突然間眼臉麻痺，口不能張、舌不能聲，覺乎著整個臉在麻木。這一突發的症狀，給與人的驚恐，真是如同面對死神降臨，一時心神恐慌，幾乎癱瘓下來，昏昏沈沈地坐著。等到學生們咕咕喳喳地喊來計程車，攙著坐在椅上的魯老師，架入車內，魯老師竟然說：「不要緊！」舌唇已能言語，只是吐音不清。但護送他的三個學生，卻已聽到魯老師能夠說話。便高興地說：「老師說話了。」

另外，也有學生騎車跑到魯老師家去報信。學校醫務室的校醫是兼職，只有一位專任護士，也隨後叫車跟到醫院去。獲知魯老師的病情，並不嚴重，只是面部左側的神經麻痺，不用藥物治療，也會自己痊癒的。這時的魯老師，一時驚慌的神情，已經鎮定，也能說話，但言語出口，像流水遇到了外物阻塞，聲音異樣。看得出左眼到口唇，都向下歪斜著。臉型變了樣，看起來，已不像魯老師了。

住院的手續，是林護士以學校的名義辦理的，沒有先收保證金。當魯老師已安置在病床上，注射鹽水針藥，兩個到魯老師家中報信的學生，已陪同魯師母到了醫院。還有王泰山的太太陳秋妹跟著。她陪同兩個學生到中華幼稚園去找梅老師的。

梅蘭到了醫院，見到魯金土時，病情已經穩定，而且正常，除了左側的眼臉，因爲神經麻痺，左邊半個臉都鬆弛下來，眼也斜了，嘴也歪了，說話已吐字不清不楚，其他看去，都還正常。這病只是左側臉的神經，一時未能從耳後傳遞過來，缺少這分神經協助臉上的肌肉運動，遂造成了這種眼斜口歪的現象。醫生說隨時可以復原的。儘管醫生是這樣說的，梅蘭見到先生這種眼斜口歪的樣子，總覺得這可不像是一種小毛病。既已住院，知道晚上不能回家，遂告訴阿土說，得通知孩子們。魯金土則認為不必要，告訴梅蘭說，他這病情，本來不須住院，醫生肯留下他，只是借此生病機會，作一次健康檢查。孩子們都有自己的工作，東一個、西一個，犯不著去攪擾他們，妨礙了他們的工作。

魯金土祇知道在臺北工作的，只有雙喜一個，他不知道小雅也在臺北，而且，這學期已復學，正正式式，作一個常態的學生，按時就班地到藝專去上課。轉了科，這一切都是電影公司暗中安排的。轉學到國樂科，人卻住在淡水一處天主教會的修道院，小雅已放棄了作電影演員這一夢想。這次事件，使小雅傷透了心。從事情發生到今天，快一年了。梅蘭為了隱瞞這件事，不讓爸爸知道，曾經製造了兩次謊言，先說是小雅跟著公司到韓國拍片去了，過了兩個月，又揑造了一封小雅從美國洛杉機寫來的信，說是她與陳晃還有另兩位女演員，一共四人被借到好萊塢，參加拍攝一部越戰影片，要半年以後纔能回來。實際上，小雅並沒有離開臺北。

電影片是一部劇情片，決定到韓國拍外景，劇中有小雅與陳晃的戲，確是事實，報上的影劇版，也有消息與演員名單公布。到美國好萊塢去參加一部越戰影片，華影派去四位男女演員，其中有小雅，也實有其事。全由於小雅的這次懷孕事件，竟把所有的安排，化為灰燼。

一天，在攝影棚中拍內景，小雅忽然嘔吐起來。

原以為是晚間在海鮮館的那一餐，吃壞了肚子，服幾粒保濟丸或正露丸，就會好的。怎的想到這一吐開始，居然不能休止。每天一早就噁心得非吐不可。腹中沒有食物也吐。這纔有人懷疑到這小丫頭的肚子裡，有了搗蛋鬼了。

只有小雅的男友陳晃不相信，他算得出來，時間不對。正因為他們在影片中，排上了腳色，不得不在這方面加以小心。萬一發生了這種事，影響了拍攝的工作，豈不是傷害自己。所以彼此在生活上，已經相互告誡著，要時時冷靜，保持著這一距離。可是，事態的顯現，不得不使陳晃發生了懷疑。正要去質問小雅，小雅卻倒下來了。

當一個又一個女伴，去問小雅是不是不小心，給肚子添了麻煩？小雅雖然一再否認，說：「決不是。我像母親一樣，腸胃敏感得很，過兩天就會好的。」暗中，卻竟自旁敲側擊地，問到了一個墮胎的偏方，說是一發現了懷孕現象，到中藥店買來四兩紅花，沖滾水喝下去，三幾小時之內，上個一兩次廁所，拉兩次血水，管保沒有事。大不了請一天病假，在床上躺上一天，就會恢復正常。小雅就照著這個辦法作了。

她可沒有想到，四兩紅花喝下去之後，居然坐到馬桶上，暈死過去，久久沒有醒來。幸虧被發現得到早，否則，小雅便會血崩在馬桶上，就此一命嗚呼！

送到醫院，忙壞了兩家的母親。這時，魯金土剛到師專去上課，梅蘭向陳太太關照，要求知道此事的陳詒先生，無論如何不能告知她先生，尤其是未婚的女兒，有了懷孕小產的事，他若是知道了，會氣死過去的。

小雅的這次事件，失血太多。醫生說，需要輸血補助。女孩子的這種病情，如同坐月子，不能讓她的健康，從此留下了病根。偏偏地，小雅的血液，驗了三次，都不易確定她是AB型，還是A型，或B型。母親的血型是0，父母的血型是AB型，有時檢驗偏於AB。第一，不敢把此丟臉的事，告訴父親。再說，魯金土的體型，一向瘦弱，也不能抽他的血，陳晃的血型是B，年紀又輕，身體又壯。可是陳太太知道，這話也啓口都不敢。當小雅被送到醫院急救脫險之後，陳太太在家曾經責備兒子，竟然闖下了這麼大的禍，險些兒把人家孩子的命給送了！

「媽！」陳晃聽了他媽的責備，冤屈地雙膝跪了下來，說：「你冤枉了我。這禍不是我闖的，媽！你相信我。這種事，我難道還計算不出來嗎？五個月以前，我們兩人就相互約束著，在拍戲的日子裡，要保持距離，數月以來，我們兩人沒有犯過錯。也許小雅不是懷孕，她害怕，吃錯了藥。」

陳太太一聽，一時啞口無言。在動手術時，她在開刀房，手術的紀錄，告訴了病情，現象是懷孕。既然兒子如此鄭重的跪下來，向媽媽表白他沒有闖下這次的禍，那顯然是另有其人。小雅的這種冒失失的行爲，除了肚中的東西，阻礙了她的戲劇工作，又怎的沒有想到怎能遮掩去陳晃的這一關呢！推想到這裡，忍不住雙目落淚，一來爲了兒子的無辜被責心酸，卻也爲魯家這個年紀纔十八歲的女孩子被騙，更加感到心酸。她想到，還不知道事實的真像，是怎樣發生的呢？聽到兒子還不相信小雅懷了孕，認爲她怕是懷孕，纔吃了墮胎藥。也正好不向兒子說明，免得與魯家失去多年來的友情。遂彎身抱起了兒子，嗚咽著說：「起來！我也相信小雅是害怕失去了這一次電影的拍攝。」攙起兒子之後，擦擦眼淚，又長歎了一口氣說：「小雅這孩子真傻！險不些兒把命送了！」

但這件小雅懷孕的事實，陳太太卻詳詳細細地把手術經過，告訴了魯太太。還說：「陳晃不相信小雅懷了孕，認爲小雅只是怕懷了孕，這纔做出了這件傻事。」因此，陳太太一再向魯太太表白，說：「我們兩家原先約定的兒女親家，只要兩個孩子心不變，我與陳詒不會改變的。」

梅蘭聽了，伸手去緊緊握著陳太太的手，半晌半晌，只用一雙淚水濕濛濛的眼睛，向陳太太表達內心的感動，抽搐了兩次口唇，纔歇斯的里地說出了這麼一句：「我不能瞭解小雅怎的會這麼糊塗！」又說：「我會問她的。」

「萬不可如此。」陳太太馬上阻止說：「女孩子的這一分自尊心，我們作父母的必須替孩子珍藏，更需要的是曲護。」又說：「我看小雅在改變，她曾向我表示，她身子復元後，不再去拍電影了。」說：「還是我爸爸的想法對。我要去讀書。」

陳太太的這番話，正是梅蘭的想法，只是當陳太太向她道出了手術的經過，確實是小雅懷了孕，她如果不說出「我會問她」這句話，其他還有什麼話好回答呢？當她聽到陳太太道出了內心中的這麼一番說詞，怎能不感動得淚流！可是小雅已失身於別人，這不貞的行爲，像鐵烙刑具烙印在作母親的梅蘭心版上。她想：「這個烙印，比真正的刑具烙印在肉上，還要令人痛苦！烙印在皮肉上的傷痕，可以遮掩，烙印在心上的傷痕，是永生赤裸在心上的。」

由於傷處發炎，不得不動第二次手術，又不得不取下子宮。這一傷害，對一位十八歲的少女的健康，心身方面的實處虛處，都損傷得太大。起先，這一層手術，沒有告知小雅，做母親的梅蘭，怕的告知了孩子，會使小雅承受不了，發生意外。同時，雷影公司方面，也怕此一事件曝光，一旦扯出真相。影響所及，卻又不祇是演藝圈失色，尙涉及其他層面。到了那時，縱有觀音的千手也難遮掩。遂在第二天的手術之後，便連夜把小雅移到一處獨立寓所去，醫護人員也隨同前往。家屬除了母親梅蘭之外，外人一概不准進出。小雅在這裡住了兩個多月，對外則說小雅已隨攝影人員到韓國拍片去了。小雅的人雖未去，頂替的演員，仍以小雅爲藝名，參予拍攝，反正都是新的面孔，外人無從探悉。魯聲雅的懷孕真相，雖有兩位女演員知情，也不敢透露絲毫口風。當小雅獲知，她已失去生子育息的條件，一時暈眩過去，要不是有一位看顧她的歐巴桑，發現小雅用兩雙絲襪，在廁所中的淋浴水管上縊繫，極早阻止下來，後果不堪設想。到了那個時候，出了人命，也就一切都不易隱瞞。生者死者招來的傷害，可就無從估計。也就無法彌補。

這次事件發生之後，小雅堅持脫離電影工作，她要求搬出這個地方，她要回家休養。公司方面與梅蘭商量，認爲回家休養，醫護方面，不能適應。而且，醫護人員日夜陪伴，不但家中房舍不敷居留，也會引起眷村閒言。遂接洽妥淡水一處山麓間，天主教創辦的修道院，其中設有避靜或修心養病的處所，富家自費，貧家公費或減收。如果小雅同意，可以接洽去這個地方休養。那裡是山深林幽，四合院落，真是一處修心養性的好所在。梅蘭同意去看看再說。不想前往一看，便欣然同意。回來跟小雅一說，這時的小雅，在心理上是，祇要能離開他們這個骯髒的環境，她都願意。

這事決定之後，原想不再隱瞞父親，小雅不肯，要求母親萬不可告訴父親。她說：「我沒有臉、面對爸爸。家中三個哥哥，都怕爸爸，只有我不怕，事事都跟爸爸頂撞。我討厭他那一身的酸腐氣息，我事事叛逆他。因爲爸爸寵我是他四個孩子中的一個女孩。我之所以把自己弄到這步田地，都因爲爸爸寵我，不像管教哥哥那樣嚴格，所以我不怕他。功課不好，升不了學，纔想到去當電影明星。起先，那裡會想到這條路，在人生中不但坎坷，而且是處處安排了陷阱！」說到這裡便想到她遭遇到的事件，有口也不敢吐露真情，只有抱著媽媽大哭！把一肚子的苦楚用眼淚流出來，一再要求媽媽替她隱瞞著這件事，說：「我求媽不要告訴爸爸。」

陳晃已跟著電影公司到韓國拍戲去了。只來過一封信，小雅接到陳晃的信，就向她媽說：「這一段情，到此終止，我已告訴陳晃，要他珍重青春，我的明星夢是已經醒了。」

病後兩月來的小雅，年紀還是十八歲，但卻失去了少女們臉上應有的那分青春的鮮靈，看去，那憔悴的容顏，恰像花朵受過蟲害、有了斑斑點點、瘙瘙痺痺地形像，那種被稱爲青春玉女的神韻，已不復存，所呈現於外的，看去只有枯槁二字可喻。這時，任何熟人見到，都會詫異著問：「小雅怎麼啦？」梅蘭認為，這時接小雅返家，勢必得原原本本告知她爹。梅蘭知道，魯金土有狹心症，還是他離開申江印刷廠時，與大家夥一起作健康檢查，要他去重檢的唯一一項病情。魯金土最不關心一己的健康，總說：「我一生都在窮困與坎坷生活環境中過的，諸暨戰場五晝夜，大雪中掛彩，挨了日本人兩槍，沒有死也沒有殘，還怕的什麼狹心病。」又說：「只要對人心不狹隘，這狹心病自會不藥而愈！要是天天為了這病情緊張，那可真要死在狹心病上呢！」但儘管金土如此爽朗地向梅蘭說過，梅蘭還是不敢讓小雅與父親見面。

如今，小雅養病的地方，在淡江一座小山嶴間，距離淡水火車站，走路需要一小時的行程。有寬可行駛汽車的石子水泥大道，計程車由火車站起行，半小時光景可到。有林壑溪澗，環境極其清幽。近來的小雅，有決心去作修女呢！已向媽媽表達過了。她最喜歡修院的王姆姆，梅蘭一去，她就誇王姆姆對她特別好，在梅蘭聽來，誠可說是天賜的機緣，用天主教語言說：「這是上主的安排。」佛家說：「這是緣。」對這時的梅蘭與小雅母女的處境來說，真是一件求之不得的聚合。最恬適的是可以繼續向小雅的父親，隱瞞著這件意外的不幸。

數月以後，公司方面，已循小雅心願，為小雅辦理了藝專的復學。已由戲劇科轉到國樂科。小雅在山上，跟著山上的神父、修女們，修習宗教上的經書，以及生活起居。小雅認為這種宗教式的隱逸生活，入世而不出世，時時刻刻關懷著社會大眾。遂從此領悟了人生的生活目的，旨在為全人類的生活而生活，不是為了個己的生活而生活。王姆姆喜歡音樂，中國的，外國的，各家各類都有，小雅最喜歡的是中國的古琴曲。所以小雅的復學，轉入了國樂科。這學年起小雅上學。梅蘭正準備著，應該尋個機會，要小雅身著藝專的學生服，回家向老爸請罪，就在這個節骨眼兒，老爸竟然病了。

魯金土的病，一發生時，委實是嚇人。誰也沒有想到不須住院。為了檢查，住院三天。檢查的結果，還像十年前檢查的結果一樣，心臟有些問題，心律不勻稱，平時禁止不可有激烈運動，不能擔當沈重的工作，不能熬夜，平日的工作量，要儘量減少。最應注意的是，不能憂慮，事事要放寬心。更不可生氣。在台北的老大，當天就到了醫院，使老爸高興的是，帶來了他的女朋友，航空公司的女同事，原來考取了空中小姐，高空有暈眩現像，遂改服地勤。老三在台中服役，接到電話，第二天就趕回來了。老二在香港，也是第二天一早就趕回來。小雅雖在淡水，梅蘭卻沒有馬上通知，知道金土的病無大礙，遂為小雅設想，等老爸出院回家那天，小雅在家等候迎接。這樣，豈不是給老爸一個驚喜。至於其他，一切的問題，由小雅自已說。真實的情況，除了老媽，家中無其他人知道，母女倆早已說好，這場大禍已成過去，必須瞞著老爸，要瞞到一生。

梅蘭為了不使老爸感到突然，遂先向老爸打了個招呼：「你到家，也許小雅已從美國回到家了。」果然，魯金土一踏進家門，小雅果然站在客廳中，身著一身學生裝，短髮齊耳的學生頭，雖然理了容，又薄施了脂粉，還是掩飾不了她那憔悴的面容。魯金土一見，心想：「這是小雅？」小雅卻大叫一聲：「爸！」便一步趨前，撲通一聲，雙膝跪下，伸出兩手，緊緊地抱住老爸的雙腿，哭聲已如出閘的水，哇嗚著一洩就如萬馬奔騰……

三、端正好說古琴五音衍生

「小雅！不要哭。」雙喜以叱喝地語氣阻止小雅哭！說：「你沒有看到爸爸的臉部氣歪了嗎！」

小雅一聽大哥罵她，便頓時放鬆了抱著爸爸兩條小腿的雙手，猛烈地站起來，仍舊嚎啕著跑向內房，又拉開後門，奔向自己的小房。

當時，魯金土揚起手來搖了搖，示意大家不要吼叫，大踏步跟著小雅，一步步走去。梅蘭與老三緊跟著，老大老二殿後。小雅進了房，便關上門，哇嗚哇嗚地哭聲，如同過灘的河水，在奔騰著、奔騰著！爸爸已站在門外，輕聲地扣門。

又是老大，趨步向前，伸出手去，就彭彭彭三聲，氣呼呼地喊：「小雅！是爸爸敲門。」突然，小雅的哭聲停止，把門開了。於是，門外的五口便進了房。

爸爸一進房，小雅就伸出雙手抱著爸爸，又嗚嗚咽咽地哭了起來。哭聲雖不大，兩個肩頭卻在哭聲中顫動著。

小雅擁抱著爸爸坐在床沿上，半個身子都撲在爸爸的懷抱中。只是嗚嗚咽咽地哭，嗚咽得說不話來。爸爸什麼話也沒有說，只用左手捧起小雅的頭，右手一直在拂縷小雅的短髮。雖然，爸爸的那張臉，還是右斜著的，臉上還掛著一條條似淚水又似汗水的條紋，但仍能從他那微笑地神情上，見到這位父親對於子女的天稟親情。他那隻一再拂縷著女兒腦前腦後，一撮撮披散地短髮的右手，縱然手不會說話，也能使人見到此情的人，可以感受到這位父親，此時的對兒女久別重逢時的慈愛心情，全在他那隻右手拂縷女兒散髮的動作上，傳示出他內心的語言：「孩子，你終究又回到爸媽的身邊來了。」這時，母親已悄悄坐在父親的身旁。母親見此情景，便以目意使雙喜他們三弟兄出去。三弟兄便輕聲悄悄走出房去。

小雅的嗚咽也停止了。她全身心都沈浸在爸爸的親情海洋中，溫馨的霽風光月，息下了她心海上風雨中的浪濤。

梅蘭的性格，素來鎮定，見到丈夫此時對於子女傳示的濃郁親情，突然愧怍於她不該把小雅的這一事件，瞞昧著他。甚而聯想到丈夫的這一病情的產生，都可能是由於隱瞞了小雅這一事件的因果。當她下意識地坐在丈夫身邊，目語三個小子出去，也伸出了手，用大、食、中三個指頭，拎起小雅的耳垂，輕聲悄悄地說：「天晴了！秋高氣爽。炎夏已經過了，暴風雨的日子也走了。一切都成了過去。」遂又改口說：「妳爸爸的病也無大礙，會很快復元的。如今，妳三個哥哥都大學畢業，苦日子也挨過去了。妳可不能忘了身在福中不知福！」

小雅聽了，抬起了頭。用手中的手帕兒，擦了擦臉上的淚痕，說：「我以後決不會惹你們生氣啦！我非常喜歡古琴，那聲音非常好聽。」下面的話，還沒有說完，雙手已放到爸爸麻痺了的那左半臉上，說：「爸，你躺平來。」說著便推她爸爸向枕上躺下去，說：「我替你按摩。」爸爸也就順應著孩子的心意，向左方平躺下去，笑吟吟地任憑小雅的兩手，在他那麻痺了的半邊臉上按摩。恬適的心情，深信小雅的手，會把他那歪斜的眼臉，在按摩中復元。

梅蘭見到他們父女兩人的這分親情，心裡也恬適地想：「像這樣的家庭倫常之樂，這廿多年來，她還是第一次感受到呢！」事實上也是，過去的這麼多年，他們家中的這位爸爸，總是在工作上，日日夜夜的爲一家人的衣食在忙！忙！忙！那裡有時間、心情，陪著孩子們安排些家庭之樂？今天，梅蘭竟然見到了這位爸爸的慈祥表露，忍不住鼻酸眼熱，淚水又頓時湧出，淹沒了雙眸。一邊擦拭，一邊想：「都由於貧困的生活，扼殺了他對妻子兒女的愛意表達啊！」

想不到魯金土的這病，一直沒有見好。每星期都去醫院一次，總是注射一針，有時還躺下注射一瓶鹽水。也看過中醫，喝過湯藥，還扎了針灸，俱無效果。快三個月還沒有恢復，只是進步了些，歪斜的情況，已恢復了百分之三十。但任何人見到，一眼就能看到由左眼臉到唇角，都還歪斜著。已能言談，還不能百分之百的字字說得清晳。祇好請了一學期的假，學生們的編寫作業，卻還繼續著，因爲校長支持魯老師的此一教學方式。每月一篇的作業，已減爲兩個月一篇，一學期兩班學生，計來也是一百多篇。病中的魯金土，由於眼斜口歪，說話也不俐落，極少出門。每日大部分的時間，都放在完成這一部《詩文中的小故事》的編寫上。小雅住在淡水天主教修道院，按日下山乘公車到板橋藝專上課，一週只在星期一、二兩天，回家住宿，跟父親學詩詞吟唱。其他時間，都在淡水。一切學費，中華電影公司仍在負擔，言明負荷到小雅畢業。依金土與梅蘭夫婦，早就向電影公司表白，小雅已決心放棄再回到電影事業上去，不希望再爲小雅的學費等等繼續負荷。回答是這筆費用，早經撥下，他們只是依照科目支出，也就小大由之矣！

一年後的小雅，健康的恢復，雖已正常，但面容上應有的那一分少女的青春情致，則已逝而不回。看去，總令人覺乎著面色有枯澀地病容。經過檢查，肝臟的功能，有兩項十字。但自從她住入淡水天主教修道院，已成了一位虔誠的天主教徒。完成藝專的五年教育，已決定進入修道院，去作神的僕人。金土夫婦去看過一次，對於此處的青森林木、綠草紅花，修道院就坐落在那清幽雅致的山林間，梅蘭夫婦到來，也心不由己地萌生了出塵的遐想。

「小雅要去作修女，你同意嗎？」

「非常同意。」魯金土回答。

惹得梅蘭止下步來，怔然一霎，又問：「爲什麼要加上『非常』兩個字？」

魯金土一聽梅蘭這樣發問，纔想到說錯了話。魯金土之所以這樣回答，不是沒有原因的。在他沒有發病，離開學還有十天光景，葉校長偕同教務處劉主任到來，親自送上聘書還外帶教部審定合格副教授的證書，自上一學年開始。說：「兩本論文中的一篇「春秋的書法」，引起審查委員的贊賞，一致投票同意，以副教授資格審查通過。連同這一年來的差額薪俸，都一併補發帶來。魯金土以爲是魯教授從中協助促成的。去年，他接下了講師聘書，陳詒還聽到，魯教授表示「遺憾」的意見。認爲取得副教授聘任，還得再教三年，論文也得重寫。如今居然由教部的審查令，主動爲他審定爲副教授，遂約同陳詒去拜謝魯教授。怪哉！魯教授答說，他對此事一無所知。當他出院後，見到一別幾年的小雅，一位鮮花似的少女，竟然憔悴得像受到病蟲害的花朵那樣，就使他感受到孩子必然生了一場大病，否則的話，怎會枯萎得這等模樣？儘管母親說是在韓國吃壞了肚子，轉成了肝炎，住了三個月的醫院，一直不敢告知他。又見到妻子的神情，以及日常的生活行動，都有些反常，就疑心小雅在生活上，可能出了問題。所以，當他出院返家見到小雅，不見面纔一年光景，竟然枯槁得像個癆病鬼，遂意想到小雅一定受到太大的挫折。他呀！忍耐著沒有敢問就是了。

他已知道小雅去作修女，小雅自己也表示過。這問題，已在金土心理上戥衡過，他認爲小雅如真的去進天主教修道院，作個修女，比在凡世作個賢妻良母，還要幸福些。這就是魯金土聽到妻子問到小雅若是要去步上作修女這條道路，同不同意。梅蘭認爲金土聽到，一定會反對。近兩個月來，雖然左臉的麻痺，還未十分恢復，教小雅讀詩經，在讀音上，音聲的口型上變換，還是教得詳詳細細，又是說又是寫。這兩個月來，之所以復元得較比迅速，與他每週教小雅讀詩，倒有極大的連帶關係。竟想不到先生會說：「非常同意。」所以會詫然地問。

「我體會到了。」魯金土慢條絲理地回答：「小雅在淡水山居了這長日子，她已領悟到人生的快樂，不是在名利方面，而是在身心的心安理得方面。作個神職人員，只要把一己的全身心皈依上帝。『非以役人，乃役於人』的大我人生，豈不是心安理得！怎能不表示非常同意。」又說：「你我都被塵網網牢了。小雅雖然說她要出家，只怕她下不了這個決心。」

「我也非常同意。」梅蘭這纔肯定地說。因爲她知道小雅也可能知道自己的身體狀況。又說：「小雅有這個決心的。」

「人的決心，會跟著環境改變的，」魯金土說。「一旦環境的事態變了，決心也會變的。」

梅蘭不敢再說下去。遂答說：「以後的事，還是聽憑她自己。」又說：「反正她是不會再回到電影圈去就是了。」

魯金土本想說：「小雅的藝專學業，不還是電影公司在投資的嗎？」兩人步出巷子，已是大路，人車已多。再前行不遠，就是車站。他只伸手摸了摸貼在左口角上的膠布，也只補充了一句：「任憑她吧！」遂又感慨地說：「這孩子早幾年若是知道在書本上用功，如今都是大學生了。」

「你又來說這些廢話，」梅蘭最不喜歡做父母的揭孩子的瘡疤，「虧你還是作國文老師的呢！」每次，梅蘭在言語上頂撞起來，金土從不回嘴，無論頂撞得對不對？都以微笑作答，來結束談論的問題。

在車站，遇見了朱信立，他在淡江兼了四節課，見到魯金土在左唇上方，貼了一塊膠布，把下塌的唇角，提高起來。朱信立遂驚異地說：「還沒有好啊！」魯金土忍不住又伸手去摸摸那片膠布，答說：「還有一些些歪斜。」

他們已經坐在候車的條椅上，聽到魯金土說話，已很清楚。不相信又面對面去仔仔細細看了看，看到眼角已很正常，不像上次相見時，左眼角是斜歪下去的。遂說：「已經好了哇！」梅蘭聽了，也雙目瞪向金土的臉，果然見到左眼角，已無歪斜的情況，早上出來時，還有些斜塌呢！遂驚喜地叫：「好啦！眼睛不斜啦！」又說：「揭掉膠布看看！」

梅蘭這幾句驚喜的話，與歡快的語氣，連坐在另兩張椅上的候車者，也驚疑地把目光投向他們這裡來。

魯金土用手摸著口唇上的膠布，疑疑惑惑，不敢動。

「我來揭。」說著，梅蘭已把手伸出，輕輕輕輕地把貼在臉上的那塊膠布，揭了下來。果然，左唇角也不歪了。

「好啦！恢復啦！」梅蘭高興得連聲音都變尖起來。

揭下了膠布，臉上平平整整，連一點傷處疤痕也無有。在一旁候車的人，不知道他們驚叫什麼？一個個都怔忡地望著他們。朱信立忙著為老友魯金土解說：「我這位老朋友的左臉，得了神經系統阻塞，痲痺了幾個月，眼斜嘴歪，早上還沒有好，如今，居然好啦！」

一時之間，候車的人們之中，也有知道這種病情的人，也就大談其詳。說是也有眼斜口歪一輩子都沒有好起來的。你一言我一語，想不到知道這種病的人很多呢！

上了車，還有人一路說個沒有完。

「這病萬不可喝酒，」在車上也有人坐近來，向魯金土夫婦，話三道四，「不能熬夜，」。也有人說：「可以喝酒，不能多喝，入睡前喝一小杯，可以防止這種病。」聽起來，車上的人，有一半都是醫生。

儘管，人人看著魯金土的臉，確確實實是眼也不斜了。嘴也不歪了。魯金土自己，總還覺得他那左半個臉，還是有些兒麻麻木木地。貼在左腮上的那片膠布，已經揭下來了，他仍舊忍不住想用手去拂摸那左半個臉，特別是嘴角。

「別老是摸它啦！」梅蘭抓過金土的手，從手包中拿出小鏡子，照給金土看，說：「你看麼！嘴也不歪啦！眼也不斜啦！」又說：「別老摸它啦！說不定又被你摸歪啦！」

金土興奮地索性把梅蘭手上的那面圓型小鏡子，奪到自己手上來，更近些對於自己的臉，仔細瞻仰，果然，眼也不斜，嘴已不歪。心情極其舒暢地說：「是好啦！」他想到早晨臨出門，去貼上那塊膠布時，看得出左眼角與左唇角，還有百分之二十的歪斜度，這時看來，確是眼也不斜，口也不歪了。梅蘭搶去了金土拿在手上的小鏡子，說：「好了。別看啦！會看歪了的。」朱信立也在身邊說：「別在意，要知道人的一切病痛，十九都是打從心上生的。別在意啦！」

魯金土仍舊忍不住伸出手來，在左口角上，按摩了又按摩。逼得身邊的梅蘭沒好氣地，把金土按摩臉的手，強制著拉了下來，用手緊緊抓住，命令似的說：「我不准你再去按摩。」魯金土也只得自寬自解地說：「好了！不摸它了。」朱信立也說：「你也該聽得到，你說話聲調都正常啦！」

火車只有半小時的行程。時間不過四點多鐘，離開晚飯的時間還早。朱信立原說他請客，慶祝金土的病康復。金土夫婦倆則強要朱信立到他家去吃晚飯，今天禮拜一，小雅放學，會回到家中住。金土說他還有功課要問呢！

朱信立認爲到家裡吃飯，太麻煩主婦們，約日再聚。下了車，便分道揚鑣。金土梅蘭到家，便見到小雅已回到家。

「爸，我把古琴帶回來了。」小雅一見到爸爸回來，就興奮地叫：「你來看，這是我們國樂科的，特別准許我帶回來給爸爸看。」

說著便把那張用大紅絨布套子，套在琴盒外面的琴，抱了過來。

魯金土見了，驚訝得吸了一口氣，心想，還不知是一張古到何時的古琴呢？怎可讓學生帶回家來？小雅抱著它，準備放在書桌上，再去取下絨布外套，從琴盒中取出琴來，金土已說了話：「小心，放到床上去取。」他交代小雅。小雅也明白了爸爸對於古琴的重視。遂一面抱著琴向房內走，遂又一面向爸爸解釋，說：「不是那一張宋代的古琴，是清代乾隆年間的。」

放在床上，小心翼翼，一樣樣除去，把古琴從琴盒中取出，就放在床上，反覆端詳了一番，用手指撥了撥琴弦，錚錚然從絲弦上發出的金屬聲音，魯金土就忍不住鼻酸眼熱，他回想到當年松三爺彈奏古琴時的情態，又重現到眼前，只是自己沒有學過琴，愧對孩子把這古琴帶回家來。

「小雅，你能彈多少？」爸爸問。

「只會彈散音、泛音的都、來、米、索、拉。」說著便彎下腰去，彈撥了兩次。

「裝起來吧！」爸爸命令著。說：「明天好好地帶還學校。等你會彈一套宮調，我再聽。」又說：「既然學古琴，咱們就得買一張。」

「我已經有一張了，」小雅說。「原來三個人同用一張，學校裡的。那兩個人都不學古琴了，所以現在由我一個人用。」

「那你運氣好，」爸爸說。又問：「你說一說七根絲在彈奏時，音階是怎樣變奏的？」

小雅聽不懂爸爸的問話，只有愣怔地望著爸爸的臉。

爸爸一看小雅的反應，遂想到可能語言不同，雞同鴨講了。遂又改了個說詞，問：「七根弦的音階怎麼分？」又說：「譬如宮商角徵羽五音，在七根弦上，怎麼排列？」

小雅聽懂了。馬上指著琴上的七根弦，一根根數著說：「宮、商、角、徵、羽、少宮、少商。這是黃鐘宮。中呂宮就是徵、羽、宮、商、角、徵、羽。」

爸爸看到小雅手上，還拿著一本小冊子，遂說：「你手上的書，給我看看。」接過小雅手上的書一看，是王光祈寫的《翻譯琴譜研究》，翻了翻之後，見到其中列出的調弦法，有三種不同的記錄，但無論怎樣去變動宮調，七根弦中的第一二兩弦，與第六七兩弦，音聲都是相同的，一、二兩弦是濁音，六、七兩弦是清音。兩者的聲音只是清（高）濁（低）之別。換言之，第一、二兩弦強，第六、七兩弦聲弱。因為第一、二兩弦粗，第六、七兩弦細。但一、二兩弦是倍律，在彈奏時，兩者的音名，則是清濁、高低相和的。這時，魯金土記起了當年松三爺講《荊軻傳》時，曾說到五弦琴與七弦琴的差異之處，只是多了五弦琴的徵、羽兩弦的倍律，安置在宮弦之前，在演奏樂曲運作時，仍舊是宮、商、角、徵、羽五個音階，作律呂的和諧運用。換言之，七弦琴與五弦琴，只是徵羽兩弦，又多了兩根倍律的粗弦而已。

「小雅你用西洋的音譜123唸唸這七根弦。」

小雅遂唸：「1235612」。爸爸又用手指示唸下一宮均，又唸：「5612356」。一直唸完了書上的十多個宮均，無論宮均怎樣變化，第一、二兩弦與第六、七兩弦，都是相同的音聲，一強（濁）一弱（清）而已。

「何以第一、二兩弦，與第六、七兩弦，音聲是相同的？」爸爸問：「它們的距離又是那麼遠，一在上、一在下。」

「我不知道，」小雅惘惘然回答。又說：「老師還沒有教！」

魯金土的興致飛躍起了。說：「爸爸教你！」

於是父女換位到廳中寫字檯邊。爸爸取出一張白紙，打豎直直地畫出了七根弦，在七根線上寫上了徵、羽、宮、商、角、徵、羽七個字。又在七根下寫上了一〇八、九六、八一、七二、六四、五四、四八等數字。如左圖：

徵 —— 一〇八絲
羽 —— 九六絲
宮 —— 八一絲
商 —— 七二絲
角 —— 六四絲
徵 —— 五四絲
羽 —— 四八絲

「宮是生音之本」，爸爸說。「今天不向你說宮音的弦，爲什麼是八十一綸絲形成的，這其中還有一些學理，還有神話，我們今天都不說它。你只要知道宮音的弦，是八十一綸絲組成的。聽懂了吧？」

「聽懂了。」小雅回答，又重述了一遍：「宮弦是八十一綸絲組成的。」

「八十一，以三來分，每一分是多少？」

小雅用心算了算，答：「每一分是二十七。」

「對，」爸爸說。「下生損一，就是少一分，數目是多少？」

「五十四。」小雅馬上回答。

「下生隔兩律，」爸爸說。由宮向左，隔開兩律，是不是徵位？」

「是，」小雅答說。

「宮生徵，」爸爸說。「徵的弦，是五十四綸絲粗細。」又說：「又輪到徵位生音，它是上生，向右生，上生隔一律，三分益一，換言之，三分之後再加一分上去，便是五十四再加十八，共為七十二。隔一律是商位，所以，商弦是七十二綸絲組成。」又說「再由商位下生，七十二作三分，每分二十四。下生損一，七十二減二十四，是四十八。下生隔兩律，是羽位。所以，羽弦是四十八綸絲組成的。」

「再就是由羽位上生，」爸爸繼續說：「羽弦四十八，三分每分十六，四十八加十六，共六十四，上生隔一律，所生者是角位。所以角是六十四綸絲組成的。」又說：「這種音聲的上下衍生，以三分法上損下益的原則，來決定五音階宮商角徵羽的弦線粗細，來形成五音階的音聲清濁，這就叫作『三分損益衍生法。』」又問：「能懂嗎？」

「能懂，」小雅說：「只是不十分透徹。」

魯金土聽了孩子這麼說，想想也是，她學古琴纔一年光景，這些學理上的事，老師既未教過，作學生的，又怎能領悟到。可是魯金土卻想到七弦琴與五弦琴的這一層關係，似乎還應該向孩子說一說。

剛纔也只說到由宮下生到五位，上生的兩位還沒有說呢！遂又說：「爸爸剛纔說的，都是古琴上宮商角徵羽的五音衍生的常識，不是什麼高深的學問。照情理說，應該是一聽就會。這個問題，還沒有說完。宮音前面的兩根大弦，還沒有說呢！說起來，這兩根大弦，也是由宮音衍生出的。」

「宮音弦是八十一綸絲組成的，」爸爸繼續說：「再以三分益一上生，就是七弦琴的第一根弦，三分益一，是一〇八，換言之，七弦琴的第一弦，是一〇八綸絲組成的。再以一〇八來三分，是每分三十六，一〇八減三十六，是七十二，下生隔兩律，還是五弦琴的第二弦商，那麼由商的七十二來三分，每分二十四，上生益一，共九十六，上生隔一律，正好是七弦琴的第二弦。再由這第二弦的九十六，三分損一下生，尚餘六十四，下生隔兩律，正好是五弦琴的角位。」又說：「三分損益法的上下以宮作主位衍生，都是五位而終。由宮上生或下生，都到角位結束。若是再由角位繼續三分損益衍生下去，永遠不能達成圓滿，總是有奇零數的。」說到這裡，魯金土就要小雅唸七弦琴的音階。

「宮商角徵羽少宮少商。」

「徵羽宮商角徵羽。」

「你這就應該懂得，」爸爸說：「古琴上的主要音階是五位，這五音就是宮商角徵羽。」又說：「雖然周代增加了兩根大弦在宮弦前面，它們只是徵羽二音的倍律，算不得七音。」

「不是，爸！」小雅糾正她爸爸說的七弦琴算不得七音，說：「還有變宮、變徵二變在內，我老師說的，變徵是『4』，變宮是『7』。古弦琴有七個音階的，都、來、米、發、索、拉、席，七音俱全。」

魯金土一聽女兒這麼說，忍不住笑了。伸手拍了拍小雅的頭，說：「成，小雅會辯論啦！」遂說：

「至於二變，」魯金土便想到了當年松三爺說過：「二變是個大問題，從漢朝起，就引發了應鍾變宮、蕤賓變徵之說，一直被後人誤解著。實際上，二變中的『FA』、『SI』二音，當五弦時代，在奏鳴中，自自然然在手指間出現的，它是半音音符，站不到律位上去。這兩種半音（短音、飛音）都是律呂中的裝飾音，一如文言語句中的虛字。一想到這裡，魯金土便不再說了。就是說，小雅也不會懂。只說：「問題很多，爸也說不清楚。縱有這門學問說清楚，」遂又拍了拍小雅的肩頭，說：「也得再等你幾年。」

「蒹葭蒼蒼，白霞為霜，所謂伊人，在水一方，……」母親從後院，拉開了後門，邊唱著詩蒹葭，穿過臥房來了。小雅聽到，也隨口唱和。這首詩是爸爸譜的曲子，一家人都會唱，爸爸也跟著吟誦起來：「溯洄縱之，道阻且長尢尢！」這時，小雅方始發現到爸爸的嘴臉都不歪不斜了。一時興奮地大叫：「媽！爸爸的嘴不歪啦！」魯金土一聽，頓時停止了吟唱，伸出雙手，摟過女兒，輕輕在小雅臉上親了一下，說：「是我孝女的手按摩好的。」

「好啦！吃飯啦！在後院裡喊都聽不見。」媽媽說：「瞧你們父女倆樂得。這可好啦！以後可有人彈也有人唱啦！」

四、兒孫自有兒孫福

聖誕節前夕，雙慶從香港休假回來，突然向母親說：「媽，我要結婚了。」這突來的喜訊，梅蘭當時聽了，卻真的一時錯愕得張起大嘴，樂得說不出話來。半晌纔以責備地語氣說：「怎的不先來個電話，向媽說一聲！」她看到雙慶向她張揚著的笑臉，遂又問：「是不是跟媽開個玩笑，免得媽又要問你，有女朋友嗎？」

「媽你坐下，」雙慶說著雙手扶著媽的雙肩，推到椅子上坐好，一邊說：「這種事也好拿來開玩笑的，真的，已經定了。不然，我那兒敢回來告訴爸媽。」

「既然婚嫁都談了，怎不帶回家來？」梅蘭還是有幾分不大相信。

「媽，妳別急，聽我說啊！」雙慶一邊說著，一邊從衣袋中取出一個皮夾子出來，隨手就拿出一張照片，交給了媽媽，說：「不信，妳看！」

照片上是雙慶與一個女孩，合照的坐姿形像。看去那照片上的女孩，眉清目秀，從眼睛與輪廓看，就帶有幾分地域性的形貌，雖不是那種具有惹火艷麗之美的女孩，倒能見到那分高貴的氣質。論穿著，只能見到上身外罩藍色帆布的新式短夾克，白襯衣的豎領口，掛著一個白中帶綠的圓型翠環，白金細絲地鍊子（也許是不銹鋼的）。梅蘭這麼一看，再也不能懷疑了。遂說：「挺有氣質的。你可得說說看，是怎樣人家的姑娘？」

「媽，我到香港第一天上班就認識了。」雙慶說。「她名叫陳絢美，英文名叫Glory Chen，香港大學史學系畢業。原想到英國留學，母親有心臟病，沒有去。父親是洋服的名裁。原籍廣東番禺，如今是香港的土著。有住屋也有店鋪，她是獨養女，除了一位女傭，他家只是三口人。母親略識文字，由於身體不健康，一直是家庭主婦。我到香港第一天上班，就認識了，我們在一組工作。」話剛停頓，梅蘭就問：「多大？」雙慶答：「小我三歲。」遂又補充了一句：「她媽連八字都交算命先生合過，說是『九星天運交會。』上上吉。」

梅蘭一聽樂啦！說：「啊？連八字都合過啦！這纔回來告訴爸媽！」

「媽啊！妳可不能這樣想，」雙慶聽了，挺委曲地說：「憑著Glory Chen的條件，別說公司的夥伴，成天裡窮追不捨，連老英也有人常去約會。我那兒敢去作非非之想啊？還不是陳絢美對我有好感，約我到她家去了兩次。她母親很喜歡我，他父親見了我，也說我是一個有教養的好孩子。」又說：「當我老老實實把咱們家中的生活情況，一一告訴了他們，陳家二老，便選中了我。」又說：「媽！這是陳絢美告訴我的。」

「我明白啦！」梅蘭聽到這裡說：「陳家二老是希望把你招爲東床駙馬。」

「媽！」雙慶激動起來，「人家沒有這樣的想法。只是認爲我弟兄三個選一個，作了他們家的女婿，有機會多照顧他們二老。若是招贅，那我可不會替父母丟這個人。」

「別激動，孩子！」梅蘭說：「就是招贅，也不算丟人，古時的窮家子，賣身爲奴的事，都多得很。范仲淹兩歲死了父親，隨母親改嫁，帶到朱家姓朱，中了進士之後，方始申請改回本姓，還把母親迎去終養。招贅，又怎能算得丟人？」

「不是。」雙慶還是認真地，情緒在激動著，說：「人家沒有把我招贅到陳家的意思。」

梅蘭連忙插嘴，打斷原來的話，說：「別彈這些不粘弦兒的調子。」遂改換話題，說：「我要問的是，你們的婚禮，打算怎樣辦？」

雙慶的情緒，這纔平穩下來，說：「陳伯伯與陳伯母跟我說：『不必多那一層訂婚的程序，過了新年，選個日子，到教堂舉行婚禮，請幾桌客就可以了。婚後，再到台灣請客。若是到台灣舉行婚禮，花費會超出一倍。爲了節省，陳伯伯建議在香港舉行婚禮。但在沒有舉行婚禮之前，依古禮，男家得先到女家提親，這是禮上的一個古老的規矩，求婚，都是男方，不是女方，若是女方作主，那就變成了招贅。』陳伯父他們是這個意思。還說：『只送紀念物品，不收金錢。』陳伯母也一再表白：『不收聘金。』」

梅蘭可真的不曾想到，雙慶成家竟是如此的千依百順，祗是這一件由男方父母到香港，親自爲兒子向女方父母提親，自是一件不應猶豫的事。等到先生下課回來，作父親的魯金土，自也無有相反的意見。看情形，能夠隨同雙慶一道兒啓程，最爲便捷，航空公司員工的直系親屬，有免費搭趁飛機的規定，在行動上說，極其方便。可是魯金土想到，他能不能出國，還是一個問題呢？

一般人民出國，辦理出入境手續，不是三幾天可以完成的，只有要雙慶回去，說明辦妥了出入境手續，就會到香港來拜看親家。一經進入辦理出入境的情況，方始知道除了辦妥移民，夫妻二人是不可同時離開國門的，有公務者自然在外，有過思想案件的人，是不准出國的。這麼以來，祇有雙喜陪伴媽媽去。事實上，雙慶的婚事，是女方促動的，由男方父母先到女家提親，也只是禮俗上的一個微小環節而已。

可是，人間事的動變，必由積漸而來。一如果之必由因成。雙慶的婚姻之所以如此利便的未謀而成，還不是由於雙慶這孩子的處身環境，不敢去主動向女孩示愛，反而得到了女孩的垂青。這且不說，雙慶之所以又能獲得女家父母的「雀屏選中」，還不是雙慶的家庭環境造成的。二加三是五，一加四也是五，三加四是七，二加五也是七，一加六也是七。但二三爲五，是相聯的，三四爲七，也是相聯的，所以二加三爲五、三加四爲七，都是自然形成，俗說：「近水樓臺先得月」，就是這個道理。這個道理是自然的，絲毫也不勉強的。若論一加四也爲五，中間便得隔開二三兩位。三加四爲七，也是自自然然相合。改爲二加五，中間便得隔開三四兩位；一加六爲七，中間得隔開二三四五共四個位數。

以距離看，就更勉強了。那麼，若以此一學理來演說雙慶在香港獲得的此一「成家」的基因，應說是雙慶在人生的運轉上，獲得了二加三爲五的自然形成的定數之果。偏偏地，還由此一人生動變，又運轉出雙喜的宜室又宜家。

這麼一來，哥哥雙喜，遂占了相宜，成家的機會，也到了。

說起來，這兩弟兄已年近而立，都二十八歲了。在大學讀書時，都不敢交女朋友，兩個孩子知道自己的家境，爸媽爲了供應他們四個子女的學費，已經夠辛苦的了。爸媽雖然都在教書，兩人教的都是私立學校，不能比照一般公教人員，申請子女們的教育補助費，所以這兩個孩子在大學讀書時，全靠在學校工讀，纔坎坎坷坷畢了業。老三魯聲清在報考大學填志願時，就把師範大學塡爲第一。終於考取了師大，減少了爸媽生活上的困境。可以說，三個大孩子，都能去體會爸媽的生活環境。至於成家，他們更知道，自己若是沒有建立起經濟能力，爸媽，是幫不了忙的。家，連一間臥房，在情勢上也無法騰得出來。

古禮說：「男子生而有室，女子生而有家。」男女婚嫁，俗話就謂之「成家」。作爲男子，必須有了「房子」，纔可以成家。只要結婚成家，所謂「開門七件事」，柴、米、油、鹽、醬、醋、茶，一樣也不可少。若照今天來說，飲用、洗滌的水，照明的燈光，更不可缺。休說冷氣、冰箱、電視機。有了家，就少不了人來客往，結了婚，更免不了生兒育女。俗話說：「嫁漢嫁漢，穿衣吃飯。」冬暖夏涼的衣衫，都是男人應該給妻子準備的。更有一句古語：「巧婦難成無米之炊。」古往今來的成語，「成家」、「立業」，都是男人的事。儘管，也有這麼一句成語：「娶妻娶妻，燒飯洗衣。」作妻子的任務，也只是燒飯洗衣而已。還有一句更赤裸的成語：「娶妻娶妻，爲了子息。」那麼，娶老婆只要能生男育女就盡到作妻子的責任了。這些俗話，雙喜雙慶弟兄倆，所親身體驗到的「成家」，全不是一般人的這些俗語曾經說到的。那就是，他們看到他們的母親，婚後擔當的是怎樣的一位妻子！

雙喜雙慶這孿生弟兄，從小兒就相挨著肩頭，齊著腳根長大的。嬰兒時，雙人床並肩睡，四歲時，雙人床上下舖睡。兩歲多的時候，爸爸便寃寃枉枉地被抓去坐了整整五年監牢。還連累了媽媽也失去了工作。那時候，他們還小，體會不到媽媽怎麼在綿綿一千八百多個日子裡，艱艱辛辛渡過來的。

這弟兄倆，那時期的小小心靈裡，只是放不下兩個念頭，一是：「媽媽不會死吧？」二是：「爸爸會回家嗎？」

纔兩歲多，就月月跟著媽媽到那老遠的一個小鎮，去探望爸爸，有幾次，得隔著一個窗口說話。四歲的時候，親眼看到媽媽在唱著跳著，突然倒在地上，死了老半天，纔被王媽媽喊醒過來。從那時候起，這哥兒兩的小小心靈上，便一直怕的媽媽會死！怕的爸爸回不了家。

後來，雖然爸爸回家來了，媽媽也有了工作，每天帶著弟弟早出晚歸，他們也上了小學。總是忘不了小時候的那段日子裡，爸爸媽媽多麼辛苦啊！

如今，雙慶在婚姻上，有了這麼優越的成家條件，雙喜也沾了光，他可以占有家中那間小房。拾掇拾掇，修飾修飾，把那張上下舖的竹床換成一張席夢斯的，再買一張化粧寫字兩用的梳粧臺，這小房豈不變成了新房。等老三服役期滿歸來，小雅也接近畢業。何況，現在的小雅也只是每周一、二兩晚，纔回家住宿。她已決定藝專畢業後，進天主教修道院，可以說，小雅是已經嫁出去了。

雙喜的這位女友，已帶回家來一次，也是同工作單位的同事。名叫謝有容，東海大學外文系畢業。原籍福建長樂，民國初年祖父這一代，纔到了台中鹿港。祖父是秀才，科舉已廢，民國以來，又廢了書院、塾屋。台灣方面的民間，還相當重視漢文，謝式衡夫妻二人，帶了一個五歲的女兒，便膺聘了鹿港丁家的家庭教席。這一來，竟然愛上了臺灣。家中二老過世，弟兄分爨，連家中的兒子，也帶來臺灣，加上在臺生養的一男一女，一家六口，遂落籍鹿港。七七事變發生，雖有不少後來的福建人，也有返回老家的，由於謝式衡一家人，已在鹿港落根，不但有了一己的家屋，也有了一己名下的事業。謝有容是第三代。祖父這一代，已經辭世，容容的父，母，已是土生土長的台灣人。算起來，雙喜是臺南出生，比謝有容大四歲，若論家庭成分，兩家全是書香門第，祖上也都作過官呢。容容的父親謝錫昌是中醫，在鹿港鎮開了一家中藥店，家境還算得小康。比起來，好過魯家很多。

謝有容與魯聲遠相戀，謝家父母並沒有排斥。只是起先，聽到說對方的父親坐過五年監牢，心理上難免有些個扞格。後來得知底因，也就釋然。但由於兩人考慮到婚後生活問題，算了算若是租屋居住，得付出一人薪金的一半，遂計畫再工作一年，訂一處公寓住宅，分期付款，有了房子，再來談結婚的事。正好，老二在香港結婚，騰出了一間臥房，雖然小些，與父母同住，其他一切家事設施，都不必籌辦，得來這麼一個積漸而成的因果，遂也促成了雙喜的早日成家。他們也知道，年歲都不小了，雙喜廿八，容容二十四，以古禮說，女的已過適婚之年。

這一連幾個月，雙喜都沒有再帶這女孩回來，梅蘭雖然關心，卻不敢問。她知道家庭幫不上孩子在婚姻上的忙。孩子們成不成得了家，全得孩子們自己去造化。可沒有想到雙慶的婚事，竟然給哥哥雙喜促成了成家的機會。

魯家一家人也想到：「若是弟兄倆在同一天同一地舉行婚禮，豈不更好？」歸根一句：「男家無此經濟能力」，舖張不起這麼一次婚禮。祇有遷就女方之便。

魯金土出不了國，梅蘭想帶小雅去，小雅不肯。遂由雙喜陪著媽媽，到香港走這一趟。

兩家人見了面，女家越發地肯定了對方的認同，看到親家母那種嫻雅淑莊的大家風範，一再地謙言：「我家孩子不懂事，缺少管教，以後還得親家母多多教導。」兩家都說了些客氣話，不必細表。吉期遷就女家風尚，訂在明年陽曆二月三日，今年陰曆十二月十六日，跨越兩年的頭尾，以求合而不分的意義。同時，這年的陰曆十二月十六日，夜入明晨卯時立春，「春來萬物發」，這日子的花燭夜，也乞巧上立春這個好節日。

「一切都不用你們管啦！」親家翁陳樹人先生說：「我知道你們兩位都是教育界的教書先生，待遇微薄，生活清苦。不必你們來張羅，我們在香港是土生土長，各方面都熟。我很高興絢美能嫁個好丈夫，我們老兩口有個好女婿，已經很樂意啦！到日子，你們二老來作主婚人，哥哥弟弟來吃喜酒就可以了。」

這位親家的話，說得是如此的慷慨大方。他們也只收下了梅蘭準備好的一點兒首飾，一千美金卻退還給梅蘭。還親切地說：「親家母，你們還有三個呢！我們只這一個，由我來主辦吧！您們別介意。」又說：「我們廣東人，都是直性子，我說這樣辦，就這樣辦。你們不用管啦！回去告訴親家公，可別怪我搶了他的主兒。」

梅蘭母子二人，在香港三天的食宿，都由陳家親翁提前付了。這可真的使梅蘭感到，這次到香港來，不是爲兒子訂親娶媳婦，簡直是嫁女兒。梅蘭想：「這事要是被我家的人知道，會笑掉了牙。一定會嘲笑我，『妳這那裡是爲兒子娶媳婦，妳這是送兒子入贅！』」所以梅蘭由香港回來，心裡一直格應著處窮的人家，在場面上就得作矮子。可是，雙喜就沒有這分心情，他還向媽說：「我跟容容的婚禮，我的岳丈，可不會有陳伯伯那種萬丈豪情。」他還認爲陳家親翁這樣做，是少有富家翁的慷慨大方呢！

「雙喜不是在貧困中長大的嗎？」梅蘭說：「怎的雙喜沒有那種在人前低人一等的心情呢？」

當梅蘭回家，把陳家親翁這份豪情，向魯金土敘說，金土聽了，當時便低下頭去。抬起頭來想說句什麼，但卻伸出舌頭舔了舔口唇，又把話嚥下去了。說：「陳家親翁的這份富人豪情，倒省了咱們不少心力。」遂又轉個話頭說：「也是咱們的雙慶福氣好，遇到了這一人家的女孩，有許許多多的有錢人，在處理金錢的事務上，可不大方。」魯金土沒有見到這位陳親家翁，聽梅蘭描述，推想未必是位富人，倒是位臺面上的人物。洋服的名裁，自是在大都市的社會間，接觸過大人物的。這分豪情，應是從這些場面上薰染來的了。

人生際遇是無常的，處乎無常，要靠一己的定力。遂引發了金土想到讀過詩《鄘》風中的「定之方中，作于楚宮。揆之以日，作于楚室。樹之榛栗，椅桐梓漆，爰伐琴瑟。」未來的日子，全在雙慶一己的「定之方中」，「揆之以日」上。人之一生，成敗二字，完全決定在個己的性行上，不要說，作父母的幫不上忙，連神仙也使不上力。「獲罪於天，無所禱也。」這番人生中的閒話，平常日子，早已說了千萬遍。老伴兒梅蘭更是耳熟了的，所以金土也就沒有說出來。

晚上，雙喜帶著謝有容來了。說是謝家父母也同意他們明春成禮，訂婚的這一層，不能免去。可以不行儀式，喜餅可不能沒有。男家父母隨同媒人，到女家去提親，更是不能免俗。

「媽！」謝有容第一次改口喊媽，說：「妳聽我說，訂婚的儀式，決定取銷，我爸爸已經答應。其他有關喜餅呀那些什麼禮？都由我與雙喜兩個去辦，你二老不必煩心。靜等著那天，我們備好了車，帶著你兩位老人家一起去，在我們家吃頓中飯就回來了。時代不同了，過去的那些排場，全免。」又說：「媽！你們別操心，我已向我爸媽一條條都說好寫好了。」

梅蘭聽了，心情十分恬適。第一次聽到這未來的大兒媳婦，口齒利落得像敲快板的梆子，一聲一響，響響清脆。梅蘭聽了這段說詞，心裡想，這孩子的口舌，可真有幾分像我，真的古話說得是：「不是一家人，不進一家門。」

說到他們那間小房，容容也說：「媽，妳也不必費心，我們訂了婚，就開始收拾房子，誤不了吉期。」

當他們得知雙慶與陳絢美的吉期是臘月十六日，花燭夜正好橋接在立春的時令上，她爸爸也有意選這個日子，但陳家堅持是在香港舉行婚禮，後來想了想，容容是屬小龍的，選在明年正月十六日，陽曆是三月五日。這年的驚蟄節令，是正月十七日子時，花燭夜也正好橋接在驚蟄的節令上。兩兄弟的婚禮，前後相距正好一個月，一年尾一年頭。遺憾的是，這孿生兄弟的婚禮，未能合併舉行，弟弟反而搶前一個月呢！

「時代真是變了。」金土見了鹿港的陳家親翁，纔知道他們也沒有參予其事，全是容容一手完成的。還玩笑地說：「我們什麼也沒有管，只做了這戲中的演員。」又說：「想不到小容知道那麼多！家門親鄰，遠的近的，全顧到了。」

「認真說來，這齣戲本就是他們倆作主腳的。」金土說：「時代已經告訴我們，媒妁之言，父母之命，已經廢了。時代，是潮流淤積出來的；是風沙落塵積聚出來的。不但掃除不了，也抵禦不了。世界，就這樣一天天的在變。」

謝錫昌聽了，雖不能十分深入學理的透透澈澈瞭解，但卻聽懂了魯家親翁在說人世間事事在變，遂一時想到他們祖先曾經有過冠冕在朝堂上的輝煌史績。說：「親家，你稍候，我拿樣東西你看看。」說著便走進房去。

魯金土一時頗感尷尬，自忖：「我說錯了話嗎？」

親家母陪著梅蘭進門來了。親家母正疑問著她先生到那裡去啦？謝錫昌拎著一個紅布包袱，從屏風後走出，纔知道他去取他祖先的那部書。

「親家母你坐下，」謝親家母謙讓著梅蘭坐下，說：「妳也看看我們家這部古書，有四百多年啦！」

謝錫昌把拎來的紅布包袱，放在八仙桌上。解開紅布包袱，其中有一個木盒，盒面上刻著「五雜組」三個漢隸，耀眼的石綠，把隸書「五雜組」三字，翠綠得非常鮮靈。魯金土一看到這三字，就知道他們謝家，是明朝人謝肇淛的後人。「五雜組」這部書，魯金土曾經翻閱，但卻不曾研究。他一見此一書名，就脫口而出，說：「噢！謝在杭的著作。」這時，謝錫昌已把盒蓋抽下，其中的一部木刻本書冊，也小心翼翼地一本本取出，放在桌上。梅蘭見到，也脫口而出，說：「這種木板書，我們家書房，有好幾架。」魯金土伸手示意梅蘭不要說話。他拿起了攤在桌上的書本，一看字型，就知是明代刻本。說：「是原刻本」。再翻閱一翻，知是明萬曆三十六年（戊申）刻本。每頁九行十八字，天高地厚，宋體字，橫輕豎重，字大方正，典麗誘人。十六卷，共裝八冊，扉頁有李維禎敘言，卷首刻有「陳留謝肇淛著」六字。知其祖籍是河南陳留郡。不是東晉時南渡，必是趙宋時南渡，落籍福建的。遂向謝親翁說：「你們祖上原是河南人，」遂又問：「是東晉時代南徙的，還是宋代？」

「聽長輩說，我們是南宋時代，跟著宋高宗南渡的。」陳親翁答說。又補充說：「我們這位祖先是進士及第，他出生在杭州，所以啓名肇淛，字在杭。」又說：「這個制字加水旁，是古寫的浙字，先父是秀才，他在世時，就時時告誡我們，不可把這個淛字唸錯。」

這部書上，還有兩方名章，硃紅的印色，已經泛黑，是白文「謝肇淛印」四字，朱文「在杭」二字。謝錫昌只知道他這位祖先在河北張秋作過治河的官，還擔任護送皇三子由北京到洛陽籓國接任王位。在雲南也作過官。作過什麼官，卻已說不清楚。總之，鹿港謝家，是明代的簪纓大族。

魯金士回家查考，方知謝肇淛是明萬曆二十年進士，同榜人有公安袁宏道（中郎），蒲州韓爌，嘉興李日華，常德江盈科等，都是揚名史策的人物。謝氏曾官至廣西左布政使，等於今日的省長，正二品。說來，閩省長樂謝家，是明末時的顯赫望族。所以後代子孫，或多或少都還遺傳了世家子的因子。處乎世道，還是據於德而依於仁的。沒有任何出乎常情的事故。

未來的兩次婚禮，香港的雙慶，由陳親家一手包辦。這裡的雙喜，不但有個能幹的媳婦，還有他們身邊那多的同事。容容已經說了：「媽！你們不用操心啦！我們會辦的。」是的，他們兩人會辦的，這次的下茶禮，不是處理得面面俱到嗎！

「兒孫自有兒孫福！」這句古話，梅蘭他們兩人深切地體會到了。只憂心將來他們，一個個，會散落在天南海北，用「五世同堂」這句古語，來稱道宜其室家的福壽詞令，將成史書上的引號說詞！

五、家有賢婦勝良田千頃

想來，年尾到年頭，相隔時間只一個月，兩個兒子的婚姻大事，都在歡歡樂樂而轟轟烈烈地鬧熱氣氛中，輕輕鬆鬆地圓滿達成。若依古禮，兒子娶媳婦，作父母的應是主人。如今，居然反主爲賓，無論香港的雙慶，台北的雙喜，婚禮上的事事，這雙父母也祇是作了座位上的主客。

照往例，魯金土去不了香港的，由葉校長擔保，也巍巍峨峨地站到了香港酒店的禮臺上。更是意想不到的，臺北這位大媳婦謝有容，竟是一位既能掌裡，又能掌外的女孩，不但廚上能烹能煎，能炊能炒，針線女紅，也無所不能。書又讀得好，本業英文流暢，日文也能讀能說。還說，要跟爸爸讀古文呢！而且由於父親是中醫生，又從小學會了抓藥。

自從容容進了魯家門，就打量著如何去整理那一間，準備作爲他作新房的小屋。同時，也打量著整個家屋，應如何重新整飾一下，方能令人一眼看去，感於家屋的整齊清潔。所以，成婚之後，金土的家，經過這位有美術才賦的新娘子，繪出圖來，一一把她的擺設構想，作一說明，獲准爸媽的認同，照著新設想，重新收撿了一過。看去，這家室，委實是另有一番氣象。

「容容可是個愛用頭腦的孩子」，梅蘭向先生贊美著說：「同一個地方，同樣的物件，經她這一改動，這環境可就大不同啦！」金土見到經過容容重新的安置，就想到了《文心雕龍》中，「章句」一文上的那兩句話：「設情有宅、置言有位。」遂向梅蘭贊美說：「這孩子的藝術天才是天賦的。」「今後你可得檢點著些兒，」梅蘭向先生說：「我們家最亂最髒、最不善收撿的就是你。」一說起來，就指魯金土從前他那張寫字檯。「你從前那張寫字檯，還像個人坐的地方嗎？簡直是豬圈狗窩。」

祇要梅蘭一提到他的寫字檯，金土就得低下頭來苦笑，慚愧著自己的一雙手，只能顧到腦中想的，一字字寫下來，一張張疊出來。一邊寫還一邊改，剪剪貼貼，廢紙成疊。不幾天，寫字桌的上下左右，便成了碎紙堆。其中有一些捨不得丟棄的，必須他自己去一片片清理。卻又天天總是寫作在繼續著，沒有辦法騰出腦子收撿。也就因而越積越多，誰也不敢插手去替他清理。這情事，還是近幾年纔形成的。往年，孩子們要占有那張桌子，他的本本篇篇，都一堆堆一疊疊，放在書架上，桌子底下。書，越買越多，書架，一框框釘到墻上，連房間的空處，也是一框又一框。泥墻承受不起釘子，用木柱從地上升起頂著。有一天地震，兩面墻上的書架框中的書，一大半掉下地來，靠床的那一方，書掉落滿床。

「好在是白天，」梅蘭見到這種情事，說：「若是夜晚，我的頭都會被書砸破。」

有時，梅蘭氣起來，也會發狠說：「原以爲孩子大了，一個個離開了家，房子空起來，老兩口子可以過個清閒的日子。那裡曉得你這位成了精的書蟲，貪食無厭，不幾年你就把這家禍害成了個爛紙攤子。」又說：「有時恨起來，真想一把火把你連人帶書，都葬在一起。那就隨了你的願！」

魯金土每次挨了罵，就會馬上忙乎著去收收撿撿，也只限於他那張書桌的上下左右而已。可是，不要一個月，又爛成老樣子了。

想起來，容容要把爸爸的書，全部安排到墻上。那就是在兩間主房的左邊，從墻根到天花板，修一列書架，客廳中不放書架，沙發的茶儿下，放些日常的雜誌報章。寫字桌移到臥房的後窗前。床頭，剛好放下一隻凳子，也將就了。書桌兩房，還放有兩個有斗無門的木櫃，可放存稿。

「光是書架，就得花很多錢，」梅蘭一看，就這樣認爲。

梅蘭卻也考慮到，這麼一整理，不但花錢多，也太費事。

「不用木材，用鋼架，」容容說。「用鋼架還有一樣好處，可以協助樑柱支撐天花板上的樑椽。」

「看了這房子的建築圖，我就想過了。」容容又說。「這書架正好左右嵌在磚柱間，上面也正好頂著橫樑。按裝時，上下左右四方面，都釘實。缺點是臥床需要向門邊移，床邊的走道窄了些。」

費用，這倆孩子已經籌措到了，勿庸父母耽心。

經過容容這麼一番的設計、整理，果然煥然一新。

這家，真格是另一番氣象。說起來，全是大兒媳謝有容的慧心完成的。

整理好，一一歸攏好之後，金土還吟誦起劉禹錫的那篇《陋室銘》：「山不在高，有仙則名；水不在深，有龍則靈。斯是陋室，惟吾得馨。」梅蘭聽了，沒有等到他再唸下去，話便頂撞了出來，「這光景是你有德得來的，也不害臊！」金土則馬上解釋，我說的『得』，不是書上的那個『德』，是得到的那個『得』，遂又像講書似的講解，說：「這庸俗的房舍，經過我這位有藝術頭腦的兒媳婦，這麼一番的設計整理，只有我得到了馨香的生活享受。」說著還吸了吸鼻子。這一番說詞，惹得梅蘭又笑吟吟地罵了一句：「你對付我的本領，就是耍嘴唇皮子。」

「教書匠嗎！耍不了嘴唇皮子，還能混到飯吃？」

說實在的，自從房子整理好後，魯金土寫字檯上的閱讀與寫作，雜亂的情形，確是改善多了。有時候，容容也會走來，說：「爸，有沒有必須收拾起來的舊文稿，你能攏起來，我來登記裝箱，放到那間儲藏室去。」

正由於這些因由，魯金土在寫作生活上，也不得不時刻檢點。這天，雙喜與容容，在同事家吃了壽酒回來。容容想到他們的爸爸，不也六十了嗎？雙喜答說：「今年都叫六十一啦！媽媽五十六。」

容容遂想到如按西方的歲數算法，還沒有滿六十呢？問爸的生日？雙喜答說，必須回家問媽纔知道。

「我們也可以擺幾桌，請請親朋好友，爲爹娘作個雙壽！」容容提議。

倆人回家向母親一說，梅蘭馬上就回答：「你們老爸早就說過，『親在，子女不得言壽。』所以我跟你爸兩人，自結婚以來，從來沒有慶過生。爲了鼓勵你們，生日到了，也只給你們在飯碗中，加上一個鹹蛋。」

「媽，我向爸去說，」容容提議，她認爲老爸挺喜歡她這個兒媳婦。

「妳試試看，」媽媽同意。說：「也許妳去說，爸爸會同意。」

回到房裡，雙喜倒是向容容提議，還是先請媽媽透露出我們有這麼一個意念，看看爸爸的反應如何？若是爸爸的反應不強烈，妳再去說。若是爸爸的反應，堅決的反對，這事也就不必提了。爸爸的脾氣挺怪的，只有媽媽對付得了。容容聽了，認爲丈夫的話對。

事實上，梅蘭聽了容容的提議，在心裡已有這個想法。

這幾天，魯金土由學校派到澄清湖開會去了，兩天後纔回來。等金土一回來，她就想著先來試探爸爸的反應，免得容容當場臉紅。她知道先生的脾氣，對於任何切身的問題，他的反應，只有可或不可兩途。從來不考慮兩者間應留有迴旋餘地。當容容說她去向爸爸說，梅蘭並未阻止，還說容容去說，爸爸可能同意。也只是推想，而且在抬高容容在家中的分量。卻也想到她必須先向老爸透露出容容他們的這個意念。看看老爸的反應。

這事，魯金土一聽到老媽說容容她們有意爲他作壽，馬上就問老媽：「妳沒有告訴她們，我們從來不爲自己慶生。」

「我說啦！」梅蘭回答。「容容說六十歲是大生日，作子女的不能忘記。」

「唉！我六十歲的生日已經過啦！」老爸說：「妳告訴她們等我一百歲時再來祝壽！」

說著，就顧自去處理自己的事務去了。

梅蘭一看，就推想到若是容容向他提起，也不可能接受。打算晚上等容容他們下班回來，要容容別再提這件事，也就算了。

不想容容他們一進家門，老爸正坐在客廳看書，兩人進門喊了一聲：「爸！」這爸爸就站起身來，笑容滿面的向著兩人說：「你們坐下，聽爸爸說。」雙喜與容容兩人聽了。怔然相望了一眼，便去方桌下，各拉出一張凳子，在老爸跟前坐下。

「聽你媽說，你們打算爲我作壽！」老爸說：「你們的孝心，我領會到了。我一生不過生日，老人家說，子女的生日，是母親的受難日。子女們小時候，生日到來，作父母的替孩子記得，每次到了這天，總不忘給那位又滿一生的孩子，在飯碗中放一個完整帶殼的白水煮蛋，告訴孩子，你又滿了一歲。成人之後，作子女的應記父母之年。孔夫子就說過：『父母之年，不可不知也。一則以喜，一則以懼。』喜的是父母有了高壽，懼的是父母一年老去一年。」又說：「你們能想到我今年六十歲了，應給老爸作個慶生會，爸爸知道你們有這分孝心，我當然很高興，可是，」老爸把話說到這裡，竟然頭一低，淚如雨下，說不出話來了。兩人一見老爸哭了，遂異口同聲的叫：「爸爸！爸爸！」這時，老媽也在他們兩人身前站著，連忙搖手，指示兩人不要說話。等到老爸取出手帕擦拭了眼淚，抽搐著喉頭，又說：「你們應知道家鄉還有祖父，若是還活著，今年九十一歲。古禮有言：『父母在不言老。』意思就是說，有父母在，做子女的不可作壽。像我，」遂又哀傷地說：「你們的祖母過世，還接到你祖父的來信，那時候，他老人家只知道你們弟兄倆出生，你們的學名字號，都是你們祖父啓的。信上說：『善視二孫，吾願足矣！』還囑咐我們，無事不要寫信回去。以後便沒有再通音問，今年雖已高壽九十有一，生死不明，我們總不能認爲老人家一定死了呢！」說到這裡，便哽咽得不能再說下去。他老人家站起身來，洗臉去啦！

這一段話，說得連面前的老媽以及雙喜、容容兩人，也都淚眼模糊。「媽！」容容站起身來，擦擦淚說：「爸的想法是對的，他老人家的爲人處世，纔能稱之爲『知書達禮』呢！」

老爸洗了臉出來，又說：「今天的人，往往四十歲就作起壽來了。還有人一年一次爲父母作壽，大發帖子請客。」又說：「報上不是刊登過這樣的新聞！上半年爲己壽，下半年爲妻壽。遍撒紅柬，大擺筵宴。結果，賀客寥寥，訂下的酒席不能退。既蝕金銀，又失顏面。」遂又以教訓的口吻，告訴雙喜夫妻倆，說：「你們應記自己的出生時日，你們出生的這天，就是你們母親的受難日。每年到了這一天，別忘了給母親作個感恩節的孝敬表示。你們如能這樣作，在我想來，比國際性的『母親節』，更有意義。」遂問：「你們想想爸爸的說法對不對？」說到這裡，竟扯起腔來，吟誦起《小雅》「蓼莪」中的句子：「父兮生我！母兮鞠我！拊我、畜我、長我、育我、顧我、復我、出入腹我！欲報之德，昊天罔極！」聲調哀惋、悽楚而且情意幽深激昂！

「爸！你說得對。」容容趨向前去，抓住老爸的手膀子，說：「以後，我們就照著爸爸的意思去作。」

拾、灝

一、傾心於權位的幾個女人

在長孫彌月的湯餅宴上，六時剛過，還有兩位客人未到，就有人提議早些上菜，說是今晚八時的電視節目，有美國的衛星電台，轉播大陸北京公開審問毛婆江青。希望早些吃了好回家看電視。說：「這次是北京現場播出。」

有人則懷疑地說：「未必正確。」他們認爲這消息，在報上刊出半年之久了。到時候又宣布延期。有人則說今天開審是千真萬確。三家電視都打出了預告。

果然，審問江青的法庭現場，由外國的衛星播放出來。

魯金土對於電視，一向並不熱衷，何況，近來他又被拉去，與建築商人商談就地營建四層或六層公寓大樓的事務。

臺北市的市區，要向東區發展了。臺北市政府的所在地，已畫定在基隆路東邊。原來是兵工廠的那塊地方，所以通化街這方面的地皮，已經生翅在飛。

照一般合建條件，通常都是對半分。他們談判的原則，也是如此。初步交談，建方要建六層，加電梯，建材加等，與地主二四分。第一樓抽籤決定，抽到的有，未抽到的無有。地主要求對半，後又退到三五比二五。總之，改建已是勢在必行的事。建築商看準了東區的發展，抓到了機會怎肯放。最後，還是同意增加設計一種十六坪一戶的套房，分給地主。

談判的結果，大致上是這樣決定的。只是還有部分人家，認爲應該對半分，不應該退讓半戶。還在協調中。尚未簽約呢！

「想不到咱們住到這裡，竟然得到天時地利，會擁有兩戶半樓房！」梅蘭向金土說。「起先，可沒有想到。」

魯金土沒有回答。他想到了已經去世的王泰山，心想：「若不是王泰山這麼死心踏地的下決定把他一家人，搬遷到這裡來？或者自己沒有遭遇到牢獄之災？不是還住在那眷區嗎？這可真的應驗了那句古語：『塞翁失馬安知非福』呢。

人間世態，變得實在太快，尤其這十年來的臺北市東區，正如東坡先生說的：「自其變者而觀之，則天地曾不能以一瞬；」真格是，一眨巴眼兒，眼前的事態，就是另一個樣兒。想一想，漂來臺灣三十年過去啦。有些朋友，已成土下枯骨，有些朋友，流亡天涯海角。老長官羅將軍，退休後，全家已去美國。梅蘭雖又歷事了兩位園長，當長孫振德行將誕生，她就辭去了工作，依從了爺爺的建議：「還是在自己家中帶孫子吧。」遂在這學年退了聘。

魯金土也只有師專一家課。自從眼瞼發生了神經麻痺病症，中原中學的一班高三，便伺機辭去。老三聲清是學化學的，服役期滿，便考取了臺灣清華化工廠，近來，已派到美國去了。小清這次被公司派往美國，老闆的三小姐也隨著去啦！可能會步上了雙慶的後塵。不過，陳家兒女成行，三位妻室。

有五男三女，他們看中了小清，是他們事業上的幫手，這纔放縱了他家的姑娘陪著小清一起去美國。推想起來，算不定明春就會在美國結婚。雙慶已轉到國泰航空去了，過了年，第一個孩子就要出世。他們必然是在香港落戶定啦！

當兩人由家庭子女的現在生活情景看，想到今日處身於現實世界中的人，也像禽獸一樣，翅膀硬了能飛，就飛出去自謀其生，腿腳硬便了，爪牙鋒利了，就奔向大野去謀其生。人類的世界，也逐漸折回到原始社會中去。漸漸地，人已不知其生者父母是誰，毋庸說到「祖」字了。

「人生無常」，這是一句經常掛在人們口角上的口頭語。這「無常」一辭的涵義，有一位近代哲學家毛子（江山毛子，不知其他年籍真名。）解說「無常的涵義」有言：「限於時間、空間之有數，故事物之成，必由一而二，由二而三，由三而四，而至於無限。有始終之時間，有彼此之空間，遞級而往，以成事物，故曰：『無常有二而三而四，非永常之有一無二也。』又說：「如人類由少而壯而老而死，無常中所生之變化，非少者永常守其少、壯者永常守其壯之不變也。一如草木由萌芽而分枝榦，由枝榦而生葉花，再而生果實。是爲級級遞變之無常，非永常可守其尺寸不變也。」所以，「變化」，就是從一而二、二而三、三而四，積漸形成，至於極限。「物極必反」，於是，「變化」遂成了宇宙間的易象本質。

在電視上，見到了身爲階下囚的江青。

儘管，江青出場，以罪犯的身分，面對特別法庭上的一大列法官，仍舊器宇軒昂的傲傲然不可一世。但事實上，她終究不是十幾年前的當代皇后。魯金士見到江青這分傲然神情，一現身就會令人看到她那副目空一切，毫不在乎，而且還是用她那一代皇后的自造尊嚴，步上法庭的。她雖一言未發，那態度已在說話：「你們是什麼東西！敢來審我？」

不是有問必答，大多時間，都是沈默、怒目以對，問而不答。法官問上三、五遍，也不回答一句。只是伸出舌尖，舐舐口唇。有時受到問話的激發，就會指手畫腳地大聲暢談，像在演講，像在訓話。看去，整個法庭的審問，有如一場電影長片。

「勝利後在南昌看電影時，」魯金土想到：「在正片放映之前，加了一個短片，名叫《一塊錢》，女主角是藍蘋，黑白片，似乎是默片。描寫一個人在樓上數鈔票，一陣斜風吹來，把他正在數著的鈔票，吹飛起一張，這人連忙起身去抓，沒有抓到，那張鈔票竟然飄呀飄的，飛出了窗外，飄到馬路上的行人頭上，湊巧落在這位女主角的眼前。她忙著去抓，一抓沒有抓到，又被風吹飄了起來，飛向另一方。於是，引發了路上的行人，紛紛去抓，偏偏地抓不到。」以後的情節，金土已記不完整。就是那天，魯金土走出電影院，就發現了他心目中的梅蘭小姐，隨著幾位女同學，也從這電影院的觀眾群中走出，那天，魯金土竟然沒有膽子追蹤過去。婚後，兩人談到了這天的電影，雖也共同追憶了這短片《一塊錢》的全部情節，連梅蘭也說不清楚了。還說：「虧你還記得這麼多。」

在看這場審問江青的電視，金土又想到了他看過藍蘋主演的這個短片。如今看電視播出的審江青，已是實人實事，並非戲劇，但看去，更感於它比一場戲劇還要戲劇。這女主角江青，比四十年前的藍蘋，演技是更加老練了。

藍蘋主演的電影短片《一塊錢》，故事是為了能撿得那一塊銀元面值的鈔票，竟在上海鬧市的人群中，奔競在大街小巷中。如今的江青，則是為了禍國大罪，或竊國等罪名，被驅至特別法庭受審。這前後不等的腳色，懸殊之大，怎是命相家的鐵嘴神數可以預知的。人生中的變易無常，更不是八八六十四個布數的卦象，所能布得出人生的一而二、二而三、三而四的積漸數果的。運在太極圖象上的陰陽二位，就是旋轉無息的「永常」與「無常」。（太極的運行不息，是「永常」的，在運行中產生的萬物生滅是「無常」的。）

當初，江青奔向延安，是為了政治的理想？還是為了去投向毛懷，已預知其未來？則是任誰也無從亂猜忘臆可得的答案。可是學歷史的朱信立看來，居然把江青涉入政治舞台的史話，引喻到漢朝的呂后、唐朝的武后、清朝的那拉慈禧等人，相提等而論之。

「漢呂后在高祖時，不敢與戚姬爭寵。」朱信立說：「但高祖一崩，這位惡毒的呂后，不但毒殺了戚子趙王如意，還把戚夫人截去手足，挖去鼻眼口舌，謂之人彘，要她兒子惠帝劉盈去看，因此駭謊成疾而亡。」而且還膽敢冒著高祖定天下之後，曾與文武大臣約定的『凡非劉氏王者，天下共擊之』的祖訓。呂后在高祖崩後，大封其呂氏子弟為王侯。又強以他人子嗣，偽作惠帝太子，惠帝崩，立為帝。呂后封其弟呂產為相，封呂祿為大將軍，霸漢祚七年有餘。呂后死後，文武臣僚合謀，誅殺呂氏，滅族除根。廢呂后立的少帝，迎立代王劉恆，大漢政令，復歸劉氏。」朱信立講完了漢呂后這段專權七年的史實，遂論斷江青的政治作為，說：「江青在毛氏王朝，何嘗有漢呂氏的這種朝中大政，悉由其出的權位？」

「再說唐武后，」朱信立繼續說：「武氏在唐朝，是兩朝天子的妃嬪，唐太宗崩後，兒子李治繼承。此一時期，李唐國力強盛。龍朔三年，孫仁師滅百濟，又五年李勣定高麗。西方，劉仁軌平新疆，蘇定芳兵入西突厥，生擒其可汗沙缽羅。置崑陵、濛池都護府。由於王皇后企圖再為皇帝納一才人，來間疏蕭淑妃的受寵過甚。遂把削髮為尼的武氏，納之後宮。怎想到引狼入室，王皇后的性命都喪在武氏手中。終於獲得皇后位。李治染上慢性疾病，於是，許多政事，都交武氏代決。隨著，廢太子忠，改立她的親子李宏，李宏不祿，卒後再立她另一個兒子李賢。不久，又殺了親生子李賢，改立另一子李哲。高宗李治崩後，李哲繼承大統，不到一年，便又貶爲盧陵王。她獨攬朝政，自封金輪堅神皇帝，號稱『天后』。一直到盧陵王復位被弒。雖再改立李旦繼位（睿子），尋又廢之。自稱國號『周』。後來，武氏死後，朝政又重回李唐，李隆基繼位，盡除武氏，一如劉漢之除呂氏。說起來，武則天終究執掌朝政，垂拱天下二十餘年，而且稱帝立國（有了國號周），可以說，唐武氏比漢呂氏的在朝權勢，還要更加一等。」遂又作結論說：「江青如何比得武曌？」

「那麼，我們再說清代的葉赫那拉氏慈禧太后，」朱信立再繼續說另一位女皇。說：「關於慈禧太后的綜攬光緒皇帝朝政的故事，幾乎是家喻戶曉，不必說了。總之，慈禧太后的權勢，儼然一國之主，說起來，也不是江青的權位可以比得了的。」

「至於江青，她是毛王爺的第一夫人，」朱信立這樣說：「不論她是毛王爺的第幾任夫人，在毛主席生前三十年的歲月中，她是毛主席的夫人，在歷史上是誰也不能否定的史實。就是把江青放在《文化大革命》的這一次政治運動上，她也只是個副手，不是一位如同漢呂氏，唐武氏那樣，已專政到是一位令由其出的主子。無論怎樣推演，也無法把她推到《主子》座位上去。充其量，她只是毛主席的一位得力的副手而已。」

「我的這一史說論斷，」朱信立向魯金土發問：「你同意不？」

「同意。」魯金土答：「正大的史論。」

「出庭受審的人，軍、政、學三界人物都有，」朱信立說：「主犯只是江青、王洪文、張春橋、姚文元四人，謂之『四人幫』。」又說：「如今，紅衛兵的『革命無罪，造反有理』的文化大革命運動口號，已過去十年有奇，業成歷史。這一歷史事件，明白昭示給世人的歷史背境，只是毛澤東要鬪垮劉少奇，奪回主席權位的單純事件。竟然轟轟烈烈地擾攘了十年以上，亂象如同野火燎原。這情事，雖也落塵成歷史，無論勝者敗者，也都作了古人。然而，歷史是由人事形成的，所以生活在歷史中的人，往往會反而思之，溯而問之。於是，又出現了問罪『四人幫』的新口號。」朱信立說到這裡，遂又暢言起學理來，慨慨然說：「凡是宇宙間的萬事動變，不外相對與絕對兩個因子，相對而相生，事則合，合則安。相對而相剋，事則反，反則亂，這話是魯兄你說過的。」又說：「人間事，相對者多，絕對者少。凡相對，如由理生法，則有本，由法生術，則趨乎末。處事者，如不能術理相兼，竟捨理而用術，則亂必成。處政事者，若以術驅術，則亂上加亂，勢必大亂。今天我見到，他們設立特別法庭，來審理紅衛兵事件的生亂始末，應屬於術理兼之的治事之方。期撫人心之不平，安亂於理法。雖說這是『亡羊補牢』的辦法。卻也有補於動變未安的大局。」又問：「你說是不是？」

魯金土點頭稱是。

「看了電視播出的審判現場，你的感受如何？」老朱問。

「我到贊賞那位啞口不言的張春橋。」魯金土說。

「對於江青呢？」又問。

「她是代主受過，在供詞上，還有『補衮』之功。」魯金土答。

「我！」朱信立鄭重地舉起右手，以食指指著自己的鼻子說：「使我最同情的是江青。」

魯金土沒有想到朱信立會說他「同情」江青。坐在旁邊的梅蘭，卻也隨著說：「我也同情江青。」

「嗨！謝謝！」朱信立向梅蘭作揖爲謝，說：「魯大嫂與我是二人幫。」遂慨然說：「江青雖是毛主席的皇后，她在毛澤東身邊，自始至終只是個幫手，在文革時期，出於她的號令也是假傳聖旨，她，何嘗掌握到政權？」又說：「江青在文革期間，狐假虎威的作爲，作了不少公報私仇的壞事，爲虎作倀的作爲，屈死了不少有功於國、有益於民的賢智之士，卻也罄竹難書。又怎能按到她頭上去呢！」

「若是這樣說來，」魯金土接過話頭說：「江青這些人，只是爪牙之類。爪牙是被動的東西，無驅使者，不會主動。我們今天見到的法庭，審的是爪牙，但卻不去問首腦。」金土遂又聯想到呂東萊先生博議《春秋》上的「詹父以王師伐虢」的一段話：「屈天下之理，以信天下之分，非善恃名者也。世之恃名分者，皆曰：『分可勝理，理不可勝分。』不幸而聽上下交爭之訟，寧使下受抑，勿使上受陵。所屈者一夫之理，所信者萬世之分。亦何爲而不可哉！」但金土卻沒有再來說出他這一時想到的《東萊博議》的這番話。朱信立卻代爲說出了。他接過話頭說：「此一審判，轉瞬間就成爲歷史，論斷歷史，是後人的事，不必說它啦！我們作觀眾的，只能寄予江青以可憫而已！」

「我們中國，歷來都沒有女皇帝，」梅蘭不平的說：「總是拿牝雞不能司晨來貶女人。呂后只是代年幼的皇帝，專權了幾年，就被罵了兩千多年，武則天倒是坐了幾天女皇帝，說是理國政績，可以誇讚的很多。可是，我們後代人聽到的，都是罵武則天。尤其是，武則天選了幾個男人作侍寵，就被罵成了淫婦。男皇帝後宮專寵三千多，竟是應該的。」遂又說：「我倒不懂，爲什麼男人可以作的事，女人就不可以？連孔老夫子都把我們女人與小人列爲一類，說是『唯婦人與小人爲難養也。』你們兩個看了江青受審，感受到的，只是『可憫』二字，我可不可憐她，我看到她那副雄糾糾氣昂昂地兩眼平視，目空一切的神情，應說是我們當代女人的偉大領袖。最低限度也應看之爲女中英豪！」

梅蘭越說越起勁，居然站起來說：「昨晚見到她英英挺挺地向法庭上的法官們說：「當年在革命戰場上，毛主席身邊，只有我一個女同志！」說著也學江青伸出手去一揮：「你們都在那裡？」遂又以論斷的語氣說：「呵！江青的這句話，簡直是審問對方麼！」

梅蘭的這番激昂的說詞，頓時使得魯金土驚詫得張口結舌，呆呆地望著她。朱信立也意想不到魯大嫂會有這種意見，也呆呆地望著魯金土……

二、新居、新年、新發現

合建的房子，已經交屋，大多數人家都搬了進去。

也有人家把他們多餘的那一戶，或那一戶十六坪的套間，隨著建築商的出售條件，賣了出去。

「我們子女多，可不能賣，」梅蘭說。「這算得是祖產，只准子孫住居，不准子孫售賣。」

老媽說這話的時候，老爸心裡竊竊發笑。認爲身後的事，怎能管得到？

他們抽到的房子，一戶在三樓，一戶在五樓，出入在不同的電梯。十六坪的套間，都在最上層（六樓）。金土的這一套間，倒與五樓同一電梯。老媽說：「套間留給爸爸作書房，整個房間，四壁的三方，都作書架，靠窗放寫字桌。外間，仍作起坐間。」老爸不同意這樣，他的意思是，把這間小房留給小雅。他認爲小雅在幾個孩子中，是一位受到委曲最多的，作父母的應當多多給她親情。至於這小房應該怎樣佈置，由小雅自己決定。

經過老爸這麼一說，連老媽都沒有再提異議。

可是小雅回來，知道爸爸有此意念，表示拒絕。說：「那有出家的修女，還在家庭中保有一己的獨立房間的情事？」她贊同媽媽的想法，給爸爸作書房。又說：「爸爸是位讀書人，幾十年來，連一張屬於他自己的寫字桌都沒有。想起往年，只那一張小桌子，還得等到我們作完了功課離開，纔能輪到爸爸，好不容易有了一間可作書房的地方，留給我作什麼？不是浪費在那裡嗎？」

當小雅知道這是老爸的意思，她便向老爸表白心意。她認為她不需要在家中享有一個套房。她說：「爸！這三房一廳的房子，爸媽住一間，大哥大嫂住一間，還有一間，小德子也占有不了那多地方，我回來，有我一張睡床就可以啦！」另一戶，留給二嫂三嫂他們住，上主給我們家安排得不是挺適稱的嗎！」

經不起全家人的意見一致，遂決定把六樓的套間，裝修成書房。

原來在舊房中拆下來的書櫥鐵架，還保留在那裡。拆下後，曾經一根根一條條都抹塗上凡士林油膏，又一根根用膠紙包紮起來。準備留著新屋完成後，還可以使用它，恢復了書架原樣。幾個孩子不同意，說是新建的房子，牆高比原來的要矮兩三寸，鐵架再用時，得截斷一部分。而且認為那套間最好使用木材製作書櫥，看起來纔適襯。該省的省，不該省的不應去省。何況如今，家庭的經濟情況，已不是二十年前，子女們已有財力來修飾這個房子。遂也一致希求：「要修裝書架，就應當修得標致些，不必再用鐵架。用鐵架，書的擺設 只是開架的，會有彈不完的灰塵。用木料，可作成櫥櫃，有門可關，不會有灰塵侵襲。」就這樣，老爸也得聽從大家夥的意見。

搬家是很辛苦的事，何況，在這一年半的時間裡，就搬遷了兩次。先一次是騰出土地來，必須全部清出，拆除舊屋建新屋。這次，新屋建好，又得一一把摒擋出去的東西，再搬到新屋去。這之間，還有租屋居住的這一段，也免不了是搬進又搬出。這幾次搬遷，對老爸來說，付出的辛苦最多，幾架子書，必須他親自收撿裝箱，書櫥好了，又必須他親自開箱解綑，一冊冊有規有則，有前有後的放入書櫥架上。別人，誰也幫不了忙的。

這套間，作爲書房，非常雅致，而且幽靜。外間耙坐，也有沙發、椅、凳、寫字桌、電視、音響全有。（音響還是十年前小雅買的呢！）耗費了數日時間，把各類書冊，先擺上架。一邊在一冊冊一類類地插入書架時，還不時抽出一冊冊來，撿閱其中先記的內容，再隨手記錄下來，以便用時，記得去查閱它們。每天，祇耗兩小時光景，去整理書的依秩歸位。這種時時需要躬身彎腰的工作，雖然每天不過兩小時的勞動，可比每天坐在書桌上，寫作四小時，還要勞累。他就借著一邊收撿，一邊查閱，來稍息筋骨的勞累。可是，書中的問題，一旦進入了他的意識川流，他就忘卻了插書上架的工作，竟是全副身心神志，都轉移到新洞開的那一條意識川流上去。譬如他又發現到早幾年，小雅說到的「變宮」、「變徵」兩個變音，是七弦琴的七個音階。他認爲有問題？因爲他的先生松三爺，在講《史記》「荊軻傳」時，說到馬遷筆下的「變徵」之聲，不是古弦琴的「二變」，遂引發了魯金土去蒐尋了一些琴譜，以及近代樂家的樂論。又在新聞紙上，見到了一九七八年五、六月間，在湖北隨縣擂古墩發掘出戰國早期墓葬，獲得樂器編鍾八種，共計一百廿餘件。樂家們的研究論文，紛紛刊出。中央圖書館已有收藏。魯金土很有興趣，去尋求論說，爲他解決此一問題的企圖，這幾年來，雖有小雅的老師，爲他收集一些來，終由於課業忙碌，未能鑽研，只是集成了一疊，裝入一個紙套，寫明了「古琴」資料。一經翻閱，遂又激起了「變徵之聲」的問題。一時之間，便忘記了理書歸架，竟然坐了下來，傾其全心去研究古琴譜，與出土編鍾上的「和」、「繆」二字，還有《淮南子》的「天文訓」，所說的

「和繆」二字，兩者的關係如何？企圖在此一結論中，求出《史記》「荊軻傳」中的「變徵之聲」，是怎樣的一個音聲？

魯金土一坐下來，意識進入了他的川流，總是發憤忘食，到吃晚飯的時候，梅蘭還沒有見到老爸下樓，按了兩聲電鈴，也無回應，只有走上樓來看看，推門進來一看，果然未出所料，他老人家還坐在那裡，埋首案牘，連梅蘭走進房來，他都沒有聽到有人進來呢！

梅蘭站在門口，停了一霎，魯金土的坐向，是背著門的。

「叮叮叮！」梅蘭站在門邊，反起手來，彎起中指，輕輕扣了三聲，沒有反應，又加重再扣繫了三聲。魯金土這纔停筆，側過身來。一看是老媽，笑嘻嘻地說：「來，我尋到問題的關鍵啦！」他仍像往常日子一樣，總是希望老伴兒走到身邊，作他的聽眾，聽他興奮地述說他的寫作。儘管聽不懂，也笑嘻嘻地去聽。他知道先生在這方面很寂寞，如今，周清波有了妻小，功課也忙。朱信立也結了婚，且年近七旬，雖然身體健康，兩膝有退化性的關節炎，新的老伴兒，也五十多歲，在心情上，也只是安度餘年。

陳詒夫婦也退休，移民到美國，陳晃已在美國有了身分。女兒的牙科診所，也遷到洛杉機去了。魯金土今年暑期也要退休。他總是說：「我退休後，要好好把蘊藏在頭腦中的幾本書寫出來。」所以魯金土，近年來，時時想著他要寫的幾本書上的史科問題。

「你不餓啊？」梅蘭沒有走過去，仍站在門邊說。「都快七點啦！」又說：「緊等不見人下來，慢等也不見人下來，你幹嗎呀？又寫起來了。」

梅蘭這纔一邊說著，一邊走向前來。

魯金土聽了，忍不住站起身來，伸起雙臂，打了個哈欠，說：「我的意識一旦進入了川流，就休止不下來。」

梅蘭再一眼瞧見地上的書，還是東一堆西一堆、東一箱西一箱的，敞開櫥門的書架，不是半空的，就是全空的。見到這情事，就忍不火氣上衝，說：「你怎麼不把書歸到書架上，竟然坐下去寫起文章來。你也不想想今天是什麼日子啦？祭灶的日子都過啦！還有五天就是年三十，小清與雙慶他們兩家，都是年二十八回來。」又加重了語氣，責備老爸：「你願意孩子們回來，見到爲你設計的這麼一間書房，還是個荒貨攤子嗎？說起來，連我這作妻子的都有責任。你忘了，我們都是爺爺奶奶啦！」

「好！從這時候起，」魯金土以右拳重擊左手掌，乒地一聲，說：「停筆不寫，歸書上架。」說著就忙著彎起腰來，去取地上的書，馬上工作。

梅蘭見到，真是又好氣又好笑，說：「我的老爺！吃晚飯啦！」沒好氣的伸出手去扯起金土的手臂，弄掉了魯金土剛取到手上的一疊書，說：「走！吃飯啦！」

這個年，是魯金土一生中，最爲幸福快樂的新年。

今年，全家人歡聚一起吃年夜飯，老老少少已是十二口之家。算起來，雙喜、雙慶各有一男、再等半年　雙喜還要添第二個呢。小清在美生一女，排起行來是振德、振寰、振家；雙慶的振德居長。然而，這一雙老夫婦，也有遺憾！那就是小雅出了家。

大年夜，一家人還圍在一張圓桌上，擲骰子、推牌九呢。賭具都是雙慶從香港帶來的。這時，幾個兒女看到了他們從來沒有見到過的，他們的爸爸還有比他們更玩皮的孩子氣。小雅說：「今天的爸爸不是六十五歲，只有十五歲。」

爸爸向子女們述說他兒時的新年，說：「從臘八那天，過年的氣象，便展現了。早晨，孩子們端著盛滿臘八粥的碗，用茶匙（調羹杓），一匙一匙的向各種果樹幹上澆，傳說果實吃了臘八粥，果子會結得多。跟著是趕年集（市場），辦年貨（購買年節的食物等等）。一入臘月，炮仗聲就此起彼落的響起。粉刷房子，事事換新。一到臘月廿三祭灶日（送灶君爺上天言好事），廚灶便一天到晚不熄火了。蒸饅頭，作年菜，都在年三十的前些日子裡，準備齊全，過年後十多天（一直到元宵）的日子裡，只吃蒸菜，不吃炒菜。老老少少，男男女女，都在年節裡尋樂子，男人不下田，女人不下廚。年三十午後，便開始貼春聯，所謂「一元復始，萬象更新。」都在春聯上寫著了。晚上，祭祖、吃年夜飯後不分尊卑，可以在一張桌案上聚賭。過了初五。就不許賭。」還有兩句俗話：「年夜飯不辭外鄉客，年五更吃扁食（水餃）不招外人。」爸爸說家鄉的風俗，可請外鄉的流浪客（如外省的短工單身漢），來參加年夜飯共同歡飲，一家人在年五更時，下扁食、燃燭、焚香、放鞭炮的迎春禮，可就不招待外鄉人了。全是一家骨肉老少。迎完了春，天剛亮，太陽尚未露臉兒，若是晴天，拜年的行動，便開始了。於是，村子上的左一堆人，又一堆人，老老少少，男男女女，聚起的賭場，呼么喝六的鬧嚷聲，可以說是此起彼落。」……使得一家人聽得目瞪口呆。孩子們邊說：「多咱能回老家過這麼一次新年，那該多麼好啊！」

梅蘭說他們家過年，可沒有那麼多可說的。最特別的一件事，是在年夜飯時「開元寶」。說：「實際上是切豬頭。把一個完整的豬頭，洗刷拔毛，用各種酢料整理完畢，放在蒸鍋內蒸爛，用大盤托在桌上，由家主持刀切開，然後，一塊塊分在各人的食盤中，這就叫作『開元寶』。至於年夜飯後，一家老老少少，不分尊卑，聚在一起擲骰子、猜寶，以及年初一拜年，小孩子玩花炮，習俗都是一樣的。由於城市中人是從各省各縣聚集來的，沒有鄉村間的土者，有其在血統上、親鄰上的那種親情。論起年節的親情歡樂景象，通常是城不如鄉。

歡樂的新年，轉瞬即過。孩子們又各回各地的工作崗位上去。金土說：「過去的人，視三代同堂到五代同堂，看作是人生的福分，如今我們這一家，已是祖孫三代，像這一年一聚，要想聚集齊來，可也不容易。」梅蘭則接過話頭說：「虧了你還有這種不合潮流的想法，像我，今年纔六十歲，大牙已拔了三顆，還有搖動的呀！若是等到四代，還得二十年，那時候，你我只有兩處好去，一處是老人院，另一處就是墳墓，像當年我們家的那種三、五進院落，鍾鳴鼎食，僮僕列隊，老祖父老祖母，高居後院上房，像個太上皇祖似的，看來，這歷史是不會重現的啦！」又以嘲諷的語氣說落老爺：「你這老古董還想著五代同堂呀！老書蟲，鑽到你的書堆中啃書去吧！」

老奶奶說得不錯，老爺爺在子孫們各回各地，他可正慶幸著可以回到新書房去作書蠹，去作蟫蠹。年前，他在舊稿中，發現到一篇未寫完的古琴七弦中的「二變」問題，爲了新年，擱下來半個多月了。小雅這次回來時，又給了他一張她老師抄錄出的「正調按音音位圖」：

音樂中的「變宮」、「變徵」，應是在宮、商、角、徵、羽的五音與六律協和奏鳴中，自然而然地衍生出來的。漢人口中的「應鍾變宮、蕤賓變徵」，指的是十二宮旋中的移宮過程，淮南子在「天文訓」中，已經說得很清楚了。遺憾的是，竟被後代音樂家誤解。甚感憾然！

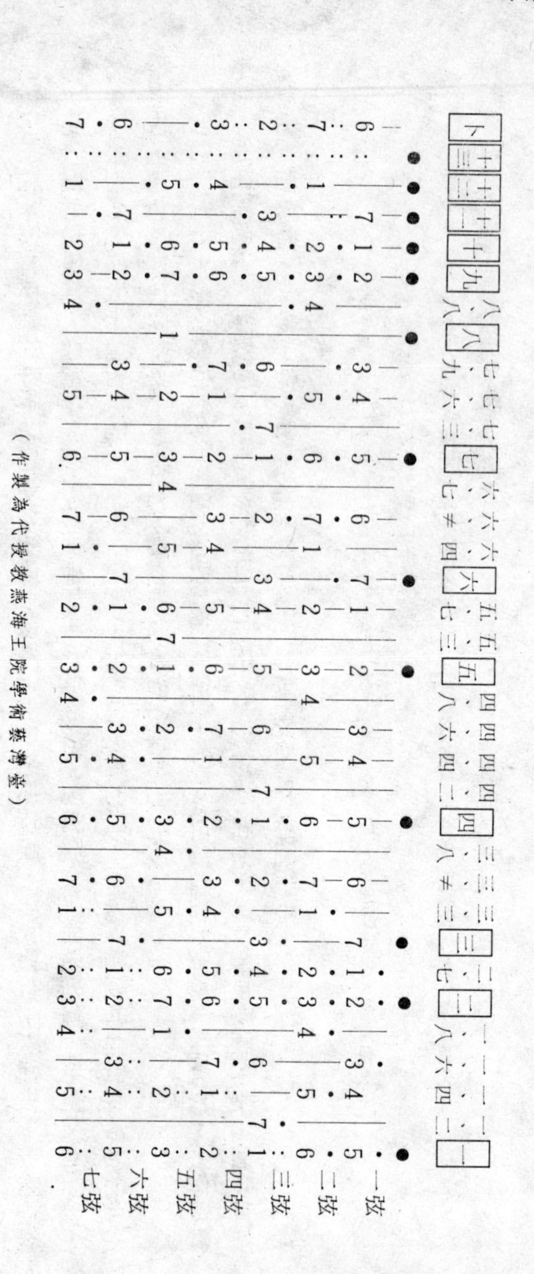

（作製為代授教燕海王院學術藝灣臺）

從此圖列的七弦琴正調按音出的音聲來看，「發」（FA）「席」（SI）的音位，在七根弦上，都能奏出這兩個音聲。至於其他都、來、米、索、拉五個音聲，也不是固定在某一根弦上的。它們的音聲，可以隨著宮調（均、韵）的變更，來變更其音位的。與西方的鋼琴，不大相同。在五弦琴的時代，「發」、「席」兩音，也照樣會在五弦的徽位中出現。小雅的老師也列出來了。（如左圖）

㈠五弦琴（仲呂調）

㈡鬆三弦（林鍾調）

	一	二	三	四	五	六	七	八	九	十	十一	十二
	·	·	·	·	·	·	·	·	·	·	·	·
Ⅰ	5	2	7	5	2	7	5	7	2	5	7	2
Ⅱ	6	3	#1	6	3	#1	6	#1	3	6	#1	3
Ⅲ	1	5	3	1	5	3	1	3	5	1	3	5
Ⅳ	2	6	#4	2	6	#4	2	#4	6	2	#4	6
Ⅴ	3	7	#5	3	7	#5	3	#5	7	3	#5	7

	一	二	三	四	五	六	七	八	九	十	十一	十二
	·	·	·	·	·	·	·	·	·	·	·	·
Ⅰ	3	7	#5	3	7	#5	3	#5	7	3	#5	7
Ⅱ	5	2	7	5	2	7	5	7	2	5	7	2
Ⅲ	6	3	#1	6	3	#1	6	1	3	6	#1	3
Ⅳ	1	5	#3	1	5	#3	1	#3	5	1	#3	5
Ⅴ	2	6	#4	2	6	#4	2	#4	6	2	#4	6

右二圖是從「泛音」調弦取音，出現在徽位上的二組音聲排列。

（臺灣藝術學院王海燕教授代為製作）

魯金土從這「發」、「席」兩個音聲的產生上看，可以肯定它們並不是七弦、五弦的關鍵，它是隨從宮調轉變，必須重新調弦，因之使各弦在徽位上，有了音聲（音階）的變化。換言之，五弦琴、七弦琴，演奏的音聲，本來就有都、來、米、發、索、拉、席七音，其中的「發」、「席」兩個音階是短音，因之古琴音樂，不用這兩個音作主調，（不用發、席作宮）。但這兩個音，卻是自然而然的出現在古琴音樂中的。魯金土推演到，說得更清楚些，那就是「發」、「席」二音，應是音樂奏鳴中的自然音階，在任何一種樂器中，都會在奏鳴中出現的。於是魯金土想到釋守溫列出的字音三十六母，其中就有兩個半音「來日」。一般人只知入聲字是短音（半音），實際上，在方言中，其他平上去三聲，都有讀半音的字。以吳語歌唱的崑曲、以閩南語歌唱的南管，都有不少必須歌吐半音的平上去三聲。

「翻遍了先秦古籍，並無『變宮』、『變徵』的文辭。」魯金土這樣肯定他的史科。「在文中論及音律的管子，沒有說到『二變』，齊景公時代的樂家伶州鳩，雖被問到什麼是『七律』？在回答的語詞中，也沒有說到『變宮』、『變徵』。」魯金土發現到的「變宮」、「變徵」等說法，全是漢朝人說的。先秦以前的文獻，論樂的文辭，全是五音六律的樂理，連論及「七律」的伶州鳩，所論的「七律」，都是武王伐紂的政治學理，不是音樂學理。

「從史料上看，一般樂家都認爲最早在文中說到『二變』的人，是淮南王劉安，」魯金土苦讀了幾個月之後，得到了這麼一個結論。在《淮南子》「天文訓」中。淮南在說完十二律的各律呂的月位，又說了這麼幾句：「極不生。徵生宮，宮生商，商生羽，羽生角。（似是宮生徵，徵生商，商生羽，羽生角）角生姑洗，姑洗生應鍾，比於正音，故爲和。應鍾生蕤賓，不比正音，故爲繆。」這幾句話，遂被後人（包括樂家）誤釋爲《淮南子》上的這一番話，說的是「應鍾變宮，蕤賓變徵。」魯金土爲了此一問題，不但全身心投入了此一問題的鑽研，幾乎是如痴如醉地，去蒐集資料，幾十家的琴譜，也都收集來研讀。忽然，心竅開了，他悟到了淮南劉安說的「姑洗生應鍾」，「應鍾生蕤賓」，正是十二律呂的上下衍生，有規有則的必經之道。換言之，正是十二律呂「旋相爲宮」的「移宮換羽」。

南呂上生姑洗，姑洗下生應鍾，應鍾上生蕤賓。這衍生是定了規的，一成也不能變的。「旋相爲宮」的宮宮相移，就是這樣交替的。

「那麼，何以又說『角生姑洗，姑洗生應鍾，比於正音，故爲和？應鍾生蕤賓，不比正音 故爲繆？』」

魯金土查出淮南的這幾句話，「角生姑洗」有顯然的錯誤。前輩學人王念孫校正爲「角主姑洗」。如照此說，當是姑洗在宮位。以旋宮的秩序說，姑洗是第五宮。姑洗當宮，生應鍾爲南方徵位。那麼，徵位的應鍾，就是第六宮的宮位。應鍾在第六宮當宮主，他生蕤賓爲徵位。蕤賓便輪爲第七宮的宮位。這時，魯金土忽然想到，黃鍾宮律是子位，蕤賓宮律是午位，黃鍾與蕤賓，正好是南北相對的子午線。自子至巳，是爲陽律（長日始也），大呂、夾鍾、仲呂，三陰呂，是爲陽中之陰，黃鍾爲首。自午至亥，是爲陰呂（短日始也），蕤賓、夷則、無射三陽律，是爲三陰中之陽，蕤賓爲首。這麼以來，十二律呂的「旋相爲宮」，自蕤賓（午）到應鍾（亥），本是陰呂，但卻由應鍾這位母親誕生的兒子蕤賓作陰呂之首。所以淮南子的「天文訓」，說「姑洗生應鍾 比於正音，故爲和。」又說「應鍾生蕤賓，不比正音，故爲繆。」再從下文說：「日冬至，音比林鍾，浸以濁，日夏至，音比黃鍾，浸以清。以十二律應廿四時之變。」下面又說到黃鍾律除了當宮一次之外，還有四次在其他宮律中，擔當別的音位。說：「甲子，仲呂之徵也。丙子，夾鍾之羽也。庚子，無射之商也。壬子，夷則之角也。」魯金土豁然大悟了。興奮的叫起來：「我弄清楚了。」馬上提筆寫：「角生姑洗，應是南呂生姑洗之誤。」又自言自語地說：「只有把『角生姑洗』看成『角』乃『南』字之誤，又奪一『呂』字。這段文章，文義纔通。他想：「無論如何，也尋不到劉安的「天文訓」，曾經說到「二變」啊？」

這書房，沒有任何人來干擾他，老伴兒也只是到時候送茶送水，喊他吃飯，纔上樓來。或者有電話非得要他接聽不可，纔按鈴告知他：「有電話。」其他時候，總不忍去干擾他的閱讀與寫作。就這樣，出了事啦！

三、都怪我太大意了

生與死是孿生的。當生命形成誕生，死亡之神便緊跟著生命生活在一起了。俗謂：「有生就有死。」死，是生命無所逃避的事。明白了此一人生事理，生死二字，也就會看得開。儘管如此，魯金土的突然死去，對梅蘭來說，在當時，幾乎是她承受不了的一件事。

自從原住屋與商人合建完成，魯家也分到了兩戶又加十六坪大的一戶套間，魯金土有了一己作息的書房，在家居生活上的藏身之所，便是他這間書房。起先，梅蘭也時時陪伴在書房內，或閱讀，或作女紅，但卻往往忘了廚灶上的飲食，不是壺裡的水燒乾了，就是鍋子裡熱的菜燒焦了。還有時孩子們回來，忘了帶鑰匙，或訪客來叩門，五樓那間房的動靜，六樓聽不見。再說，書房雖裝有電話分機，當魯金土在書房工作時，總是時時把電話關上，有時五樓家中的正機響鈴，若是電話要與男主人說話，再按鈴告知六樓的人，打開鈕鍵來接聽。梅蘭要是在書房，陪著先生，就把電話分機的鈕鍵打開，有電話來，六樓的分機鈴聲也響。這樣，又怕電話鈴聲，干擾了先生的讀書與寫作。遂也各守一層樓，雙喜夫婦下班纔回。又有個孫子已送到幼稚園去。平常日子，若是魯金土沒有去上課，大多時間都在他這間書房裡。梅蘭也只偶爾送水果去，茶水有暖瓶，又有鳴叫的燒開水的壺。

由於年齡的關係，金土也發了胖，雖然六十五歲已過，頭髮還只有些許斑點的白髮，面色也很滋潤，看去不像是年踰花甲的老人。按年齡，本應今年退休，卻又接到聘書，延退一年。在生活上，健康上，沒有引發魯金土煩惱的事，平時的健康狀況良好，飲食、睡眠正常。自從有了這間書房，可以聽到他不時哼著《玉堂春》的京腔大戲，或不時背誦詩經或八大家的古文。尤其呂祖謙的《東萊博議》以及《文心雕龍》中的名篇，無不經常在他口中吟誦。這情事，都是梅蘭經常聆聽到的。因而時常在心裡想到，也不時的在口裡說到：「我家這個老書蟲，可真的是成了精啦！」又怎的會想到這一位歡蹦的活人，竟斜著頭臉撲伏在書桌上，沒有氣息了呢！

夏日天長，早晨五點，天就大亮了。

魯金土的生活，從小到老，一直保持著日出而作、口沒而息的古風，除了服膺公職，必須加夜班趕工，他自己的日常生活，則是始終在日作夜息。所以在長長炎夏，總是五點鐘天亮，他便起床盥洗，汗衫短褲，便坐在他的書桌前了。

早餐，總是梅蘭按時在七點以前，喊他下樓吃早飯，有時給他送上樓去。茶水，由他自己張羅。中晚飯則一定下樓，與家人共桌餐飲，有時，祇有他夫妻倆帶著一個小孫子。

這天，梅蘭帶著孫子振德，隨同大兒媳婦的公司專車，到石門水庫遊玩去了。魯金土說是手頭有事，必須靜下心來研究，不能分心到別處去。梅蘭遂爲他準備好午餐，放置在電鍋裡溫著，午飯時，取出來就可以食用。一樣樣交代完了纔出門。臨走時，大兒媳婦還帶著幾分玩笑的語氣說：「爸，我們準十二點半打電話回來，你要是還沒有吃飯啊！媽媽回來可沒有個完。」又加了一句說：「爸，媽媽的嘴頭子，你是領教過的。」

當他們十二時半由石門水庫的餐廳，撥電話回來，電話就無人接聽。容容就向媽媽報告。梅蘭回答：「別管他，他要是沒有按時去吃，大不了餓上個把小時，他也會去吃的。」可是下午五點鐘光景回到家，一看飯菜還在電鍋裡，心想：「可能出去了。」走到樓上一看，人卻斜著頭，半個臉朝天趴在書桌上。遂下意識的認為是伏案入了夢，說：「你還在睡啊？飯也不吃。」近前一看，斜枕在左手臂上，半昂起的臉，一雙半睜的眼睛，已沒有了眼睛應有的神情，灰瞪瞪地像死魚一樣，不禁心頭一震，喊了一聲：「魯金土！」再伸手一碰，那顆斜枕在左手臂上的頭，竟然像個葫蘆似的臉向下滾貼到書桌上，這纔啊地一聲驚叫，馬上昏癱在地上。半響纔蘇醒過來。再起身一看，還是剛纔那副樣子，忍不住豪啕著喊：「天哪！怎麼會……」便哭下樓去。

容容趕忙跑到樓上，摸摸手臂，還有餘溫，遂連忙撥電話要「一一九」。告訴媽說：「手還是熱的，馬上送去急救。」又電話給陳秀妹，請她來幫忙。

救護車來，幾個人七手八腳的把人背上車。隨行的醫生就宣布說：「人已無救，瞳人都散了。」所以到了醫院，沒有經過急救的程序，已決定送入太平間。

人，已絕氣絕多時了。

話說魯金土在閱讀各家琴譜時，聆悟到「變宮」、「變徵」二音，乃宮、商、角、徵、羽五音階，在與十二律呂和合奏鳴時，自然而然旋律出的天籟之音，不是到有了七弦琴，始行出現的兩個「變音」。不要說先秦文獻中，沒有論及「變宮」、「變徵」的文字，就是早期的漢朝人，如淮南王劉安，在其所著「天文訓」中，談到了五音六律（十二律呂），也沒有說到「二變」，他文中的「姑洗生應鍾」與「應鍾生蕤賓」之「比於正音」與「不比於正音」的問題，是說十二律呂在宮宮交替時，產生出的陰陽交措問題。由於這段文字有書誤與奪衍的情事，如「南呂生姑洗」，誤成「角生姑洗」，多少年來，被樂家扯到「二變」上去。遂把問題，越扯越遠，也越是令人摸不到頭腦，理不出頭緒。所以魯金土悟徹到此一問題的糾結錯綜，幾乎全是樂家的誤解誤釋。他發現了這些問題的癥結，使他興奮得，不眠不休了許多日子，來寫這遍文章。

這天，他終於寫完了這篇：「淮南音律中『徵生宮』與『和繆』說」。寫完之後，讀了一遍，他站起身來，伸了個懶腰，打了個哈欠，便倦怠地撲伏在桌案上小憩。只是打算休息一下。可是，連他自己也不曾想到，竟因心臟衰竭，從此一眠不起。竟在其夢寐中的古琴聲中，悠遊到九天雲外去了。

對於魯金土來說，他是無病無殃、無苦無痛地離去了這個世界。

對於梅蘭來說，受到的痛苦，真可以說是無所比擬。她一直在喃喃不停地自責：「都怪我太大意了！都怪我太大意了！」

幾個孩子，哭得最傷心的是小雅，一再哭訴著：「都是我害死了爸爸，他這幾年來，在古琴的樂理上鑽研，還不是爲了教我，爸爸的死，都是我害的。」哭得呼地搶地，連媽媽見到她那麼傷心，都得節哀，分出精神來照顧她。爸爸活著的時候，就說過：「咱們這幾個孩子，只有小雅在人生道路上，受到的委屈最大。」

梅蘭從金土平時的言談中，推想他已洞悉了小雅的病因，只是隱忍著不說出口來就是了。至於金土近年來，在古琴音律上投下全身心去探討「二變」的問題，固由於小雅在藝術專科學校學的是古琴，但如認真去分析金土之熱衷於古琴音律的研究，並不是爲了想協助小雅在古琴學上有所成就，實則是他是興之所至，情之所之。認真說起來，魯金土的求學精神，正如那句「求知若渴」的形容詞一樣，凡是學問上的問題，他一旦涉入，非掘井到源，決不休止。

從他死前留下的那篇論淮南子「極不生」語中的「姑洗生應鍾比於正音，故爲和；應鍾生蕤賓不比正音，故爲繆」的論辯一文來說，他的研究，確是作到了前人未曾見及的發現。遺憾的是，魯金土的生命，竟在此處畫上了休止符。

「人死不能復生」。無論親人如何的傷心悲痛，人死了，是不能活轉來的。人死，還能還陽的事情，十九都是小說或戲劇上的故事，人間少有。

人死後，要處理的就是死體的安葬。

「生從無中來，死歸無中去。」梅蘭說：「這兩句話，是阿土生前，時時掛在口唇上的話。」又說：「我們兩人也常常說到死，都一致的認爲，死後的屍骨火化，把骨灰散到汪洋大海，可不要在人間還留個墳堆。」

依孩子們的意見，選塊山地安葬，一旦能回大陸，再撿骨送回老家。葬在祖墳旁邊。媽媽卻說應照爸爸生前的意念作。於是，決定火化，骨灰罈安置在書房的書桌上，供奉起來。一直到可以遄返老家，再抱著他的骨灰，安葬在祖塋。或把骨灰撒向家鄉的土地上。

若是遵照老爸生前的遺言，那就是：「死後把臭皮囊送到焚化爐化成灰，磨成了塵，帶到海上，撒向大海，或者帶到山上，撒向天空，活著，是一粒砂塵，死後，還是一粒砂塵。」還有：「別發訃，別開弔。既然死了，何必再去打擾親友！」孩子們則認爲那都是爸爸生前的玩笑話，當不了真的。雙喜就說：「爸爸把祖父家信上的那兩句話：『父訓；善視二孫，吾願足矣！』寫到條幅上，掛在墻上的時候，還向我們講解《論語》上的那句：『生，事之以禮。死，葬之以禮，祭之以禮。』說到此處，便眼淚汪汪地說他未能事之以禮，遂又感歎著老人家可能不在了。」遂向媽建議說：「媽！我們不能不發訃聞，不能不開弔。我們都大了，已在社會上服務了。不能不從俗禮，否則，我們會挨罵的。」

喪禮，還是備盡哀榮。只是，梅蘭在生活上，可是孤單、寂寞了！

金土的骨灰罈子，放在一個特製的木盒中，用一幅紅色絨布包裹起來，放在書房的書桌上供著。前面雖然豎立起一個靈牌，上寫「魯府先君諱金土之靈位」，卻不設香爐燭臺，也不設酒盃什麼的，只擺兩隻改造型的蠟燭，日夜閃亮著紅艷艷地光暈。有一盆鮮花供在靈前，經常更新。

子女們一月喪假期滿，便陸陸續續回到各自的工作崗位。祇有小雅，修院特准她在家陪伴母親過了百日再返院。

雙喜夫婦爲了要媽媽心情清靜，連大孩子魯振德都送到外婆家去了。容容說：「妳要心情安靜下來，爸離開了我們，我們當然很難過。他又走得那麼突然！在無病、無痛、無苦楚的情況下，安安然像入夢似的就離去了。人人都說爸爸這樣離開人世，是一位修煉成了仙的人。比那些在病榻上，成天伴著藥瓶子，呻吟不停的故去，豈不是一位有福的人嗎？」

但在作妻子的梅蘭心理上，可不是這樣想，她認爲金土的這樣死在書桌上，全應歸罪她沒有顧及到先生在書房中的工作時間太多了，超過了他體力的負荷。而且忽略了他的心臟有病。近數年來，生活上已不愁柴米油鹽，從外表上看，金土不但胖了，臉色也紅潤起來。又有了他一己起坐閱讀、研究、寫作的書房，應該任由他去展現個己的意志，也就忘記了他有心臟的宿疾。當金土竟是這樣的因爲工作過度，造成心臟衰竭而死亡，所以梅蘭一再自責：「都怪我太大意了！」她認爲她如能時時想到了他的心臟有狹心症候，有時心律跳動也不規則，多去注意他的勞逸，應是不會這麼早離開人世的。可是，無論怎樣追悔都來不及了啊！

百日之後，梅蘭的心情已經平穩。孫子振德已從外婆家回來。小雅每禮拜都回來一次。看到書房的下層櫥櫃中，還有不少細用牛皮紙袋裝起的文件，有的寫上了內裝何物？有的沒有寫上。書桌上下，也堆著一疊疊一堆堆的文稿。他媽說過：「爸爸的書房，不准你們任誰去動，我要留著原樣，他活在世上的日子，書桌上下左右，就是那麼亂，我要看到書房還是他活著時候的那樣亂，孩子們都能體會到媽媽的心情，連孫子魯振德，都知道：「爺爺書房中的東西，不准動。」

有一天，周清波來。到書房靈前行禮之後，見到書桌上下左右，還堆著一些稿件，遂說：「師母，老師遺留下來的文稿，可能還有不少沒有發表過的，我建議應該加以整理登記，老是堆著，紙會霉爛的。」

梅蘭聽了，方始想到了此一問題。光是爲了保持書房的原樣，只是填補一己的感情思維如舊，對於死去的金土，若是霉爛了一堆堆的文稿，也等於犧牲了金土的心血。

「周先生你說得對，」梅蘭說。「只是這件事，我家的人作不了。」又說：「他們全在上班，還有兩家人在國外。」

周清波一聽，魯師母說得是，不是讀國文出身的，委實沒有能力來作這件事。遂說：「師母，我先看一看。」

說著一眼就見到書桌上，用鎮紙的銅尺壓著的一疊文稿，文稿外層，遮著一頁膠紙，可以看到膠紙遮著的稿紙上，寫的是「淮南音律中『徵生宮』與『和繆』說」的題目。

「這篇文章，就是阿土的最後遺作。梅蘭告訴周清波說：「他就撲伏在這一疊文稿上離去的。」

梅蘭又去打開了書架下一層層的櫥櫃，其中還有一箱箱一綑綑放在裡面，說：「這裡都是這房子合建之前，裝進去的。搬進來，他還沒有工夫去整理呢！」

周清波見此情事，想一想，整理魯老師的遺稿，就是動起手來，也不是三天兩天可以作得完的。當梅蘭再打開另一個櫥櫃，周清波一眼撇見了其中有一疊用牛皮紙裝起的一件，上面是用毛筆蘸紅墨水寫的：「俺那個村莊」。梅蘭也看到了。興奮地說：「啊呀！俺那個村莊在這裡呢！」說著馬上彎下腰去，伸手就取了出來，又說：「這是他二十多年前寫的。我們剛結婚的時候，他就向我講說他的村莊。其中的一張圖，還是他在監牢中畫的呢！」說著就交給了周清波，說：「你看看，她畫了好些圖噢！過世前不些日子還說他村莊上的故事呢！」

周清波接過來這一紙袋，走到書桌前，抽出其中一厚疊文稿，放在書桌上，小心翼翼地一張張翻閱著，果然，其中有好幾張圖，有的畫的是單張的房屋、池塘、樹木，有的是一張像地圖樣的平面圖，還有用迴文針夾起的一疊疊文稿，每一疊上都是一篇獨立成篇的題目，如「龍王爺」、「龜帥」、「祈雨」、還有「新年裡」、「麥季子」……等等，若是統計起來，可能有一百多篇。

「師母！」周清波看了，激動得手都顫抖著，說：「太寶貴了！改一天我再來，先整理這一包。」說著就開始一疊又一疊地放入那個牛皮紙包。雙手交給了魯師母，說：「師母，還是放在老地方，我下周再來。」

「清波，你帶回去整理好了，」梅蘭看到周清波那樣激動，就這樣決定，要周清波帶回去整理。

「不，」周清波竟堅決地回答：「這些都是老師遺留下來的文稿，可不能任由外人攜帶出去。」遂又以肯定的語氣向梅蘭說：「師母，老師的這些遺稿，得完善的保存，整理完竣後，再決定如何處理？」在告別時，還說：「師母，我會到老師書房來作這件事。」

四、爛紙堆中的遺文

周清波注意到的那一包《俺那個村莊》，是一本用散文一篇篇描寫出的童年生活，寫的全是他家鄉那個村莊的變化，每次離家後，再回家一次，就發現了他的那個莊村，就有了不同，而且是變了樣兒。他還繪出了村莊次次變了樣兒的平面圖呢！從這本散文來看，就可以想知這位作者，是多麼的懷念他的那個莊村，是多麼的熱愛他的家鄉，熱愛他村莊上的那些父老親鄰。

其中祇有極少部分篇章，是投在報紙或雜誌上發表過的。不但附上了剪報，還登記了報刊的名稱，以及刊出的年月時日。總計起來，已經發表過的，連十分之一也沒有。

「這本書上寫的，他都講給我聽過的。」梅蘭說。「他很會講故事。其中應該有一幅『春夜』，寫叔叔與侄媳亂倫，被大侄子捉到，吊在廟門外的大柳樹上，用鞭子抽得鬼號，驚醒了全村人起來看的一個故事。」

不錯，這本書稿中，確有「春夜」這一幅。周清波說：「我只是一本本分開來，一篇篇把各本中稿的目錄登記起來，大致翻檢了一下，都沒有仔細看。」

在整整一個暑假期間，周清波每個禮拜來一次或兩次，纔把魯老師的遺稿，一本本整理出來，把目錄登記下來。散章或尚未成書的文稿，也都一組組一包包地加以注明，分別開來。

經統計，已完成或未完成的學術論文稿，有十八本。代人捉刀的五本，未計在內。已出版的祇有四本：《國文教學》、《詩文中的小故事》（上下）《春秋的書法》、《張生、鶯鶯、紅娘》（論董、王西廂記人物塑造），其他如《從反切到注音字母》、《散文的格律聲色》、《詩經的吟誦問題》、《詩三百中的故事詩》、《史傳的小說情節結構》、《史傳的人物塑造藝術》、《西皮二黃的淵源》、《五音六律變宮說》、《史記的春秋書法》（從項羽本紀說起）、《訓詁、義理、詞章、考據》，像《俺那個村莊》及一些平時讀書錄出的「劄記」、斷簡零縑。還有不少短文，有的已成章，有的還是殘篇。匯聚起來，還有好幾包。日記，還有二十多本呢！

「魯金土在學術上沒有闖出個名位，」梅蘭感傷地說：「在文壇上也沒有嶄露頭角。儘管他死後，還留下了這多著作，也未必會有出版家願意出版！」

周清波聽了魯師母這麼一說，也忍不住心有戚戚焉！「真格是，有人願意出版它嗎！自古以來，社會都是向聲背實的。」他想到了這一個問題。遂說：「有一部學術性的著作，師院應該替魯老師印行。」

梅蘭歎口長氣，說：「賞識他的葉校長，已經退休了。」

周清波略一呆滯，遂說：「我去問問看。」他本來也想到編譯館，一想陳詒老師也已退休，全家移民到美國去了。

梅蘭送周清波走後，回到書房，把那一袋裝著《俺那個村莊》的文稿，取了出來。心情寧靜一霎後，坐下翻閱。雖說其中的情節，大多聽過金土的口述，但一讀到用文字寫出來的那些景景物物，比聽口述不同，讀文字，又是一番趣味。

從我能記事的那一天起，俺那個村莊，就是一座城。

村莊房舍的四周，都築有城墻，雖然城墻是泥土築成的，不是磚頭或石頭砌的，也算得是城墻。

四方都有城門，還有小南門，小西門，城牆也有垛口、也有女牆。走上女牆，也得從階級上一級級走上去。城門上頭，也有城門樓子，樓到是磚牆瓦頂。城牆外，照樣有護城河，挺寬的，夏天總是滿滿地水。光屁股的男孩子們，總在護城河裡戲水，還游泳比賽呢。游一圈可不短，一里也不止。俺那村莊，有三百多户人家。不但城樓上，有鄉團自衛隊輪班守城，打更的敲著梆子、打著鑼，從二更天打起，打到五更。

四門，都是吊橋，二更的梆子鑼一響，四門的吊橋，就拉起來了。雖然還有小南門、小西門等，那小門外的木橋，更起時也得拉起，到天明，再放下。小門也是關起加了鎖的。

俺那裡的地區，是蘇、豫、皖三省搭界，被稱為「三不管的地方」。所以是盜賊出沒之所。但據說，俺那村莊之築有城池，是從太平天國的洪、楊之亂築起的，之後又遇上了捻匪作亂，這纔村村修築起城池，來保家衛鄉。在俺那家鄉，修築城牆的村子，總在半數以上。換言之，兩百户以上的村落，差不多都修築了城牆。

俺那村莊，有一座小廟，供的神是龍王爺，木雕的，坐姿、頭戴平頂王冠，身穿袞龍黃袍，是綢緞繡製的，每年四月三日是祂的生日。這天，是廟會，近百里之內的信男信女都來燒香朝拜。要是遇到天旱不落雨，龍王爺可就倒了楣，被抬出廟來，放在打麥場上曬太陽。佻皮的孩子們，會去掌打龍王爺的臉，拔祂的鬍鬚，還罵祂是賴龍，貪玩去了，不行雨。求雨的隊伍，扮起雷公閃娘，風婆雨婆，挑起水桶，抬著龍王爺，到乾旱得龜裂的土地上，把木雕的那個龍王爺，橫翻起身子，臉朝下抬著，要祂看清楚田土乾旱到什麼樣子了？

這些乾旱年月，鄉人抬著龍王爺求雨的故事，梅蘭已聽到金土講過兩三次了。還有這位龍王爺是怎樣在他們村莊上建了廟的？也有一段傳說的神話。

那年，發大水，隋堤南北都成了澤國，有好多村莊都被洪水淹沒了。祇有他們魯甸鎮這一帶的二三十個村子，沒有淹水。俺那村莊的正中央，指南亙北有一個大池塘，兩百多米長，近百米寬，深處一根長竹竿也打不到底兒。不到大旱年月，這池塘不會乾得無水。若是發起大水，這池塘也從來不會滿得淹沒了村莊的房屋，只是漲溢到漫沒了它池邊的那條可以通過牛車的大路。而且，祇要發水，這池塘裡定有十斤八斤重的大魚到來，這池塘會成為全村人划著木板門，下池捕魚各顯神通的日子。有一年，水可眞是大，這裡的水，連南去不過十幾里的韓村集，靠近洪河，都淹到了屋頂。只有俺們這一帶的幾個村子，水都沒有進屋。一天，鎮上的老灶爺已八十歲了，夜晚起來看水，滴滴嗒嗒地雨還落著，他見到了池塘裡有個怪物，伸長了頭，向天噴水，噴出一條白練似的瀑布，煙霧茫茫地通天扯地，仔細一瞧，原來是龍王爺在吸水，噴向天空。第二天一早，天果然晴了。

村上人跑到池塘一看，池塘中的水，已退到平常日子一樣。但在池塘的北端，有一根直徑兩尺多寬，一丈多長的大木柱，漂浮在水上。那位在夜間見到池中有一條大龍吸水噴上天去的龍王爺，就像這根大木柱。此事一經傳揚開來，遠近百十里的鄉人，男男女女，老老少少，都從四面八方湧了來，一批批都到池邊，向著那根大木柱，燒香膜拜。後來，村民計議，遂在這池塘的北端，闢地蓋了一座龍王廟，這根大木柱，便是用來雕鑿成龍王爺的原料。計算起來，這座廟已有兩三百年了。有人說是清朝康熙年間的事，也有人說是明朝崇禎年間呢！反正，這座龍王廟在我記事時，就已經很老舊了。磚牆已有裂縫，好幾處已用鐵板釘，裏外夾著釘起。

梅蘭想金土在世時，不止三兩次說到：「將來你們回到了家鄉，咱那村莊，最好認不過啦！無論怎樣變，城牆可以坍圮，這座廟是一時倒不了的，這個大池塘，也是一時淤不平的。」還記得金土說他小時候在老林（祖塋），那些被蔓草網結起的大墳堆上，一個個都作了他們的滑滑梯。「咱家的祖塋，就在咱大池塘南端的城牆外，村子的東南角，」金土生前告訴梅蘭，而且時常談到他魯家的那一片樹木成蔭的老林（祖塋）。說：「全村的孩子們，都愛到這片老林裡玩耍。有廿幾棵老柏樹，那棵大的有一抱粗，下半截樹皮都脫了，樹幹光溜溜地。正好，樹上的老聒窩，可安穩啦！孩子們爬不上去。除了擺一張梯子，靠到樹幹上，這行爲，大人怎麼會允許。所以這裡的幾棵大樹上，老呱窩都是斗子一樣大的，一年年在向上築，大人不准孩子們去上樹戳老聒窩。」又說：「墳堆前有幾處大石桌、石凳，可以坐在那裡下棋、擲骰子、猜寶。夏夜，更是大人們的乘涼所在。」梅蘭回想起來，越發想到金土看到今天村子上的孩子們的玩樂場，非常局促，就會使他想起他兒時嬉戲的那片老林。還說：「老林上的柏樹，幾棵大的都有千年的壽命。這老林中的樹木，除了長青的松柏，另外只有棗樹、楊樹等幾種落葉的樹木，柳樹與槐樹是不種栽在這裡的，因爲這兩種樹生蟲，夏夜在它們樹蔭下乘涼，往往會有蟲或蟲糞，落到頭上來。」

在這一包文稿中，有一篇描寫這一片林木蔭蔭，蔓草青青的樂土文章，題目就叫「老林」。梅蘭讀後，就親切地感受到，比金土口述的一些情景，還要使她嚮往。她想：「文字的描寫，比口述的語言，要美感得多了。」

「這些，都是孩子們應該知道的事，」梅蘭想：「如今，四個孩已是天各一方，他們怎的還會想到他們的根在那裡？」

「這本書，我可得設法編成，把它印了出來。」梅蘭心裡想著，口裡喃喃地說著：「人，可不能忘祖啊！」

當梅蘭翻閱到這篇文章，還有繪出的村莊築有城墻時代的平面圖，越發想到這本書，應使她的子孫人手一冊。她想到這裡，竟然不能釋手，仔仔細細一篇篇一字字，沈下心來閱讀下去。這篇「老林」的後段，還寫著曾祖父母的墳地，不在老林內，在村西的一塊高阜田間。祖父母葬在那裡，母親也葬在那裡。在抗日戰爭事起時，離家的那一年，墳塋間的四棵柏樹，已碗口樣粗了。

梅蘭對於金土留下的這一包《俺那個村莊》的遺稿，一篇篇一字字地沈心凝神地讀下去，在心情上，有如金土活著的日子，兩人相對坐，在侃侃暢談他小時候的情景一樣。在她閱讀時，覺乎著金土就在他身邊，讀著讀著，竟然讀到這麼一段話：「美國黑人作家艾力克斯・哈電（ALEX HALAY）的新著《根》（ROOTS），是一部自傳體式的長篇小說。寫的是一位出生於非洲甚亞的黑人，他名叫康大・金弟，被人掠去，賣到美國作奴隸。後來他結婚成家，雖是奴隸的身分，卻沒有忘記他原來是非洲黑人中的望族，小時候，就聽過家中的外祖母以及姨婆等老人，講述他們祖先的故事。因為他雖然被人賣到美國作了奴隸，他卻一直保有他出身的驕傲與自信。偏偏地，他在美國娶的老婆，是在美國出生的黑人，一出生就習慣了黑人比不上白人，他們是生來就應該作白人的奴隸的。但康大、金弟呢！始終知道自己的根，忘不了自己的根。雖然死後，留給後人的印象，也是：「那個非洲人讓我們知道我自己是誰？」人，要是不知道自己的根，必然不知道自己是誰？人要是不知道自己是誰？自然而然的會「數典忘祖」。

「我真是喜歡這位黑人作家寫的這本《根》，他這部為康大・金弟寫的『家史』，給二十世紀的被強權國家視爲附庸，看作殖民地的弱小國家，其人民能不時時記得祖先們的勳業嗎！若是忘了自己的「根」，勢必會步向滅族的悲哀命運！」

梅蘭讀了金土這些話，她纔回想起來，幾年前，金土曾拿著一本厚厚地大書回家，說：「我花了八十一元買來這本書，電視上演的那部黑人的故事《根》，就是根據這部小說改編的。」又說：「我們得好好地來讀讀這本書。」

可是，已看過了電視，既然是一樣的，也就不願再去啃那麼一本厚厚的書。這時，可就忍不住要去到書架上，尋找這本小說。果然，在翻譯小說的這一區，見到了這部厚書，她用興奮而顫抖的手，把書抽出，放在手上翻翻，見到其中有不少處的文句，已被紅筆畫了線，或在眉端批了字。梅蘭遂在心裡說：「我要認真而仔細地讀讀這本書。」他又想：「我會有大收穫的，因爲其中有阿土畫下的路標，我走起來方便多了。」

多日以來，梅蘭除了按時送大孫子上學，按時接那小德子下學，聽到孫子一見面就喊了一聲：「奶奶！」就忙著去照顧孫子。其他時間，都在看這本《根》。當她讀到結尾，康大、金弟的後代，已有讀到博士學位的教授，這幾小段已被金土用紅筆畫上了線，使梅蘭感動得讀了一遍又一遍，讀得淚眼婆娑，還特別拿著書念給雙喜與容容一家人聽：

> 我們將父親運到阿肯色斯州，在那裏又舉行一次追思禮拜，參加的都是他在AM&N大學的朋友和他任農學院院長的同事，他的四十年教書生涯便結束於此。我們開車載著他的遺體繞校園一周，並兩次經過農學館旁的「哈雷道」，這是為紀念他退休而命名的一條路。父親倘在地下有知，也一定願意我們這麼做。

禮拜結束後，我們將父親運到小岩城的退伍軍人公墓，那是他早已選定的墓地。眼見棺木沉入十六區的一四二九號墓地，我們這些子女——康大・金弟的第七代後裔——誰也不看誰，很快地走開，因為我們事先已講好絕不哭的。

父親加入了在天上眷顧我們的祖先了。我有這種感覺：他們確實在看著我、指引我，並且和我一樣，希望我們家人的故事能使世人了解到：歷史主要是勝利者所寫的。

（錄自《好時年》出版社張琰譯《根》一書，一九七八年二月版）

雙喜聽了，馬上說：「媽，這書的結尾，已是哈雷家的第七代，我們家出個博士學位的教授，不會等到第六代。」

「我們這小德子，就會像奶奶希望的，」容容說：「得個博士學位。」

說著就雙手擁過還在幼稚園大班的魯振德，問：「你會不會給魯家讀個博士學位？」

「我會。」小德子興奮地雙手高舉，高聲回答：「奶奶！我一定會。」

梅蘭笑了。她臉上好久沒有露出笑容了。

五、清明節返鄉祭祖

流水的歲月，已逝去一千多個日子。

魯老師遺留下來的文稿，雖然雜亂殘缺。但周清波初步工作，總算整理出一個頭緒出來，其中難免還有不少錯簡，紊亂在不同的文稿中。跟著，又加入了另幾位同學：陳正雄、劉新美、趙金銘、陳火炎、李本貴等人，大致上，終算歸類完畢，有論文十一本，散文五本（其中劄記可裝成上中下三本），小說三本。（其中有兩本散亂不完）。

三年以來，整理完妥的《論董、王西廂的人物塑造》、《詩經的吟誦問題》、《史記的春秋書法》（從項羽本紀說起）、《五音六律變宮說》，還有小說《星色的鴿哨》，都已經出版，其他，如《壟壟剳記》還有散文《俺那個村莊》，雖經與出版社簽約，由於這兩本書，篇幅較大，還沒有付印。其他，還有一部分，師院考慮印行，還沒有請到經費呢！

劉新美非常喜歡《星色的鴿哨》，她是文化學院中文系文藝組的，她問師母：「其中的男主角馮聰，是不是老師？」梅蘭答說：「我不知道你老師有過書中的閔汶那麼一位女朋友，最低限度我可不在他這本小說裡面。」劉信美聽了，這纔想到她在中學寫作文《我的母親》，被檢舉是「說謊」的那件事。魯老師在課堂上，告訴大家同學，祇要故事寫得真切動人，像實有其事一樣，就是好文章。

這兩年來，幾位同學在一起整理文稿時，周清波老師說《星色的鴿哨》寫得好。劉新美初看時，還感到生澀，讀了第一章之後，方始被引發起感情，極想知道這位女主角，究竟是位怎樣的人物？讀完之後，卻又疑問著：「爲什麼書名叫《星色的鴿哨》呢？」問師母，答說：「他寫這些文章我都不知道。」又說：「你不妨問問周清波老師。」

從周清波口中，獲知了答案，說：「書中已經寫到了，鴿子之所以帶著哨音，是養鴿人爲了去尋回失群的鴿子，遂放出帶哨的鴿子，飛出去領回那失群的伴兒回來。」又說：「用「鴿哨」二字的意義，象徵人性本善的那個聲音，要他喚回那失落了本心的流浪兒。至於『星色』二字，象徵人性善心的純潔崇高。」劉新美聽了，高興地說：「我要再認真而且仔細地去閱讀另一部《雞蛋裡的鳳凰》，」又向周清波說：「周老師你先別說，等我讀了之後，考驗一下我，能不能猜到這部書名的象徵意義？」

「我想信妳作得到，」周清波說：「不過，這本書，老師沒有寫完，我還希望妳能完成她呢！」

「那我可沒有這個本領，」劉新美說：「就是讀，還不知道能不能讀通呢！」

陳正雄說《塵塵劄記》寫得好，其中有好多人生金言。趙金銘與陳火炎則說：《史傳的人物塑造藝術》寫得好，兩個人已講好，由他兩人出資印這本書。在梅蘭這方面，除了遺憾著自己的子女，竟然沒有一位有能力或者說有興趣，來參加這件整理老人的遺稿工作，另一方面也感歎著她嫁的這位男人，一生在艱苦中活到六十五歲，竟然不曾想到如何去賺錢。若不是坐了牢，家中的妻子兒女嗷嗷待哺，他還不會代人捉刀寫論文呢！他認爲接受金錢代人捉刀取聲名，是下流讀書人的行爲。

在從事教書寫作的這二十多年期間，雖然默默地寫出了這麼些著作，有學術論文，也有散文、小說，甚而爲教學寫出的故事新編，居然得不到出版者的青睞，都說：「魯金土先生的著作，沒有銷路。」按說，他那本《俺那個村莊》，一小節一小節、寫他家鄉的風尙景物，寫他家鄉親鄰的人物，有好多鄉土的故事風情，都寫得生動活潑。但由於這一厚堆文稿，沒有趨向反共文學的時代性，他只是記錄著描繪著他兒時所見、所聞、所感，真切地從筆尖上流洩出來就是了。沒有想到他生活的這個時代，是一個反共戡亂的非常時期，只顧著一味地去回想他的童年，寫出他忘不了的童年往事，令人讀起來，總令人覺得他想家的情意太深。這書若是印出來，會惹來意外的麻煩。何況，出版者知道魯金土爲了思想不夠純正的案件，曾經坐過五年監牢呢！

陸陸續續地《史傳人物塑造藝術》、《塵塵劄記》，以及《詩經的吟誦問題》等書，相繼出版。梅蘭最期望的那部《俺那個村莊》，周清波雖然去接洽了幾次，方始決定分成兩本，先付印那一部份人物，書名《我的鄉親父老們》，正在這樣決定付印時，政府開放回鄉探親的辦法公布了。

這樣一來，出版社改變了原來的決定，付印這部《俺那個村莊》，分作上下兩集，照原編的目次付印。

可以返鄉探親了。梅蘭到了書房，擁抱著金土的骨灰箱，吸吸呼呼地哭著說：「阿土，你可以回家了。我會帶著你回到你朝思暮想的家鄉，我會把你的骨灰安葬在爺娘的身旁，不久，我也會在你的身畔的。我們生雖不是同胎，死，我們可以同穴。我雖是梅家的骨肉，可倒是魯家的媳婦。當初我決定嫁給你的時候，就知道我是你們魯家的人。我們育有三男一女，對得起祖先了。」

報上刊出了政府開放生活在台灣的人民，可以返鄉探親，這一件使人意想不到的消息，對於所有生活在台灣的老少人等，無不被鼓舞得雀躍似的振奮。特別是被稱爲「老兵」的一些人，在街頭接受記者訪問時，有些人幾乎被激動得抽咽流涕，竟無法說出話來。

梅蘭也籌畫返鄉探親，推想那年已九十多歲近百歲的老父親，可能不在世了。梅蘭知道阿土還有一位小他十歲的胞妹，如果還活著，也六十左右了。雖知阿土家中，還有三位叔父，幾十年來沒有通過音訊，也不知近來怎樣？魯金土生前雖然說到叔父的名字，如今她也記不清了。想寫封信去問問，竟不知道名字。梅蘭只記得公公的名字叫魯永春，其他全想不起來。她自己的哥嫂，卻由梅筠連繫上啦！媽，不在了！

「阿土當年寫信時，只寫己名：『魯金土平安家書』，梅蘭還記得阿土說：「子女不可直寫父母之名，家信，只能寫己名，稱某某平安家書。」

就照著當年魯金土寫家信的形式，寫了一封家書寄去，試探試探，能不能得到回信？

梅蘭這樣想，也就這樣作了。信上的話，寫得很簡單。說：

我是魯金土（土娃）的媳婦，今年六十五歲了。阿十已病逝五年，生前，他在台北師範學院教書。我們生育了三男一女，都大學畢業。古語說：『水流千日歸大海』，如今，政府已准許我們返鄉探親，所以我想帶孩子們回家看看。遺憾的是，我是一位沒有回過家鄉的外鄉籍媳婦，不知如何去法呢？

我不知爹還在不在？我們的胞妹近況怎樣？

總之，我已決定返鄉探親，時間選在明年清明節。我要把阿土的骨灰帶回去，安葬在祖塋間！

魯家媳婦　梅蘭拜啓　一九八七年十二月十二日

不到一個月，回信就來了。信是金土的三房堂弟魯金諍寫來的。家中的老人，全下世了。金土的胞妹喜娃，也病故了。他們三房中的兄弟姊妹，還有七位，但卻天南地北的分散在三個省分，最遠的一個是二房家的女兒，在新疆烏魯木齊，較近的一位是四房的小兒子，安徽大學農學院森林系畢業，已在合肥成家。說是魯家的老林，還在老地方，只是叔伯們都葬在村頭。村莊已經改變了。所有的茅草房都已改建成磚牆瓦屋，路，也修寬了。火車路已修到村莊北端不到一里地的小薛家，北到徐州，南到合肥，不但通火車，也通汽車。交通發達，比舊時要好得多。

把來時的路線，都寫明白了。走老路，在南京下飛機，搭京滬路火車到縣城下車，這條路比較直接，南京的飛機天天有。其他兩條線，由香港坐飛機到合肥或到北徐州都可以。可能香港沒有班機飛這些地方，得由香港到廣州白雲機場搭乘。

還說：「只要決定了時間，告訴我，我會到南京來接。」又說：「我服務的影劇院有電話，到南京可撥電話過來，把火車的車次及開車時間告知我，我會準時到車站去接。」還肯定地說：「下了火車，一切的事務，全由我來辦，食住都由我安排，放心好了。」

已有不少人到大陸探親回來，說是大陸上的親人，以及地方上的公府幹部，都非常客氣，而且親切誠摯，幾乎處處都會給你許多意想不到的溫馨。只是在生活上，兩者間的差距太大。在飲食上，他們還是大碗盛飯，大碗盛菜，更是大碗酒、大塊肉的對吃對喝。像水滸傳中寫的那樣。更有一種很難令人適應的生活，就是大小便必須去的廁所，不但又髒又臭，還有咀蟲像爛粽子似的一團團在蠕蠕鑽動不停。又是十九沒有遮攔的門，女士們非得赤裸起屁股蛋子，蹲下來拉灑，累得女士們要帶大捲大捲的衛生紙，以備不時之需，還準備了雨傘，撐開放在腳前遮起。因而有些女士們不敢喝水，爲了減少上廁所。

「媽，我是長孫，」雙喜說，「由我陪媽去就可以了。我們初次去，先探探路，看看家鄉。主要的是上墳祭祖。安葬爸爸的骨灰。」

以梅蘭的想法，還希望把長孫小德子也帶去。

「還是我帶小德子陪媽去，」容容這樣建議。

在香港的雙慶則認爲他也應該去，因爲祖父生前知道有他們這一雙孿生兄弟出世，怎能不雙雙到祖父母墳上，祭奠一番呢？老三小清也爭著要去。小雅更是要去，說：陪媽的人，是我，不應該是哥哥，我陪媽去方便。」而且，小雅還希望到家鄉看看，看看有沒有可以回到家鄉傳教的可能？」還說：「非洲的泰勒沙修女，不是在非洲那個窮鄉僻壤，作了很多功德嗎！」

梅蘭認爲小雅跟著她去，對她來說，是方便些。但她一身修女打扮，到了大陸那個討厭洋教的世界，太刺眼了。在行程上，反而招來不便。小雅說：「我可以不著修女衣裝，改成一般婦女打扮。」

梅蘭說：「那更糟，妳身分證上的職業欄，就是修女。妳若是不穿修女衣著，更使他們注意。」

容容說他夫婦帶著小德子一起去，組成祖孫三代護送爸的骨灰返鄉，豈不是更莊重些！

最後，還是決定由雙喜一個人陪同媽媽去。時間選定清明節前兩日。

雙喜夫婦倆，都在航空公司服務，一切返鄉的乘機手續，都由雙喜夫婦辦理完畢，一家十幾口，連在香港的雙慶夫婦，都帶著子女們回來了。送行人一大隊。容容一直送到飛機上，到飛機要關機門時，她纔下飛機。雙慶一家三口，則由臺北護送到香港，還送到入關。

行程的路線是由香港到南京。在南京住一晚，第二天一早搭南京開向連雲的這班快車，到家鄉那一站下車。堂弟魯金諍就在月台上，高舉著一塊木牌，上寫：「魯金諍迎接大哥大嫂」，他們已備妥了車，所以梅蘭娘兒倆，在火車剛進站時，就見到月台上魯金錚手上高舉的那個牌子了。

「媽！你看到了吧！」雙喜從車窗向外指著他看到的那張木牌。「來接我們了。」

梅蘭也看到了。月台沒有幾個人，魯金諍手上高舉著的那個木牌，非常顯著，所以她一見到那個木牌，便一時萬感交集，業已淚眼婆娑，鼻酸喉塞，有話也說不出了。

下車時，雙喜拎著兩件簡單的行囊，梅蘭雙手環抱著那罈加了一個木盒的丈夫的骨灰，走下車來。

雖然，在這一站下車的人，少算也有十幾人，但魯金諍倒是一眼就認出了他要接的人，走上前來一聲「大嫂」尚未落音，便雙膝跪在地上，哭得說不出話來，他身後的兒子魯聲明，已躦步上前，去接過梅蘭雙手環抱著的骨灰箱子，叫了一聲：「大娘！」這時，梅蘭纔騰出手來，攙起魯金諍，顫抖著聲音說：「起來，…」想說句什麼，一時之間，也不知該說什麼。面前，還有一大隊接他們的地方人士。

於是一大隊人出了站，便搭上一輛箱型車。對面不遠，就是安排他們下榻的賓館。到了賓館，縣政府的接待人員，纔一一遞上名片，自我介紹，連縣長都到了。

梅蘭沒有回過家，她與金土在上海結婚後，就去了台灣。她只在上海見過公公一面，對於家中的一切，全是從金土口中述說出來的。金土故後，纔又從他那本遺作《俺那個村莊》文中，獲知了許多景物人事。這次，她特別帶來了兩部《俺那個村莊》。一部給魯金諍，一部贈送給縣政府。

賓館還算清潔，飯後就商談明日一早下鄉上墳的事，香燭、紙錢、爆竹等，已經準備。梅蘭則要求鮮花幾束。他們回答只有到鄉間的田野間去採，這城市，還沒有花店。梅蘭向魯金諍問起魯金土寫的那些風物，大池塘啊！龍王廟啊！還有那個老林，他們兒時經常把大墳作滑滑梯，人們在石桌下棋猜寶。還有他們院子中的兩棵大棗樹！她非常嚮往著，總想去印證一下。

魯金諍一聽，直發愣，他知道，大嫂從大哥口中聽來的那些，全不存在了。四十多年了啊！村莊上，除了那個大池塘還在，廟也早已扒啦。遂簡要的回答說：「咱那村莊變多了。就是大哥生前回來，也不認識。」

至於魯金土的安葬問題，他們建議應該葬在父母墳旁，這是老規矩。明天也不必帶骨灰箱去。梅蘭則認爲應該帶去上墳。說：「我的心意認爲這樣纔能心安。」就這樣決定了。

第二天一早，他們便開車上路。車開出了西關，便馳騁在一條平滑的洋灰水泥混凝土的大道上，道兩旁新栽的柳樹楊樹，只有茶杯口粗，枝葉稀疏，在春風中拂動著，還看不出風擺柳的那種俏媚手姿。正在打苞的麥苗，倒是長得清翠肥美，在微風中波起波落。

「隋堤在那裡？」梅蘭突然想到金土口中的隋堤，說是一出西關，隨堤大道，就在腳下了。如今，車在水泥道上，平滑地飛馳，卻沒有見到隋堤，遂起了這一疑問？

「這條路就是隋堤。」金諍回答。「路面是用沙石墊起來的。」

「金土非常懷念他家鄉的大堤，」梅蘭說：「在他寫的這本《俺那個村莊》裡，有五篇都是寫隋堤的。」又說：「文章上寫的是一條沙河，不是這麼高的水泥馬路。」

「隋河沒有水，很多很多年了。」縣台辦主任解釋說：「自隋河變成了路，也只能行人，不能行車。沙塵大，沙轍深，不合現代人使用了。」

車到魯甸，回到了他們魯家。家裡，還有三、四兩房的堂房兄弟住著，不錯，已不是茅草房，全是紅磚黑瓦的古謂「瓦房」。金土文中寫的南院、北院，事實上，連蹤跡也無從去尋。至於這村莊原來是有城牆的，還有城門，城門樓子，又有護城河及吊橋，更是空無所遺。金諍說：「大哥抗戰那年離家，村子的城牆，連一半也沒有賸。」又說：「勝利後，大哥沒有回過老家，他住在北徐州。咱這家的地區，經常是三不管，事實上，都在管。大哥那時候在國民黨的部隊裡，他回不了家。那時候，咱村子上的城牆就沒有了，城河也填平了。俺大哥他沒有見過。」

村中的那個大池塘還在，已經淤得範圍很小了。池中還有水，看去只賸下池底那一小汪水，水上飄有一層深綠色的青苔，遮蓋在水面上。池邊的洗衣石板還存在，左一處右一處，乾乾巴巴地坐落在池塘邊。離水高出數尺。可以聯想到：「一旦夏日雨到，這池塘還是會水滿的。」不知還能不能與南湖連起，再與渦河、洪河相通銜？

龍王廟沒有了。連個椿根都無個尋處，廟後的那個小學，三進院子也沒有了蹤影。

村東南的魯家林（祖塋），還在。可是，金土文中的那多棵松柏，一棵也不存在。被蔓草盤結起，可以給孩子們作滑梯的十多個大墳也變了樣兒。如今，墳是有，數來有七、八個，都是新土堆成的，還沒有長草。樹也有，數來有二十幾棵，都是柳樹、楊樹，也只有茶杯口那樣粗。梅蘭看到這光景，在心裡向金土說：「可能你也認不得了。」

安葬祖父母的墳地，也去看了。若是照著金土畫的祖塋圖來看，似乎不是這個地方。如今金土父親的墳，位置在今日的村西路邊。梅蘭看到之後，問魯金諍：「這就是我公公的墳？」魯金諍不能回答，說：「那時候，我不住在鄉間。」另一位堂弟魯金溶在旁回答說：「這就是俺大爺的墳。是我把他老人家安葬在這裡的。」梅蘭沒有回答，魯金諍已經在準備祭品了。不一會兒，香也燃了，燭也點了，爆也放了。梅蘭強忍著苦楚，帶著兒子祭拜！她想到，那天，她與金土帶著孩子們在金山海邊，望水而祭時，金土說「祭如在」這三個字。事後，他告訴梅蘭：「這是孔子說的。祭，如能有誠心，就夠了。」

梅蘭的手提包中，還放著影印出的那張金土手繪的村莊圖。她沒有取出，但問：「村莊原有城牆，西正門大約在我們今天站立的何處？」他們沒有聽清楚梅蘭的問話。梅蘭便取出圖來指給大家看。一時之間，擠來一大堆人。梅蘭告訴大家，這圖是土娃活著的時候，繪製的。說到這裡，淚已模糊了眼睛，擦擦眼淚，再說：「他非常想念他的家鄉，所以他寫了一本書，他還畫出他當年記得的那個有城牆的村莊，他魯家的老林在那一方？他家的祖林在那一方？他都畫得清清楚楚。」這時，正有一位老太太走近前來，想說句什麼話。魯金諍與縣台辦主任，近前說：「時間不早啦！我們改天再來印證這些往事吧。」

回城之後，梅蘭便猶疑著如何處理金土的骨火。還有「那是爹的墳嗎？怎的沒有說到娘？」據魯金諍的回信說：「大爺過世於一九六一年的大饑荒；喜娃比大爺還要早故三年。」梅蘭想：「死去三十多年的人，墳上的蔓草，應該早已結成密密地草網被褥了啊！看去，這墳還是堆起不過一年的新墳啊！從這墳土中長出來的那根小樹，只有酒杯口那樣粗啊！」

到了兩個堂弟家，梅蘭見到房裡的那種髒亂，就想到金土的那個書桌，遂想到人的慣性都是從兒時養成的。看到他們家中的擺設，推想他們的生活，還沒有走出貧窮。臨走時，給每家留下一些金錢。問起松三爺，還有許多位使金土念念不忘的老人，竟然連他們的後人也散落在天南海北，落戶他方。要想查問明白，得一層一層的行文。不是血親，可也犯不著去費這大事了。

兩房堂弟都跟著進城來了，參予討論安葬大哥骨灰的事。他們還不知梅蘭的痛心處呢！

金溶眼淚鼻涕地述說他大爺死後，他如何安葬大爺的經過。梅蘭母子像個癡呆的人，似聽非聽的由著他長篇大論的說下去。金諍與金讓兩兄弟，都沒有插嘴，他們說大爺去世的時候，他們都不在家。等金溶說完。梅蘭說：「多虧你這個兄弟在家，要不然，那就可能應了古話，落得個『死無葬身之地』，你們大哥的骨灰在這裡，」指著桌上的那個骨灰箱，「他若有靈，會感激你這個兄弟的。」又說：「至於安葬，你們大哥生前說過：『從無處來，回無處去。』他出生在那裡，就應該葬在那裡。你們大哥熱愛他的家鄉，所以他寫了這麼厚厚地兩本書。」指著給他們看的那部《俺那個村莊》，又說：「我們兩個生前就說過，死後化成灰，撒到空中，或撒到海上，不必使大地來負擔我們的臭皮囊。我這次帶著你們大侄子來，就是來把你大哥的骨灰，撒在他家鄉的土地上，不必再疊個墳堆，來侵占生產五穀的土地。」

當梅蘭的話說到這裡，在場的三個堂弟，都呆住了。

「爹在世時，常常唱：」雙喜說著，就唸了出來：

「想人生，空自忙，有誰能逃死一樁。

討得來富貴皮囊，也不過王侯將相。

生時雖是人模樣，尸壞豬狗一樣髒。」

唸完了這一段歌詞，又說：「我爸爸的想法，與叔叔你們不一樣，他不希望有個墳墓。死後把尸骨焚化，撒向空中，任風吹落，或撒向海裡，任水流漂，從無中來，再回歸到無中去。」又說：「我爸爸不希望留尸骨葬在土裡，留給後人踐踏玩弄。我爸爸還說：『我又不是什麼大人物，應留個墳墓給後人憑弔！』」

「我企盼明天就到咱家的田野，來辦完這件事，」梅蘭說：「骨灰已成粉屑，無臭無聲，撒到空中，任風吹去，任其飄落，不給任何人、任何物，受到侵害，受到污染。人，原是由泥土中來的，再回到泥土中去。總是可以的吧？」

三個弟兄面面相覷，金諍說：「這事得問問看。」

當晚，就得到答覆。由梅蘭他們自己僱車，明晨一早下鄉，在人不知鬼不覺的情況下，完成這件事。反正，骨灰撒落，也不會留下什麼可疑的痕跡。

事情雖已如此決定，但撒葬骨灰的方式，總不能像「揚場」（註一）、「撒糞」（註二）。那樣揚撒，對死者就顯得太不恭敬了。

註一：在打麥場上，用木杴鏟起麥粒與殼皮，撒向空中，任風將殼皮吹飛在空中。

註二：北方農田施肥，是乾後搗成粉後，裝車拉到田中，一堆堆分散開來，再用木杴一杴杴地鏟起，揮撒在田土上。

當魯金諍提出了這個問題，這纔提醒了梅蘭想到，把丈夫的骨灰撒到田土上，應是一種葬禮，若是沒有一些禮儀形式，竟像傾倒廢土似的揮撒了去，委寬不合「死，葬之以禮」的古訓。可是，這種葬禮，只聽人說過：「撒向空中任風吹去」，「撒到海中任水流去」，他們都沒有見過。所以梅蘭聽了，一時之間，臉就紅赤起來，張口乍舌，說不出話。

「大嫂，我倒想過了。」魯金諍再次提議：「套輛牛車，我們把大哥的靈骨，請到車上，大嫂與大侄子，抱著大哥的靈骨，坐在車上。我們三兄弟，由二哥金讓趕車，金溶援車，我在車上幫助大嫂跟大侄子，作撒葬靈骨灰屑的事情。車就馳行在咱家祖林那一帶土地上。我們一邊撒葬，一邊沿途焚香、燒紙錢，燃放鞭炮。不大會子工夫，就能把葬禮完成啦！」

除了減去燃放鞭炮一項，其他都照著金諍設想的去做。

金溶與金讓即刻返鄉準備，金諍一再關照兩位哥哥，萬不可張揚，惹來麻煩。金諍去僱車，明晨五時動身下鄉。來完成大哥的這種撒骨灰歸回鄉土的葬禮。

晚飯，梅蘭只喝了幾羹匙湯水。她親切地感受到，把阿土的骨灰撒葬之後，他身子上的一切，都一一從她身邊消失。今後，可以親近他的只有那一櫥櫥的書、一疊疊一包包的文稿。至於他們共同的血肉育養出的四個子女，一個個，就像長硬了翅膀的鳥兒，四條腿已可以奔競覓食的獸兒，自然而然地都會去自尋生路。人，不也是一樣嗎！梅蘭想到這裡，心情也就舒坦開來。夜，卻是悽苦的。

汽車由城到鄉，行程不過半小時。到了家，兩弟兄已把牛車由車屋推出，只等城中人到來，一聲吩咐，就到牛欄牽出兩頭牛來，套上繩紂繫上轡頭，揚起鞭子，便叱喝上路。

村上卻也聚集了一堆堆老老少少看光景，只宣揚說是上墳掃墓，沒有說是撒葬骨灰。所以，牛車離了村頭，便轆轆輪轉在田道上。

田裡的麥苗，大麥正在打苞出穗，小麥正在盤根上長，青碧地葉子，在微風中波漾。由於是東南風向，牛車開出後，到了第一條轉道，便轉向南駛，金讓在車上，協助著大嫂與大侄子，站在車中，金讓抱著骨灰罈子，梅蘭母子二人，便你一把他一把地抓出罈中的骨灰，向車後的天上撒去，金溶沿途焚香燒化紙錢。梅蘭一邊撒揚，一邊說：「阿土，你又回歸到你出生的土地上了。」魯聲遠也接著說：「爸！我們依照你的遺言，這麼做了。」

「我們從無中來！」母親說。「必然回到無中去！」兒子接著說。

「阿土！這是你時時掛在口唇上的話。」母親說。

「爸！我們知道你還活在這個世界上，你並沒有回到無中去！」兒子說。

只不過刹那之間，罈中的骨灰，便在青青大地上的春風吹拂中，一陣一陣揚起，煙塵似地飄飛！飄飛！隨風盪漾在空中，飄落在麥田間。葬禮就這樣輕輕巧巧地完成了。

「明年清明節，我再來移葬爹娘的遺骨，」臨行時，梅蘭告訴三個堂弟說：「不過，你們大娘的遺骨何在？還得拜託你們弟兄費心查查！」

四天來的食宿交通等等，以美金計，兩人不過百元，領導們卻也堅決不收這筆費用。

辦事的四、五個人，還送客送到月台，熱情地如送故人。金諍非要送到南京。

梅蘭她們到了南京，又住了一夜，便轉搭飛往南昌的班機。來時，已和梅筠一家約好，到南昌去為亡母掃墓。這時，梅蘭心裡一直在嘀咕著：「媽的墳也會是假的嗎？」

後記

我這部書，業已寫完。起先，可沒有想到會寫這麼多文字。或者可以說，這是我處理小說的題材，技能太拙。認真說來，還是設想這個題材時，就犯了錯誤，不該爲小說主人翁魯金土，設想了七十年的歲月。如今，終於這麼著寫完了。成功！失敗！縱有古語「文章千古事，得失寸心知」這兩句話，來安慰自心。但木已成舟，不得不推之航向汪洋，任之漂流去吧。能否遇上落水待筏的人，都不是作者所能預知的。也許這比喻不適當？但此時心情，則是如此。

想來，第一部《土娃》，贈送出去踰百本，捧場的文章，有丁文治先生的《苦難的中國老百姓》（介紹魏著《在這個時代裡》長篇小說「土娃」）（刊《書目季刊》二十八卷二期一九九四年九月）丁先生是《學生書局》董事長，我這部書若不是得到丁先生的青睞，面世的日子，可能還要推後。其次是老友莊練先生的《我看「土娃」》，（刊於《台灣新聞報》「西子灣副刊」，一九九四年十二月十一、十二兩天）。另一位長文是徐州鄉親劉福勤先生的《一個獨特藝術世界的創造》（讀魏子雲先生的長篇小說「土娃」）這篇評文踰萬言，刊於一九九四年十二月《書目季刊》，劉福勤先生現任江蘇省社會科學院文學研究所所長，是一位研究魯迅的專家學者。再者，大陸上還有兩位同道友杭州大學的徐朔方教授，南京江蘇省社會科學院文學研究所前所長陳遼教授，各作《讀「土娃」》短文，徐文刊台北《文訊》一九九四年十二月「書評」欄，陳文刊大陸《工人報》一九九五年二月五日。還有一篇香港文友連僑思女士的《讀「土娃」》短文，未見報。算來，論「土娃」一書的文章，已有六篇，兩萬餘言，都是捧場的，褒多貶少。第二部《金土》，有兩篇評論，老友張放先生的《砲火譜寫出宏偉的歷史畫卷》（讀魏子雲長篇小說《金土》刊一九九五年十二月《書目季刊》二十九卷三期）全文八千餘言。（另刊台灣新聞報西子灣副刊於一九九五年十一月十六日—十八日）另一老友段家鋒的《真土啊！金土》（刊一九九六年五月二十八日青年日報副刊。）

這兩本書出版後，總算有些回聲。遺憾的是，都是好友的吹噓。但至今，我不知銷路如何？也許，贈送出的本數，可能比售賣出去的多。第二本《金土》，我贈送出的，若是統計起來，總在一百五十本以上。多謝文建會又購買了五十冊，算是補助了出版者些許支付。

說到新書出版後，贈書的問題，我可是情真意切地體會到：前些年陳紀瀅先生說過的這麼幾句話：「我最愛送新書給朋友，更希望有朋友向我要。既向我要一定會看。但每有新書出版，卻也最怕送贈朋友，怕的是贈送了新書，反而給朋友增添感情上的負荷……」我又何以到今天方始回味到陳先生的這幾句話？因爲我活到今天，纔有餘錢買書送人，所以到今天纔能體會到陳先生在二十餘年前說的這幾句話，的確是錐心刺骨的感受。

我把話赤赤裸裸地說到這裡，也許有些朋友見到此文，會感到不快。可能會說：「我又沒有向你要，是你主動送給我的。」更會加上一句：「你送我書，不就是爲了想要我寫文章捧你。」這話，我可得說說清楚。送書給朋友，有兩種心情，一是常相往還的好朋友，送本新書作紀念，並不希冀收到書的朋友，應有作文吹噓的感情負擔。二是我很敬佩這位先生或女士，有的爲了還情，有的則希冀得到在背後說幾句真心話。(我不怕朋友說寫得不好。)但我卻忘了，你這種「大磚塊」，令人一眼看去就害怕，讀上幾句更會討厭！想到這裡，能不反省贈書是件「既不知已也不知彼」的笨伯行爲。

最後，我非常感謝香港的文友連僑思女士，她不但寫了一篇《讀「土娃」》，還作了校勘。老友吳詠九兄也爲我作了錯別字的校正。王聿均兄指出《金土》第四五三頁倒二行，「民社黨」應改爲「民盟」。情誼均感銘無既。最使我感激不盡的是杭州大學的徐朔方教授，他應聘到中央研究院講學，適巧《金土》正在二校，徐先生獲知此情，說：「給我校一遍，卻也得到先讀爲快的樂趣。」徐先生不但一字字校讀完畢，挑出了不少錯別字。還給我指點了幾處誤寫。如駱賓基的小說《北望園的春天》，我寫作《北望雲的春天》，大萬國(INTERNATIONAL)十輪卡的輪胎，牌子是(GOODYEAR)我一時想不起中譯名，遂譯作「好年代」，徐先生改正過來，中譯是「固特異」。還有延安的「抗日軍政大學」我寫作「抗戰大學」。都是徐先生改正過來的。最後這一本《梅蘭》，由於其中寫到高中國文教學的課本編注問題，鄉親駱建人教授曾與我並肩參予鳴鼓，遂懇請這位鄉長給我擔任教勘，承其指正誤處。這些可貴的情誼，都使我銘感不忘。

說起來，最使我感激的是徐朔方教授當面向我提出的小說問題。他對《金土》讀後批評，說：「你這本書的題材，雖是以八年抗戰爲歷史背景的，可惜你沒有把戰爭的史料，融會到小說中去，讀起來像報導文學，卻又有部分是小說的文筆，似乎是雙線發展。這些地方，都是失敗的。」又說：「你沒有向《戰爭與和平》的小說史筆，去吸取技巧啊！」像徐教授的這種論斷，纔是我迫切要聽的呢。

所以，我迫切希望親朋好友，嚴格賜教。(一九九六年六月一日於臺北安和居)

補白

馮元娥

魏子雲這部長篇小說《在這個時代裡》，土娃、金土、梅蘭合共三本，全部寫完了。作爲妻子又兼讀者的我，自是第一位爲丈夫慶祝的人物。至於他這部書，是用記傳體式寫出的小說，儘管是以說書人的第三人稱，娓娓敘述出的，卻仍難消去題材上的現實成分，自也難免不被讀者看成是作者的自傳。可以說，在讀者群中，只有我清楚這部小說不是作者自傳。更可以說，寫在這部小說中的故事情節，若以我所知道的有關作者的實生活來作對照，連十分之一也應驗不上。

譬如作者的文友杭州大學徐朔方教授，讀了《金土》之後，問作者：「你與嫂夫人的婚禮，真的是在如此倉促的情況下。草草成禮的嗎？（小說中寫的是在證婚人府上，塡寫了結婚證書，之後，便跟著金土去了台灣。）」事實上，我與魏子雲在新贛南先登報訂婚，到了福建長汀參加公辦的集團結婚禮，宴客六十餘桌。我們於三十七年杪到台灣時，大孩子三歲多，二孩子也一歲多了。與小說的情節，差距有四年多。

再說，魏子雲在八年抗戰的歲月裡，從軍上戰場，都是事實，可沒有受過傷。書中的金土，可是掛過彩的。小說中寫的金土與梅蘭的那種傳奇的相識，也與我們的相識實情，相距也是十萬八千。至於第三本「梅蘭」，所舖陳的故事情節，更是與我兩人的實生活，有百分之九十九都粘不上邊兒的。

像魏子雲這麼一位規行矩步、而又膽子小的小人物，自然不會有牢獄之災。他竟然編出了魯金土坐五年監獄的罪刑。這些情節，他是從一位在監獄掌管過獄政的長官，提供的資料，以及口述的等等情況，再根據刑法等條文，爲魯金土寫出了這一系列的牢獄生活。在我這一般讀者讀來，看到魯金土牽連到這一罪刑的因子，以及服刑的特殊情況上，推想起來，都有情理與法理的依據。可以想及我這老伴兒，寫金土這段牢監生活，也是用過心的了。

憑良心說，有關梅蘭這個人物的塑造，在言談上、舉止上，不能說沒有我的成分在內，不得不承認其中情節，有些對話，以及心性的展示，確有不少地方，是打從我身上盜竊了去的。同樣的，這小說中的主角魯金土，從土娃到金土，人物的性行塑造，在我看來，總有百分之二三十的成分，或可在作者身上榨取出來。然而，我也敢說，凡是這小說人物涉及的小說故事與情節，幾乎是百分之九十九，不是作者實生活中的史實。他在《金土》的敘語中，不是引錄了法國評論家諦波岱的話說：「小說家的才能，不在於使現實復活，而是在賦可能性以生命。」應說作者體會到了這些論點的內涵吧！

最後，還有幾句必須附帶聲明的是：「我不是《星色的鴿哨》中的玉理。」（魏子雲另一本小說，文史哲出版社印行）也不是『梅蘭』。」我曾經在電話中回答張漱菡小姐：「我可不是那小說中的玉理，玉理若是我，我會使她那位丈夫馮聰哭也哭不了。我才不會哭呢！」這可是一句實話。我，才不會像玉理那麼窩囊呢！偷偷兒在枕頭上哭。

一句話，我已經懂得，小說就是小說，不能當真事看。

第一部《土娃》正誤表㈠

頁	行	字	誤	正	頁	行	字	誤	正	附記
4	3	6	多	初	5	5	18	發	生	春風吹又生
24	7	21 23	（註七）	（×）	33	6		註十六	刪除	此註刪除
59	5	8	怎	恁	79	11	11	注意	注音	
86	11	12 13	「」與「」	「」「」	114	5	2 8	意	音	
159	11	17	聞	爲	164	7	4	楷	稭	
177	10	16	刀子，	刀子	202	9	19	撲	趴	
204	8	7	撲	趴	204	17	30	老鴉	老聒	
209	11	5	鴉	聒	210	9 10	10 11	鐶		211頁第三行第七字同正爲
217	12	14	使	便	219	倒1.2		鐶		共四字
249	10	30	他	地	266	3	2	40	4	
					280	注2	英文	LEBPING	SLEEPING	
281	注九	6	亭	莲	296	2	14	魏	魯	
335	注3行	2	續	讀	342	14	5	般	般	
352	3	8	擗	[illegible]	352	3	9	（註三）	（註二）	第五行，正爲

第一部《土娃》正誤表(二)

頁	行	字	誤	正	頁	行	字	誤	正	附記
352	13	15	亭	莛	356	15	15	(註五)	(註四)	
357	15	16	三六九	二五八	257	15	18	二五八	三六九	兩數字上下倒置
360	18	8	魯甸人	下加「的臉」	362	註二		亭	莛	
364	16	5	鞋	娃	369	15	16	武	娬	
374	2	10	園	團	377	11	23	車	草	
380	9	23	(誰…)	(ㄉㄧㄡ)	403	4	14	向	問	
405	11	25	椮	椮	408	18	11	缺(注五)	加(注五)	
418	16	6	上	下	431	5	4	髮	鬆	
440	18	15	「娘娘溝	「娘娘溝」	453	11	27 29	楷	稭	
476	1、2	2、4	搨	褟	453	17	7 8 9	民社黨	民盟	
485	7	14	木	不	481	7	25	牛	李	
537	16	30	缺	缺	492	9	25	(注四。)	(註四)。」	
					576	1	30	啄	諑	

第二部《金土》正誤表

頁	行	字	誤	正	頁	行	字	誤	正	附記
8	18	12	仍	們	17	7	21 22	臘蠋	蠟燭	
18	2	34	稔	捻	36	4	26	應	受	
46	14	10	捥	綰	69	15	24	話	畫	
83	16	16	可	回	86	11	26	當	等	
91	13	53	居	拘	115	1	17	戲	歲	
162	14	5	魯	盧	163	1	14	脆	跪	
166	9	19	就	正	204	10	27	或	戒	
186	1	22	磨	曆	283	18	35	本	木	
239	14	7	俱	個	374	11	13	既	及	
315	17	15	就	都	410	6	8	消	銷	
409	18	6	卻	腳	459	15	2	際	濟	
460	16	1	筒	銃	475	16	14	算	蒜	
486	14	10	有	磨						

第三部《梅蘭》正誤表

頁	行	字	誤	正	頁	行	字	誤	正	附記

國立圖書館出版品預行編目資料

在這個時代裡：梅蘭／魏子雲著.--初版.--
臺北市：臺灣學生，民85
面；公分
ISBN 957-15-0778-4(精裝)
ISBN 957-15-0779-2(平裝)

857.7　　85010180

梅蘭（全一冊）

著作者：魏子雲
出版者：臺灣學生書局
發行人：丁文治
發行所：台灣學生書局
臺北市和平東路一段一九八號
郵政劃撥帳號〇〇〇二四六六八號
電話：三六三四一五八
FAX：三六三六三三四

本書局登記證字號：行政院新聞局局版臺業字第一一〇〇號

印刷所：千仁彩色印刷有限公司
地址：台北市武成街一五號
電話：三〇三二八五一

定價　精裝新臺幣五〇〇元
　　　平裝新臺幣四二〇元

中華民國八十五年九月初版

85719

ISBN 957-15-0778-4 (精裝)
ISBN 957-15-0779-2 (平裝)